Raymond A. Serway

PHYSIQUE I

mécanique

4e édition

Traduction : Dominique Amrouni

Adaptation : Cynthia Lisée
Martin Périard

COLLECTION L'ESSENTIEL

Éditions Études Vivantes
Groupe Éducalivres inc.
955, rue Bergar, Laval (Québec) H7L 4Z6
Téléphone : (514) 334-8466
Télécopieur : (514) 334-8387

PHYSIQUE I

4e édition

mécanique

Raymond A. Serway

Traduction : Dominique Amrouni
Adaptation : Cynthia Lisée
Martin Périard

Chargée de projet : Julie Fortin
Révision linguistique : Nicole Labrecque, Francine Morel
Correction d'épreuves : Richard Lavallée
Production et conception graphique : Groupe Éducalivres inc.

ISBN 2-7607-0588-9

Dépôt légal : 1er trimestre 1996
Bibliothèque nationale du Québec, 1996
Bibliothèque nationale du Canada, 1996

Imprimé au Canada
1 2 3 4 II 99 98 97 96

Avant-propos

Physique I - Mécanique de Raymond A. Serway est un manuel d'introduction à la physique qui est largement utilisé dans le réseau collégial québécois, et ce, depuis de nombreuses années. Son approche claire, structurée, rigoureuse et logique compte parmi les nombreux facteurs qui ont fait de ce manuel l'ouvrage de qualité qu'on connaît.

Une nouvelle édition

Le milieu de l'enseignement collégial étant en constante évolution, les besoins des élèves et des enseignants changent. Au cours d'une large consultation, de nombreux enseignants nous ont fait part de la nécessité d'offrir aux élèves du matériel pédagogique qui soit adapté à leurs nouveaux besoins. Afin d'optimiser leur enseignement, ils recherchent:

- un livre qui offre une démarche pédagogique à la fois rigoureuse, claire et logique, facilitant les apprentissages tout en structurant mieux la pensée des élèves;
- un manuel qui permet aux élèves de lier les notions théoriques à des situations concrètes au moyen d'applications et à d'exemples stimulants;
- un manuel soucieux de donner une touche plus humaine à la physique en situant les grandes découvertes dans leur contexte historique et en présentant sous un éclairage différent les personnages qui ont marqué l'histoire de cette science;
- un manuel qui ouvre de nouvelles voies dans l'enseignement de la physique en amenant les élèves à réfléchir et à se situer face à certains aspects éthiques et face à des questions scientifiques encore irrésolues;
- un manuel qui offre des exercices et des problèmes nombreux, variés et gradués;
- un livre qui suscite l'intérêt de l'élève par sa présentation visuelle accrocheuse et dynamique.

Le livre *Physique I Mécanique*, 4e édition, a été remodelé pour répondre pleinement aux nouvelles attentes qui ont été exprimées. De plus, tout en conservant ses qualités originales, il s'inscrit dorénavant dans la collection « L'essentiel », série d'ouvrages en couleurs et offrant une excellente qualité pédagogique. Dans l'optique de cette collection, la qualité est privilégiée à la quantité.

Les caractéristiques de l'ouvrage

Dans un souci de répondre aux besoins des enseignants et des élèves et dans le désir de mieux soutenir les apprentissages, la 4e édition de *Physique I - Mécanique* offre des caractéristiques pédagogiques éprouvées, mais propose également des outils pédagogiques novateurs.

Un style clair et rigoureux

Le manuel adopte un style rigoureux, clair, logique et concis. Ce style permet à l'élève de mieux structurer sa pensée, facilitant ainsi ses apprentissages. De plus, le ton vivant et détendu adopté tout au long de l'ouvrage rend la lecture agréable et très accessible.

L'introduction

La plupart des chapitres s'ouvrent sur un bref résumé des objectifs et du contenu du chapitre. Ce texte permet à l'élève de mieux situer les sujets traités dans le chapitre par rapport à l'ensemble du cours et aux objectifs visés.

Le niveau mathématique

Les notions d'algèbre sont introduites à mesure qu'elles sont nécessaires. La plupart des étapes du calcul sont indiquées dans la résolution des équations de base.

Les exemples résolus

Dans chaque chapitre, le texte est ponctué de plusieurs exemples résolus de difficultés variables. Ces exemples favorisent l'assimilation des concepts et servent de modèles pour la résolution des problèmes proposés à la fin du chapitre.

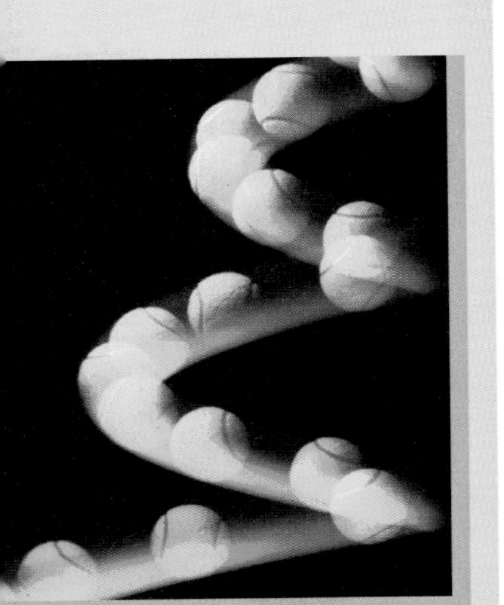

Les exercices accompagnant les exemples résolus

De nombreux exemples sont immédiatement suivis d'exercices avec réponses. Ces exercices permettent aux élèves de vérifier immédiatement s'ils ont bien saisi la notion et s'ils peuvent en faire une application pratique. Les problèmes se trouvant à la fin des chapitres devraient paraître moins difficiles aux élèves qui ont l'habitude de faire ces exercices.

Les énoncés importants et les formules

Pour faciliter la révision, la plupart des définitions et des énoncés importants paraissent en caractères bleus afin d'en faciliter le repérage. Dans le même esprit, les formules et les équations importantes sont imprimées sur fond jaune.

Les illustrations

De nombreux documents visuels de qualité soutiennent la présentation des concepts ou accompagnent les exemples, les questions et les exercices. L'utilisation pédagogique et rigoureuse de la couleur ajoute à la clarté des figures et facilite la compréhension des notions étudiées. De plus, les photographies ont été soigneusement sélectionnées et leurs légendes ont généralement une fonction pédagogique pertinente.

L'utilisation pédagogique de la couleur

Afin d'utiliser la couleur de façon pédagogique et cohérente, un code précis a été établi. Le tableau suivant illustre les codes utilisés dans le manuel.

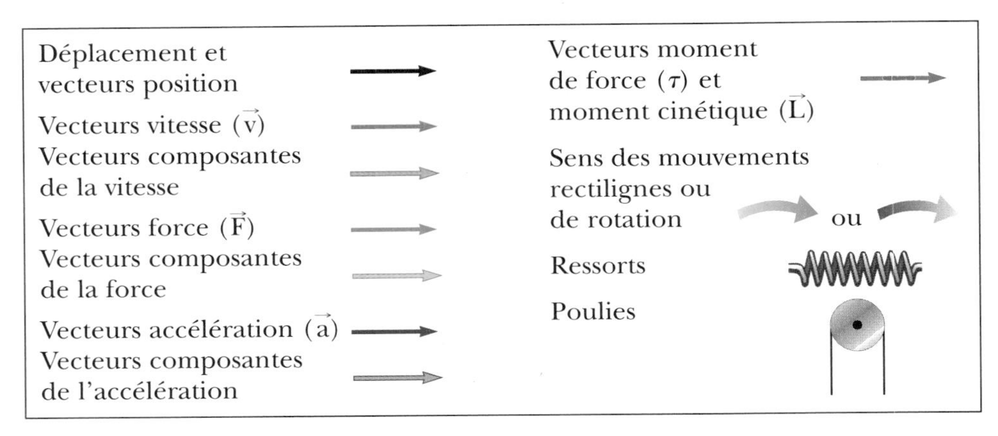

Déplacement et vecteurs position	Vecteurs moment de force (τ) et moment cinétique ($\vec{L}$)
Vecteurs vitesse ($\vec{v}$)	Sens des mouvements rectilignes ou de rotation … ou
Vecteurs composantes de la vitesse	Ressorts
Vecteurs force ($\vec{F}$)	Poulies
Vecteurs composantes de la force	
Vecteurs accélération ($\vec{a}$)	
Vecteurs composantes de l'accélération	

Les questions et les exercices conceptuels

Une série de questions et d'exercices paraît à la fin de chaque chapitre. Les questions, qui peuvent être répondues oralement, sont de type formatif et permettent à l'élève de vérifier lui-même s'il a compris les notions présentées dans le chapitre. Certaines questions peuvent même servir de point de départ à une discussion en classe. De plus, les exercices ont été conçus de façon à permettre à l'élève de vérifier son habileté à effectuer des calculs d'ordre de grandeur et à appliquer les notions apprises à des situations réelles sans effectuer de calculs détaillés. Ces exercices sont identifiés par une numérotation en bleu.

Les problèmes de fin de chapitre

De nombreux problèmes sont inclus à la fin de chaque chapitre. Toutes les réponses à ces problèmes sont données à la fin de l'ouvrage. Ces réponses sont facilement repérables, la tranche de cette section étant en couleur. Environ deux tiers des problèmes présentés portent sur des sections précises du chapitre. Quant aux problèmes supplémentaires, ils touchent l'ensemble des sections du chapitre. Les problèmes ont été soigneusement gradués. Ils sont d'ailleurs identifiés par un code de couleurs : les plus simples sont numérotés en noir, les problèmes intermédiaires sont numérotés en bleu et les plus difficiles sont numérotés en rouge.

Les notes en marge

Les remarques et références aux descriptions des équations sont présentées dans les marges et permettent ainsi de repérer facilement les énoncés importants, les concepts et les équations.

Les stratégies de résolution de problèmes

Chaque chapitre offre une section intitulée « Stratégies de résolution de problèmes ». Elle permet aux élèves de reconnaître les étapes importantes de la résolution de problèmes et de comprendre le raisonnement servant à résoudre certains types de problèmes particuliers. Ces différentes sections proposent des sujets se rapportant aux notions spécifiques qui sont vues dans le chapitre où elles se trouvent.

Les encadrés « Application »

Chaque chapitre contient un encadré « Application » qui permet à l'élève une meilleure intégration des notions théoriques, en rattachant celles-ci à des situations concrètes. On y trouvera des applications précises et passionnantes des thèmes et concepts étudiés, tels que les liens entre l'infographie, les vecteurs et la physique, les causes de la disparition des dinosaures, l'énergie en tant que moteur de la vie, pour n'en nommer que quelques-unes.

Les encadrés « Historique »

Des encadrés « Historique » sont offerts dans chacun des chapitres. Ils présentent les enjeux qui furent rencontrés au cours de l'histoire de la physique. Tout en donnant une touche plus humaine à l'évolution de cette science, ces encadrés font découvrir aux élèves, par exemple, diverses facettes des personnages qui marquèrent son histoire, les difficultés éprouvées par ces gens ou encore la continuité existant entre les travaux de divers chercheurs. On y trouve des sujets, tels que Galilée considéré comme un prisonnier d'opinion, le fil conducteur reliant Aristote, Galilée, Newton et Einstein dans l'étude des lois du mouvement, Robert Hooke comme étant un « mal-aimé » de ses contemporains, et d'autres encore.

Les encadrés « Pistes de réflexion »

Les encadrés « Pistes de réflexion » ouvrent la voie à de nouvelles perspectives dans l'enseignement de la physique. En effet, cette rubrique permet aux élèves de développer une attitude critique et de prendre position face à certaines questions d'éthique en science ou encore face à des questions scientifiques demeurées sans réponses à l'heure actuelle. Ces pistes de réflexion peuvent même servir de point de départ à des débats forts intéressants en classe. On y questionne les élèves sur la nature du temps, sur l'origine de l'esprit créatif de Newton, sur l'objectivité des scientifiques, sur l'origine de l'univers ou bien sur la notion de bien et de mal dans la quête des nouvelles sources d'énergie.

Les lectures suggérées

Des lectures suggérées sont insérées dans les encadrés « Application », « Historique » et « Pistes de réflexion ». Tout en offrant un portrait efficace et complet des phénomènes en question, ces encadrés permettent aux élèves d'aller plus loin s'ils le désirent. En effet, ceux-ci sont tout de suite dirigés vers des lectures complémentaires portant directement sur le sujet qui les intéresse.

Les résumés

Chaque chapitre contient un résumé récapitulant les notions et équations importantes qui y ont été vues. Les mots clés sont imprimés en bleu, facilitant ainsi leur repérage.

L'annexe

À la fin de l'ouvrage se trouve une annexe comportant plusieurs tableaux de références pouvant s'avérer très utiles. Ils contiennent des informations, telles que les facteurs de conversion, les unités fondamentales en SI, l'alphabet grec ou encore des données d'usage fréquent.

L'Éditeur

Remerciements

Cet ouvrage n'aurait pu voir le jour sans le concours de nombreux collaborateurs. L'équipe d'adaptation tient donc à remercier les personnes suivantes pour leurs précieux commentaires qui ont permis d'apporter des améliorations sensibles à cette adaptation.

Merci à :

M. Henri Bensimon, professeur au Collège Édouard-Montpetit;
M. Camille Boisvert, professeur au Cégep de Maisonneuve;
M. Pierre Charbonneau, professeur au Collège de Bois-de-Boulogne;
M. André Légaré, professeur au Cégep de Sainte-Foy;
M. Ronald Redmond, professeur au Collège de l'Assomption;
M. Youssef Salib, professeur au Cégep de la région de l'Amiante;
Mme Marlène Tousignant, professeure au Cégep François-Xavier-Garneau.

L'équipe d'adaptation tient également à remercier Mme Nathalie Forget, Mme Marie-Claude Mayer-Périard, M. Alain Savary du Collège de Bois-de-Boulogne, et enfin Mme Murielle Belley, Mme Martine Bouthiller et Mme Julie Fortin des Éditions Études Vivantes pour leurs contributions diverses. Finalement, ils tiennent à remercier tous leurs collègues pour les nombreuses conversations enrichissantes qui leur ont permis de faire progresser le projet.

L'équipe d'adaptation

Table des matières

1-800-
GO BUNGEE!

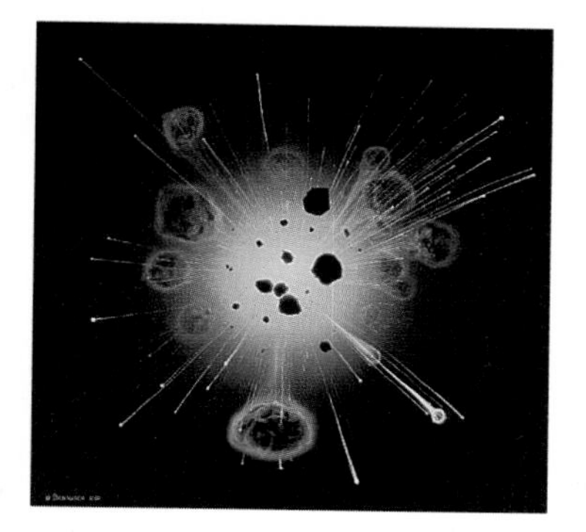

(Y. Beaulieu/Publiphoto)

Qu'est-ce que la physique ?

La physique est une science fondamentale qui étudie les phénomènes naturels et sur laquelle s'appuient les autres sciences physiques que sont l'astronomie, la chimie et la géologie. L'élégance de la physique réside dans la simplicité de ses théories fondamentales et dans la manière avec laquelle un nombre restreint de notions de base, d'équations et d'hypothèses peuvent modifier et étendre notre conception du monde qui nous entoure.

Les multiples phénomènes physiques de notre univers se répartissent en cinq grandes disciplines :

1. la mécanique classique, qui étudie le mouvement des objets se déplaçant à des vitesses faibles par rapport à la vitesse de la lumière ;
2. la relativité, qui décrit le mouvement de particules animées de vitesse quelconque, et même des particules dont les vitesses sont voisines de la vitesse de la lumière ;
3. la thermodynamique, qui porte sur la chaleur, la température et le comportement des ensembles constitués d'un grand nombre de particules ;
4. l'électromagnétisme, qui regroupe l'électricité, le magnétisme et les champs électromagnétiques ;
5. la mécanique quantique, qui décrit le comportement des particules submiscroscopiques et celui du du monde macroscopique.

Lorsqu'on observe un désaccord entre la théorie et la pratique expérimentale dans l'un ou l'autre de ces domaines, on doit formuler de nouvelles théories et mettre au point de nouvelles expériences pour tenter d'éliminer ce désaccord. De nombreuses théories ne sont valables que dans des conditions restreintes, alors que des théories plus générales peuvent être valables sans de telles restrictions. Par exemple, les lois du mouvement de Newton décrivent avec précision les mouvements de vitesses relativement faibles mais ne s'appliquent pas aux objets qui se déplacent à des vitesses comparables à celle de la lumière. Par contre, la théorie de la relativité restreinte élaborée par Albert Einstein (1879-1955) réussit à prédire le mouvement d'objets animés de vitesses proches de celle de la lumière et constitue donc une théorie plus générale du mouvement.

La physique classique, qui regroupe les théories, les concepts, les lois et les expériences élaborées avant 1900, comprend la mécanique classique, la thermodynamique et l'électromagnétisme.

Galilée (1564-1642) a fait une importante contribution à la mécanique classique avec ses travaux sur les lois du mouvement à accélération constante. À la même époque, Johannes Kepler (1571-1630) établit, à partir d'observations astronomiques, les lois empiriques du mouvement des corps célestes.

Mais c'est Isaac Newton (1642-1727) qui contribua le plus à la mécanique classique, dont il fit une théorie systématique. Il fut parmi les auteurs du calcul différentiel et intégral utilisé comme outil mathématique. D'autres progrès considérables ont été réalisés en physique classique au cours du 18e siècle, mais la thermodynamique, l'électricité et le magnétisme ne sont apparus que vers la fin du 19e siècle, en grande partie parce que les appareils de mesure dont on disposait pour les expériences étaient trop rudimentaires ou inexistants. Bien que plusieurs phénomènes électriques et magnétiques aient déjà été étudiés à l'époque, les travaux de James Clerk Maxwell (1831-1879) furent les premiers à offrir une théorie unifiée de l'électromagnétisme. Dans les divers tomes de cet ouvrage, nous allons traiter les diverses disciplines de la physique classique dans des sections séparées; nous verrons toutefois que la mécanique et l'électromagnétisme sont des disciplines fondamentales pour toutes les branches de la physique classique et de la physique moderne.

Vers la fin du 19e siècle est apparue la *physique moderne*. Elle a vu le jour principalement avec la découverte de nombreux phénomènes physiques que la physique classique ne permettait pas d'expliquer. Les deux développements les plus importants de la physique contemporaine sont la théorie de la relativité et la mécanique quantique. La théorie de la relativité d'Einstein a bouleversé les notions traditionnelles d'espace, de temps et d'énergie. Entre autres, cette théorie a corrigé les lois du mouvement de Newton en décrivant le mouvement d'objets animés de vitesses comparables à celle de la lumière. La théorie de la relativité prend pour hypothèse que la vitesse de la lumière est la vitesse maximale d'un objet ou d'un signal et montre qu'il existe une relation entre la masse et l'énergie. La mécanique quantique qui a été formulée par plusieurs scientifiques de renom nous donne une description des phénomènes physiques à l'échelle atomique.

Les scientifiques cherchent continuellement à améliorer nos connaissances des lois fondamentales et font chaque jour de nouvelles découvertes. Il arrive souvent que les travaux de recherche effectués dans des domaines différents se chevauchent et concernent à la fois la physique, la chimie et la biologie. Les nombreux progrès technologiques réalisés ces derniers temps sont le fruit des efforts de nombreux scientifiques, ingénieurs et techniciens. Parmi les progrès récents les plus remarquables, citons les missions spatiales non habitées et les atterrissages lunaires avec pilote, les microcircuits et les ordinateurs ultra-puissants et les techniques d'imagerie scientifique et médicale. Ces développements et découvertes ont eu des répercussions importantes sur notre société et il est très probable que les découvertes et développements futurs seront pour l'humanité une source d'enjeux et de bienfaits.

Figure 1.1
Cet ensemble de panneaux indicateurs a été photographié à Nome, en Alaska. Chaque panneau indique la position d'un endroit donné par rapport à Nome grâce à une flèche qui signale la direction et grâce à la mention de la distance d'un endroit à l'autre. En négligeant le caractère courbe de la surface de la Terre, ces panneaux représentent un exemple de quantité vectorielle comparable à celles que nous allons étudier dans ce chapitre. *(David Bartuff, FPG International)*

Introduction et vecteurs

CHAPITRE 1

Les démarches analytiques utilisées en physique nous obligent à exprimer les lois scientifiques en langage mathématique, permettant ainsi le lien entre la théorie et l'expérience. Dans ce chapitre, nous examinerons quelques notions et techniques mathématiques qui seront utilisées dans l'ensemble de l'ouvrage ainsi que quelques conventions scientifiques.

Comme les chapitres ultérieurs portent sur les lois de la physique, il est nécessaire de définir clairement les quantités physiques qui interviennent dans ces lois, c'est-à-dire les entités théoriques que les scientifiques ont choisi de considérer lorsqu'ils ont inventé leurs théories. À la base des théories physiques, trois quantités physiques sont jugées fondamentales pour appréhender l'univers : la **longueur** (L), la **masse** (M) et le **temps** (T). À partir de ces quantités physiques, on peut exprimer d'autres quantités comme la force, la vitesse, le volume et l'accélération. En mécanique, nous n'utiliserons que les unités se rapportant aux concepts fondamentaux de longueur, de masse et de temps.

Il existe des quantités physiques qu'on ne peut déterminer complètement avec seulement une valeur numérique. Elles ont des propriétés à la fois numériques et directionnelles, comme la force, la vitesse et l'accélération et sont représentées par des vecteurs. Une grande partie de ce chapitre porte sur l'algèbre vectorielle et sur les propriétés générales des vecteurs. Nous étudierons l'addition et la soustraction des vecteurs pour certaines applications courantes en physique. Puisque nous utiliserons les vecteurs tout au long de cet ouvrage, il faut en maîtriser les propriétés graphiques et algébriques.

1.1 Unités de longueur, de masse et de temps

Pour communiquer à quelqu'un les résultats d'une mesure qu'il désire reproduire, nous devons définir une unité pour la quantité mesurée. Par exemple, si un visiteur extraterrestre nous parle d'un objet d'une longueur de 8 « glitches », nous ne le comprendrons pas à moins d'avoir défini au préalable ce que représente l'unité « glitche ». D'autre part, si quelqu'un qui connaît bien notre système de poids et mesures indique qu'un mur mesure 2 mètres de haut, notre unité de longueur étant le mètre, nous savons alors que la hauteur du mur vaut 2 fois notre unité fondamentale de longueur. De même, si on nous dit qu'une personne a une masse de 75 kilogrammes, notre unité de masse étant 1 kilogramme, la masse de cette personne équivaut donc à 75 fois notre unité fondamentale de masse. En 1960, un comité international a convenu d'un système de définitions et de normes pour décrire les quantités physiques fondamentales. C'est le **Système international d'unités** (SI). Dans ce système, les unités de longueur, de masse et de temps sont respectivement le mètre, le kilogramme et la seconde.

Longueur

En l'an 1120, le roi d'Angleterre décréta que l'étalon de longueur dans son pays serait la verge, et qu'elle serait précisément égale à la distance entre le bout de son nez et l'extrémité de son bras tendu. De même, le premier étalon adopté par les Français pour le pied était la longueur du pied du roi Louis XIV. Cet étalon fut utilisé jusqu'en 1799, période à laquelle l'étalon légal de longueur en France devint le mètre, défini comme une petite portion du méridien terrestre.

De nombreux autres systèmes ont été élaborés en plus de ceux-ci, mais, à cause des avantages qu'il présente, le système français a été adopté dans la plupart des pays et dans les milieux scientifiques. Jusqu'en 1960, le mètre était défini comme la distance entre deux repères sur une tige de platine iridié conservée dans des conditions spéciales. Cet étalon fut principalement abandonné parce que la précision limitée avec laquelle on peut déterminer la distance séparant les repères ne répond plus aux exigences actuelles de la science et de la technologie. Le mètre fut alors redéfini comme étant égal à 1 650 763,73 longueurs d'onde de la radiation orange-rouge émise par le krypton 86. Mais en octobre 1983, le **mètre** fut à nouveau redéfini comme étant la *distance parcourue par la lumière dans le vide en 1/299 792 458 de seconde.* Cette dernière définition implique que la vitesse de la lumière dans le vide est égale à 299 792 458 mètres par seconde.

Masse

L'unité SI de masse, le **kilogramme**, est définie comme la *masse du cylindre de platine iridié déposé au Bureau international des poids et mesures, à Sèvres, en France.* Signalons qu'il ne faut pas confondre les quantités physiques appelées poids et masse. Leur distinction sera clairement établie dans les chapitres ultérieurs.

Figure 1.2
Le kilogramme étalon canadien, conservé au Conseil national de recherches du Canada, est une copie conforme du kilogramme étalon international conservé à Sèvres, en France. *(Conseil national de recherches du Canada)*

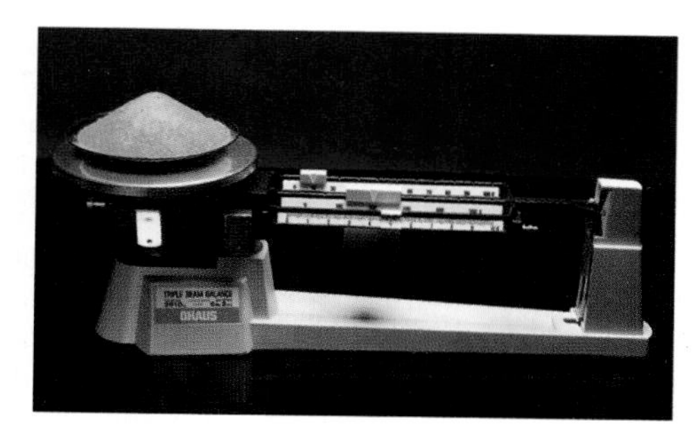

Figure 1.3
Une balance à triple fléau est utilisée pour mesurer les masses avec précision. Ce système à l'équilibre contient 215 grammes de ferrocyanure de potassium. *(Michael Dalton, Fundamental Photographs)*

Temps

Avant 1960, l'étalon de temps était défini en fonction de la durée moyenne d'un jour solaire de l'année 1900. (Un jour solaire correspond à l'intervalle de temps entre deux passages successifs du Soleil au point le plus haut dans le ciel qu'il atteint chaque jour.) L'unité fondamentale de temps, la seconde, fut donc d'abord définie comme étant égale à (1/60)(1/60)(1/24) = 1/86 400 du jour solaire moyen puisqu'il y a 60 s dans 1 min, 60 min dans 1 h et 24 h dans 1 d. En 1967, la seconde fut redéfinie, en raison de la grande précision de l'horloge atomique qui utilise la fréquence caractéristique de l'atome de césium 133 (voir figure 1.4). La **seconde** est maintenant définie comme *9 192 631 770 fois la durée d'une oscillation de l'atome de césium.*

Valeurs approximatives de quelques longueurs, masses et intervalles de temps

Les valeurs approximatives de diverses longueurs, masses et intervalles de temps sont présentées aux tableaux 1.1, 1.2 et 1.3 respectivement, page 4. Vous remarquerez la grande diversité des ordres de grandeur de ces quantités[1]. Examinez les tableaux en essayant d'imaginer ce que signifie une masse de 100 kilogrammes, par exemple, ou un intervalle de $3{,}2 \times 10^7$ secondes.

[1] Si vous n'avez pas l'habitude d'utiliser les puissances de 10 (notation scientifique), consultez le tableau 12 de l'annexe.

Figure 1.4
L'étalon de fréquence primaire (ou horloge atomique au césium) du Conseil national de recherches du Canada. Ce mécanisme donne l'heure avec une précision voisine de 3 millionnièmes de seconde par an. *(Conseil national de recherches du Canada)*

Tableau 1.1
Valeurs approximatives de quelques longueurs mesurées

	Longueur (m)
Distance de la Terre au quasar connu le plus éloigné	$1,4 \times 10^{26}$
Distance de la Terre aux galaxies normales connues les plus éloignées	4×10^{25}
Distance de la Terre à la grande galaxie la plus proche (M 31 d'Andromède)	2×10^{22}
Distance du Soleil à l'étoile la plus proche (Alpha du Centaure)	4×10^{16}
Une année-lumière	$9,46 \times 10^{15}$
Rayon moyen de l'orbite de la Terre	$1,5 \times 10^{11}$
Distance moyenne de la Terre à la Lune	$3,8 \times 10^{8}$
Distance de l'équateur au pôle Nord	1×10^{7}
Rayon moyen de la Terre	$6,4 \times 10^{6}$
Altitude caractéristique d'un satellite en orbite autour de la Terre	2×10^{5}
Longueur d'une patinoire de hockey	6×10^{1}
Longueur d'une mouche commune	5×10^{-3}
Grosseur des plus petites particules de poussière	1×10^{-4}
Grosseur des cellules de la plupart des organismes vivants	1×10^{-5}
Diamètre d'un atome d'hydrogène	1×10^{-10}
Diamètre d'un noyau d'uranium	$1,4 \times 10^{-14}$
Diamètre d'un proton	$1,2 \times 10^{-15}$

Tableau 1.2
Masses de divers corps (valeurs approximatives)

	Masse (kg)
Univers	10^{52}
Voie lactée	10^{42}
Soleil	2×10^{30}
Terre	6×10^{24}
Lune	7×10^{22}
Requin	3×10^{2}
Être humain	7×10^{1}
Grenouille	1×10^{-1}
Moustique	1×10^{-5}
Bactérie	1×10^{-15}
Atome d'hydrogène	$1,67 \times 10^{-27}$
Électron	$9,11 \times 10^{-31}$

Tableau 1.3
Valeurs approximatives de quelques intervalles de temps

	Intervalle (s)
Âge de l'Univers	5×10^{17}
Âge de la Terre	$1,3 \times 10^{17}$
Temps écoulé depuis la chute de l'Empire romain	5×10^{12}
Âge moyen d'un étudiant au collège	$5,7 \times 10^{8}$
Une année	$3,2 \times 10^{7}$
Une journée (durée d'une rotation de la Terre sur son axe)	$8,6 \times 10^{4}$
Temps entre deux battements de cœur normaux	8×10^{-1}
Période[2] d'ondes sonores audibles	1×10^{-3}
Période d'ondes radio caractéristiques	1×10^{-6}
Période de vibration d'un atome dans un solide	1×10^{-13}
Période d'ondes lumineuses visibles	2×10^{-15}
Durée d'une collision nucléaire	1×10^{-22}
Temps mis par la lumière pour traverser un proton	$3,3 \times 10^{-24}$

[2] Une période est définie comme l'intervalle de temps nécessaire pour effectuer une vibration complète.

Tableau 1.4
Quelques préfixes correspondant aux puissances de dix

Puissance	Préfixe	Symbole
10^{-18}	atto	a
10^{-15}	femto	f
10^{-12}	pico	p
10^{-9}	nano	n
10^{-6}	micro	μ
10^{-3}	milli	m
10^{-2}	centi	c
10^{-1}	déci	d
10^{3}	kilo	k
10^{6}	méga	M
10^{9}	giga	G
10^{12}	téra	T
10^{15}	péta	P
10^{18}	exa	E

Les systèmes d'unités couramment utilisés sont le SI, dans lequel les unités de longueur, de masse et de temps sont respectivement le mètre (m), le kilogramme (kg) et la seconde (s) ; le système cgs ou système de Gauss, dans lequel les unités de longueur, de masse et de temps sont respectivement le centimètre (cm), le gramme (g) et la seconde (s) ; et enfin le système britannique (parfois appelé système conventionnel) dans lequel les unités de longueur, de masse et de temps sont respectivement le pied (pi), la slug et la seconde. Dans ce texte, nous utiliserons généralement les unités SI, parce qu'elles sont universellement acceptées en sciences et dans l'industrie.

Les préfixes les plus souvent employés pour désigner les puissances de 10 et leurs abréviations sont énumérés au tableau 1.4. Par exemple, 10^{-3} m équivaut à un millimètre (mm) et 10^3 m correspond à un kilomètre (km). De même, 1 kg vaut 10^3 g et un mégavolt (MV) équivaut à 10^6 volts.

1.2 Analyse dimensionnelle

En physique, le mot *dimension* a une signification particulière. Il désigne habituellement la nature d'une quantité physique. Qu'une distance soit mesurée en pieds, en mètres ou en furlongs, il s'agit dans tous les cas d'une distance. On dit qu'elle a la dimension d'une *longueur*.

Les symboles servant à représenter la longueur, la masse et le temps sont L, M et T. On emploie souvent des crochets [ ] pour désigner les dimensions d'une quantité physique. Par exemple, les dimensions d'une vitesse, v, s'écrivent $[v] = \mathrm{L/T}$ et les dimensions d'une aire, A, s'écrivent $[A] = \mathrm{L}^2$. Les dimensions d'aire, de volume, de vitesse et d'accélération sont indiquées au tableau 1.5 avec leurs unités dans deux systèmes d'unités courants.

Vous serez fréquemment amené à établir ou à vérifier une formule donnée. Même si vous avez oublié les détails du calcul pour parvenir à la formule, il existe un procédé utile appelé *analyse dimensionnelle* qui consiste à vérifier l'homogénéité, l'uniformité d'une formule. On s'assure que tous les termes de l'équation ont les mêmes dimensions. Ce procédé peut vous aider à trouver une formule, une relation entre diverses quantités physiques ou à vérifier votre équation finale. Il est toujours bon de vérifier l'homogénéité dimensionnelle des relations obtenues et ce procédé peut aussi vous aider à minimiser le nombre d'équations à mémoriser.

L'analyse dimensionnelle s'appuie sur le fait que les *dimensions peuvent être traitées comme des grandeurs algébriques*. Autrement dit, on ne peut ajouter ou soustraire des quantités entre elles que si elles ont les mêmes dimensions. De plus, les deux membres d'une équation doivent avoir les mêmes dimensions. En suivant ces règles simples, vous pouvez utiliser l'analyse dimensionnelle pour vérifier si une expression est correcte, c'est-à-dire si les deux membres de l'équation ont des dimensions identiques.

Pour illustrer cette méthode, supposons que vous vouliez établir une formule donnant la distance x parcourue par une automobile en un temps t, l'automobile partant du repos et roulant à accélération constante a. Nous verrons au chapitre 2 que l'expression correcte dans ce cas particulier est $x = \frac{1}{2}at^2$. Vérifions la validité de cette expression par l'analyse dimensionnelle.

La quantité x, figurant dans le membre de gauche, a la dimension d'une longueur. Pour que l'équation soit homogène en dimensions, le membre de droite de l'équation doit avoir lui aussi la dimension d'une longueur. On peut vérifier cela en remplaçant l'accélération et le temps qui figurent dans l'équation par leurs dimensions fondamentales, $\mathrm{L/T^2}$ et T. L'équation $x = \frac{1}{2}at^2$ s'écrit alors sous la forme dimensionnelle suivante :

$$\mathrm{L} = \frac{\mathrm{L}}{\cancel{\mathrm{T}^2}} \cdot \cancel{\mathrm{T}^2} = \mathrm{L}$$

On voit qu'on peut simplifier les dimensions de temps, et qu'on obtient la dimension d'une longueur.

Tableau 1.5
Dimensions d'aire, de volume, de vitesse et d'accélération

Système	Aire (L^2)	Volume (L^3)	Vitesse (L/T)	Accélération ($\mathrm{L/T^2}$)
SI	m^2	m^3	m/s	$\mathrm{m/s^2}$
cgs	cm^2	cm^3	cm/s	$\mathrm{cm/s^2}$

Exemple 1.1 Analyse d'une équation

Montrez que l'expression $v = v_0 + at$ est homogène en dimensions, v et v_0 représentant des vitesses, a une accélération et t un intervalle de temps.

Solution Puisque

$$[v] = [v_0] = \frac{L}{T}$$

et que les dimensions de l'accélération sont L/T^2, les dimensions de at sont:

$$[at] = \frac{L}{T^{\not 2}} \cdot \not T = \frac{L}{T}$$

et l'expression est homogène en dimensions.

1.3 Conversion des unités à l'intérieur du SI

En physique, on travaille avec des équations qui exigent que les valeurs numériques qui y sont introduites aient des unités spécifiques du SI. Par exemple, la masse doit, dans certains cas, être absolument en kilogramme. Si on ne la connaît qu'en microgramme, il faut alors convertir les microgrammes en kilogrammes. Comme autre exemple, des équations peuvent nécessiter que la vitesse soit en m/s et non en km/h. Ou encore, comme il y a plusieurs variables et plusieurs constantes dans une équation, on doit s'assurer que les unités de chaque valeur numérique qu'on substitue à la place de chaque symbole permettent d'arriver à une réponse juste.

Conversion d'unités à une dimension

Supposons qu'on veuille convertir 300 km en mètres. La chose est aisée, car on sait que le préfixe kilo (voir tableau 1.4, page 4) implique que $300\ \text{km} = 300 \times 10^3\ \text{m}$ et la conversion que nous désirions faire est alors complétée.

Supposons maintenant qu'on veuille convertir 1 ng en mg. Cette conversion est moins évidente, car nous ne savons pas de prime abord combien 1 ng vaut de mg. Plutôt que de procéder par tâtonnements, voici la démarche proposée.

Il suffit d'écrire une équation à une inconnue où l'inconnue est le facteur de conversion entre les deux unités. Ainsi, dans le problème posé plus haut, l'équation mathématique traduisant ce que nous cherchons est $1\ \text{ng} = x\ \text{mg}$. À l'aide du tableau 1.4, cette équation s'écrit $10^{-9}\ \text{g} = x \cdot 10^{-3}\ \text{g}$. Il ne reste plus alors qu'à isoler le facteur de conversion x, ce qui donne $x = 10^{-9}/10^{-3} = 10^{-6}$. La conversion désirée est complétée, nous avons trouvé que 1 ng vaut 10^{-6} mg.

Conversion d'unités à deux dimensions

Ce genre de conversion s'applique lorsqu'on travaille avec des unités au carré, comme dans le cas d'une surface. Par exemple, on peut avoir besoin de convertir des millimètres carrés (mm^2) en mètres carrés (m^2). Pour cela, il faut tout d'abord trouver l'équivalence entre 1 mm et 1 m. Ici, on sait que $1\ \text{mm} = 10^{-3}\ \text{m}$. Ensuite, on élève cette équivalence au carré :

$$(1\ \text{mm})^2 = (10^{-3}\ \text{m})^2$$

$$(1)^2\ (\text{mm})^2 = (10^{-3})^2\ (\text{m})^2$$

$$1\ \text{mm}^2 = 10^{-6}\ \text{m}^2$$

La conversion est alors complétée.

Conversion d'unités à trois dimensions

Ce genre de conversion s'applique lorsqu'on travaille avec des unités au cube, comme dans le cas d'un volume. La démarche est identique à celle utilisée pour la conversion d'unités à deux dimensions sauf qu'ici, il faut élever au cube plutôt qu'au carré.

Exemple 1.2 **Densité d'un cube**

Cet exemple utilise la théorie de cette section pour effectuer une conversion d'unités composées.

Un cube plein a une densité ρ de 5,60 g/cm^3. Déterminez la densité de ce cube en unités SI (kg/m^3).

Solution Puisque 1 g = 10^{-3} kg, on peut écrire que :

$$\rho = \frac{5{,}60 \text{ g}}{\text{cm}^3} = \frac{5{,}60 \times 10^{-3} \text{ kg}}{\text{cm}^3}$$

Il faut maintenant convertir les cm^3 en m^3. On a :

$$1 \text{ cm} = 10^{-2} \text{ m}$$

alors

$$(1 \text{ cm})^3 = (10^{-2} \text{ m})^3$$

$$1 \text{ cm}^3 = 10^{-6} \text{ m}^3$$

En tenant compte de cette conversion, la densité devient :

$$\rho = \frac{(5{,}60 \times 10^{-3} \text{ kg})}{(10^{-6} \text{ m}^3)} = 5{,}60 \times 10^3 \text{ kg/m}^3$$

1.4 Chiffres significatifs

Lorsqu'on mesure une quantité, la précision de la mesure peut varier. Autrement dit, la mesure de la valeur réelle comporte toujours une incertitude à cause du contexte expérimental. L'incertitude peut dépendre de divers facteurs comme la précision des instruments de mesure, l'habileté de l'observateur et le nombre de mesures qu'il effectue.

Supposons qu'au cours d'une expérience de laboratoire, on nous demande de mesurer l'aire d'une plaque rectangulaire à l'aide d'un mètre à mesurer. Nous supposons que la précision avec laquelle on peut mesurer une dimension donnée de la plaque est de ± 0,1 cm. Si on mesure 16,3 cm pour la longueur de la plaque, on peut seulement affirmer que sa longueur est comprise entre 16,2 cm et 16,4 cm. Dans ce cas, on dit que la valeur mesurée a trois chiffres significatifs. De même, si on mesure 4,5 cm pour la largeur de la plaque, on en déduit que la valeur réelle est comprise entre 4,4 cm et 4,6 cm. Cette valeur mesurée n'a que deux chiffres significatifs. Notez que le premier chiffre estimé est compris dans les chiffres significatifs. On peut donc écrire les valeurs mesurées sous la forme 16,3 ± 0,1 cm et 4,5 ± 0,1 cm.

Supposons maintenant que nous voulions déterminer l'aire de la plaque en multipliant ensemble les deux valeurs mesurées. Nous ne pouvons pas dire que l'aire est égale à (16,3)(4,5) cm^2 = 73,35 cm^2, car ce résultat contient quatre chiffres significatifs, c'est-à-dire plus que n'en a chacune des longueurs mesurées. On peut utiliser la règle suivante pour déterminer le nombre de chiffres significatifs que doit comporter le résultat : **Lorsqu'on multiplie plusieurs valeurs, le nombre de chiffres significatifs dans le résultat final est le même que le nombre de chiffres significatifs de la valeur la *moins* précise des valeurs à multiplier. Par**

« moins précise », on entend ici « ayant le moins de chiffres significatifs ». La même règle est valable pour la division.

En appliquant cette règle à l'exemple précédent, on voit que le résultat obtenu pour l'aire ne peut avoir que deux chiffres significatifs, puisque la largeur de 4,5 cm n'en a que deux. On peut donc seulement affirmer que l'aire est de 73 cm^2, tout en sachant que sa valeur peut se situer entre (16,2 cm) (4,4 cm) = 71 cm^2 et (16,4 cm) (4,6 cm) = 75 cm^2.

La présence de zéros dans un résultat peut être mal interprétée. Par exemple, supposons que la masse mesurée d'un objet soit de 1 500 g. Cette valeur est ambiguë parce qu'on ne sait pas si les deux derniers zéros servent à placer la virgule décimale ou s'ils représentent des chiffres significatifs dans la valeur mesurée. Pour lever cette ambiguïté, on utilise couramment la notation scientifique qui permet d'indiquer le nombre de chiffres significatifs. Dans ce cas, nous dirons que la masse est égale à $1{,}5 \times 10^3$ g s'il y a deux chiffres significatifs dans la valeur mesurée, et à $1{,}50 \times 10^3$ g s'il y a trois chiffres significatifs. De même, le nombre 0,000 15 par exemple doit s'écrire $1{,}5 \times 10^{-4}$ en notation scientifique s'il comprend deux chiffres significatifs et $1{,}50 \times 10^{-4}$ s'il en comprend trois. Les trois zéros entre la virgule décimale et le chiffre 1 dans 0,000 15 ne sont pas comptés comme des chiffres significatifs parce qu'ils ne sont là que pour indiquer où se trouve la virgule. En général, les **chiffres significatifs** sont des chiffres connus avec exactitude et ne comprennent pas les zéros qui servent à indiquer l'emplacement de la virgule.

Dans le cas de l'addition et de la soustraction, il faut tenir compte du nombre de chiffres après la virgule. **Lorsqu'on ajoute (ou lorsqu'on soustrait) des nombres, on ne garde dans le résultat que le nombre de décimales du terme de la somme qui a le moins de chiffres après la virgule.** Par exemple, le calcul de 123 + 5,35 donne 128 et non pas 128,35. Aussi, 123 + 5,72 vaut 129. Soulignons que dans le résultat donné, on utilise pour arrondir les nombres une règle générale selon laquelle il faut augmenter d'une unité le dernier chiffre gardé si le premier chiffre qu'on abandonne est égal ou supérieur à 5. Par ailleurs, si on calcule la somme 1,000 1 + 0,000 3 = 1,000 4, le résultat a le nombre correct de décimales ; il a donc cinq chiffres significatifs, même si l'un des termes de la somme, 0,000 3, n'en a qu'un. De même, si on effectue la soustraction 1,002 – 0,998 = 0,004, le résultat a trois décimales, ce qui est conforme à la règle, mais un seul chiffre significatif.

Dans l'ensemble de l'ouvrage, afin de s'entendre sur la présentation des résultats, nous supposerons que les valeurs données sont suffisamment précises pour que le résultat final puisse s'écrire avec trois chiffres significatifs (cette convention n'est pas d'origine scientifique, mais elle permet de comparer la réponse d'un problème avec celle fournie en fin de volume). Par exemple, si on dit qu'un coureur à pied parcourt une distance de 5 m, la donnée doit être interprétée comme 5,00 m.

Exemple 1.3 La pose d'un tapis

On décide de poser un tapis dans une pièce dont la longueur mesurée vaut 12,71 m (quatre chiffres significatifs) et dont la largeur mesurée vaut 3,46 m (trois chiffres significatifs). Déterminez l'aire de la pièce.

Solution Si on multiplie 12,71 m par 3,46 m à l'aide de la calculatrice, on obtient 43,9766 m^2. Combien de chiffres doit-on garder ? La règle à suivre pour la multiplication nous dit qu'on ne peut garder que le nombre de chiffres significatifs contenus dans la moins précise des valeurs mesurées. Dans cet exemple, la moins précise des valeurs mesurées n'ayant que trois chiffres significatifs, notre résultat final doit s'écrire 44,0 m^2.

HISTORIQUE

Encadré 1.1

D'où viennent tous ces chiffres ?

D'où viennent tous ces chiffres que vous manipulez quotidiennement ? Bien qu'on les appelle communément « chiffres arabes », il ne faudrait pas en déduire trop rapidement qu'ils sont d'origine arabe. Songez qu'autrefois, pour effectuer un simple calcul arithmétique avec un abaque à jetons, il fallait avoir fait de hautes études !

L'origine des chiffres serait liée à l'origine de l'écriture. En effet, les premiers documents des vieilles civilisations mésopotamiennes seraient... des actes comptables ! L'écriture ne s'élaborait que sous la pression de nécessités d'ordre « financier » comme le besoin de partager des richesses matérielles. C'est au IIIe millénaire av. J.-C., sur des tablettes d'argile ou du papyrus, qu'on retrouve chez les civilisations mésopotamiennes et égyptiennes l'existence d'un concept numérique abstrait. Par exemple, le chiffre « 4 » de l'expression « 4 moutons » ne s'écrit pas de la même façon que le chiffre « 4 » de l'expression « 4 sacs de grains ». *Le chiffre dépend de l'unité à laquelle il se réfère.*

Il ne faudrait pas croire que le système égyptien est le précurseur de notre système décimal occidental ! La numération égyptienne est une *numération additive* alors que la nôtre est une *numération de position*. Une numération additive est un système où les unités, les dizaines, les centaines, les milliers sont désignés par des symboles différents. Pour représenter la valeur d'un nombre, les Égyptiens écrivaient les signes appropriés *à répétition* (voir figure 1.5).

On parle d'une numération de position quand on a des signes différents pour les unités *mais qu'ils sont récupérés* pour désigner les dizaines, les centaines, etc. La position du chiffre devient significative.

On ne sait pas précisément quand le système de numération décimale de position a été inventé. Le plus ancien texte qui réfère à une numération de position est un traité de cosmologie indien et date du milieu du Ve siècle. Plus de cinq siècles plus tard, les neuf chiffres indiens parviennent en Europe. Le zéro suivra après deux ou trois siècles.

Comment s'est effectué le passage de l'Inde à l'Occident ? Par les Arabes. Ceux-ci ont adopté les chiffres indiens en 773 lorsque des savants indiens, en visite à Bagdad, ont fait part de leurs connaissances en astronomie. Vers 972, un moine français, Gerbert d'Aurillac, qui a probablement eu des contacts avec des érudits arabes au cours de ses voyages, tente d'introduire en Europe les chiffres « arabes » d'origine indienne en construisant un nouveau type d'abaque. Malgré cela, le futur pape rencontre la résistance de l'atmosphère trop conservatrice de l'époque. Ce n'est qu'au XIIe siècle que les chiffres « arabes » pourront véritablement s'intégrer à la culture occidentale, car les croisades permettent des échanges avec les cultures arabes. On comprend, qu'avec le temps, il y ait eu des modifications dans la graphie jusqu'à la formation des graphies modernes. Peu à peu, les abaques à jetons ont cédé leur place au calcul écrit, avec les chiffres indo-arabes. Cependant, cela n'a pas empêché Leibniz (inventeur du calcul différentiel et intégral au XVIIe siècle) d'utiliser un abaque à jetons pour certains calculs !!!

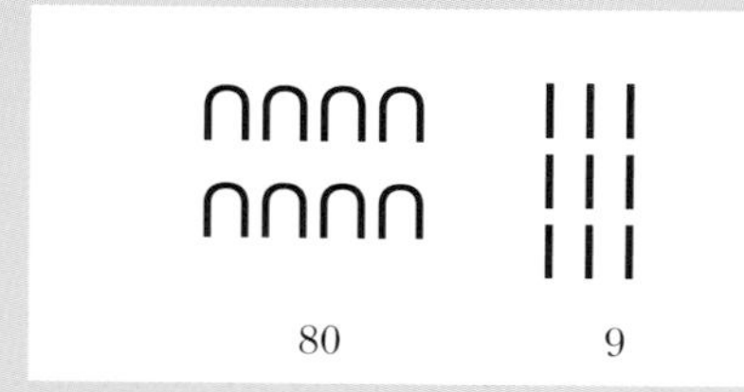

Figure 1.5
Voici une reproduction de chiffres égyptiens.

LECTURES SUGGÉRÉES
- Le courrier de l'Unesco, 42e année, nov. 89, p. 12-17.
- Le courrier de l'Unesco, 46e année, nov. 93, p. 30-36.
- Georges Ifrah, *Histoire universelle des chiffres: L'intelligence des hommes racontée par les nombres et le calcul,* tomes I et II, éd. Robert Laffont, Paris, 1994.

1.5 Systèmes de coordonnées et référentiels

De nombreux aspects de la physique font intervenir les positions des objets dans l'espace. Par exemple, pour donner une description mathématique du mouvement d'un objet, il faut d'abord pouvoir décrire la position de cet objet ou d'un point dans l'espace. Pour ce faire, on utilise les coordonnées. On peut situer un point sur une droite à l'aide d'une coordonnée, alors qu'il en faut deux pour situer un point dans un plan et trois pour situer un point dans l'espace.

Un système de coordonnées servant à définir la position d'un point dans l'espace comprend :

1. un point de référence fixe O, appelé origine ;
2. un système d'axes orientés dont chacun est identifié et muni d'une échelle ;
3. une méthode pour définir un point de l'espace par rapport à l'origine et aux axes.

Nous aurons souvent l'occasion d'utiliser le *système de coordonnées cartésiennes*, aussi appelé *système de coordonnées rectangulaires* lorsqu'il ne comporte que deux dimensions comme le système représenté à la figure 1.6 (un système de coordonnées cartésiennes peut avoir jusqu'à trois dimensions). Dans ce système, un point arbitraire est défini par ses coordonnées (x, y). En général, la coordonnée x est comptée positivement vers la droite à partir de l'origine et négativement vers la gauche. La coordonnée y est comptée positivement vers le haut à partir de l'origine et négativement vers le bas. Par exemple, on peut atteindre le point P de coordonnée (5, 3) en comptant d'abord 5 mètres vers la droite à partir de l'origine, puis 3 mètres vers le haut. De même, pour situer le point Q de coordonnée (−3, 4), on compte 3 mètres vers la gauche à partir de l'origine et 4 mètres vers le haut.

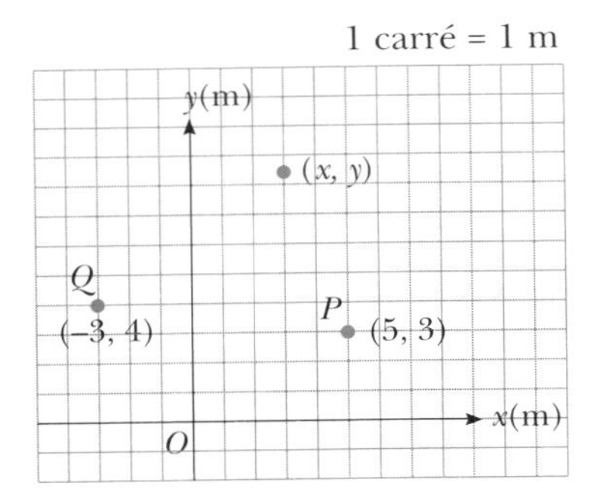

Figure 1.6
Représentation des points dans un système de coordonnées cartésiennes. Chaque point est identifié par ses coordonnées (x, y).

Il est parfois plus pratique de représenter un point dans un plan par ses *coordonnées polaires* (r, θ) comme à la figure 1.7a. Dans ce système de coordonnées, r est la longueur du segment de droite joignant l'origine et le point en question et θ est l'angle entre cette droite et un axe fixe, en général l'axe des x positifs. Dans le triangle rectangle de la figure 1.7b, on peut écrire $\sin\theta = y/r$ et $\cos\theta = x/r$. (Un rappel des fonctions trigonométriques est donné à l'appendice B.4.) On peut donc déterminer les coordonnées cartésiennes à partir des coordonnées polaires à l'aide des équations :

$$x = r\cos\theta \qquad [1.1]$$

$$y = r\sin\theta \qquad [1.2]$$

On en déduit également:

$$\text{tg}\,\theta = \frac{y}{x} \qquad [1.3]$$

et

$$r = \sqrt{x^2 + y^2} \qquad [1.4]$$

Notons que ces relations entre les coordonnées (x, y) et les coordonnées (r, θ), ne s'appliquent que si θ est défini comme à la figure 1.7a, où θ est compté positivement lorsqu'il est mesuré dans le sens *antihoraire* à partir de l'axe des x positifs. Ce n'est pas toujours le cas ; en navigation et en astronomie, par exemple, θ est défini autrement. Si l'axe de référence choisi pour l'angle polaire θ n'est pas l'axe des x positifs ou si l'angle θ est mesuré dans l'autre sens, les relations correspondantes entre les deux ensembles de coordonnées ne sont plus les mêmes.

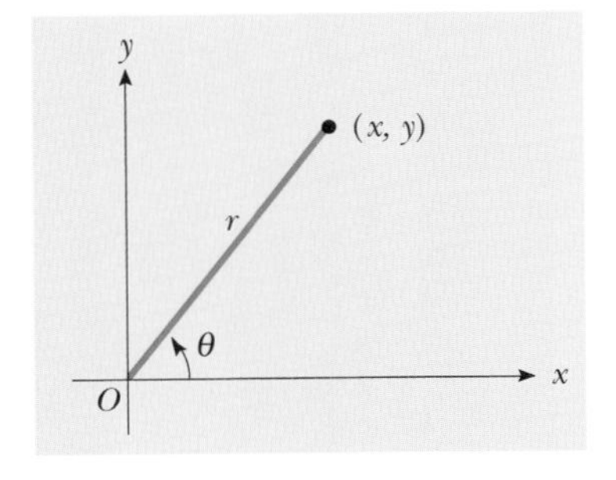

(a)

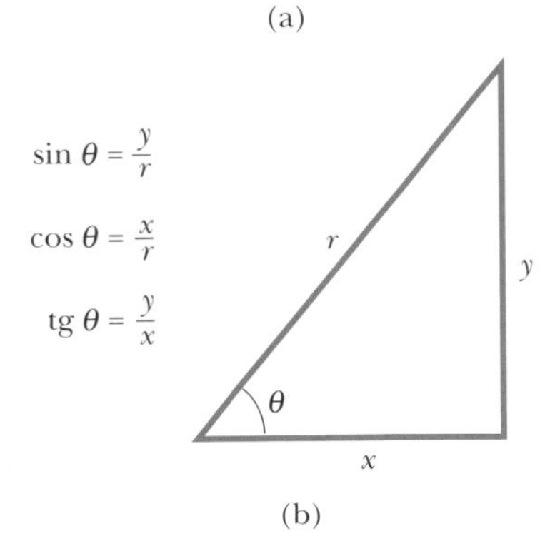

(b)

Figure 1.7
(a) Les coordonnées polaires d'un point sont représentées par la distance r et l'angle θ. (b) Le triangle rectangle sert à établir les relations entre (x, y) et (r, θ).

1.6 Vecteurs et scalaires

Chacune des quantités physiques que nous allons utiliser dans cet ouvrage appartiennent à l'une ou l'autre de deux catégories : il s'agit soit d'un scalaire, soit d'un vecteur. Un scalaire est une quantité qui est totalement définie par un nombre et des unités appropriées. Autrement dit,

> un **scalaire** est une quantité définie uniquement par une valeur numérique, sans direction. Par contre, un **vecteur** est une quantité qui doit être définie à la fois par une grandeur et une direction.

Le nombre de pommes contenues dans un panier est un exemple de quantité scalaire. Si on vous dit que le panier contient 38 pommes, ce renseignement suffit ; aucune direction n'a besoin d'être précisée (voir figure 1.8). La température, le volume, la masse et les intervalles de temps sont d'autres exemples de scalaires. Les quantités scalaires obéissent aux règles de l'algèbre ordinaire.

Figure 1.8
Le nombre de pommes dans le panier est un exemple de grandeur scalaire. Pouvez-vous trouver d'autres exemples? *(Superstock)*

Un exemple simple de quantité vectorielle est le **déplacement** d'une particule, défini comme le *changement de position* de cette particule. Supposons qu'une particule se déplace d'un point O à un point P sur une trajectoire rectiligne (voir figure 1.9). On représente ce déplacement en traçant une flèche de O à P, la pointe de la flèche représentant la direction du déplacement et la longueur de la flèche représentant la grandeur du déplacement. Si la particule se rend de O à P en suivant une autre trajectoire, telle que la courbe en pointillés de la figure 1.9, son déplacement est encore $\overrightarrow{OP}$. Le déplacement vectoriel sur n'importe quelle trajectoire indirecte allant de O à P est défini comme étant équivalent au déplacement en ligne droite de O à P. La grandeur du déplacement est la plus courte distance entre les deux points. Donc, *le déplacement d'une particule est complètement connu si ses coordonnées initiales et finales sont connues.* On voit qu'il n'est pas nécessaire de préciser la trajectoire pour définir un déplacement. Autrement dit, *le déplacement est indépendant de la trajectoire,* si les points initial et final de la trajectoire sont déterminés.

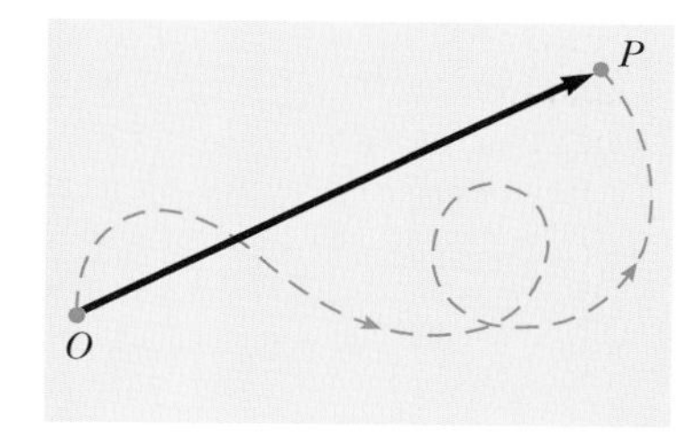

Figure 1.9
La flèche qui relie O à P est le vecteur déplacement d'une particule qui se déplace de O à P suivant la trajectoire représentée en pointillés.

Il est important de faire la distinction entre la *distance parcourue* par une particule et son déplacement. La distance parcourue (quantité scalaire) est la longueur de la trajectoire, qui, en général, peut être bien supérieure à la grandeur du déplacement (voir figure 1.9).

Si la particule se déplace sur l'axe des x entre le point x_i et le point x_f (voir figure 1.10), son déplacement est donné par $x_f - x_i$ (les indices i et f désignent les valeurs initiale et finale). Nous utilisons la lettre grecque delta (Δ) pour désigner la *variation* d'une quantité. La variation de position d'une particule (son déplacement) est donc définie par :

Définition du déplacement le long d'une droite sur l'axe des x

$$\Delta x = x_f - x_i \quad [1.5]$$

À partir de cette définition, on voit que Δx est positif si x_f est supérieur à x_i et négatif si x_f est inférieur à x_i. Par exemple, si une particule se déplace de $x_i = -3$ unités à $x_f = 5$ unités, son déplacement est de 8 unités.

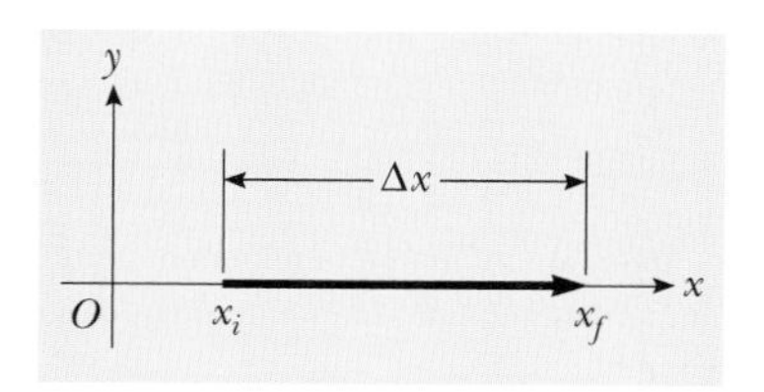

Figure 1.10
Une particule qui se déplace de x_i à x_f sur l'axe des x subit un déplacement $\Delta x = x_f - x_i$.

Plusieurs autres quantités physiques sont représentées par des vecteurs, notamment la vitesse, l'accélération, la force et la quantité de mouvement. Nous les étudierons dans les chapitres ultérieurs. *Dans cet ouvrage, nous représentons les vecteurs par des lettres surmontées d'une flèche* : $\vec{A}$.

La grandeur du vecteur $\vec{A}$ s'écrit A ou bien $|\vec{A}|$. On utilise des unités physiques pour décrire la grandeur d'un vecteur, comme le mètre pour un déplacement ou le mètre par seconde pour une vitesse. Les vecteurs obéissent à des règles spéciales que nous allons étudier dans les sections 1.7 et 1.8.

APPLICATION

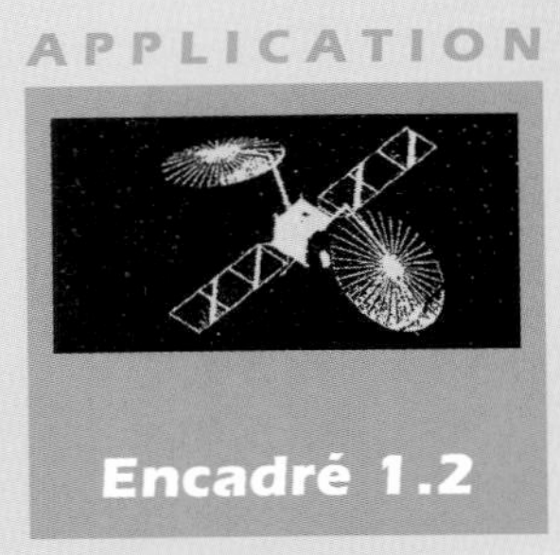

Encadré 1.2

Infographie, vecteurs et physique

Vous avez tous déjà remarqué ces images conçues par ordinateur, appelées images de synthèse, qui sont utilisées en publicité, dans certaines émissions de variétés, ou encore au cinéma ? Ces images sont créées par infographie, une discipline de l'informatique. En tant que futurs intervenants scientifiques, il est fort probable que vous ayez à manipuler des images de synthèse. Pourquoi alors ne pas se questionner sur la façon dont ces images sont créées... d'autant plus que leur création nécessite, à la base, des vecteurs et de la physique !

Les premières images de synthèse sont apparues au début des années 60. Il s'agissait alors surtout d'images fixes à deux dimensions (c'est-à-dire sans l'illusion d'une profondeur dans l'image). Par la suite, les images de synthèse se sont animées et on a tenté d'y intégrer la troisième dimension. C'est là que la chasse à l'image *réaliste* commence !

Pour obtenir une image de synthèse, il faut, au départ, fournir à l'ordinateur une base de données dans laquelle on spécifie la *description tridimensionnelle* des objets qui composent l'image. Or, nous savons que pour positionner un point d'un objet, il faut faire appel à ses trois composantes vectorielles de position : $x\vec{i} + y\vec{j} + z\vec{k}$. Par exemple, si l'objet est un cercle, les points issus de l'équation du cercle $x^2 + y^2 = r^2$ sont placés dans un repère $\vec{i}, \vec{j}, \vec{k}$.

On serait porté à croire que lorsqu'on voit un objet bouger, c'est que l'objet a été déplacé par rapport à son repère $\vec{i}, \vec{j}, \vec{k}$ (on a alors modifié l'équation du cercle). En réalité, il est plus simple de définir un système de *coordonnées de vision*. Il s'agit de trois vecteurs ($\vec{H}$, $\vec{P}$ et $\vec{N}$) qui décrivent la fenêtre (la « feuille de papier ») où se trouve l'objet, comme l'illustre la figure 1.11. C'est à l'aide de ces vecteurs qu'on déplace la fenêtre. En tant qu'observateur, nous regardons dans cette fenêtre et nous croyons que l'objet a effectué une translation (voir figure 1.12).

En fait, nous voyons l'objet selon le déplacement de la fenêtre. On définit aussi un *point de vision*, qui permet de regarder l'objet avec un certain angle. Par exemple, on peut regarder le cercle le long du vecteur $\vec{H}$. On voit alors une droite (si la fenêtre coïncide avec l'origine du repère $\vec{i}, \vec{j}, \vec{k}$).

Laissons de côté les vecteurs, contentez-vous de retenir qu'ils sont fondamentaux pour l'infographie.

Préoccupons-nous maintenant de ce qui rend une image de synthèse intéressante : sa capacité à abuser de nos sens visuels par son réalisme.

Pour donner aux images de synthèse leur allure réelle, capable de tromper l'observateur, il faut tenir compte des *propriétés physiques* (et parfois biologiques) des objets composant l'image ou encore des *lois physiques* qui s'appliquent au contexte dans lequel ils se trouvent.

Par exemple, l'image peut comporter des objets dotés d'une surface réfléchissante. Par conséquent, l'image doit représenter adéquatement la réflexion des rayons lumineux. La base de données de l'ordinateur doit donc comporter les lois de l'optique géométrique.

La physique étant une des disciplines qui cherchent à expliquer les phénomènes naturels et leur évolution, on comprend qu'elle joue un rôle fondamental dans l'élaboration des images de synthèse qui tentent de représenter des phénomènes de la nature. Par exemple, celui ou celle qui veut imiter le déplacement des nuages par le vent, ou celui d'un objet qui ballotte sur l'eau, doit avoir recours à la *mécanique des fluides*. C'est ainsi que les producteurs du film de science fiction *2010 : Odyssée II* (1983) ont demandé l'expertise de physiciens de la turbulence pour pouvoir créer la séquence d'images sur l'évolution des turbulences de la planète Jupiter lorsque celle-ci se faisait aspirer de l'intérieur.

Nous convenons maintenant que l'image de synthèse est une construction

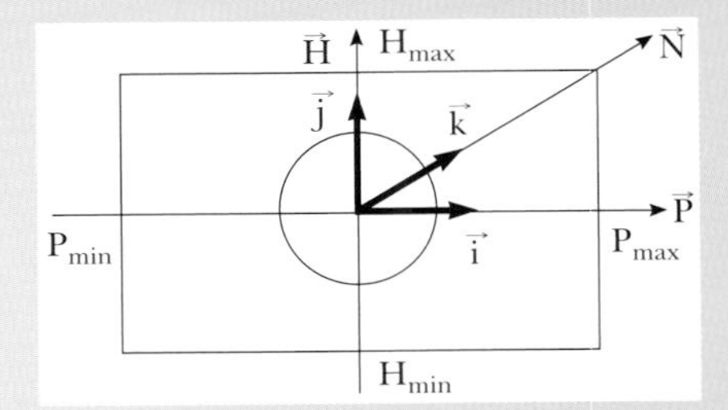

Figure 1.11
Cercle placé dans un système de coordonnées de vision.

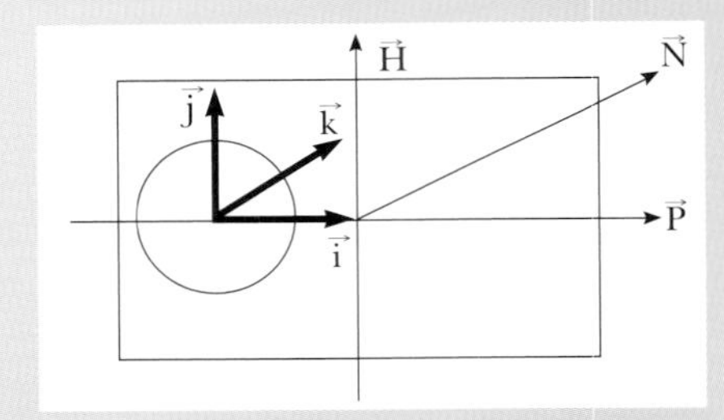

Figure 1.12
Translation d'un cercle.

Figure 1.13
Exemple d'images de synthèse : la pyramide de Keops.
(Gracieuseté de Michel Guay)

mathématique, un *modèle mathématique* qui tient compte des propriétés physiques (voire biologiques) du comportement des objets composant l'image (voir figure 1.13). Comme ce genre d'image origine d'un modèle mathématique, *cela permet de modifier l'image*, de lui donner une évolution dans le temps. L'infographie est aujourd'hui un *outil de recherche scientifique, un outil de travail.* En effet, elle permet aux scientifiques et aux techniciens de différentes disciplines de visualiser, à partir de leur modèle de recherche, des processus, des situations autrement inaccessibles. Par exemple, des météorologistes peuvent étudier l'évolution d'un brouillard urbain (la pollution...!) à l'aide de ces images de synthèse. Les astrophysiciens peuvent simuler la formation d'une galaxie et les botanistes la croissance d'une plante dans un quelconque environnement physico-chimique. La médecine peut espérer pouvoir intégrer au cursus de ses aspirants l'enseignement assisté par ordinateur pour étudier des organes comme le cœur. Les perspectives sont prometteuses !

LECTURES SUGGÉRÉES

- La Recherche, n° 189, juin 1987, p. 830-832.
- La Recherche, n° 191, sept. 1987, p. 1038-1048.

1.7 Quelques propriétés des vecteurs

Égalité de deux vecteurs

Par définition, deux vecteurs $\vec{A}$ et $\vec{B}$ sont égaux s'ils ont la même grandeur et la même direction. Cela signifie que $\vec{A} = \vec{B}$ seulement si $A = B$ et si $\vec{A}$ et $\vec{B}$ sont parallèles et de même sens. Par exemple, tous les vecteurs de la figure 1.14 sont égaux, même s'ils ont des points de départ différents. Grâce à cette propriété, nous pouvons déplacer un vecteur parallèlement à lui-même sur un diagramme, sans le modifier.

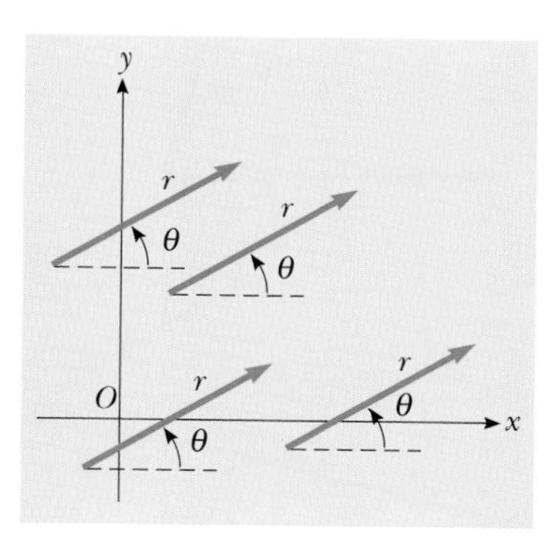

Figure 1.14
Quatre représentations d'un même vecteur.

Addition

Lorsqu'on additionne deux vecteurs ou plus, ils doivent *tous* avoir la même unité. On ne peut pas, par exemple, additionner un vecteur vitesse avec un vecteur déplacement puisqu'il s'agit de quantités physiques différentes. Les scalaires obéissent à la même règle. Par exemple, l'addition d'intervalles de temps et de températures n'aurait aucun sens.

Les sommes vectorielles obéissent à certaines règles qu'il est pratique d'illustrer graphiquement. Pour ajouter le vecteur $\vec{B}$ au vecteur $\vec{A}$, on trace d'abord le vecteur $\vec{A}$ sur du papier quadrillé en lui donnant une longueur correspondant à sa grandeur, puis on trace le vecteur $\vec{B}$ à la même échelle en plaçant son origine à l'extrémité de $\vec{A}$, comme à la figure 1.15. Le *vecteur résultant*, $\vec{R} = \vec{A} + \vec{B}$ est le vecteur bleu qui joint l'origine de $\vec{A}$ à l'extrémité de $\vec{B}$. Cette méthode qui permet d'additionner deux vecteurs est appelée *méthode du triangle.* La figure 1.16a représente une autre méthode graphique (ou méthode géométrique) servant à additionner deux vecteurs, qu'on appelle *règle d'addition du parallélogramme.* Dans cette construction, les origines des deux vecteurs $\vec{A}$ et $\vec{B}$ sont confondues et le vecteur résultant $\vec{R}$ est la diagonale du parallélogramme ayant $\vec{A}$ et $\vec{B}$ pour côtés.

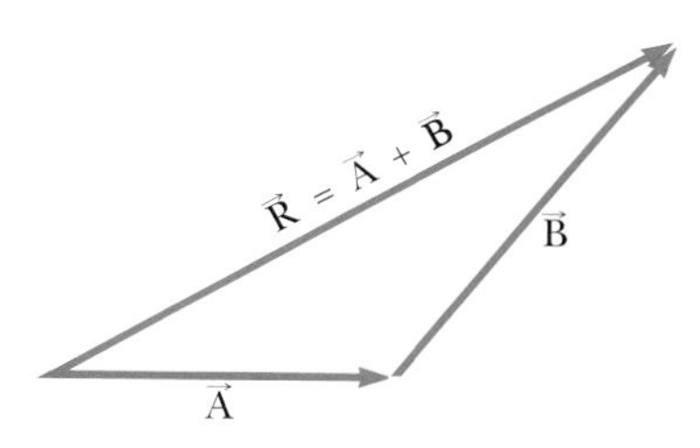

Figure 1.15
Lorsqu'on ajoute le vecteur $\vec{B}$ au vecteur $\vec{A}$, la résultante $\vec{R}$ est le vecteur bleu qui joint l'origine de $\vec{A}$ à l'extrémité de $\vec{B}$.

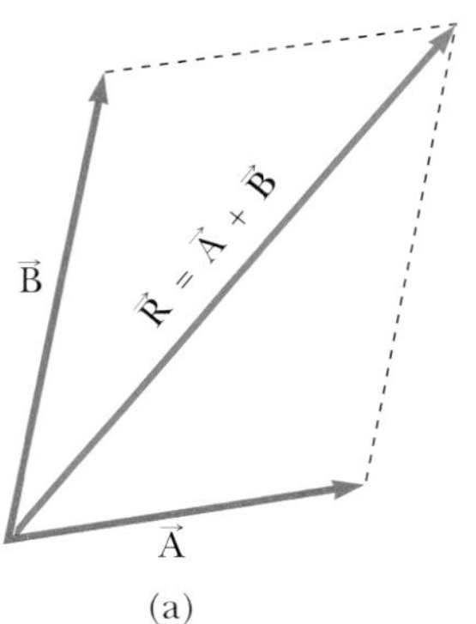

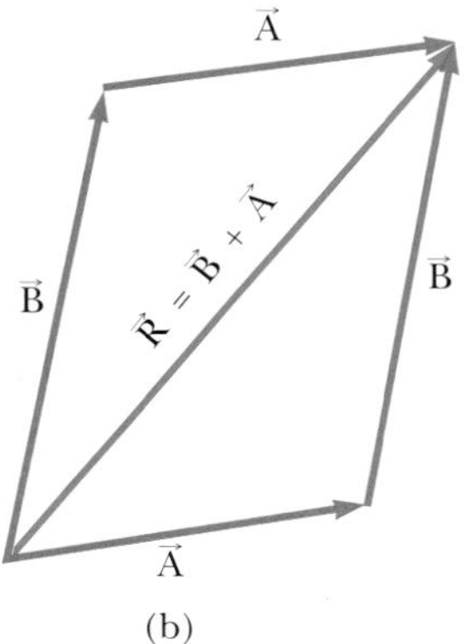

Figure 1.16
(a) Dans cette configuration, la résultante $\vec{R}$ est la diagonale du parallélogramme dont les côtés sont $\vec{A}$ et $\vec{B}$. (b) Cette construction montre que $\vec{A} + \vec{B} = \vec{B} + \vec{A}$.

Lorsqu'on additionne deux vecteurs, la somme ne dépend pas de l'ordre dans lequel on les ajoute. Cette propriété, qu'on peut vérifier sur la construction géométrique de la figure 1.16b, page 13, est appelée **commutativité de l'addition** :

$$\vec{A} + \vec{B} = \vec{B} + \vec{A} \qquad [1.6]$$

Si on additionne trois vecteurs ou plus, leur somme ne dépend pas de la façon dont on les groupe. La figure 1.17 donne une preuve géométrique de cette propriété appelée **associativité de l'addition** :

Associativité

$$\vec{A} + (\vec{B} + \vec{C}) = (\vec{A} + \vec{B}) + \vec{C} \qquad [1.7]$$

La figure 1.18 illustre l'addition de quatre vecteurs. Le vecteur résultant $\vec{R} = \vec{A} + \vec{B} + \vec{C} + \vec{D}$, est *le vecteur qui complète le polygone.* En effet, $\vec{R}$ est *le vecteur qui va de l'origine du premier vecteur à l'extrémité du dernier vecteur.*

On voit donc qu'un *vecteur est une quantité définie à la fois par une valeur numérique (sa grandeur) et par une direction (angle), qui obéit aux lois de l'addition vectorielle* représentées par les figures 1.15 à 1.18.

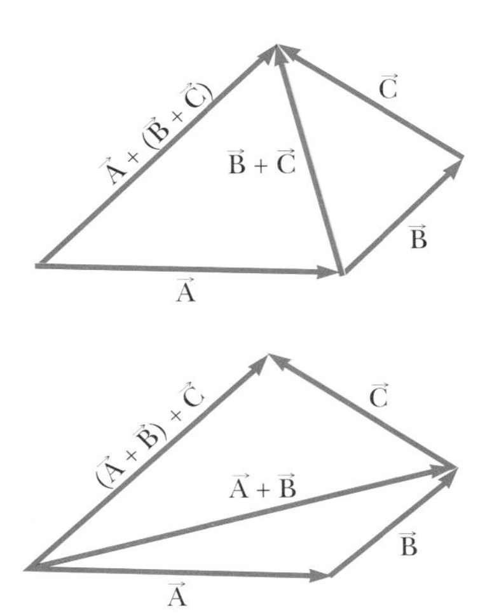

Figure 1.17
Constructions géométriques permettant de vérifier l'associativité de l'addition.

Opposé d'un vecteur

Le vecteur opposé d'un vecteur $\vec{A}$ est, par définition, le vecteur qui, ajouté à $\vec{A}$, donne le vecteur zéro, c'est-à-dire $\vec{A} + (-\vec{A}) = \vec{0}$. Les vecteurs $\vec{A}$ et $-\vec{A}$ ont la même grandeur mais des directions opposées.

Soustraction des vecteurs

Pour soustraire des vecteurs, on utilise la définition de l'opposé d'un vecteur. On définit l'opération $\vec{A} - \vec{B}$ comme l'addition du vecteur $\vec{A}$ et du vecteur $-\vec{B}$:

$$\vec{A} - \vec{B} = \vec{A} + (-\vec{B}) \qquad [1.8]$$

La construction géométrique utilisée pour la soustraction de deux vecteurs est représentée à la figure 1.19.

Multiplication d'un vecteur par un scalaire

Si un vecteur $\vec{A}$ est multiplié par une quantité scalaire positive m, le produit $m\vec{A}$ est un vecteur ayant la même direction que $\vec{A}$ et de grandeur mA. Si m est une quantité scalaire négative, le vecteur $m\vec{A}$ est orienté dans le sens opposé à $\vec{A}$. Par exemple, le vecteur $5\vec{A}$ a une grandeur 5 fois plus grande que celle de $\vec{A}$ et a la même direction que $\vec{A}$. Par contre, le vecteur $-\frac{1}{3}\vec{A}$ a une grandeur égale au tiers de celle de $\vec{A}$ et sa direction est opposée à celle de $\vec{A}$ (à cause du signe négatif).

Multiplication de deux vecteurs

Il existe deux façons différentes de multiplier deux vecteurs $\vec{A}$ et $\vec{B}$, l'une qui donne pour résultat une quantité scalaire et l'autre une quantité vectorielle. Nous étudierons ces produits de façon plus détaillée aux chapitres 6 et 9.

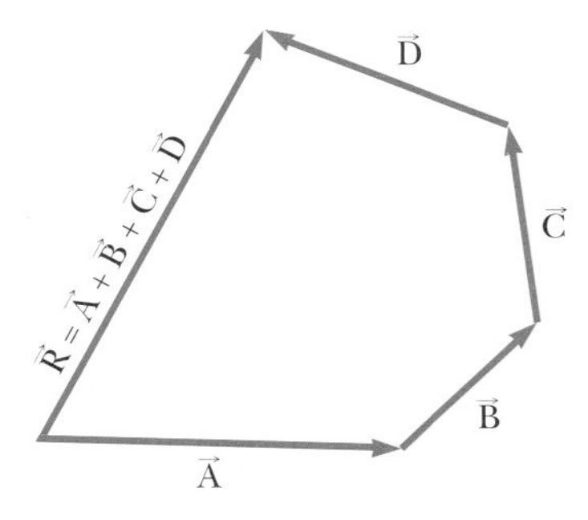

Figure 1.18
Construction géométrique représentant la somme de quatre vecteurs. Le vecteur résultant $\vec{R}$ représenté en bleu complète le polygone.

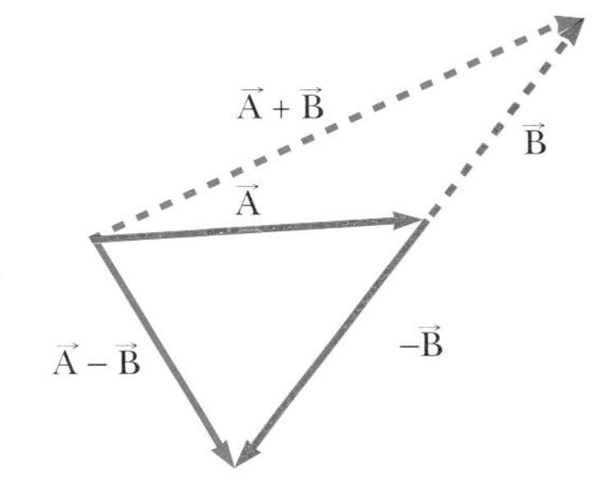

Figure 1.19
Cette construction montre comment procéder pour soustraire le vecteur $\vec{B}$ du vecteur $\vec{A}$. Le vecteur $-\vec{B}$ est de grandeur égale et de direction opposée au vecteur $\vec{B}$.

1.8 Composantes d'un vecteur et vecteurs unitaires

La méthode géométrique d'addition des vecteurs n'est pas très utile si on recherche la précision ou dans les cas de problèmes à trois dimensions.

Soit un vecteur $\vec{A}$ situé dans le plan xy et faisant un angle arbitraire θ avec l'axe des x positifs (figure 1.20). On peut écrire le vecteur $\vec{A}$ sous la forme d'une somme de deux autres vecteurs $\vec{A}_x$ et $\vec{A}_y$, qu'on appelle **composantes vectorielles** de $\vec{A}$. La composante vectorielle $\vec{A}_x$ représente la projection de $\vec{A}$ sur l'axe des x alors que $\vec{A}_y$ représente la projection de $\vec{A}$ sur l'axe des y. On voit à la figure 1.20 que $\vec{A} = \vec{A}_x + \vec{A}_y$. Les composantes scalaires du vecteur $\vec{A}$ s'écrivent A_x et A_y; elles peuvent être positives ou négatives. La composante A_x a une valeur positive si $\vec{A}_x$ est orienté dans le sens positif sur l'axe des x et elle a une valeur négative si $\vec{A}_x$ est orienté dans le sens négatif. Il en est de même pour la composante A_y.

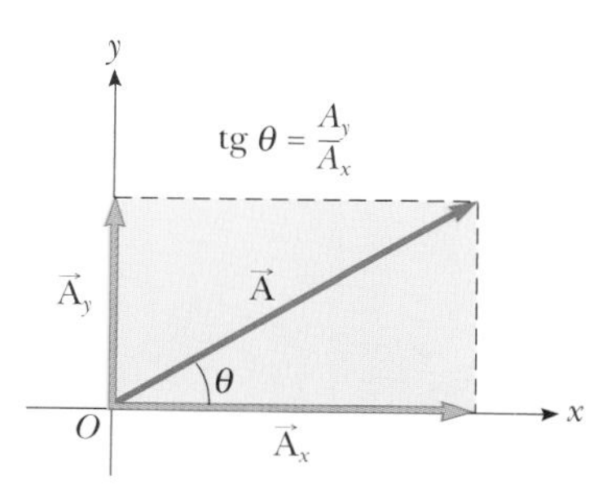

Figure 1.20
Tout vecteur $\vec{A}$ du plan xy peut être représenté par ses composantes vectorielles $\vec{A}_x$ et $\vec{A}_y$, tel que $\vec{A} = \vec{A}_x + \vec{A}_y$.

D'après la figure 1.20 et la définition du sinus et du cosinus d'un angle, on peut écrire $\cos\theta = A_x/A$ et $\sin\theta = A_y/A$. Les composantes de $\vec{A}$ s'écrivent donc :

$$A_x = A\cos\theta \qquad A_y = A\sin\theta \qquad [1.9]$$

Composantes du vecteur $\vec{A}$

Ces composantes forment deux côtés d'un triangle rectangle, dont l'hypoténuse a pour longueur A. On en déduit les relations suivantes qui nous donnent la grandeur et la direction de $\vec{A}$ en fonction de ses composantes :

$$A = \sqrt{A_x^2 + A_y^2} \qquad [1.10]$$

Grandeur de $\vec{A}$

$$\mathrm{tg}\,\theta = \frac{A_y}{A_x} \qquad [1.11]$$

Direction de $\vec{A}$

Pour résoudre l'équation en θ, on utilise $\theta = \mathrm{tg}^{-1}(A_y/A_x)$. *Notez que les signes des composantes rectangulaires A_x et A_y dépendent de l'angle θ.* Par exemple, si $\theta = 120°$, A_x est négatif et A_y est positif. Par contre, si $\theta = 225°$, A_x et A_y sont tous deux négatifs. La figure 1.21 résume les signes des composantes selon le quadrant où se trouve $\vec{A}$.

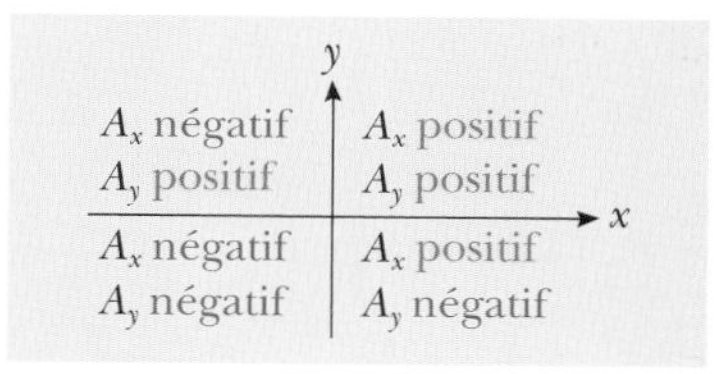

Figure 1.21
Les signes des composantes rectangulaires d'un vecteur $\vec{A}$ dépendent du quadrant où est situé le vecteur.

Les composantes d'un vecteur changent si on choisit un autre système d'axes ou un angle différent de ceux qui sont représentés à la figure 1.20. Dans certains cas, il est plus pratique d'exprimer les composantes d'un vecteur dans un système de coordonnées dont les axes, tout en étant perpendiculaires entre eux, ne sont ni horizontaux ni verticaux. Supposons par exemple qu'un vecteur $\vec{B}$ fasse un angle θ' avec l'axe Ox' de la figure 1.22. Les composantes de $\vec{B}$ sur ces axes sont $B_{x'} = B\cos\theta'$ et $B_{y'} = B\sin\theta'$, comme dans l'équation 1.9. Des expressions équivalentes aux équations 1.10 et 1.11 nous permettent d'obtenir la grandeur et la direction de $\vec{B}$. On peut donc exprimer les composantes d'un vecteur dans un système de coordonnées *quelconque* qui convient au cas envisagé.

Les composantes d'un vecteur dépendent du système de coordonnées dans lequel elles sont exprimées. Par ailleurs, dans un même système de coordonnées, les composantes vont changer si on modifie la grandeur et/ou la direction du vecteur.

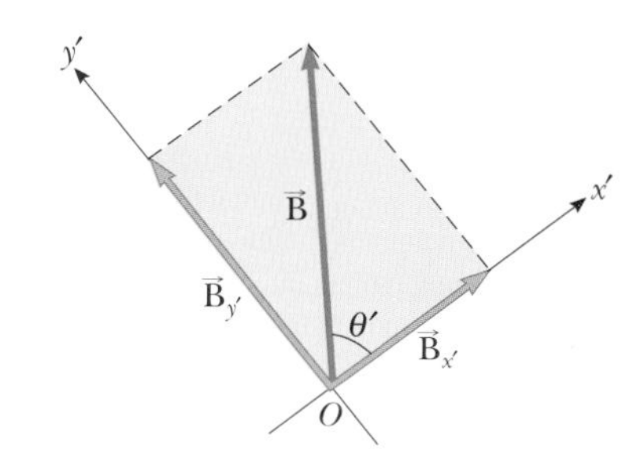

Figure 1.22
Les composantes vectorielles du vecteur $\vec{B}$ dans un système de coordonnées incliné.

Il est courant d'exprimer les quantités vectorielles en fonction de vecteurs unitaires. Un **vecteur unitaire** est un *vecteur sans dimension dont la longueur vaut une unité* et qui correspond à une *direction* donnée. Les vecteurs unitaires n'ont pas d'autre signification physique ; ils servent simplement à décrire une direction dans l'espace. Nous utilisons les symboles $\vec{i}$, $\vec{j}$ et $\vec{k}$ pour représenter les vecteurs unitaires pointant dans la direction des axes x, y et z respectivement. Les vecteurs unitaires $\vec{i}$, $\vec{j}$ et $\vec{k}$ forment donc un ensemble de vecteurs mutuellement perpendiculaires (voir figure 1.23a, page 16) de grandeur égale à l'unité ; on écrit $|\vec{i}| = |\vec{j}| = |\vec{k}| = 1$.

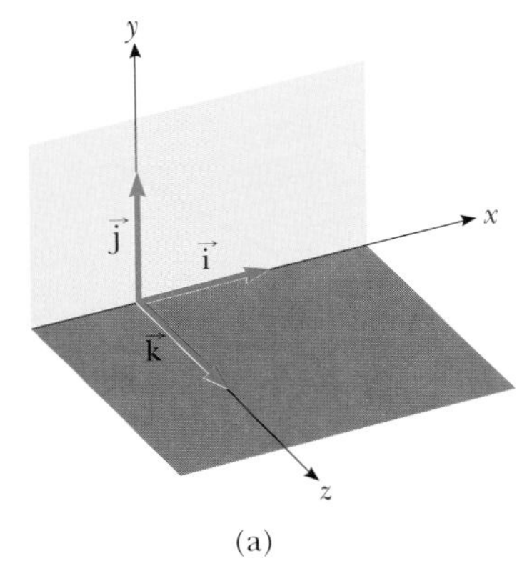

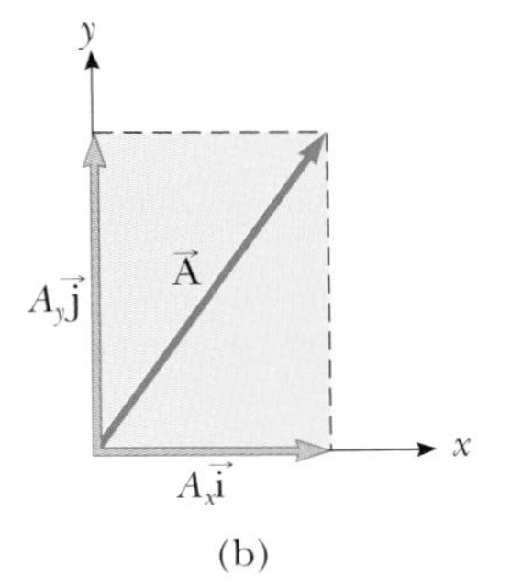

Figure 1.23
(a) Les vecteurs unitaires $\vec{i}$, $\vec{j}$ et $\vec{k}$ sont portés respectivement par les axes des x, des y et des z. (b) Un vecteur $\vec{A}$ situé dans le plan xy a pour composantes vectorielles $A_x\vec{i}$ et $A_y\vec{j}$, où A_x et A_y sont les composantes scalaires du vecteur $\vec{A}$.

Soit un vecteur $\vec{A}$ dans le plan xy (voir figure 1.23b). Le produit de la composante A_x et du vecteur unitaire $\vec{i}$ est le vecteur $A_x\vec{i}$ parallèle à l'axe des x et de grandeur A_x. De même, $A_y\vec{j}$ est un vecteur de grandeur A_y parallèle à l'axe des y. En fonction des vecteurs unitaires, le vecteur $\vec{A}$ s'écrit donc :

$$\vec{A} = \vec{A}_x + \vec{A}_y = A_x\vec{i} + A_y\vec{j} \qquad [1.12]$$

Les vecteurs $A_x\vec{i}$ et $A_y\vec{j}$ sont les composantes vectorielles de $\vec{A}$. Il ne faut pas les confondre avec A_x et A_y, qui sont les composantes scalaires du vecteur $\vec{A}$.

Supposons maintenant qu'on veuille ajouter au vecteur $\vec{A}$ le vecteur $\vec{B}$ dont les composantes sont B_x et B_y. Pour calculer cette somme, il suffit d'ajouter séparément les composantes en x et les composantes en y. Le vecteur résultant $\vec{R} = \vec{A} + \vec{B}$ s'écrit donc :

$$\vec{R} = (A_x + B_x)\vec{i} + (A_y + B_y)\vec{j} \qquad [1.13]$$

Les composantes du vecteur résultant sont données par :

$$R_x = A_x + B_x$$
$$R_y = A_y + B_y \qquad [1.14]$$

À partir des relations suivantes, on peut ensuite calculer la grandeur de $\vec{R}$ et l'angle qu'il fait avec l'axe x.

$$R = \sqrt{R_x^2 + R_y^2} = \sqrt{(A_x + B_x)^2 + (A_y + B_y)^2} \qquad [1.15]$$

$$\text{tg }\theta = \frac{R_y}{R_x} = \frac{A_y + B_y}{A_x + B_x} \qquad [1.16]$$

La méthode d'addition de deux vecteurs $\vec{A}$ et $\vec{B}$ à l'aide de leurs composantes, que nous venons de décrire, peut être vérifiée par une construction géométrique illustrée à la figure 1.24. Vous devez tenir compte des *signes* des composantes lorsque vous utilisez la méthode algébrique ou la méthode géométrique.

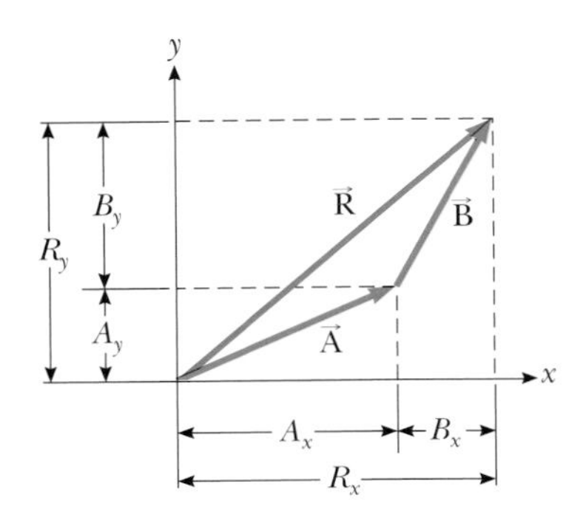

Figure 1.24
Construction géométrique illustrant la relation entre les composantes du vecteur $\vec{R}$ égal à la somme de deux vecteurs, et les composantes de chacun de ces vecteurs.

Dans un espace à trois dimensions, les vecteurs $\vec{A}$ et $\vec{B}$ s'écrivent :

$$\vec{A} = A_x\vec{i} + A_y\vec{j} + A_z\vec{k}$$
$$\vec{B} = B_x\vec{i} + B_y\vec{j} + B_z\vec{k}$$

La somme de $\vec{A}$ et $\vec{B}$ est donc :

$$\vec{R} = \vec{A} + \vec{B} = (A_x + B_x)\vec{i} + (A_y + B_y)\vec{j} + (A_z + B_z)\vec{k} \qquad [1.17]$$

Le vecteur résultant a donc lui aussi une composante en z donnée par $R_z = A_z + B_z$. Le même procédé peut être appliqué à l'addition de trois vecteurs ou plus.

1.9 Stratégie de résolution de problèmes

Dans la plupart des cours de physique générale, l'élève doit apprendre à résoudre des problèmes et les examens comprennent souvent des problèmes qui servent à vérifier s'il a développé de telles habiletés. Voici quelques suggestions utiles qui vous permettront de mieux comprendre les notions physiques, de résoudre les problèmes avec davantage de précision, de savoir comment aborder un problème sans vous affoler et d'organiser votre travail. Nous avons regroupé ces suggestions dans une méthode de résolution de problèmes qui figure dans la plupart des chapitres de cet ouvrage et qui vous donne la marche à suivre pour résoudre certains cas difficiles.

La résolution d'un problème comporte en général six étapes fondamentales :

1. Lisez l'énoncé attentivement au moins deux fois. Assurez-vous de bien comprendre la nature du problème avant d'aller plus loin.
2. Tracez un schéma annoté avec les caractéristiques du problème et avec les axes de coordonnées, le cas échéant.
3. En identifiant la question posée, essayez de déterminer le ou les principes physiques fondamentaux qui entrent en jeu, et énumérez les quantités connues et inconnues (identifiez-les par des variables, des symboles).
4. Choisissez une relation fondamentale où les variables impliquées apparaissent, ou établissez (à l'aide de symboles) une équation qui peut vous aider à trouver l'inconnue puis résolvez cette équation.
5. Dans l'équation, remplacez les symboles par les valeurs données, avec les unités correspondantes.
6. Calculez la valeur numérique de l'inconnue. Pour vérifier votre réponse, vous pouvez vous poser les questions suivantes : les unités correspondent-elles ? La réponse est-elle plausible ? Le signe + ou – convient-il et a-t-il un sens ?

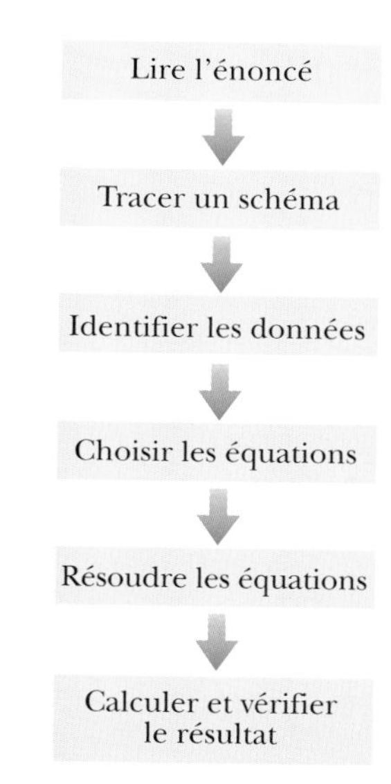

Figure 1.25
Étapes de résolution d'un problème.

Cette stratégie doit vous aider à éviter les erreurs. Un diagramme bien tracé permet en effet d'éviter bien des erreurs de signes. De plus, les schémas aident à dégager les principes physiques qui entrent en jeu dans le problème. En écrivant votre solution sous forme de symboles et en définissant soigneusement les quantités connues et inconnues, vous éviterez d'autres erreurs d'inattention. Il est très important d'écrire la solution sous forme de symboles pour vous aider à penser à l'aspect physique du problème posé. En vérifiant les unités à la fin du problème, vous saurez si vous avez fait une erreur algébrique. La disposition et l'organisation de vos calculs rendront votre raisonnement plus facile à suivre et votre cheminement plus facile à comprendre. En prenant l'habitude de suivre ces étapes de façon systématique lorsque vous avez un problème à résoudre, et en sachant utiliser adéquatement les renseignements fournis, vous acquerrez une plus grande assurance.

Stratégie de résolution des problèmes : addition des vecteurs à l'aide de leurs composantes

Voici les étapes recommandées pour additionner deux vecteurs ou plus :

1. Choisissez un système de coordonnées.
2. Tracez un diagramme représentant les vecteurs que vous devez additionner (ou soustraire) en les identifiant.
3. Déterminez les composantes en x et en y de tous les vecteurs.
4. Déterminez les composantes résultantes (la somme algébrique des composantes) sur les axes des x et des y.
5. À l'aide du théorème de Pythagore, trouvez la grandeur du vecteur résultant.
6. Utilisez une fonction trigonométrique appropriée pour déterminer l'angle que forme le vecteur résultant avec l'axe des x.

▼▼▼

Exemple 1.4 Somme de deux vecteurs

Déterminez la somme de deux vecteurs $\vec{A}$ et $\vec{B}$ situés dans le plan *xy* et donnés par :

$$\vec{A} = 2\vec{i} + 2\vec{j} \quad \text{et} \quad \vec{B} = 2\vec{i} - 4\vec{j}$$

Solution On voit que $A_x = 2$, $A_y = 2$, $B_x = 2$ et $B_y = -4$. Le vecteur résultant $\vec{R}$ est donc donné par :

$$\vec{R} = \vec{A} + \vec{B} = (2 + 2)\,\vec{i} + (2 - 4)\,\vec{j} = 4\vec{i} - 2\vec{j}$$

ou

$$R_x = 4, \; R_y = -2$$

La grandeur du vecteur $\vec{R}$ est donnée par :

$$R = \sqrt{R_x^2 + R_y^2} = \sqrt{(4)^2 + (-2)^2} = \sqrt{20} = 4{,}47$$

Exercice Déterminez l'angle θ que forme le vecteur résultant $\vec{R}$ avec la partie positive de l'axe des *x*.

Réponse 333°

▼▼▼

Exemple 1.5 La randonnée

Une adepte de la marche à pied part en randonnée. Elle quitte son campement de base et parcourt d'abord 25,0 km vers le sud-est. Le lendemain, à partir de cette position, elle parcourt 40,0 km dans la direction 60° nord-est, où elle découvre une tour de garde forestier.

(a) Déterminez les composantes rectangulaires des déplacements effectués au cours du premier et du deuxième jour.

Solution Si on appelle $\vec{A}$ et $\vec{B}$ les vecteurs déplacement du premier et du deuxième jour et si on prend le campement comme origine des coordonnées, on obtient les vecteurs représentés à la figure 1.26. Le déplacement $\vec{A}$ a une grandeur de 25,0 km et une direction de 45° vers le sud-est. Ses composantes sont :

$$A_x = A\cos(-45°) = (25\text{ km})\;(0{,}707) = 17{,}7\text{ km}$$

$$A_y = A\sin(-45°) = -(25\text{ km})\;(0{,}707) = -17{,}7\text{ km}$$

La valeur négative de A_y indique que la coordonnée en *y* est orientée vers le sud. Les signes de A_x et de A_y sont également faciles à déterminer à partir de la figure 1.26.

Le second déplacement, $\vec{B}$, a une grandeur de 40,0 km et une direction de 60° nord-est. Ses composantes sont :

$$B_x = B\cos 60° = (40\text{ km})\;(0{,}50) = 20{,}0\text{ km}$$

$$B_y = B\sin 60° = (40\text{ km})\;(0{,}866) = 34{,}6\text{ km}$$

(b) Déterminez les composantes du déplacement total effectué au cours de la randonnée.

Solution Le déplacement résultant pour la randonnée, $\vec{R} = \vec{A} + \vec{B}$, a pour composantes :

$$R_x = A_x + B_x = 17{,}7\text{ km} + 20{,}0\text{ km} = 37{,}7\text{ km}$$

$$R_y = A_y + B_y = -17{,}7\text{ km} + 34{,}6\text{ km} = 16{,}9\text{ km}$$

En fonction des vecteurs unitaires, on peut écrire le déplacement total sous la forme $\vec{R} = (37{,}7\vec{i} + 16{,}9\vec{j})$ km.

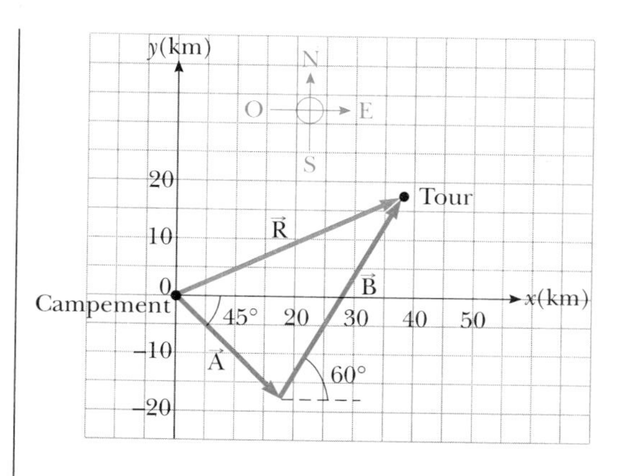

Figure 1.26
(Exemple 1.5) Le déplacement total de la randonneuse correspond au vecteur $\vec{R} = \vec{A} + \vec{B}$.

Exercice Déterminez la grandeur et la direction du déplacement total.

Réponse 41,3 km à 24,1° au nord-est à partir du campement.

Piste de réflexion

En voulant enrichir leurs connaissances, les scientifiques ont soulevé des problèmes, non seulement de nature scientifique mais se rapportant aussi à l'éthique. Il s'agit de problèmes où les valeurs de différents intervenants (scientifiques, religieux, citoyens...) sont en conflit et où chacune des positions défendues comporte une bonne chose. Des comités d'éthique sont constitués pour aborder ces problèmes. Les conflits en présence sont explicités par des personnes de professions diverses. C'est aussi une façon de permettre à tout le monde d'exprimer ses opinions sur certaines recherches scientifiques (par exemple sur l'énergie nucléaire ou la génétique). D'après vous, les scientifiques doivent-ils permettre à de tels comités de s'immiscer dans leur pratique?

LECTURE SUGGÉRÉE
Edgar Morin, *Science avec conscience*, Éditions du Seuil, 1990, coll. points sciences.

Résumé

- Les quantités physiques intervenant en mécanique peuvent s'exprimer en fonction de trois quantités fondamentales, soit la *longueur*, la *masse* et le *temps*, et dont les unités dans le SI sont, respectivement, le *mètre* (m), le *kilogramme* (kg) et la *seconde* (s). Il est souvent utile d'avoir recours à l'*analyse dimensionnelle* pour vérifier les équations et pour établir les formules.
- Les **vecteurs** sont des quantités définies par une grandeur et une direction et obéissent aux règles de l'addition vectorielle. Les **scalaires** sont des quantités qui sont définies uniquement par une valeur numérique.
- Pour additionner deux vecteurs $\vec{A}$ et $\vec{B}$, on peut utiliser soit la méthode du triangle, soit celle du parallélogramme qui sont illustrées aux figures 1.15 et 1.6a.
- La **composante** en x du vecteur $\vec{A}$, qui s'écrit A_x, est égale à la projection de $\vec{A}$ sur l'axe des x (figure 1.20), avec $A_x = A \cos \theta$, θ étant l'angle que forme $\vec{A}$ avec l'axe des x. De même, la composante en y de $\vec{A}$, A_y, est la projection de $\vec{A}$ sur l'axe des y et s'écrit $A_y = A \sin \theta$. Pour déterminer la résultante de deux vecteurs ou plus on exprime tous les vecteurs en fonction de leurs composantes en x et en y, on ajoute séparément les composantes en x et les composantes en y de tous les vecteurs afin de trouver les composantes en x et en y du vecteur résultant. Puis on utilise le théorème de Pythagore pour déterminer la grandeur du vecteur résultant. On détermine l'angle que forme le vecteur résultant avec l'axe des x au moyen d'une fonction trigonométrique appropriée.
- Si la composante en x d'un vecteur $\vec{A}$ est égale à A_x et sa composante en y est égale à A_y, on peut exprimer ce vecteur en fonction des **vecteurs unitaires**, sous la forme $\vec{A} = A_x\vec{i} + A_y\vec{j}$. Dans cette notation, $\vec{i}$ est un vecteur unitaire orienté dans le sens positif de l'axe des x et $\vec{j}$ est un vecteur unitaire orienté dans le sens positif de l'axe des y. Pour les vecteurs qui possèdent trois dimensions, on doit considérer en plus le vecteur unitaire $\vec{k}$.

Questions et exercices conceptuels

1. Quels types de phénomènes naturels pourrait-on utiliser comme étalon de temps ?
2. Pour mesurer la taille d'un cheval, on utilise parfois une unité appelée « main ». Cette unité peut-elle être un bon étalon de longueur ?
3. Exprimez les quantités suivantes à l'aide des préfixes donnés au tableau 1.4 : (a) 3×10^{-4} m, (b) 5×10^{-5} s, (c) 72×10^{2} g.
4. L'analyse dimensionnelle nous renseigne-t-elle sur les constantes de proportionnalité qui sont parfois présentes dans les expressions algébriques comme la constante k dans l'équation $F = kx$? Expliquez.
5. Soit deux quantités A et B qui n'ont pas la même dimension. Parmi les opérations arithmétiques suivantes, trouvez celles qui *peuvent* avoir un sens physique : (a) $A + B$, (b) A/B, (c) $B - A$, (d) AB.
6. On déplace un livre en suivant le périmètre du plateau d'une table dont la dimension est de 1 m × 2 m. Quel est le déplacement effectué par le livre s'il revient à sa position initiale ? Quelle distance a-t-il parcourue ?
7. Si on ajoute $\vec{B}$ à $\vec{A}$, dans quelle condition le vecteur résultant a-t-il une grandeur égale à $A + B$? Quelles sont les conditions où le vecteur résultant est égal à zéro ?
8. La grandeur du déplacement d'une particule peut-elle être supérieure à la distance parcourue ? Expliquez.
9. Les grandeurs de deux vecteurs $\vec{A}$ et $\vec{B}$ sont $A = 5$ unités et $B = 2$ unités. Déterminez la plus grande et la plus petite valeur possible pour le vecteur résultant $\vec{R} = \vec{A} + \vec{B}$.
10. Soit un vecteur $\vec{A}$ situé dans le plan xy. Quelles sont les directions de $\vec{A}$ pour lesquelles ses composantes rectangulaires sont toutes deux négatives ? Pour quelles directions ses composantes ont-elles des signes opposés ?
11. Un vecteur peut-il avoir une composante égale à zéro tout en ayant une grandeur non nulle ? Expliquez.
12. Si l'une des composantes d'un vecteur n'est pas nulle, sa grandeur peut-elle être nulle ? Expliquez.
13. Si la composante du vecteur $\vec{A}$ sur la direction du vecteur $\vec{B}$ est égale à zéro, que pouvez-vous dire des deux vecteurs ?
14. Si $\vec{A} = \vec{B}$, que pouvez-vous conclure pour les composantes de $\vec{A}$ et $\vec{B}$? Et qu'en est-il si $A = B$?
15. La grandeur d'un vecteur peut-elle avoir une valeur négative ? Expliquez.
16. Si $\vec{A} + \vec{B} = \vec{0}$, que pouvez-vous dire des composantes des deux vecteurs ?
17. Indiquez, parmi les quantités suivantes, celles qui sont des vecteurs et celles qui n'en sont pas : une force, une température, le volume d'eau dans une boîte, l'indice d'écoute d'une émission télévisée, la hauteur d'un bâtiment, la vitesse d'une voiture de sport, l'âge de l'univers ?
18. Dans quels cas un vecteur non nul situé dans le plan xy peut-il avoir des composantes de même grandeur ?
19. Est-il possible d'additionner une quantité vectorielle et une quantité scalaire ? Expliquez. Est-il possible de les multiplier ?
20. Soit deux vecteurs de grandeur inégale. Leur somme peut-elle être nulle ? Expliquez.
21. (a) Quel est le déplacement résultant lors d'une promenade de 80 m suivie d'une autre promenade de 125 m si les deux déplacements ont eu lieu dans la direction est ? (b) Quel est le déplacement résultant si la promenade de 125 m s'est plutôt faite dans la direction opposée à la promenade de 80 m ?
22. En roulant sur une route rectiligne, vous passez devant une borne indiquant 260 km. Vous continuez jusqu'à une borne indiquant 150 km puis vous revenez sur votre chemin jusqu'à une borne indiquant 175 km. Quelle est la grandeur de votre déplacement résultant à partir de la borne indiquant 260 km ?
23. Un sous-marin plonge avec un angle de 30° sous l'horizontale et suit une trajectoire rectiligne sur une distance totale de 50 m. À quelle distance de la surface de l'eau se trouve-t-il alors ?
24. Sur une montagne russe, une cabine parcourt 41 m avec un angle de 40° au-dessus de l'horizontale. De quelle distance se déplace-t-elle horizontalement et verticalement ?

Problèmes

Section 1.2 Analyse dimensionnelle

1. Montrez que l'expression $x = vt + \frac{1}{2}at^2$ est homogène en dimensions, x étant une coordonnée ayant la dimension d'une longueur, v étant une vitesse, a une accélération et t le temps.
2. Montrez que l'équation $v^2 = v_0^2 + 2ax$ est homogène en dimensions, v et v_0 représentant des vitesses, a une accélération et x une distance.
3. La loi de la gravitation universelle de Newton s'écrit :
$$F = G\frac{Mm}{r^2}$$
Dans cette formule, F est la force de gravité, M et m sont des masses et r est une longueur. L'unité de force est le kg·m/s². Quelles sont les unités SI de la constante G ?

Section 1.3 Conversion des unités à l'intérieur du SI

4. Un terrain rectangulaire mesure 100,0 m sur 150,0 m. Déterminez l'aire de ce terrain en centimètres carrés.
5. Combien de millimètres carrés contient une parcelle de terrain dont l'aire est égale à 2,59 kilomètres carrés ?
6. Un morceau de plomb a une masse de 23,94 g et un volume de 2,10 cm³. À l'aide de ces données, calculez la densité du plomb en unités SI (kg/m³).
7. Sachant que la vitesse de la lumière dans le vide est voisine de $3,0 \times 10^{8}$ m/s, déterminez la distance en kilo-

mètres parcourue en une heure par l'impulsion d'un rayon laser.

8. (a) Trouvez un facteur de conversion pour convertir des kilomètres par heure en mètres par seconde. (b) La vitesse limite inférieure sur les autoroutes est de 60 km/h. En utilisant le facteur de conversion de la question (a), déterminez la valeur de cette vitesse en m/s. (c) La vitesse limite supérieure sur les autoroutes est de 100 km/h. Quelle est, en m/s, la plage de vitesses permises sur les autoroutes ?
9. Un pot de peinture (volume = $3{,}78 \times 10^{-3}$ m^3) couvre une superficie de 25 m^2. Quelle est l'épaisseur de la peinture sur le mur ?
10. La base d'une pyramide couvre une superficie de 53 km^2 et la pyramide a une hauteur de 147 m. Le volume d'une pyramide est donné par l'expression $V = (\frac{1}{3})Bh$, B étant l'aire de la base et h la hauteur de la pyramide. Déterminez le volume de cette pyramide en mètres cubes.

Figure 1.27 (Problèmes 10 et 11)
(Will et Deni McIntyre/Photo Researcher, Inc.)

11. La pyramide décrite au problème 10 contient environ 2 millions de blocs de pierre ayant une masse moyenne de 2 500 kg chacun. Déterminez la masse de cette pyramide en centigrammes (cg).
12. L'étoile la plus proche est à une distance voisine de 4×10^{13} km. Si notre Soleil (diamètre = $1{,}4 \times 10^9$ m) était représenté par un noyau de 7 mm de diamètre, déterminez la distance à l'« étoile-noyau » la plus proche.
13. On peut obtenir une estimation grossière de la grosseur d'une molécule au moyen d'une expérience simple. On laisse une gouttelette d'huile s'étaler sur une surface d'eau lisse. La « flaque » ainsi créée correspond approximativement à l'épaisseur d'une molécule. Si une gouttelette d'huile d'une masse de $9{,}0 \times 10^{-7}$ kg et d'une densité de 918 kg/m^3 s'étale en formant un cercle d'un rayon de 41,8 cm à la surface de l'eau, calculez le diamètre d'une molécule d'huile.
14. Sachant que la densité moyenne de la Terre est de 5,5 g/cm^3 et que son rayon moyen est de $6{,}37 \times 10^6$ m, calculez la masse de la Terre.
15. Un mètre cube (1,0 m^3) d'aluminium a une masse de $2{,}70 \times 10^3$ kg et un mètre cube de fer a une masse de $7{,}86 \times 10^6$ kg. Déterminez le rayon d'une sphère d'aluminium pleine qui est en équilibre sur une balance à plateau avec une sphère de fer pleine d'un rayon de 2,0 cm.

Section 1.4 Chiffres significatifs

16. Calculez (a) la circonférence d'un cercle d'un rayon de 3,5 cm et (b) l'aire d'un cercle d'un rayon de 4,65 cm.
17. Effectuez les opérations arithmétiques suivantes : (a) la somme des nombres 756, 37,2, 0,83 et 2,5, (b) le produit $3{,}2 \times 3{,}563$, (c) le produit $5{,}6 \times \pi$.
18. Combien de chiffres significatifs y a-t-il dans (a) $78{,}9 \pm 0{,}2$, (b) $3{,}788 \times 10^9$, (c) $2{,}46 \times 10^{-6}$, (d) 0,005 3 ?
19. Le *rayon* d'une sphère pleine mesure ($6{,}50 \pm 0{,}20$) cm et sa masse mesure ($1{,}85 \pm 0{,}02$) kg. Déterminez la densité de la sphère en kilogrammes par mètre cube (votre résultat doit tenir compte des chiffres significatifs).

Section 1.5 Systèmes de coordonnées et référentiels

20. Deux points du plan xy ont pour coordonnées cartésiennes (2,0, −4,0) et (−3,0, 3,0), les unités étant des mètres. Déterminez la distance entre ces points.
21. Un point du plan xy a pour coordonnées cartésiennes (−3,0, 5,0) m. Quelles sont ses coordonnées polaires ?
22. Les coordonnées polaires d'un point sont $r = 5{,}50$ m et $\theta = 240°$. Quelles sont ses coordonnées cartésiennes ?
23. Deux points d'un plan ont pour coordonnées polaires (2,50 m, 30°) et (3,80 m, 120°). Déterminez (a) les coordonnées cartésiennes de ces points et (b) la distance qui les sépare.

Section 1.6 Vecteurs et scalaires
Section 1.7 Quelques propriétés des vecteurs

24. Un arpenteur utilise la méthode suivante pour estimer la distance entre les deux rives d'une rivière. En partant d'un point qui se trouve exactement en face d'un arbre sur la rive opposée, l'arpenteur parcourt 100 m sur la berge, puis vise à nouveau l'arbre. L'angle entre cette ligne de référence (la droite qu'il vient de parcourir) et la ligne de visée de l'arbre vaut 35°. Quelle est la largeur de la rivière ?
25. Une personne marche le long d'une trajectoire circulaire de 5 m de rayon et parcourt la moitié du cercle. (a) Trouvez la grandeur du vecteur déplacement. (b) Quelle est la distance parcourue ? (c) Quelle est la grandeur du déplacement si la personne fait le tour du cercle ?
26. Un vecteur force $\vec{F}_1$ d'une grandeur de 6 N agit depuis l'origine dans une direction faisant un angle de 30° au-dessus de la partie positive de l'axe des x. Un second vecteur force $\vec{F}_2$ de grandeur 5 N agit depuis l'origine exactement dans la direction de l'axe des y positifs. Déterminez graphiquement la grandeur et l'orientation du vecteur force résultant $\vec{F}_1 + \vec{F}_2$.

27. Chacun des vecteurs déplacement $\vec{A}$ et $\vec{B}$ représentés à la figure 1.28 a une grandeur de 3 m. Trouvez graphiquement (a) $\vec{A} + \vec{B}$, (b) $\vec{A} - \vec{B}$, (c) $\vec{B} - \vec{A}$, (d) $\vec{A} - 2\vec{B}$.

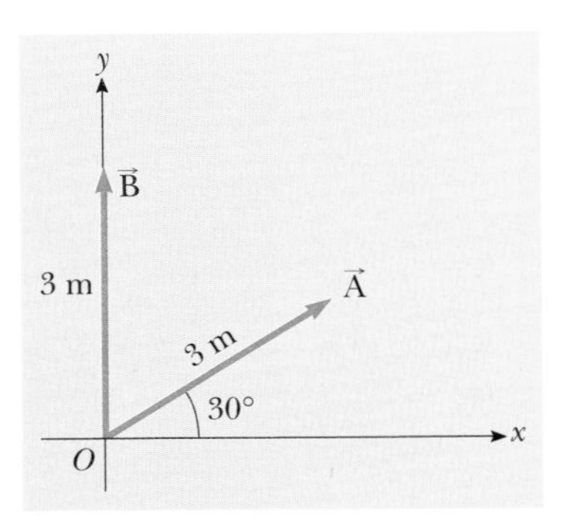

Figure 1.28 (Problème 27)

28. Sur une montagne russe, chaque cabine parcourt 60 m horizontalement, puis s'élève de 40 m avec un angle de 30° au-dessus de l'horizontale et parcourt ensuite 40 m avec un angle de 40° vers le bas. À la fin de ce mouvement, quel est le déplacement de la cabine à partir de son point de départ ? Utilisez des méthodes graphiques.
29. Un automobiliste, qui s'est égaré, parcourt 3 km vers le nord, 2 km vers le nord-est (45° nord-est), 4 km vers l'ouest puis 3 km vers le sud-est (45° sud-est). Où se trouve-t-il alors par rapport à son point de départ ? Trouvez votre réponse graphiquement. (On suppose que l'automobiliste ne se trouve ni à proximité du pôle Nord ni du pôle Sud.)
30. Dans un quartier dont les rues forment un quadrillage, un enfant parcourt 2 pâtés de maisons vers l'ouest, 3 pâtés de maisons vers le nord, puis 2 pâtés de maisons vers l'ouest. (a) Déterminez la distance totale qu'il a parcourue. (b) Trouvez le déplacement net (grandeur et orientation) à partir du point de départ.
31. Un coureur à pied parcourt 100 m vers l'ouest, puis change de direction pour la deuxième partie de sa course. À la fin de sa course, il se trouve à 175 m de son point de départ, dans une direction formant un angle de 15° nord-ouest. Quelles étaient l'orientation et la grandeur de son deuxième déplacement ? Utilisez les méthodes graphiques.
32. En explorant une grotte, une spéléologue parcourt les distances suivantes à partir de l'entrée de la grotte : 75 m vers le nord, 250 m vers l'est, 125 m avec un angle de 30° nord-est et 150 m vers le sud. Trouvez le déplacement résultant à partir de l'entrée de la grotte.

Section 1.8 Composantes d'un vecteur et vecteurs unitaires

33. Un vecteur a une composante en x de −25 unités et une composante en y de 40 unités. Trouvez sa grandeur et sa direction.
34. Les composantes en x, en y et en z du vecteur $\vec{B}$ sont respectivement, 4, 6 et 3 unités. Calculez la grandeur de $\vec{B}$ et les angles qu'il forme avec les axes de coordonnée.
35. Soit trois vecteurs donnés par $\vec{A} = \vec{i} + 3\vec{j}$, $\vec{B} = 2\vec{i} - \vec{j}$ et $\vec{C} = 3\vec{i} + 5\vec{j}$. Trouvez (a) la somme des trois vecteurs et (b) la grandeur et la direction du vecteur résultant.
36. Un golfeur débutant frappe trois coups avant de mettre la balle dans le trou. Les déplacements successifs sont de 4 m vers le nord, de 2 m vers le nord-est et de 1 m dans la direction 30° sud-ouest. En partant du même point initial, quel serait le vecteur déplacement unique avec lequel un golfeur expérimenté pourrait mettre sa balle dans le trou ?
37. Une particule subit deux déplacements. Le premier a une grandeur de 150 cm et forme un angle de 120° avec l'axe des x positifs. Le déplacement *résultant* a une grandeur de 140 cm et il forme un angle de 35° avec l'axe des x positifs. Trouvez la grandeur et la direction du second déplacement.
38. Un avion décolle de l'aéroport A et vole sur 300 km vers l'est, puis sur 350 km dans la direction 30° nord-ouest, et ensuite sur 150 km vers le nord pour finalement arriver à l'aéroport B. Il n'y a pas de vent ce jour-là. (a) Dans quelle direction doit voler le pilote pour se rendre directement de A à B ? (b) Quelle distance va parcourir le pilote dans ce vol direct ?
39. Un avion de ligne à réaction, volant initialement à 482,7 km/h vers l'est, pénètre dans une région où le vent souffle à 160,9 km/h dans la direction 30° nord-est. Quelle est la nouvelle vitesse et la nouvelle direction de l'avion ?
40. Trois vecteurs sont orientés comme sur la figure 1.29, avec $|\vec{A}| = 20$, $|\vec{B}| = 40$ et $|\vec{C}| = 30$ unités. Trouvez (a) les composantes en x et en y du vecteur résultant de la somme de $\vec{A}$, $\vec{B}$ et $\vec{C}$, et (b) la grandeur et la direction de ce vecteur résultant.

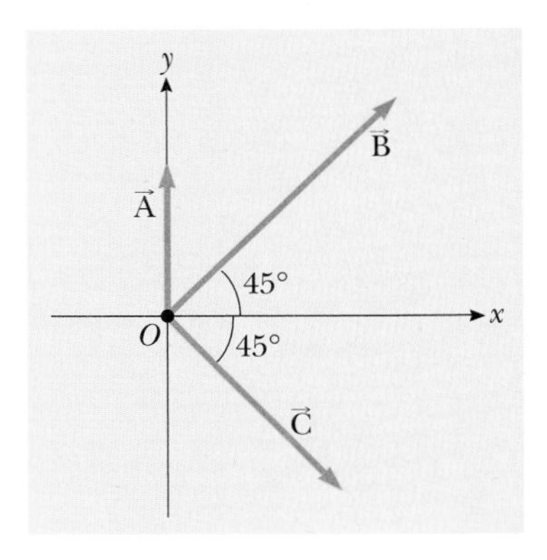

Figure 1.29 (Problème 40)

Problèmes supplémentaires

41. L'œil d'un ouragan passe au-dessus de l'Île Grande Bahama. Il se déplace alors dans la direction 60,0° nord-ouest à la vitesse de 41 km/h. Trois heures plus tard, sa trajectoire dérive brusquement vers le nord et sa vitesse diminue jusqu'à 25 km/h. À quelle distance de Grande Bahama se trouve l'ouragan 4,5 heures après son passage au-dessus de l'Île ?
42. Un contrôleur de la circulation aérienne voit deux avions sur son écran radar. Le premier est à une altitude de 800 m, à une distance horizontale de 19,2 km

et à 25° sud-ouest. Le second est à une altitude 1 100 m, à une distance horizontale de 17,6 km et à 20° sud-ouest. Quelle est la distance entre les deux avions ? (L'axe des x correspond à l'ouest, l'axe des y au sud et l'axe des z à la verticale.)

43. Une personne fait une promenade représentée à la figure 1.30. Le trajet total de sa promenade est constitué de quatre trajectoires rectilignes. À la fin de sa promenade, quel est son déplacement résultant mesuré à partir du point de départ ?

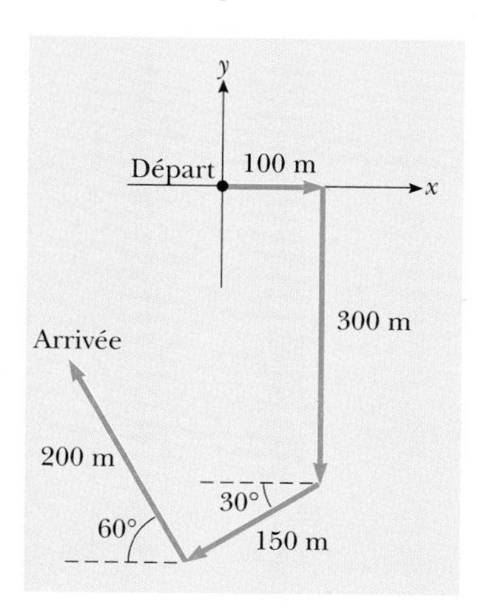

Figure 1.30 (Problème 43)

44. La figure 1.31 représente deux personnes, vues d'un hélicoptère, en train de tirer sur une mule récalcitrante. Trouvez (a) la force unique qui est équivalente aux deux forces représentées et (b) la force que devrait exercer sur la mule une troisième personne pour que la force nette soit égale à zéro.

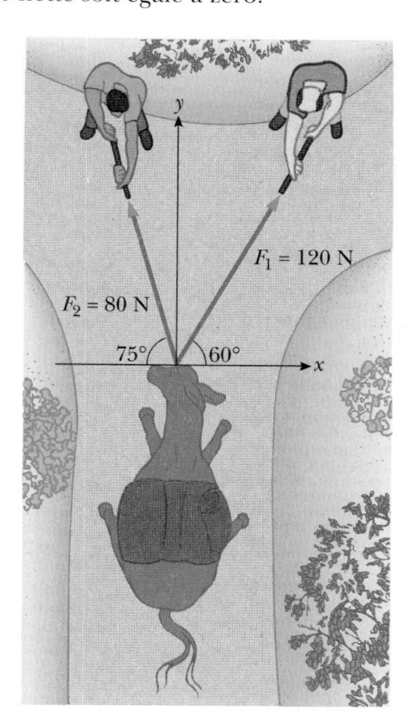

Figure 1.31 (Problème 44)

45. Un parallélépipède rectangle a pour dimensions a, b et c, comme à la figure 1.32. (a) Donnez l'expression vectorielle du vecteur $\vec{R}_1$ correspondant à la diagonale de la base. Quelle est la grandeur de ce vecteur ? (b) Donnez l'expression vectorielle du vecteur $\vec{R}_2$ correspondant à la diagonale centrale. Quelle est la grandeur de ce vecteur ?

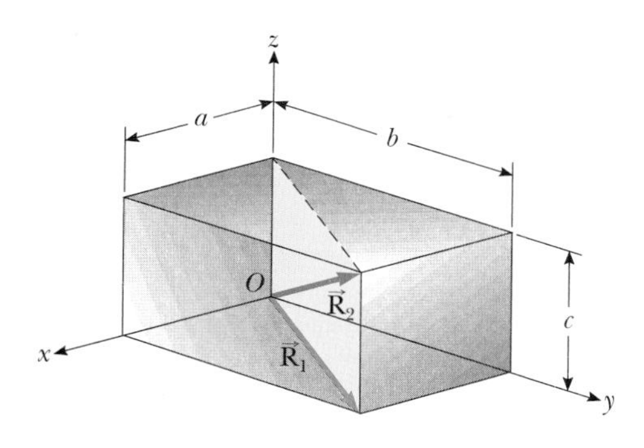

Figure 1.32 (Problème 45)

Figure 2.1
Cette voiture de course à accélération est un exemple de mouvement linéaire dans lequel on peut supposer que l'accélération est constante. *(D.P.P.I./Publiphoto)*

Le mouvement rectiligne

CHAPITRE 2

La cinématique étudie les mouvements des corps à l'aide des notions d'espace et de temps, en faisant abstraction de leurs causes. Nous allons ici étudier le mouvement sur une droite, c'est-à-dire le mouvement rectiligne. À partir de la notion de déplacement expliquée au chapitre 1, nous allons définir la vitesse et l'accélération. À l'aide de ces deux concepts, nous étudierons ensuite le mouvement des objets en accélération constante. Au chapitre 3, nous verrons le mouvement en deux dimensions.

Les expériences de la vie courante nous permettent d'observer qu'un mouvement correspond à une variation continue de la position d'un objet. S'il est accompagné d'une rotation ou d'une vibration, le mouvement d'un objet dans l'espace peut être assez complexe. Néanmoins, il est parfois possible de simplifier l'étude de ces mouvements en négligeant provisoirement les mouvements internes du corps qui se déplace. Dans de nombreux cas, un objet peut être considéré comme une *particule* si on tient compte uniquement de sa translation dans l'espace.

Bien qu'en théorie une particule soit un point mathématique sans dimension, il est parfois utile de faire certaines approximations qui permettent de représenter des objets macroscopiques par des particules. Par exemple, si on souhaite décrire le mouvement de la Terre autour du Soleil, on peut considérer la Terre comme une particule et prédire son orbite avec une précision raisonnable. Cette approximation est justifiée, car le rayon de l'orbite terrestre est grand par rapport aux dimensions de la Terre et du Soleil. Par contre, nous ne pourrions pas utiliser cette représentation pour expliquer la structure interne de la Terre ou pour étudier certains phénomènes comme les marées, les séismes ou l'activité volcanique. À une échelle plus réduite, il est possible d'expliquer la pression exercée par un gaz sur les parois d'un récipient en assimilant les molécules de gaz à des particules. Cependant, le fait de représenter les molécules de gaz par des particules ne permet pas, généralement, d'étudier les propriétés du gaz qui sont liées aux mouvements internes (vibrations) et aux rotations des molécules gazeuses.

2.1 Vitesse moyenne

Pour décrire complètement le mouvement d'une particule, il faut connaître à tout instant la position de cette particule dans l'espace. Prenons l'exemple d'une particule se déplaçant sur l'axe des x, du point P au point Q. Appelons x_i sa position au point P à l'instant t_i et x_f sa position au point Q à l'instant t_f. Entre les instants t_i et t_f, la position de la particule peut varier entre ces deux points (voir figure 2.2). Un tel diagramme est souvent appelé *graphique position-temps.* Dans l'intervalle de temps $\Delta t = t_f - t_i$, le déplacement de la particule est $\Delta x = x_f - x_i$. Le déplacement est par définition la variation de position de la particule. Dans la notation utilisant les vecteurs unitaires, le **vecteur déplacement** peut s'écrire $\Delta\vec{x} = (x_f - x_i)\vec{i}$.

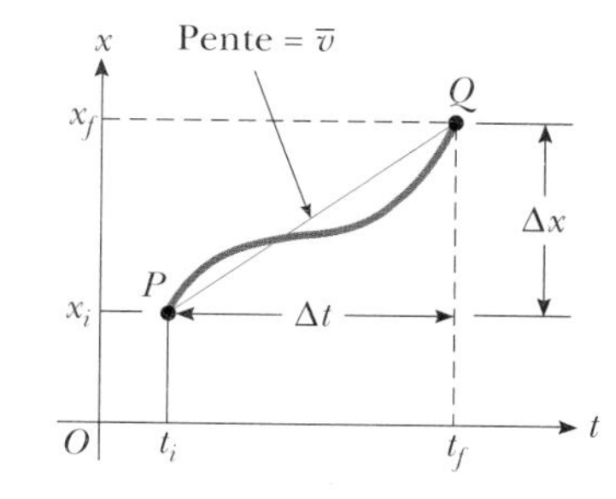

Figure 2.2
Graphique position-temps d'une particule se déplaçant sur l'axe des x. La vitesse moyenne dans l'intervalle $\Delta t = t_f - t_i$ est donnée par la pente de la droite reliant les points P et Q.

La composante en x de la **vitesse moyenne** de la particule, $\bar{v}$, est définie comme étant le rapport de son vecteur déplacement $\Delta\vec{x}$ sur l'intervalle de temps Δt :

Vitesse moyenne

$$\vec{\bar{v}} \equiv \frac{\Delta\vec{x}}{\Delta t} = \frac{(x_f - x_i)\vec{i}}{t_f - t_i} \quad [2.1]$$

D'après cette définition, on constate que la vitesse moyenne a la dimension d'une longueur divisée par un temps (L/T) et qu'elle s'exprime en m/s dans les unités SI. La vitesse moyenne est *indépendante* du chemin parcouru entre les points P et Q, puisqu'elle est proportionnelle au déplacement $\Delta\vec{x}$, dont la valeur dépend uniquement des coordonnées initiale et finale de la particule. Par conséquent, quelle que soit la trajectoire suivie par une particule, si elle revient à son point de départ, sa vitesse moyenne est nulle puisque son déplacement sur cette trajectoire est égal à zéro. Il ne faut pas confondre le déplacement avec la distance parcourue : il est en effet évident que la distance parcourue ne peut pas être nulle, quel que soit le mouvement. La vitesse moyenne ne nous renseigne donc pas sur le mouvement de la particule entre les points P et Q. (Dans la prochaine section, nous verrons comment évaluer la vitesse à un instant donné.) Notons enfin que la vitesse moyenne d'un mouvement rectiligne peut être positive ou négative, selon le signe du vecteur déplacement. (L'intervalle de temps Δt est toujours positif.) Si la valeur de la coordonnée x augmente avec le temps (c'est-à-dire si $x_f > x_i$), alors $\Delta\vec{x}$ est positif et $\vec{\bar{v}}$ est donc positif et correspond à une vitesse moyenne dans la direction des x positifs. Par contre, si la valeur de x diminue avec le temps (c'est-à-dire si $x_f < x_i$), $\Delta\vec{x}$ est négatif et $\vec{\bar{v}}$ est donc négatif, ce qui correspond à une vitesse moyenne dans la direction des x négatifs.

On peut également donner une interprétation géométrique de la vitesse moyenne en traçant une droite passant par les points P et Q de la figure 2.2. Cette droite forme l'hypoténuse d'un triangle rectangle de hauteur Δx et de base Δt.

La pente de cette droite est égale au rapport $\Delta x/\Delta t$. Nous voyons donc que la vitesse *moyenne* de la particule pendant l'intervalle de temps t_i à t_f est égale à la pente de la droite qui joint le point de départ et le point d'arrivée sur le graphique position-temps. (Le terme *pente* sera souvent utilisé pour faire référence aux graphiques. Quelles que soient les grandeurs représentées graphiquement, le terme *pente* correspond au rapport entre la variation de la grandeur représentée sur l'axe vertical et la variation de la grandeur représentée sur l'axe horizontal.)

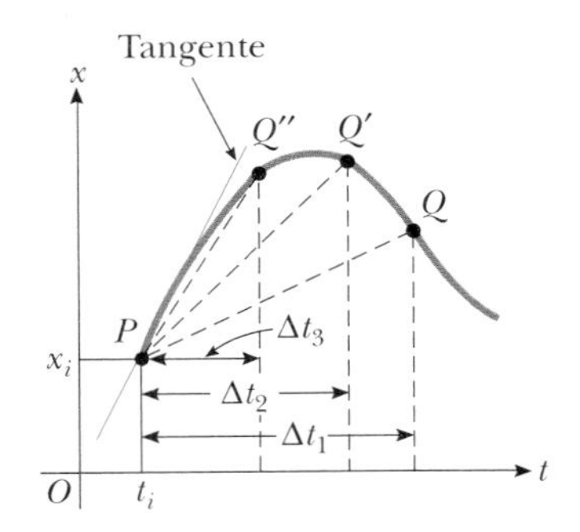

Figure 2.3
Graphique position-temps d'une particule se déplaçant sur l'axe des x. À mesure que les intervalles de temps, à partir de t_i, deviennent de plus en plus petits, la vitesse moyenne sur un intervalle tend vers la pente de la tangente en P. La vitesse instantanée en P est donnée par la pente de la tangente en bleu à l'instant t_i.

Exemple 2.1 Calcul de la vitesse moyenne

Une particule se déplaçant sur l'axe des x se trouve en x_i = 12 m à t_i = 1 s et en x_f = 4 m à t_f = 3 s. Trouvez son déplacement et sa vitesse moyenne durant cet intervalle de temps.

Solution Le déplacement s'écrit :

$$\Delta\vec{x} = (x_f - x_i)\,\vec{i} = (4\text{ m} - 12\text{ m})\,\vec{i} = -8\,\vec{i}\text{ m}$$

La vitesse moyenne est :

$$\bar{\vec{v}} = \frac{\Delta\vec{x}}{\Delta t} = \frac{(x_f - x_i)\,\vec{i}}{t_f - t_i} = \frac{(4\text{ m} - 12\text{ m})\,\vec{i}}{3\text{ s} - 1\text{ s}} = -4\,\vec{i}\text{ m/s}$$

Comme le déplacement est négatif sur cet intervalle de temps, nous concluons que la particule s'est déplacée vers la gauche, vers les valeurs décroissantes de x.

2.2 Vitesse instantanée

La vitesse d'une particule à un instant quelconque, ou en un certain point d'un diagramme espace-temps, est sa **vitesse instantanée**. Cette notion est particulièrement importante quand la vitesse moyenne sur divers intervalles de temps n'est *pas constante.*

Considérons le mouvement d'une particule entre les deux points P et Q du diagramme espace-temps de la figure 2.3. À mesure que le point Q se rapproche du point P, les intervalles de temps (Δt_1, Δt_2, Δt_3, ...) deviennent de plus en plus petits. Lorsque Q est très proche de P, l'intervalle de temps tend vers zéro, mais en même temps la pente de la droite en pointillés se rapproche de celle de la tangente à la courbe au point P. La pente de la tangente à la courbe au point P représente la *vitesse instantanée à l'instant t_i*. Autrement dit,

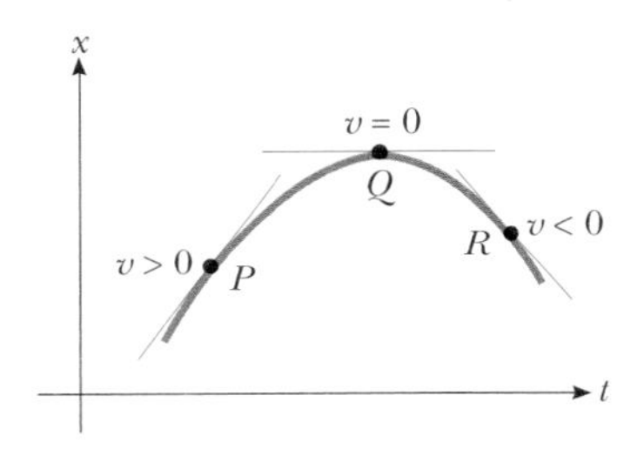

Figure 2.4
Sur le graphique position-temps représenté ici, la vitesse est positive en P, où la pente de la tangente est positive ; la vitesse est nulle en Q, où la pente de la tangente est nulle ; et la vitesse est négative en R, où la pente de la tangente est négative.

la vitesse instantanée, $\vec{v}$, est égale à la valeur limite du rapport $\Delta\vec{x}/\Delta t$ lorsque Δt tend vers zéro :

$$\vec{v} \equiv \lim_{\Delta t \to 0} \frac{\Delta\vec{x}}{\Delta t} \qquad [2.2]$$

Cette limite est appelée *dérivée* de x par rapport à t et s'écrit $d\vec{x}/dt$:

$$\vec{v} \equiv \lim_{\Delta t \to 0} \frac{\Delta\vec{x}}{\Delta t} = \frac{d\vec{x}}{dt} \qquad [2.3]$$

Le vecteur vitesse instantanée est la dérivée du vecteur déplacement par rapport au temps.

La vitesse instantanée peut être positive, négative ou nulle. Lorsque la pente de la courbe espace-temps est positive, comme le point P de la figure 2.4, v est positif. Au point R, v est négatif puisque la pente est négative. Enfin, la vitesse instantanée est nulle au sommet Q (point extrême), où la pente est nulle. *Dans les pages qui suivent, le mot* vitesse *servira à désigner la notion de vitesse instantanée.*

La **vitesse scalaire instantanée** d'une particule est, par définition, la valeur numérique du vecteur vitesse instantanée. Par définition, la *vitesse scalaire* ne peut donc jamais être négative.

▼▼▼

Exemple 2.2 Vitesse moyenne et vitesse instantanée

Soit une particule se déplaçant sur l'axe des x. Sa coordonnée x varie en fonction du temps selon la formule $x = -4t + 2t^2$, x étant exprimé en mètres, t en secondes et les constantes numériques −4 et +2 respectivement en mètres par seconde et en mètres par seconde carrée. Le graphique position-temps de ce mouvement est représenté à la figure 2.5. Notons que la particule se déplace d'abord vers les valeurs négatives de x pendant la première seconde du mouvement, s'arrête momentanément à $t = 1$ s puis revient vers les valeurs positives de x pour $t > 1$ s.

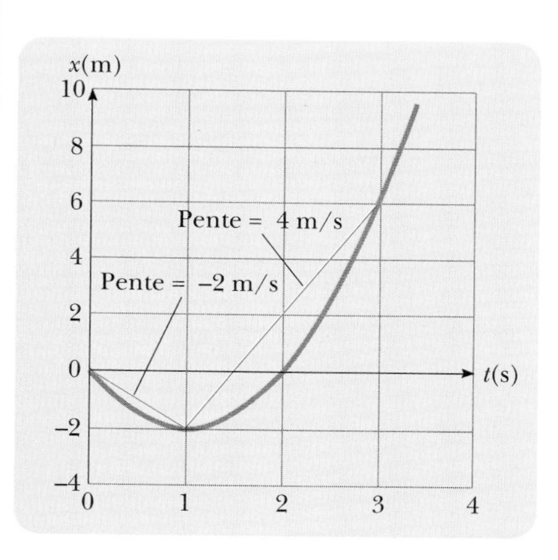

Figure 2.5 (Exemple 2.2) Graphique position-temps d'une particule dont la coordonnée en x varie avec le temps selon $x = -4t + 2t^2$.

(a) Déterminez le déplacement de la particule durant l'intervalle de temps $t = 1$ s à $t = 3$ s.

Solution Posons $t_i = 1$ s et $t_f = 3$ s. Puisque $x = -4t + 2t^2$, nous obtenons pour le premier déplacement :

$$\begin{aligned}\Delta \vec{x}_{13} &= (x_f - x_i)\,\vec{i} \\ &= [-4(3) + 2(3)^2]\,\vec{i} - [-4(1) + 2(1)^2]\,\vec{i}\text{ m} \\ &= \boxed{8\,\vec{i}\text{ m}}\end{aligned}$$

Notons que ce déplacement peut également être lu directement sur le graphique position-temps (voir figure 2.5).

(b) Calculez la vitesse moyenne durant l'intervalle de temps $t = 1$ s à $t = 3$ s.

Solution En utilisant l'équation 2.1 et le résultat obtenu à la question (a), on obtient :

$$\vec{\bar{v}}_{13} = \frac{\Delta \vec{x}_{13}}{\Delta t} = \frac{8\,\vec{i}\text{ m}}{2\text{ s}} = \boxed{4\,\vec{i}\text{ m/s}}$$

(c) Trouvez la vitesse instantanée de la particule à $t = 2{,}5$ s.

Solution En mesurant la pente de la courbe position-temps en $t = 2{,}5$ s, on trouve $\vec{v} = 6\,\vec{i}$ m/s. (Essayez de montrer que la vitesse est égale à $-4\,\vec{i}$ m/s à $t = 0$ et qu'elle est égale à zéro lorsque $t = 1$ s.) Voyez-vous une symétrie dans ce mouvement ? Par exemple, la vitesse reprend-elle plusieurs fois la même valeur ?

▼▼▼

Exemple 2.3 Calcul des valeurs limites

La position d'une particule en mouvement sur l'axe des x varie en fonction du temps selon l'expression $x = 3t^2$, dans laquelle x est exprimé en mètres, 3 en mètres par seconde et t en secondes. Trouvez la vitesse en fonction de t.

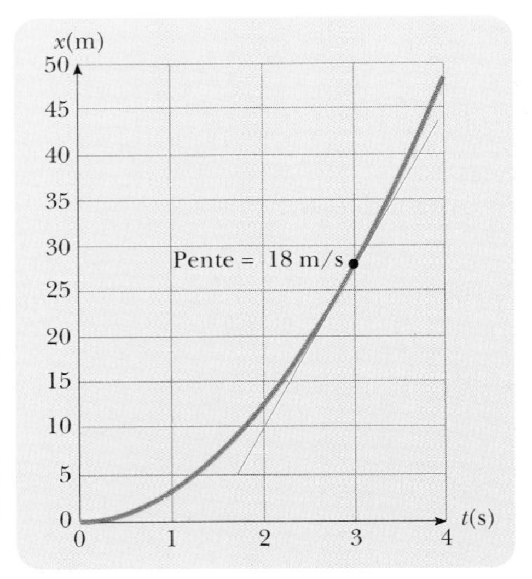

Figure 2.6
(Exemple 2.3) Graphique position-temps d'une particule dont la coordonnée en x varie en fonction du temps selon $x = 3t^2$. Notez que la vitesse instantanée à $t = 3$ s est donnée par la pente de la tangente en bleu à la courbe en ce point.

Solution Le graphique position-temps de ce mouvement est représenté à la figure 2.6. On peut calculer la vitesse à un instant t quelconque en utilisant la définition de la vitesse instantanée. Si la coordonnée initiale de la particule à l'instant t est $x_i = 3t^2$, sa coordonnée à un instant ultérieur $t + \Delta t$ est :

$$\begin{aligned} x_f &= 3(t+\Delta t)^2 = 3[t^2 + 2t\Delta t + (\Delta t)^2] \\ &= 3t^2 + 6t\Delta t + 3(\Delta t)^2 \text{ m} \end{aligned}$$

Le déplacement durant l'intervalle de temps Δt est donc :

$$\begin{aligned} \Delta\vec{x} &= (x_f - x_i)\vec{i} = [3t^2 + 6t\Delta t + 3(\Delta t)^2 - 3t^2]\vec{i} \\ &= (6t\Delta t + 3(\Delta t)^2]\vec{i} \text{ m} \end{aligned}$$

La vitesse moyenne durant cet intervalle de temps est :

$$\bar{v} = \frac{\Delta\vec{x}}{\Delta t} = (6t + 3\,\Delta t)\,\vec{i} \text{ m/s}$$

Pour déterminer la vitesse instantanée, nous allons calculer la limite de cette expression lorsque Δt tend vers zéro. Nous voyons que le terme $3\,\Delta t$ tend vers zéro et par conséquent,

$$\bar{v} = \lim_{\Delta t \to 0} \frac{\Delta\vec{x}}{\Delta t} = \boxed{6t\vec{i} \text{ m/s}}$$

Notons que cette expression nous donne la vitesse à un instant *quelconque t*. Elle nous indique que $\vec{v}$ augmente linéairement en fonction du temps. Il nous est donc facile de déterminer la vitesse à un instant donné à partir de l'expression $\vec{v} = 6t\vec{i}$. Par exemple, à $t = 3$ s, la vitesse est $\vec{v} = 6(3)\vec{i} = 18\vec{i}$ m/s. Nous pouvons vérifier ce résultat à partir de la pente de la courbe (la droite tracée en bleu) à $t = 3$ s.

2.3 Accélération

Lorsque la vitesse d'une particule varie en fonction du temps, on dit que la particule *accélère*. Par exemple, la vitesse d'une voiture augmente lorsqu'on appuie sur l'accélérateur. La voiture ralentit lorsqu'on appuie sur les freins et elle change de direction lorsqu'on tourne le volant. Nous donnerons toutefois une définition plus précise de l'accélération.

Supposons qu'une particule en mouvement sur l'axe des x a une vitesse $\vec{v}_i$ à l'instant t_i et une vitesse $\vec{v}_f$ à l'instant t_f.

HISTORIQUE

Encadré 2.1

Achille et la tortue

La notion de mouvement peut paraître évidente à première vue. Vous marchez sur le trottoir et au loin, derrière, vous entendez les pas d'un coureur. Le son se fait plus intense. Peu de temps après, il vous rattrape puis vous dépasse. Pourtant, un exemple similaire a tant intrigué le philosophe grec Zénon (495-430 av. J.-C.) qu'il en est venu à la conclusion de l'impossibilité de tout mouvement. Il énonça ses arguments dans un paradoxe (on lui en doit également plusieurs autres) bien connu, celui d'Achille et de la tortue. Cette dernière, d'esprit plus vif que ses pattes, offrit au héros grec, réputé pour sa vitesse, de faire la course avec elle, en lui demandant cependant d'avoir droit à une longueur d'avance pour compenser sa lenteur. Convaincu de l'emporter aisément, Achille accepta d'emblée et la course débuta. En moins de temps qu'il n'en faut pour le dire, Achille fut à une distance de la tortue égale à la moitié de la longueur d'avance initiale. Dans son paradoxe, Zénon fit alors le raisonnement suivant : regardons la situation telle qu'elle se présente à nous. Nous voyons Achille à une certaine distance derrière la tortue, considérons alors qu'une nouvelle course commence à cet instant. Bientôt, l'intervalle les séparant vaudra la moitié de la nouvelle longueur d'avance initiale, et ainsi de suite. Le philosophe prétendit alors que puisqu'il restera toujours une fraction de la distance à couvrir, Achille ne parviendra jamais à rejoindre la tortue. Une autre façon de voir les choses est de constater qu'à chaque fois qu'Achille atteint une position précédemment occupée par la tortue celle-ci aura avancé quelque peu et ceci, indéfiniment. Zénon en conclut que le monde est immuable et que le mouvement est une invention de l'esprit.

L'évolution des mathématiques nous permet aujourd'hui de pouvoir résoudre cet apparent paradoxe grâce à la notion de série convergente. Symboliquement, on peut représenter la course par la sommation : 1/2 + 1/4 + 1/8 + 1/16... Nous savons désormais que l'addition de tous ces termes ne donne pas l'infini mais bien le nombre 1 ; on dit alors que cette série converge. Achille va donc rattraper la tortue.

LECTURE SUGGÉRÉE

- W. McLaughlin, *La résolution des paradoxes de Zénon*, Pour la science, n° 207, janvier 1993.

L'**accélération moyenne** d'une particule durant l'intervalle de temps $\Delta t = t_f - t_i$ est, par définition, le rapport $\Delta\vec{v}/\Delta t$, où $\Delta\vec{v} = \vec{v}_f - \vec{v}_i$ est la *variation* de la vitesse durant cet intervalle de temps :

$$\bar{\vec{a}} \equiv \frac{\vec{v}_f - \vec{v}_i}{t_f - t_i} = \frac{\Delta\vec{v}}{\Delta t} \quad [2.4]$$

Accélération moyenne

L'accélération est une grandeur vectorielle qui a la dimension d'une longueur divisée par un temps au carré, c'est-à-dire L/T^2. L'unité SI d'accélération est le mètre par seconde carrée (m/s^2).

Dans certains cas, la valeur de l'accélération moyenne varie d'un intervalle de temps à l'autre. Il est donc utile de définir l'**accélération instantanée**, qui est la limite de l'accélération moyenne lorsque Δt tend vers zéro. Cette notion est analogue à la définition de la vitesse instantanée présentée à la section précédente.

$$\vec{a} \equiv \lim_{\Delta t \to 0} \frac{\Delta\vec{v}}{\Delta t} = \frac{d\vec{v}}{dt} \quad [2.5]$$

Accélération instantanée

Autrement dit, l'accélération instantanée est égale à la dérivée de la vitesse par rapport au temps, ce qui correspond, par définition, à la pente de la courbe vitesse-temps. On peut définir la dérivée de la vitesse par rapport au temps comme étant le *taux de variation de la vitesse en fonction du temps*. Notons ici encore que si $\vec{a}$ est positif, l'accélération est orientée dans le sens des x positifs alors que si $\vec{a}$ est négatif, l'accélération est orientée dans le sens des x négatifs. *Dorénavant, le terme* accélération *servira à désigner la notion d'accélération instantanée.*

Puisque $\vec{v} = d\vec{x}/dt$, l'accélération peut également s'écrire :

$$\vec{a} \equiv \frac{d\vec{v}}{dt} = \frac{d}{dt}\left(\frac{d\vec{x}}{dt}\right) = \frac{d^2\vec{x}}{dt^2} \quad [2.6]$$

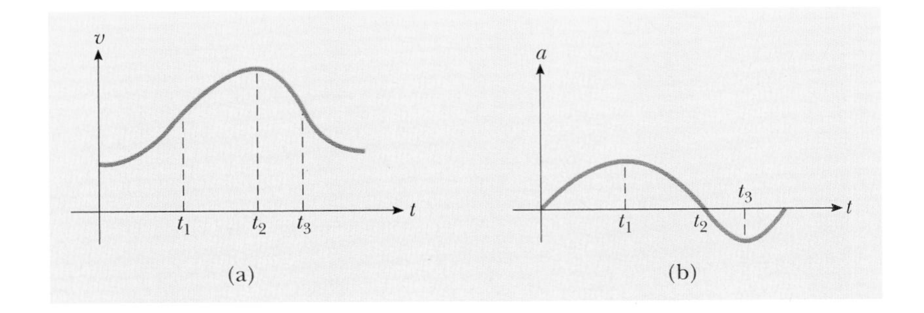

Figure 2.7
L'accélération instantanée peut être obtenue à partir du graphique vitesse-temps (a). À chaque instant, l'accélération sur le graphique de a en fonction de t (b) est égale à la pente de la tangente à la courbe donnant v en fonction de t.

Autrement dit, l'accélération est égale à la *dérivée seconde* du déplacement par rapport au temps.

La figure 2.7 montre comment tracer la courbe accélération-temps à partir de la courbe vitesse-temps. Dans ces représentations graphiques, l'accélération à un instant quelconque correspond simplement à la pente de la courbe vitesse-temps à ce même instant. Les valeurs positives de l'accélération correspondent aux points où la vitesse augmente dans le sens des x positifs. L'accélération atteint un maximum à l'instant t_1, là où la pente de la courbe vitesse-temps est maximale. L'accélération passe ensuite par la valeur zéro à l'instant t_2, lorsque la vitesse atteint un maximum (c'est-à-dire à l'instant où la variation momentanée de la vitesse est nulle et où la pente de la courbe donnant v en fonction de t est nulle). Enfin, l'accélération est négative lorsque la vitesse dans le sens des x positifs diminue en fonction du temps.

Pour prendre un exemple de calcul de l'accélération, considérons la voiture représentée à la figure 2.9. Dans ce cas, la vitesse de la voiture a varié entre une valeur initiale de $30\vec{i}$ m/s et une valeur finale de $15\vec{i}$ m/s durant un intervalle de temps de 2 s. L'accélération moyenne durant cet intervalle de temps est :

$$\vec{a} = \frac{15\vec{i}\ \text{m/s} - 30\vec{i}\ \text{m/s}}{2{,}0\ \text{s}} = -7{,}5\vec{i}\ \text{m/s}^2$$

Dans cet exemple, le signe moins indique que le vecteur accélération est orienté dans le sens des x négatifs (vers la gauche). Dans le cas d'un mouvement rectiligne, l'orientation de la vitesse d'un objet et l'orientation de son accélération sont liées par la règle suivante : *si la vitesse et l'accélération de l'objet ont la même direction, la grandeur de la vitesse de l'objet augmente.* Par contre, *si la vitesse et l'accélération de l'objet sont de sens opposés, la grandeur de la vitesse de l'objet diminue.*

Figure 2.8
Galilée en train de démontrer une expérience avec le plan incliné. Il mesura les distances parcourues par une bille roulant sur un plan incliné durant des intervalles de temps successifs et égaux et montra que ces distances étaient proportionnelles au carré du temps écoulé. Cette fresque de Giuseppe Bezzouli se trouve au Musée zoologique de Florence, en Italie.
(Art Resource)

Exemple 2.4 Accélération moyenne et accélération instantanée

La vitesse d'une particule en mouvement sur l'axe des x varie en fonction du temps selon l'expression $\vec{v} = (40 - 5t^2)\,\vec{i}$ m/s, où t est en secondes, 40 en m/s et −5 en m/s³.

(a) Trouvez l'accélération moyenne dans l'intervalle de temps $t = 0$ à $t = 2$ s.

Solution La courbe vitesse-temps pour cette fonction est donnée à la figure 2.10. On obtient les vitesses à $t_i = 0$ et $t_f = 2$ s en remplaçant ces valeurs de t dans l'expression donnant la vitesse :

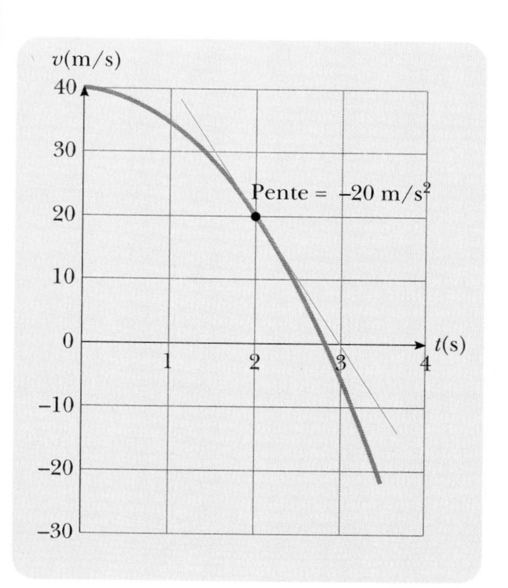

Figure 2.10
(Exemple 2.4) Graphique vitesse-temps d'une particule se déplaçant sur l'axe des x selon la relation $v = (40 - 5t^2)$ m/s. Notez que l'accélération à $t = 2$ s est donnée par la pente de la tangente en bleu à cet instant.

$$\vec{v}_i = (40 - 5t_i^2)\,\vec{i}\text{ m/s} = [40 - 5(0)^2]\,\vec{i}\text{ m/s} = 40\,\vec{i}\text{ m/s}$$

$$\vec{v}_f = (40 - 5t_f^2)\,\vec{i}\text{ m/s} = [40 - 5(2)^2]\,\vec{i}\text{ m/s} = 20\,\vec{i}\text{ m/s}$$

L'accélération moyenne dans l'intervalle de temps $\Delta t = t_f - t_i = 2$ s est donc :

$$\vec{\bar{a}} = \frac{\vec{v}_f - \vec{v}_i}{t_f - t_i} = \frac{(20 - 40)\,\vec{i}\text{ m/s}}{(2 - 0)\text{s}} = \boxed{-10\,\vec{i}\text{ m/s}^2}$$

Le signe négatif signifie que la pente de la droite qui joint le point initial et le point final de la courbe vitesse-temps est négative.

(b) Déterminez l'accélération à $t = 2$ s.

Solution La vitesse à l'instant t est donnée par $\vec{v}_i = (40 - 5t^2)\,\vec{i}$ m/s et l'accélération est donnée par :

$$\vec{a} = \frac{d\vec{v}}{dt}$$

donc :

$$\vec{a} = \frac{d\vec{v}}{dt} = \frac{d}{dt}(40 - 5t^2)\,\vec{i} = -10t\,\vec{i}\text{ m/s}^2$$

À $t = 2$ s, on trouve donc :

$$\vec{a} = (-10)(2)\,\vec{i}\text{ m/s}^2 = \boxed{-20\,\vec{i}\text{ m/s}^2}$$

On peut aussi obtenir ce résultat en mesurant la pente de la courbe vitesse-temps à $t = 2$ s. Notons que l'accélération n'est pas constante dans cet exemple. À la section 2.5, nous allons étudier des cas faisant intervenir une accélération constante.

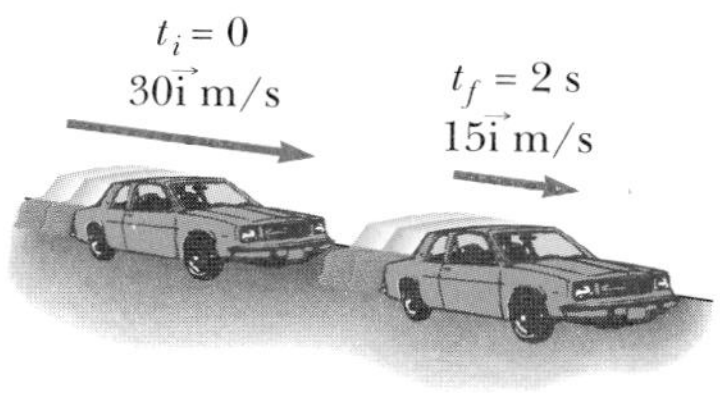

$t_i = 0$
$30\vec{i}$ m/s
$t_f = 2$ s
$15\vec{i}$ m/s

Figure 2.9
La vitesse d'une voiture diminue de $30\,\vec{i}$ m/s à $15\,\vec{i}$ m/s dans un intervalle de temps de 2 s.

Si vous avez déjà fait du calcul différentiel et intégral, vous savez qu'il existe des règles précises qui permettent de déterminer facilement les dérivées des fonctions.

Supposons que x soit proportionnel à une certaine puissance de t, c'est-à-dire :

$$x = At^n$$

où A et n sont des constantes. (Cette forme de fonction est très courante.) La dérivée de x par rapport à t est donnée par :

$$\frac{dx}{dt} = nAt^{n-1}$$

En appliquant cette règle à l'exemple 2.3, où $x = 3t^2$, on voit que $v = dx/dt = 6t$, ce qui concorde avec le résultat obtenu par le calcul de limite. (Notons que le taux de variation d'une grandeur constante est égal à zéro.)

2.4 Diagrammes du mouvement

On confond souvent les notions de vitesse et d'accélération, mais il s'agit en fait de grandeurs tout à fait différentes. Afin d'éviter de les confondre, nous avons représenté, à la figure 2.11, les vecteurs vitesse en rouge et les vecteurs accélération en violet. Les vecteurs sont représentés à plusieurs instants durant le mouvement de l'objet et on suppose que les positions consécutives de l'objet sont séparées par des intervalles de temps égaux.

La figure 2.11a représente une voiture roulant vers la droite avec une accélération positive constante. Dans ce cas, le vecteur vitesse augmente en fonction du temps. Comme la voiture va de plus en plus vite vers la droite, son déplacement entre deux positions consécutives augmente avec le temps. Si la voiture roule d'abord vers la droite avec une accélération négative constante (c'est-à-dire une décélération constante), comme à la figure 2.11b, le vecteur vitesse diminue en fonction du temps et finit par s'annuler. Dans ce cas, la voiture ralentit en roulant vers la droite et son déplacement entre deux positions consécutives diminue avec le temps. À partir de cette figure, on constate que les vecteurs accélération et vitesse *n'ont pas*, dans cet exemple, la même orientation.

Entraînez-vous à construire la représentation graphique du mouvement d'une particule qui se déplace d'abord vers la gauche avec une accélération constante positive ou négative. Entraînez-vous aussi à construire les représentations graphiques du mouvement après avoir trouvé mathématiquement la solution des problèmes de cinématique, afin de vérifier si vos réponses concordent avec les diagrammes.

Figure 2.11
(a) Diagramme du mouvement d'un objet soumis à une accélération constante de même orientation que sa vitesse. Le vecteur vitesse à chaque instant est représenté par une flèche rouge et le vecteur accélération constante par une flèche violette. (b) Diagramme du mouvement d'un objet dont l'accélération constante est d'orientation *opposée* à la vitesse à chaque instant.

2.5 Mouvement rectiligne uniformément accéléré

Si l'accélération d'une particule varie dans le temps, le mouvement peut être complexe et difficile à étudier. Par contre, lorsque l'accélération est constante, ou uniforme, on est en présence d'un type de mouvement simple et très courant appelé mouvement rectiligne uniformément accéléré. Dans ce cas, l'accélération moyenne est égale à l'accélération instantanée. Par conséquent, la vitesse augmente ou diminue au même taux pendant tout le mouvement.

Si on remplace $\vec{\bar{a}}$ par $\vec{a}$ dans l'équation 2.4, on obtient :

$$\vec{a} = \frac{\vec{v}_f - \vec{v}_i}{t_f - t_i}$$

Puisqu'il s'agit d'un mouvement rectiligne, nous pouvons supprimer la notation vectorielle et utiliser le signe moins pour les vecteurs orientés dans le sens des x négatifs. Pour simplifier, posons $t_i = 0$ et $t_f = t$, un instant arbitraire. De même, posons $v_i = v_0$ (la vitesse initiale à $t = 0$) et $v_f = v$ (la vitesse à un instant quelconque t). L'accélération s'écrit donc :

$$a = \frac{v - v_0}{t}$$

ou

$$v = v_0 + at \qquad \text{(à accélération constante } a\text{)} \qquad [2.7]$$

Vitesse en fonction du temps

Cette expression nous permet de prévoir la vitesse à *tout* instant t si la vitesse initiale, l'accélération et le temps écoulé sont connus. La figure 2.12a représente le graphique de la vitesse en fonction du temps pour ce mouvement. Il s'agit d'une droite dont la pente est l'accélération a, ce qui correspond au fait que $a = dv/dt$ est une constante. À partir de ce graphique et de l'équation 2.7, nous voyons que la vitesse à un instant quelconque t est la somme de la vitesse initiale v_0 et de la variation de vitesse at. Le graphique de l'accélération en fonction du temps (voir figure 2.12b) est une droite de pente nulle puisque l'accélération est constante. Notons que si l'accélération était négative, la pente de la courbe représentée à la figure 2.12a serait négative.

Comme la vitesse varie linéairement en fonction du temps selon l'équation 2.7, on peut exprimer la vitesse moyenne sur tout intervalle de temps comme étant la moyenne arithmétique de la vitesse initiale v_0 et de la vitesse finale v :

$$\bar{v} = \frac{v_0 + v}{2} \qquad \text{(à accélération constante } a\text{)} \qquad [2.8]$$

Cette expression n'est valable que si l'accélération est constante, c'est-à-dire si la vitesse est une fonction linéaire du temps.

Nous pouvons maintenant utiliser les équations 2.1 et 2.8 pour obtenir le déplacement en fonction du temps. Choisissons à nouveau $t_i = 0$, instant initial correspondant à la position initiale $x_i = x_0$. On obtient :

$$\Delta x = \bar{v}\Delta t = \left(\frac{v_0 + v}{2}\right) t$$

ou

$$x - x_0 = \tfrac{1}{2}(v + v_0)t \qquad \text{(à accélération constante } a\text{)} \qquad [2.9]$$

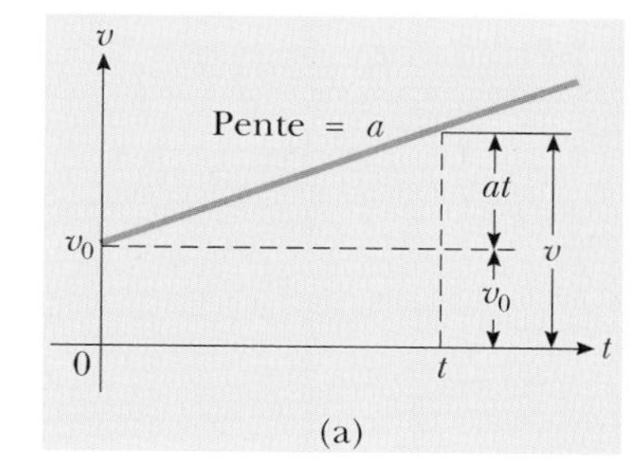

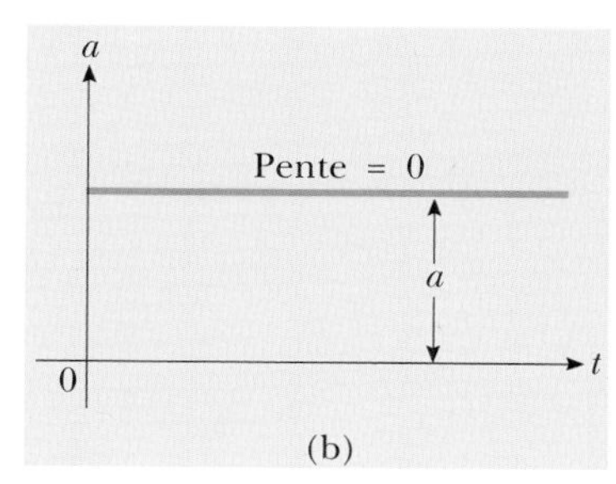

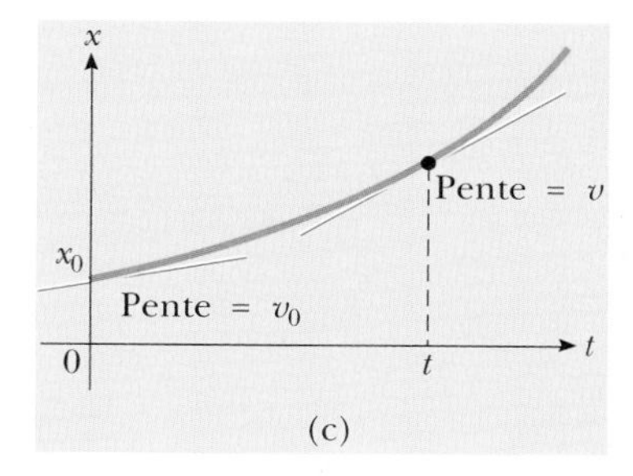

Figure 2.12
Une particule se déplaçant sur l'axe des x avec une accélération constante a;
(a) graphique vitesse-temps,
(b) graphique accélération-temps,
(c) graphique position-temps.

On obtient une autre expression du déplacement en substituant l'équation 2.7 dans l'équation 2.9 :

$$x - x_0 = \frac{1}{2}(v_0 + v_0 + at)t$$

Déplacement en fonction du temps

$$x - x_0 = v_0 t + \frac{1}{2}at^2 \quad \text{(à accélération constante } a\text{)} \qquad \textbf{[2.10]}$$

Enfin, on obtient une expression qui ne contient pas le temps en remplaçant dans l'équation 2.9 la variable t par sa valeur tirée de l'équation 2.7. On obtient :

Vitesse en fonction du déplacement

$$v^2 = v_0^2 + 2a(x - x_0) \quad \text{(à accélération constante } a\text{)} \qquad \textbf{[2.11]}$$

La figure 2.12c, page 33, représente le graphique position-temps d'un mouvement uniformément accéléré dont l'accélération a est positive. La courbe représentant l'équation 2.10 est une parabole. La pente de la tangente à cette courbe en $t = 0$ est égale à la vitesse initiale v_0 et la pente de la tangente à la courbe au temps t est égale à la vitesse à cet instant.

Si l'accélération du mouvement est *nulle*, on a alors :

$$\left.\begin{aligned} v &= v_0 \\ x - x_0 &= vt \end{aligned}\right\} \text{lorsque } a = 0$$

Cela signifie que, si l'accélération est nulle, la vitesse reste constante et le déplacement est une fonction linéaire du temps.

Les équations 2.7 à 2.11 sont cinq *équations de la cinématique qui peuvent servir à résoudre les problèmes de mouvement rectiligne à accélération constante.* Les quatre équations de la cinématique les plus couramment utilisées sont énumérées au tableau 2.1. Pour chaque problème, on détermine l'équation ou les équations à utiliser en examinant les valeurs qui sont données. Il est parfois nécessaire d'utiliser deux de ces équations s'il y a deux inconnues, par exemple le déplacement et la vitesse à un instant donné. Il est souvent plus simple de choisir la position initiale de la particule à l'origine du mouvement, de sorte que $x_0 = 0$ à $t = 0$. Le déplacement correspond alors simplement à x.

Supposons que la vitesse initiale v_0 et l'accélération a soient données. On peut alors déterminer, (1) la vitesse au bout d'un temps t à l'aide de $v = v_0 + at$ et (2) le déplacement au bout d'un temps t à l'aide de $x - x_0 = v_0 t - \frac{1}{2}at^2$. Rappelez-vous que les grandeurs qui varient au cours du mouvement sont la vitesse, la position et le temps.

C'est en faisant de nombreux exercices et problèmes que vous prendrez l'habitude d'utiliser ces équations. Dans bien des cas, vous vous apercevrez qu'il existe plusieurs méthodes pour parvenir à la solution.

Tableau 2.1
Équations du mouvement rectiligne uniformément accéléré

Équation	Grandeur donnée par l'équation
$v = v_0 + at$	Vitesse en fonction du temps
$x - x_0 = \frac{1}{2}(v + v_0)t$	Déplacement en fonction de la vitesse et du temps
$x - x_0 = v_0 t + \frac{1}{2}at^2$	Déplacement en fonction du temps
$v^2 = v_0^2 + 2a(x - x_0)$	Vitesse en fonction du déplacement

Remarque : Le mouvement se fait sur l'axe des x. À $t = 0$, la position de la particule est x_0 et sa vitesse est v_0.

Stratégie de résolution des problèmes : mouvement accéléré

Voici la marche à suivre recommandée pour résoudre les problèmes qui font intervenir un mouvement accéléré :

1. Vérifiez si toutes les unités sont homogènes, c'est-à-dire si les distances sont mesurées en mètres, les vitesses en mètres par seconde et les accélérations en mètres par seconde carrée.
2. Choisissez un système de coordonnées.
3. Faites la liste de toutes les données du problème et une liste séparée des grandeurs à déterminer.
4. Examinez l'aspect physique du problème puis, le cas échéant, choisissez, parmi les équations de la cinématique, celle ou celles qui permettront de trouver les inconnues.
5. Construisez un diagramme du mouvement et vérifiez si les réponses concordent avec le diagramme.

Exemple 2.5 La course d'Indianapolis 500

Une voiture de course partant du repos près des stands accélère à raison de 5 m/s². Quelle est sa vitesse lorsqu'elle a parcouru 100 pi ?

Solution Appliquons la méthode de résolution des problèmes à cet exemple. Tout d'abord, nous devons vérifier si les unités sont cohérentes. Dans l'énoncé de ce problème, on voit qu'elles *ne le sont pas*. Si on décide de garder la distance en pieds, on doit changer la dimension de longueur dans les unités d'accélération et remplacer les mètres par des pieds. On peut aussi garder les unités d'accélération en mètres par seconde carrée et convertir la distance parcourue en mètres. C'est ce que nous allons faire. La table des facteurs de conversion de l'annexe A nous donne 1 pi = 0,305 m, donc 100 pi = 30,5 m.

Deuxièmement, nous devons choisir un système de coordonnées. Le système représenté à la figure 2.13 convient au problème à résoudre. L'origine du système de coordonnées est la position initiale de la voiture et les positions sont comptées positivement vers la droite. À l'aide de cette convention, les vitesses, les accélérations et les déplacements seront comptés positivement vers la droite et négativement vers la gauche.

Ensuite, il est toujours pratique de faire une liste des grandeurs données dans l'énoncé et une autre liste des grandeurs qui doivent être déterminées :

Données	À déterminer
$v_0 = 0$	v
$a = +5\ \text{m/s}^2$	
$x = +30{,}5\ \text{m}$	

La dernière étape consiste à choisir parmi les équations de la cinématique (voir tableau 2.1) celles qui vont nous permettre de déterminer les inconnues. Dans le cas présent, l'équation :

$$v^2 = v_0^2 + 2ax$$

est celle qui convient le mieux, puisqu'elle nous donne la valeur de v :

$$v^2 = (0)^2 + 2(5\ \text{m/s}^2)(30{,}5\ \text{m}) = 305\ \text{m}^2/\text{s}^2$$

d'où on tire :

$$v = \sqrt{305\ \text{m}^2/\text{s}^2} = \pm 17{,}5\ \text{m/s}$$

Puisque la voiture se déplace vers la droite, nous choisissons la solution positive, $v = +17{,}5$ m/s.

Exercice Refaites le problème avec $x = v_0 t + \frac{1}{2}at^2$ pour trouver t, puis déterminez v à l'aide de l'expression $v = v_0 + at$.

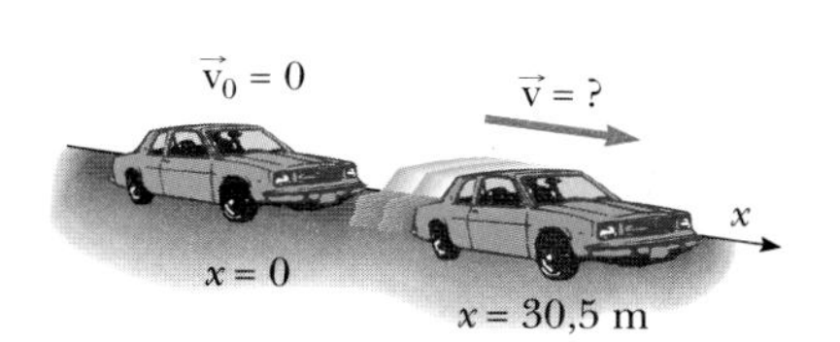

Figure 2.13
(Exemple 2.5)

▼▼▼

Exemple 2.6 Une poursuite

Une voiture roulant à vitesse constante de 30 m/s (108 km/h) passe devant un policier caché derrière une pancarte. Une seconde après le passage de la voiture devant la pancarte, le policier part à sa poursuite avec une accélération constante de 3,0 m/s^2. En combien de temps le policier rattrape-t-il la voiture en excès de vitesse ?

Solution Pour résoudre ce problème algébriquement, nous allons écrire l'expression de la position de chaque véhicule en fonction du temps. Nous avons avantage à prendre pour origine la position de la pancarte et à poser $t = 0$ au moment où le policier démarre. À cet instant, la voiture en excès de vitesse a déjà parcouru une distance de 30 m puisqu'elle roule à la vitesse constante de 30 m/s. La position initiale de cette voiture est donc donnée par $x_0 = 30$ m. Puisque la voiture roule à vitesse constante, son accélération est nulle et l'équation 2.10 donne :

$$x_V = 30 \text{ m} + (30 \text{ m/s})\,t$$

Notons qu'à $t = 0$, cette expression ne donne pas la position initiale correcte de la voiture, $x_V = x_0 = 30$ m. De même, pour le policier qui part de l'origine à $t = 0$, on a $x_0 = 0$, $v_0 = 0$ et $a = 3{,}0$ m/s^2. Par conséquent, la position du policier en fonction du temps est donnée par :

$$x_P - \tfrac{1}{2}at^2 = \tfrac{1}{2}(3{,}0 \text{ m/s}^2)\,t^2$$

Le policier rattrape la voiture à l'instant qui correspond à $x_P = x_V$, ou

$$\tfrac{1}{2}(3{,}0 \text{ m/s}^2)\,t^2 = 30 \text{ m} + (30 \text{ m/s})\,t$$

Ceci nous donne l'équation du second degré :

$$1{,}5t^2 - 30t - 30 = 0$$

dont la solution positive est $t = 21$ s. Notons que durant cet intervalle de temps, le policier parcourt environ une distance de 660 m.

Exercice Ce problème est aussi intéressant à résoudre graphiquement. Sur un *même* graphique, tracez la position de chaque véhicule en fonction du temps ; l'intersection des deux courbes vous donne l'instant où le policier rattrape la voiture en excès de vitesse.

▼▼▼

2.6 Corps en chute libre

Essayez de faire l'expérience suivante. Laissez tomber en même temps et d'une même hauteur une pièce de monnaie et une boule de papier froissé. Si on néglige la résistance de l'air, les deux objets sont soumis au même mouvement et atteignent le sol en même temps. Dans la réalité, on ne peut pas négliger la résistance de l'air. Mais, dans le cas théorique où la résistance de l'air est négligeable, ce type de mouvement est appelé *chute libre*. Si on réalisait cette expérience dans le vide, où la résistance de l'air est vraiment négligeable, la boule de papier et la pièce de monnaie tomberaient avec la même accélération, quelle que soit la forme ou le poids du papier. La photographie représentée à la figure 2.1, page 24, qui représente la chute d'une plume et d'une pomme dans le vide, donne une illustration très convaincante de cette observation. Le 2 août 1971, l'astronaute David Scott a réalisé une expérience analogue sur la Lune en laissant tomber simultanément un marteau de géologue et une plume de faucon ; les deux objets arrivèrent en même temps sur le sol lunaire.

Accélération gravitationnelle
$g = 9{,}8$ m/s^2

Nous avons désigné par le symbole $\vec{g}$ l'accélération intervenant dans la chute libre, ou accélération gravitationnelle. La valeur de $\vec{g}$ diminue au fur et à mesure que l'altitude augmente. De plus, on observe de légères variations de la valeur de

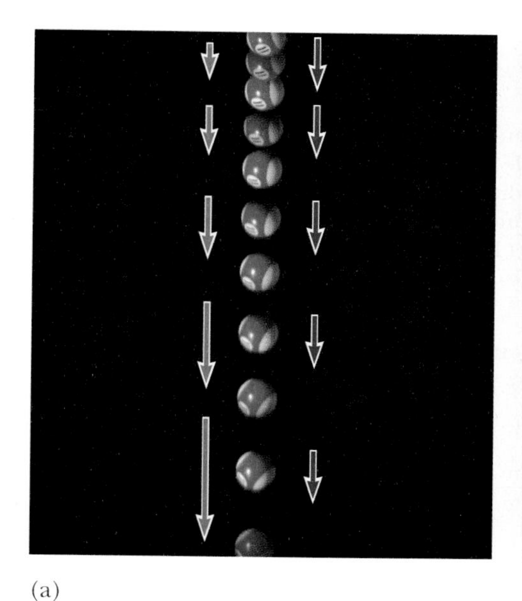
(a)

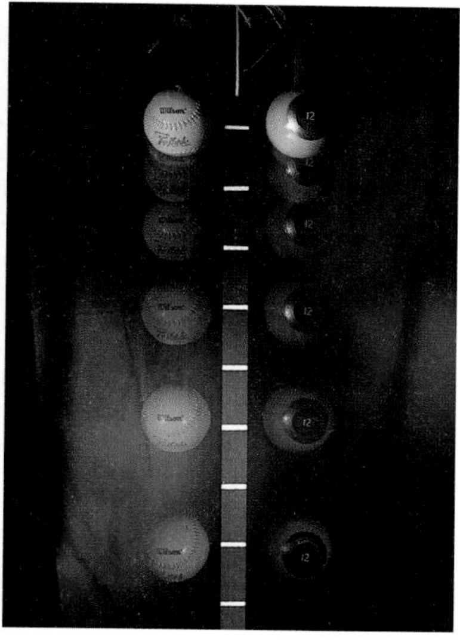
(b)

Figure 2.14
(*À gauche*) Photographie multiséquentielle représentant la chute d'une boule de billard. Durant la chute, les distances parcourues pendant des intervalles de temps successifs augmentent, ce qui indique que la boule est en accélération vers le bas. Le diagramme du mouvement montre que la vitesse de la boule (flèches rouges) augmente avec le temps tandis que son accélération (flèches violettes) reste constante. (*À droite*) Photographie multiséquentielle de deux balles en chute libre qui ont été lâchées simultanément. La balle de droite est un poids (d'une masse de 5,4 kg) et celle de gauche est une balle de baseball (d'une masse de 0,23 kg). Les repères sont espacés de 10 cm. Notez que les balles tombent à la même vitesse bien qu'elles aient des masses différentes. (La résistance de l'air est négligeable sur de si courtes distances.) *(a, Richard Megna 1990, Fundamental Photographs.* b, Autorisation de Henry Leap et Jim Lehman*)*

$\vec{g}$ avec la latitude. À la surface de la Terre, la grandeur de $\vec{g}$ reste néanmoins voisine de 9,8 m/s^2 ou 980 cm/s^2. Sauf indication contraire, nous utiliserons la valeur 9,8 m/s^2 dans nos calculs. Nous supposerons également que le vecteur $\vec{g}$ est orienté vers le bas, c'est-à-dire vers le centre de la Terre.

Dans l'expression *corps en chute libre*, il n'est pas forcément question d'un objet initialement au repos.

Un corps en chute libre est un objet se déplaçant librement sous l'influence de la gravité, quel que soit son mouvement initial. Un objet lancé vers le haut ou vers le bas, un objet qu'on laisse tomber alors qu'il était initialement au repos sont en chute libre dès qu'ils sont lâchés !

Il est important de souligner que tout objet en chute libre est soumis à une accélération orientée vers le bas, comme on le voit sur la photographie multiséquentielle d'une boule de billard (voir figure 2.14). Ceci est vrai quel que soit le mouvement initial de l'objet. Un objet lancé vers le haut (ou vers le bas) subit la même accélération qu'un objet lâché à partir du repos.

Dès qu'ils sont en chute libre, tous les corps sont soumis à une accélération vers le bas, égale à l'accélération gravitationnelle.

Si on néglige la résistance de l'air et si on suppose que l'accélération gravitationnelle ne varie pas avec l'altitude, le mouvement d'un corps en chute libre est équivalent au mouvement rectiligne uniformément accéléré. Par conséquent, nous pouvons appliquer les équations établies à la section 2.5 pour le mouvement à accélération constante. Dans le cas des corps en chute libre, il faut cependant modifier ces équations en précisant que le mouvement se fait dans la direction verticale (axe des y) et non plus dans la direction horizontale (axe des x) et que l'accélération est orientée vers le bas et a une valeur de 9,8 m/s^2. Par conséquent, pour les corps en chute libre, on posera toujours $a = -g = -9{,}8$ m/s^2, le signe moins indiquant que l'accélération du corps est orientée vers le bas avec la convention de la direction positive de l'axe des y pointant vers le haut.

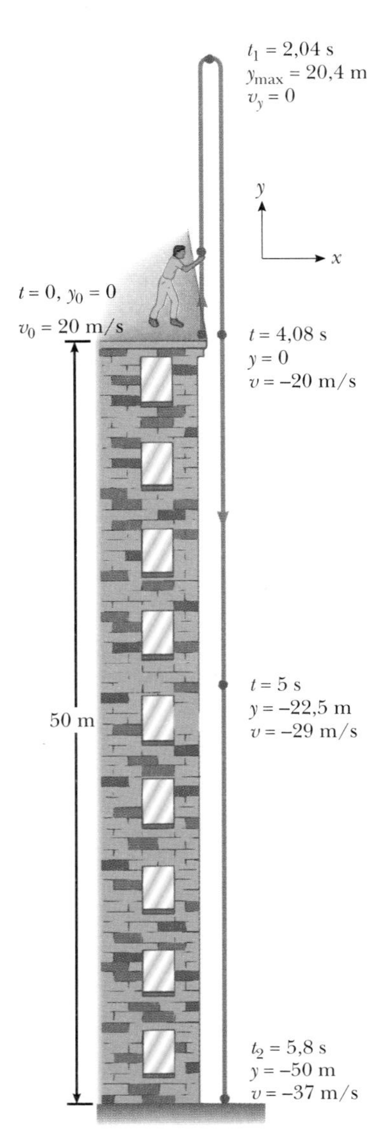

Figure 2.15
(Exemple 2.7) La position et la vitesse en fonction du temps pour une particule en chute libre initialement lancée vers le haut à une vitesse $v_0 = 20$ m/s. (Le dessin n'est pas à l'échelle.)

Exemple 2.7 Un beau lancer!

On lance un caillou du haut d'un immeuble à une vitesse initiale de 20 m/s orientée verticalement vers le haut. L'immeuble a une hauteur de 50 m et le caillou, en retombant, passe très près du bord du toit (voir figure 2.15). Déterminez (a) le temps que met le caillou pour atteindre sa hauteur maximale, (b) la hauteur maximale par rapport au lanceur, (c) le temps que met le caillou pour revenir au niveau du lanceur, (d) la vitesse du caillou à cet instant et (e) la vitesse et la position du caillou à $t = 5$ s.

Solution

(a) Pour trouver le temps nécessaire pour atteindre la hauteur maximale, on utilise l'équation 2.7, $v = v_0 + at$, en notant que $v = 0$ à la hauteur maximale :

$$20 \text{ m/s} + (-9{,}8 \text{ m/s}^2)t_1 = 0$$

$$t_1 = \frac{20 \text{ m/s}}{9{,}8 \text{ m/s}^2} = \boxed{2{,}04 \text{ s}}$$

(b) En remplaçant le temps par cette valeur dans l'équation 2.10, $y - y_0 = v_0t + \frac{1}{2}at^2$, on obtient la hauteur maximale mesurée à partir de la position du lanceur en posant $y_0 = 0$:

$$y_{max} = (20 \text{ m/s})(2{,}04 \text{ s}) + \tfrac{1}{2}(-9{,}8 \text{ m/s}^2)(2{,}04 \text{ s})^2 = \boxed{20{,}4 \text{ m}}$$

(c) Lorsque le caillou repasse à la hauteur du lanceur, sa coordonnée y est égale à zéro. En posant $y = 0$ dans l'expression $y - y_0 = v_0t + \frac{1}{2}at^2$ (équation 2.10), on obtient l'expression

$$20t - 4{,}9t^2 = 0$$

Cette équation du second degré admet deux solutions en t. En factorisant le premier membre de l'équation, on obtient :

$$t(20 - 4{,}9t) = 0$$

Une des solutions est $t = 0$, qui correspond à l'instant initial du mouvement du caillou. L'autre solution, celle que nous cherchons, est $t = 4{,}08$ s.

(d) En remplaçant t par la valeur trouvée en (c) dans l'expression $v = v_0 + at$ (équation 2.7), on obtient :

$$v = 20 \text{ m/s} + (-9{,}8 \text{ m/s}^2)(4{,}08 \text{ s}) = \boxed{-20{,}0 \text{ m/s}}$$

Notez que la vitesse du caillou lorsqu'il repasse devant son point de départ est de valeur égale à la vitesse initiale mais d'orientation opposée. Ceci nous montre que le mouvement est symétrique.

(e) De l'expression $v = v_0 + at$ (équation 2.7), on tire la vitesse au bout de 5 s, qui est :

$$v = 20 \text{ m/s} + (-9{,}8 \text{ m/s}^2)(5 \text{ s}) = \boxed{-29{,}0 \text{ m/s}}$$

On peut utiliser $y - y_0 = v_0t + \frac{1}{2}at^2$ (équation 2.10) pour déterminer la position de la particule à $t = 5$ s :

$$y = (20 \text{ m/s})(5 \text{ s}) + \tfrac{1}{2}(-9{,}8 \text{ m/s}^2)(5 \text{ s})^2 = \boxed{-22{,}5 \text{ m}}$$

Exercice Trouvez la vitesse du caillou juste avant qu'il ne touche le sol.

Réponse -37 m/s

APPLICATION

Encadré 2.2

Le ciel leur est tombé sur la tête

Qu'y a-t-il de commun entre la valeur de l'accélération gravitationnelle, *g*, à la surface de la Terre et l'extinction des dinosaures ? Des mesures récentes et très précises viennent peut-être d'élucider la raison de cette énigmatique disparition.

Il est communément admis que les dinosaures, régnant sur la Terre depuis plus de 150 millions d'années, ont soudainement disparu il y a 65 millions d'années. Une des théories avancées pour expliquer cette disparition massive propose qu'à cette époque un météorite de grande taille (une dizaine de kilomètres de diamètre) vint percuter notre planète, provoquant de gigantesques feux de forêts et l'émission d'une quantité phénoménale de poussières (un peu à la façon des éruptions volcaniques). L'atmosphère en haute altitude s'opacifia, réfléchissant dans l'espace la lumière du Soleil. Beaucoup de plantes ne survécurent pas et la température se refroidit considérablement. La chaîne alimentaire fut déséquilibrée et les dinosaures moururent, vraisemblablement de faim et de froid.

Certaines évidences d'un événement aussi violent ont été découvertes. En effet, une mince couche géologique dont la formation remonte à l'époque de la disparition, soit la jonction entre le crétacé et le tertiaire, présente une proportion anormalement élevée d'iridium, rare sur Terre mais plus abondant dans les météorites. Mais jusqu'à tout récemment, on cherchait encore le cratère formé par un impact d'une telle magnitude. Il semblerait qu'il ait été trouvé vers le début des années 90 par une équipe de géologues étudiant des relevés de *g* pris dans la péninsule du Yucatán et dans le golfe du Mexique. Ces mesures devaient permettre d'observer la présence de pétrole. En effet, bien que la valeur de l'accélération gravitationnelle semble constante peu importe l'endroit sur la Terre ou la composition du sous-sol, de petites fluctuations de l'ordre de une partie sur mille sont mesurables. Par exemple, si la roche située sous l'endroit où on mesure *g* est riche en minerai, la valeur relevée sera plus grande que la moyenne. En plaçant sur une carte les différentes valeurs observées, il devint évident que le fond du golfe montrait des fluctuations de densités et un relief compatibles avec un cratère météoritique (baptisé : « Chicxulub »).

Lorsqu'un météorite percute l'écorce terrestre, la quantité d'énergie libérée est tellement considérable que la roche est portée à une température extrêmement élevée et devient liquide. Il se produit par la suite, et de par l'impact, une série de vagues s'éloignant du point de collision comme les vaguelettes produites par une goutte d'eau tombant dans une mare. Cependant, la roche se refroidit assez rapidement et la vague se fige dans l'espace, formant une ou plusieurs barrières circulaires ceinturant le point d'impact. Si vous observez l'image reconstituée par ordinateur du relief sous-marin de l'endroit où serait tombé le météorite, vous remarquerez la présence de ces motifs réguliers s'étendant en cercles concentriques (voir figure 2.16). Vous pourrez voir également, au centre, un petit soulèvement typique des cratères. Il existe donc des régions de densité différente, phénomène propre au mode de propagation d'une onde dans n'importe quel milieu. Des indices supplémentaires sont fournis par la dimension même du cratère (proportionnelle à la violence de l'impact, et estimée à environ 300 km pour le cratère Chicxulub, ce qui en ferait l'un des plus importants de tout le système solaire depuis les 4 derniers milliards d'années) ainsi que par son âge géologique. Il se peut donc que ce cratère résolve l'énigme de la disparition des dinosaures (et de plusieurs autres espèces).

Cette découverte ne fait que confirmer qu'en science tout indice a son importance. On ne connaît jamais la portée d'un résultat, aussi banal ou extravagant soit-il.

LECTURE SUGGÉRÉE

- V.L. Sharpton *et al.*, *Chicxulub Multiring Impact Basin : Size and Other Caracteristics Derived from Gravity Analysis*, Science, Vol. 261, 17 septembre 1993.

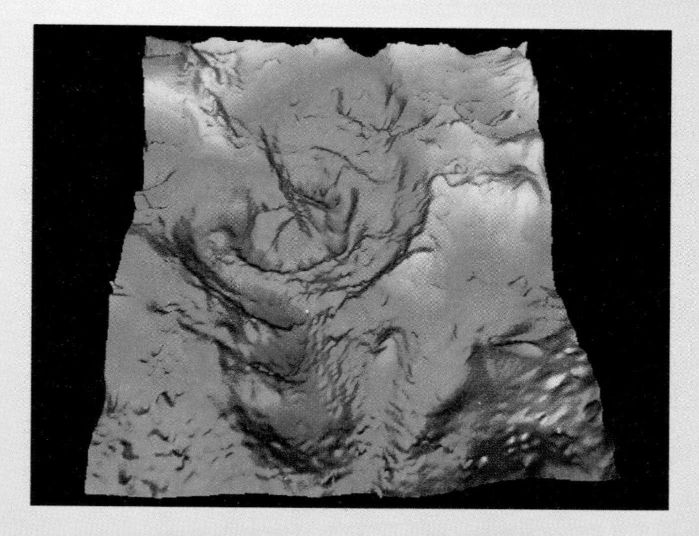

Figure 2.16
Reconstitution par ordinateur du bassin d'impact Chicxulub selon les fluctuations de la valeur de l'accélération gravitationnelle $\vec{g}$. *(Reproduit avec la permission de Virgil L. Sharpton, 1993, American Association for the Advancement of Science)*

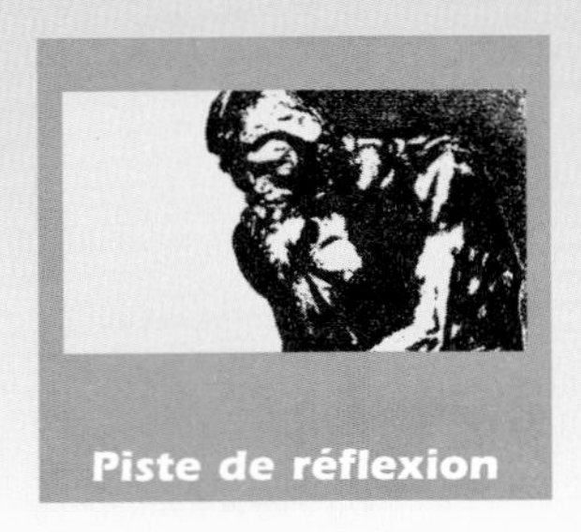

Troublé par la nature insaisissable du temps, saint Augustin a écrit : « Si on ne me le demande pas, je crois savoir ce qu'est le temps, mais si on me le demande, je ne le sais plus. » Aussi étrange que cela puisse paraître, les scientifiques d'aujourd'hui sont toujours incapables de définir exactement ce qu'est le temps, puisque sa nature soulève encore des discussions. Si vous aviez à expliquer ce qu'est le temps à un de vos proches, que diriez-vous ?

LECTURE SUGGÉRÉE
Étienne Klein, *Le temps*, Dominos, Flammarion, 1995.

Résumé

- La **vitesse moyenne** d'une particule pendant un intervalle de temps est égale au rapport entre le vecteur déplacement $\Delta\vec{x}$ et l'intervalle de temps Δt :

$$\vec{v} \equiv \frac{\Delta\vec{x}}{\Delta t} \qquad [2.1]$$

- La **vitesse instantanée** d'une particule est, par définition, la limite du rapport $\Delta\vec{x}/\Delta t$ lorsque Δt tend vers zéro.

$$\vec{v} \equiv \lim_{\Delta t\to 0} \frac{\Delta\vec{x}}{\Delta t} = \frac{d\vec{x}}{dt} \qquad [2.3]$$

- La **vitesse scalaire** d'une particule est, par définition, la grandeur du vecteur vitesse instantanée.
- L'**accélération moyenne** d'une particule durant un intervalle de temps est, par définition, le rapport entre la variation de sa vitesse, $\Delta\vec{v}$, et l'intervalle de temps, Δt :

$$\vec{a} \equiv \frac{\Delta\vec{v}}{\Delta t} \qquad [2.4]$$

- L'**accélération instantanée** est égale à la limite du rapport $\Delta\vec{v}/\Delta t$ lorsque $\Delta t \to 0$. Par définition, cette limite est égale à la dérivée de $\vec{v}$ par rapport à t ou au taux de variation de la vitesse par rapport au temps :

$$\vec{a} \equiv \lim_{\Delta t\to 0} \frac{\Delta\vec{v}}{\Delta t} = \frac{d\vec{v}}{dt} \qquad [2.5]$$

- La pente de la tangente à la courbe représentative de x en fonction de t à un instant quelconque donne la vitesse instantanée de la particule.
- La pente de la tangente à la courbe représentative de v en fonction de t donne l'accélération instantanée de la particule.
- Les **équations de la cinématique** pour une particule se déplaçant sur l'axe des x avec une accélération uniforme a (constante en grandeur et en direction) sont :

$$v = v_0 + at \qquad [2.7]$$

$$x - x_0 = \tfrac{1}{2}(v + v_0)t \qquad [2.9]$$

$$x - x_0 = v_0 t + \tfrac{1}{2}at^2 \quad (a \text{ étant constant}) \qquad [2.10]$$

$$v^2 = v_0^2 + 2a(x - x_0) \qquad [2.11]$$

- Un corps tombant en **chute libre** est soumis à une accélération dirigée vers le centre de la Terre. Si on néglige la résistance de l'air et si l'altitude du mouvement est faible par rapport au rayon de la Terre, on peut supposer que l'accélération de la chute libre, $\vec{g}$, est constante durant le mouvement, g étant égal à 9,8 m/s^2. Si on suppose y positif vers le haut, l'accélération est donnée par $-g$ et les équations de la cinématique pour un corps en chute libre sont les mêmes que les équations précédentes, en remplaçant x par y et a par $-g$.

Questions et exercices conceptuels

1. La vitesse moyenne et la vitesse instantanée sont en général des grandeurs différentes. Peuvent-elles être égales pour un type de mouvement particulier ? Expliquez.
2. Si la vitesse moyenne n'est pas nulle durant un intervalle de temps, cela veut-il dire que la vitesse instantanée n'est jamais nulle durant cet intervalle ? Expliquez.
3. Si la vitesse moyenne est égale à zéro pendant un intervalle de temps Δt et si $v(t)$ est une fonction continue, montrez que la vitesse instantanée doit s'annuler pendant cet intervalle. (La courbe de x en fonction de t peut faciliter la démonstration.)
4. Peut-il exister un cas où la vitesse et l'accélération sont de signes opposés ? Si oui, tracez un graphique représentant la vitesse en fonction du temps pour justifier votre réponse.
5. Si la vitesse d'une particule n'est pas nulle, son accélération peut-elle être nulle ? Expliquez.

6. Si la vitesse d'une particule est nulle, son accélération peut-elle être non nulle ? Expliquez.
7. Les équations de la cinématique (équations 2.7 à 2.11) peuvent-elles être utilisées si l'accélération varie en fonction du temps ? Peut-on les utiliser lorsque l'accélération est nulle ?
8. On lance une balle verticalement vers le haut. Quelles sont sa vitesse et son accélération lorsqu'elle atteint son altitude maximale ? Quelle est son accélération juste avant qu'elle ne touche le sol ?
9. On lance un caillou vers le haut à partir du sommet d'un immeuble. La position du caillou dépend-elle de l'emplacement de l'origine du système de coordonnées ? La vitesse du caillou dépend-elle de l'origine ? (On suppose que le système de coordonnées est immobile par rapport à l'immeuble.) Expliquez.
10. Un enfant lance une bille en l'air à une vitesse initiale v_0. Un autre enfant laisse tomber une balle au même instant. Comparez les accélérations des deux objets durant leur trajectoire dans l'air.
11. Du haut d'un immeuble de hauteur h, un étudiant lance une balle vers le haut à une vitesse scalaire initiale v_0 puis il lance une seconde balle vers le bas à la même vitesse scalaire initiale. Comparez les vitesses finales des balles lorsqu'elles touchent le sol.
12. La vitesse instantanée d'un objet peut-elle être supérieure en grandeur à la vitesse moyenne ? Peut-elle être inférieure ?
13. Si une automobile roule vers l'est, son accélération peut-elle être orientée vers l'ouest ? Expliquez.
14. Si la vitesse moyenne d'un objet est nulle durant un certain intervalle de temps, que pouvez-vous dire du déplacement de l'objet pendant cet intervalle ?
15. Sur une autoroute, deux voitures roulent dans la même direction sur des voies parallèles. À un instant donné, la vitesse de la voiture A est supérieure à la vitesse de la voiture B. Cela veut-il dire que l'accélération de A est supérieure à celle de B ? Expliquez.
16. On lance une balle vers le haut. Pendant la trajectoire de la balle dans l'air, (a) son accélération augmente-t-elle, diminue-t-elle ou reste-t-elle constante ? (b) Décrivez ce qui se passe pour la vitesse.
17. La voiture A roulant vers le sud, de Joliette à Montréal, a une vitesse scalaire de 25 m/s. La voiture B roulant vers l'ouest, de Longueuil à Montréal, a également une vitesse scalaire de 25 m/s. Leurs vecteurs vitesse sont-ils égaux ? Expliquez.
18. Le mouvement des plaques de la croûte terrestre porte le nom de *mouvement tectonique des plaques*. Les mesures effectuées indiquent que les zones côtières de la Californie du Sud se déplacent vers le nord de 2,5 cm par an. Estimez le temps qu'il faudrait pour transporter la Californie du Sud jusqu'en Alaska par la tectonique des plaques.
19. Galilée a réalisé des expériences consistant à faire rouler des billes sur des plans inclinés afin d'observer la modification de leur accélération et de leur vitesse de descente. On suppose que l'angle entre le plan incliné et l'horizontale est égal à θ. Pourquoi peut-on s'attendre à ce que l'accélération diminue lorsque θ diminue ? Quelle est la relation trigonométrique entre l'accélération et l'angle θ ?
20. Une balle roule en ligne droite sur l'axe horizontal. À l'aide des diagrammes du mouvement comme à la figure 2.12, page 33, décrivez la vitesse et l'accélération de la balle dans chacun des cas suivants : (a) la balle se déplace vers la droite à vitesse constante, (b) la balle va de droite à gauche en ralentissant continuellement, (c) la balle va de droite à gauche et sa vitesse augmente continuellement et (d) la balle se déplace vers la droite avec un taux d'augmentation de vitesse constante puis avec un taux de diminution de vitesse constante.
21. Une plante à croissance rapide double de hauteur chaque semaine. À la fin du 25ᵉ jour, la plante atteint la hauteur d'un bâtiment. À quel instant la hauteur de la plante était-elle égale au quart de la hauteur du bâtiment ?
22. On laisse tomber un caillou dans un puits et on entend 16 s plus tard le son du contact du caillou avec la surface de l'eau. Quelle est la distance *approximative* entre la margelle du puits et la surface de l'eau ? Est-ce réaliste ?

Problèmes

Section 2.1 Vitesse moyenne

1. On observe à divers instants la position d'une voiture de course et on note les résultats dans le tableau ci-dessous. Trouvez la vitesse moyenne de la voiture durant (a) la première seconde, (b) les trois dernières secondes, (c) la totalité de la période d'observation.

x (m)	0	2,3	9,2	20,7	36,8	57,5
t (s)	0	1,0	2,0	3,0	4,0	5,0

2. Un automobiliste roule vers le nord pendant 35 minutes à 85 km/h puis s'arrête pendant 15 minutes. Il continue ensuite vers le nord et parcourt 130 km en 2 h. (a) Quel est son déplacement total ? (b) Quelle est sa vitesse moyenne ?
3. La figure 2.17 représente la courbe de position en fonction du temps d'une particule se déplaçant sur l'axe des x. Trouvez la vitesse moyenne durant les intervalles

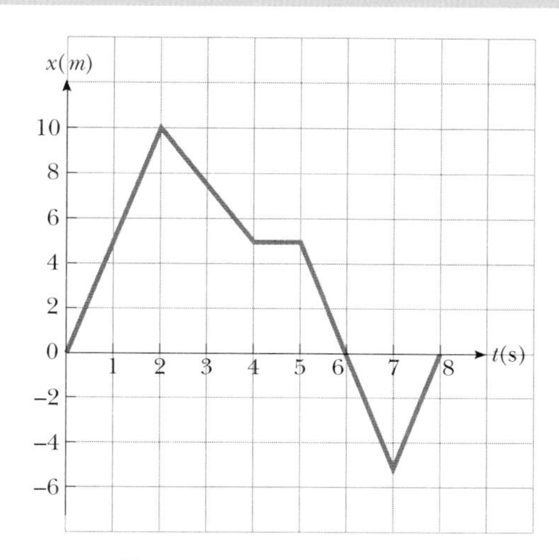

Figure 2.17 (Problème 3)

de temps (a) 0 à 2 s, (b) 0 à 4 s, (c) 2 s à 4 s, (d) 4 s à 7 s, (e) 0 à 8 s.

4. Une coureuse à pied court en ligne droite à une vitesse scalaire moyenne de 5 m/s pendant 4 minutes puis de 4 m/s pendant 3 minutes. (a) Quel est son déplacement total ? (b) Quelle est sa vitesse scalaire moyenne durant ce temps ?
5. Un athlète parcourt à la nage la longueur d'une piscine de 50 m en 20 s et revient au point de départ en 22 s. Déterminez sa vitesse moyenne durant (a) la première moitié du parcours, (b) la deuxième moitié du parcours et (c) la totalité du parcours.

Section 2.2 Vitesse instantanée

6. La figure 2.18 représente le graphique position-temps d'une particule se déplaçant sur l'axe des x. (a) Trouvez la vitesse moyenne dans l'intervalle de temps $t = 1{,}5$ s à $t = 4$ s. (b) Déterminez la vitesse instantanée à $t = 2$ s en mesurant la pente de la tangente représentée sur le graphique. (c) Pour quelle valeur de t la vitesse est-elle nulle ?

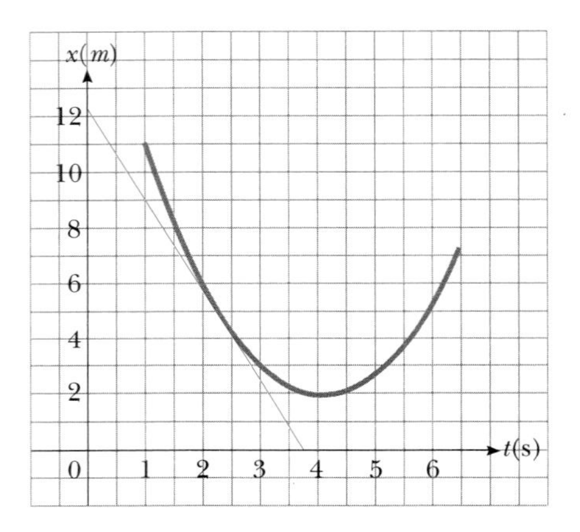

Figure 2.18 (Problème 6)

7. À $t = 1$ s, une particule se déplaçant à vitesse constante est située en $x = -3$ m et à $t = 6$ s ; la particule se trouve à $x = 5$ m. (a) À l'aide de ces données, tracez la position en fonction du temps. (b) Déterminez la vitesse de la particule à partir de la pente de cette courbe.
8. (a) À l'aide des données du problème 1, construisez la courbe donnant la position en fonction du temps. (b) En traçant les tangentes à la courbe $x(t)$, déterminez la vitesse instantanée de la voiture à plusieurs instants. (c) Tracez la courbe représentant la vitesse instantanée en fonction du temps et, à l'aide de cette courbe, déterminez l'accélération moyenne de la voiture. (d) Quelle était la vitesse initiale de la voiture ?
9. Trouvez la vitesse instantanée de la particule décrite à la figure 2.17, page 41, aux instants suivants : (a) $t = 1$ s, (b) $t = 3$ s, (c) $t = 4{,}5$ s et (d) $t = 7{,}5$ s.
10. La figure 2.19 représente la courbe position-temps d'une particule se déplaçant sur l'axe des z. La vitesse est-elle positive, négative ou nulle aux instants (a) t_1, (b) t_2, (c) t_3 et (d) t_4.

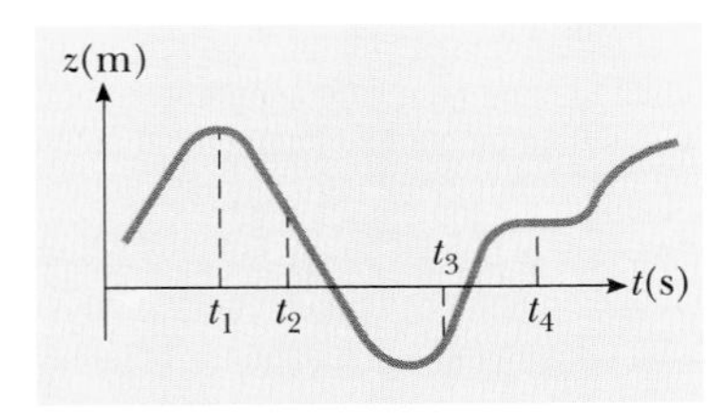

Figure 2.19 (Problème 10)

Section 2.3 Accélération

11. Une particule est animée d'une vitesse $\vec{v}_0 = 60\vec{i}$ m/s à $t = 0$. Entre $t = 0$ et $t = 15$ s, la vitesse décroît uniformément jusqu'à la valeur zéro. Quelle était l'accélération durant cet intervalle de 15 s ? Quelle est la signification du signe dans votre réponse ?
12. Une balle superélastique de 50 g se déplaçant à la vitesse de 25 m/s rebondit sur un mur de briques et a ensuite une vitesse de 22 m/s. Une caméra rapide enregistre l'événement. Si la balle est en contact avec le mur pendant 3,5 ms, quelle est la grandeur de l'accélération moyenne de la balle durant cet intervalle de temps ? (Rappel : 1 ms = 10^{-3} s)
13. La figure 2.20 représente le graphique vitesse-temps pour un objet se déplaçant sur l'axe des x. (a) Tracez la courbe donnant l'accélération en fonction du temps. (b) Déterminez l'accélération moyenne de l'objet durant les intervalles de temps $t = 5$ s à $t = 15$ s et $t = 0$ à $t = 20$ s.

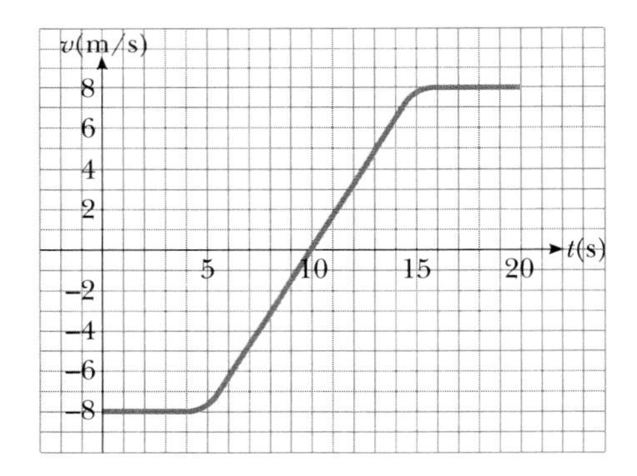

Figure 2.20 (Problème 13)

14. La vitesse d'une particule en fonction du temps est représentée à la figure 2.21. À $t = 0$, la particule est en $x = 0$. (a) Tracez la courbe donnant l'accélération en fonction du temps. (b) Déterminez l'accélération moyenne de la particule dans l'intervalle de temps $t = 2$ s à $t = 8$ s. (c) Déterminez l'accélération instantanée de la particule à $t = 4$ s.
15. Une particule se déplace sur l'axe des x selon l'équation $x = 2 + 3t - t^2$, où x est en mètres et t en secondes. À $t = 3$ s, déterminez (a) la position de la particule, (b) sa vitesse et (c) son accélération.
16. Lorsqu'elle est frappée par un club, une balle de golf, initialement au repos, acquiert une vitesse de 31 m/s. Si la balle est en contact avec le club pendant 1,17 ms, quelle est la grandeur de son accélération moyenne ?

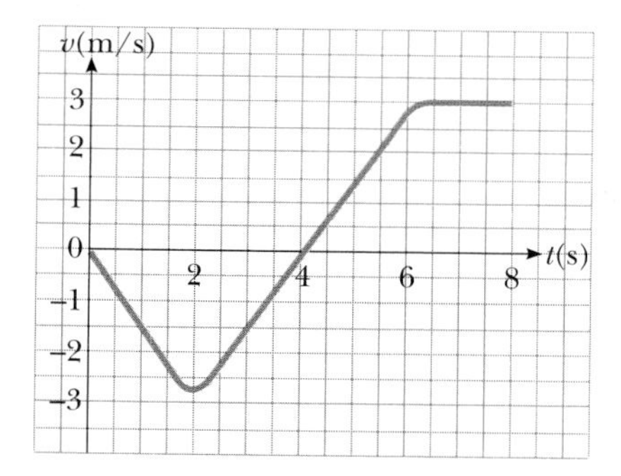

Figure 2.21 (Problème 14)

17. La figure 2.22 représente le graphique donnant v en fonction de t pour le mouvement d'un motocycliste qui part du repos et qui se déplace sur une route rectiligne. (a) Trouvez l'accélération moyenne dans l'intervalle de temps $t_0 = 0$ à $t_1 = 6$ s. (b) Estimez l'instant où l'accélération a sa plus grande valeur positive ainsi que la valeur de l'accélération à cet instant. (c) À quel instant l'accélération est-elle nulle ? (d) Estimez la valeur négative maximale de l'accélération et l'instant correspondant.

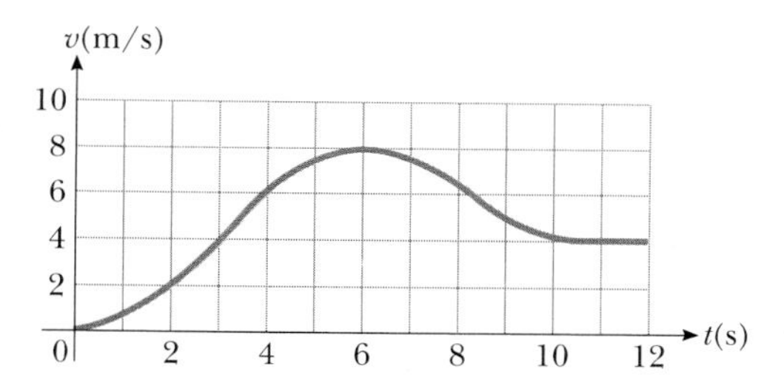

Figure 2.22 (Problème 17)

Section 2.4 Diagrammes du mouvement
Section 2.5 Mouvement rectiligne uniformément accéléré

18. Une particule se déplace dans le sens positif de l'axe des x pendant 10 s à une vitesse constante de 50 m/s. Elle accélère ensuite uniformément jusqu'à une vitesse de 80 m/s durant les 5 s suivantes. Trouvez (a) l'accélération moyenne de la particule durant les 10 premières secondes, (b) son accélération moyenne dans l'intervalle $t = 10$ s à $t = 15$ s, (c) le déplacement total de la particule entre $t = 0$ et $t = 15$ s et (d) sa vitesse moyenne dans l'intervalle $t = 10$ s à $t = 15$ s.

19. Un objet soumis à une accélération uniforme a une vitesse de 12 cm/s orientée dans le sens positif de l'axe des x lorsque sa coordonnée en x est 3 cm. Si sa coordonnée en x est −5 cm deux secondes plus tard, quelle est la grandeur de son accélération ?

20. La figure 2.23 représente une partie des données de performance d'une automobile. (a) D'après le graphique, calculez la distance totale parcourue. (b) Quelle distance parcourt la voiture entre les instants $t = 10$ s et $t = 40$ s ? (c) Tracez la courbe représentant l'accélération en fonction du temps entre $t = 0$ et $t = 50$ s. (d) Écrivez l'équation donnant x en fonction du temps pour chaque phase du mouvement représenté par (i) *Oa*, (ii) *ab*, (iii) *bc*. (e) Quelle est la vitesse moyenne de l'automobile entre $t = 0$ et $t = 50$ s ?

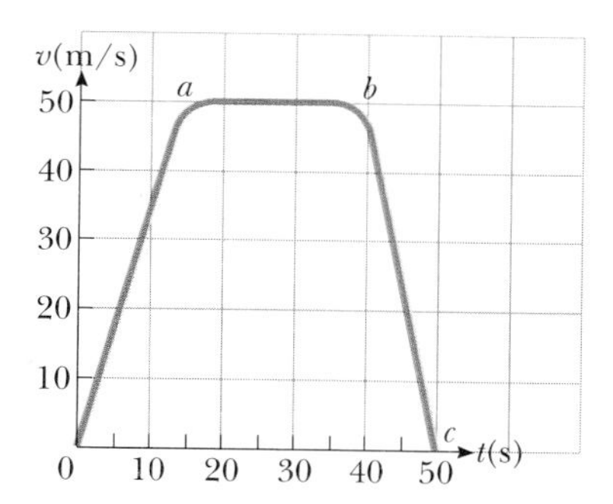

Figure 2.23 (Problème 20)

21. La vitesse initiale d'un objet est de 5,2 m/s. Quelle est sa vitesse au bout de 2,5 s si (a) son accélération est uniforme et égale à 3,0 m/s² et (b) son accélération est uniforme et égale à −3,0 m/s² (c'est-à-dire si elle accélère dans le sens des valeurs négatives de x) ?

22. Une rondelle de hockey glissant sur un lac gelé s'arrête après avoir parcouru 200 m. Sa vitesse initiale était de 3,0 m/s. (a) Quelle était son accélération si on suppose qu'elle était constante ? (b) Combien de temps a duré son mouvement ? (c) Quelle vitesse avait-elle après avoir parcouru 150 m ?

23. Un avion à réaction atterrit à une vitesse de 100 m/s et peut avoir une accélération maximale de −5,0 m/s² pour s'arrêter. (a) À partir de l'instant où l'avion touche la piste, quel temps minimal lui faut-il pour s'arrêter ? (b) Cet avion peut-il atterrir sur le petit aérodrome d'une île tropicale où la longueur de la piste est de 0,8 km ?

24. Une voiture et un train roulent sur des trajectoires parallèles à 25 m/s. La voiture se met à accélérer uniformément à raison de −2,5 m/s² avant de s'arrêter à un feu rouge. Elle reste immobile pendant 45 s, puis elle repart avec une accélération de 2,5 m/s² jusqu'à une vitesse de 25 m/s. À quelle distance derrière le train se trouve la voiture lorsqu'elle atteint la vitesse de 25 m/s, en supposant que le train a conservé une vitesse de 25 m/s ?

25. Une voiture participant à une course d'accélération part du repos et accélère à raison de 10 m/s² sur toute la distance de 400 m. (a) Combien de temps met la voiture pour parcourir cette distance ? (b) Quelle est la vitesse de la voiture à la fin du parcours ?

26. Une locomotive roulant à 26 m/s ralentit et s'arrête au bout de 18 s. Quelle distance a-t-elle parcourue ?

27. Une annonce publicitaire affirme qu'une certaine marque de freins à disque peut arrêter en 5,0 s une voiture roulant à la vitesse de 88 km/h. Déterminez l'accélération et comparez-la à l'accélération de la gravité.

28. Deux trains express se mettent en mouvement à 5 minutes d'intervalle. Partant du repos, chaque train est capable d'atteindre une vitesse maximale de 160 km/h après avoir accéléré uniformément sur une distance de 2,0 km. (a) Quelle est l'accélération de chaque train ? (b) Quelle distance a déjà parcouru le

premier train lorsque le deuxième se met en mouvement ? (c) Quelle distance sépare les deux trains lorsqu'ils roulent tous deux à leur vitesse maximale ?

29. Un chariot parcourt la première moitié d'un trajet de 100 m à une vitesse constante de 5 m/s. Sur la deuxième moitié du parcours, il ralentit à raison de 0,2 m/s^2 à cause d'un problème mécanique. Combien de temps met le chariot pour parcourir la distance de 100 m ?
30. Un hélicoptère descend d'une hauteur de 600 m avec une accélération uniforme orientée vers le haut et atteint le sol à vitesse nulle en 5,0 min. Déterminez l'accélération de l'hélicoptère et sa vitesse initiale vers le bas.
31. Un électron a une vitesse initiale de $3,0 \times 10^5$ m/s. S'il est soumis à une accélération de $8,0 \times 10^{14}$ m/s^2 dans la direction du mouvement de l'électron, (a) combien de temps lui faut-il pour atteindre une vitesse de $5,4 \times 10^5$ m/s et (b) quelle distance a-t-il parcouru pendant ce temps ?
32. On tire au pistolet une balle indestructible de 2 cm de long qui traverse une planche de 10,0 cm d'épaisseur. La balle atteint la planche à une vitesse de 420 m/s et en ressort à une vitesse de 280 m/s. (a) Quelle est l'accélération moyenne de la balle à travers la planche ? (b) Quel est le temps total durant lequel la balle est en contact avec la planche ? (c) Combien faudrait-il de planches de même épaisseur (en arrondissant au dixième de centimètre près) pour arrêter complètement la balle ?
33. Encore tout récemment, le record d'accélération sur terre était détenu par le colonel John P. Stapp, de l'Armée de l'air américaine (voir figure 2.24). Il a établi ce record le 19 mars 1954 dans une capsule d'entraînement propulsée sur des rails par un réacteur de fusée jusqu'à la vitesse de 1 017 km/h et capable de s'arrêter de façon sécuritaire en 1,4 s. Déterminez (a) l'accélération négative à laquelle il était soumis et (b) la distance parcourue pendant cette accélération négative.

Figure 2.24 (Problème 33)
Le colonel John Stapp dans sa capsule d'entraînement. *(NASA)*

34. Un faucon fait un piqué en direction d'un pigeon. Le faucon part d'une vitesse nulle vers le bas et pique avec l'accélération de la chute libre. Si le pigeon se trouve à 76,0 m en dessous de la hauteur initiale du faucon, combien de temps faut-il au faucon pour atteindre le pigeon ? (Négligez la résistance de l'air.)
35. On lance une balle directement vers le haut à une vitesse initiale de 8 m/s à partir d'une hauteur de 30 m. Après quel intervalle de temps la balle touche-t-elle le sol ?
36. Une étudiante lance un jeu de clés verticalement vers le haut à sa compagne qui est à une fenêtre située 4,0 m plus haut et qui attrape les clés 1,5 s plus tard en tendant la main. (a) À quelle vitesse initiale les clés ont-elles été lancées ? (b) Quelle était la vitesse des clés juste avant que l'étudiante les attrape ?
37. Une montgolfière monte à la verticale à une vitesse constante de 5,0 m/s (voir figure 2.25). Lorsqu'elle se trouve à 21,0 m au-dessus du sol, un paquet est largué à partir du ballon. (a) Combien de temps dure la trajectoire du paquet dans l'air ? (b) Quelle est la vitesse du paquet juste avant de toucher le sol ? (c) Reprenez les questions (a) et (b) dans le cas d'un ballon qui descend à une vitesse de 5,0 m/s.

Figure 2.25 (Problème 37)
Montgolfière en vol. *(Russel Schlepman)*

38. On lance une balle à la verticale vers le haut à partir du sol à une vitesse initiale de 15 m/s. (a) Combien de temps faut-il à la balle pour atteindre son altitude maximale ? (b) Quelle est son altitude maximale ? (c) Déterminez la vitesse et l'accélération de la balle à $t = 2$ s.

39. Une balle lancée à la verticale vers le haut est rattrapée par le lanceur au bout de 25 s. Trouvez (a) la vitesse initiale de la balle et (b) la hauteur maximale qu'elle atteint.
40. Une balle de baseball se déplace verticalement vers le haut après avoir été frappée par le bâton. Un spectateur remarque qu'elle met 3 s pour atteindre sa hauteur maximale. Trouvez (a) sa vitesse initiale et (b) la hauteur atteinte par la balle. On néglige la résistance de l'air.
41. Un astronaute debout sur le sol lunaire laisse tomber un marteau d'une hauteur de 1 m de la surface. La gravité lunaire produit une accélération constante de 1,62 m/s² dirigée vers le sol. En revenant sur Terre, l'astronaute laisse à nouveau tomber le marteau d'une hauteur de 1 m. Comparez les durées de chute dans les deux cas.
42. Une pierre initialement au repos tombe du haut d'une falaise. Du même endroit, on lance vers le bas 2,0 s plus tard une deuxième pierre à une vitesse initiale de 30 m/s. Si les deux pierres touchent le sol en même temps, quelle est la hauteur de la falaise ?
43. Un cow-boy assis sur une branche d'arbre veut essayer de tomber à la verticale sur un cheval qui passe au galop sous un arbre. La vitesse du cheval est de 10 m/s et la distance entre la branche et la selle est de 3 m. (a) Quelle doit être la distance horizontale entre la selle et la branche lorsque le cow-boy se laisse tomber ? (b) Combien de temps le cow-boy reste-t-il dans l'air ?

Problèmes supplémentaires

44. Un automobiliste roule à 18 m/s lorsqu'il aperçoit un chevreuil sur la route à 38 m devant lui. (a) Si l'accélération de freinage maximale du véhicule est de −4,5 m/s², quel est le temps de réaction maximal Δt de l'automobiliste qui lui permet d'éviter le chevreuil ? (b) Si son temps de réaction est de 0,30 s, quelle est sa vitesse lorsqu'il frappe le chevreuil ?
45. La position d'une balle molle lancée verticalement vers le haut est décrite par l'équation $y = 7t - 4{,}9t^2$, où y est en mètres et t en secondes. Trouvez (a) la vitesse initiale v_0 à $t_0 = 0$, (b) la vitesse à $t = 1{,}26$ s et (c) l'accélération de la balle.
46. Un étudiant en physique qui fait de l'alpinisme grimpe une falaise de 50 m qui surplombe un plan d'eau. Il lance deux cailloux verticalement vers le bas, à 1 s d'intervalle et n'entend qu'un seul bruit de contact avec la surface de l'eau. Le premier caillou avait une vitesse initiale de 2 m/s. (a) Combien de temps s'écoule entre le lancer du premier caillou et l'instant où les deux cailloux touchent l'eau ? (b) Quelle doit être la vitesse initiale du deuxième caillou pour que les deux cailloux touchent l'eau en même temps ? (c) Quelle est la vitesse de chaque caillou à l'instant où les deux cailloux touchent l'eau ?
47. On laisse tomber une balle superélastique d'une hauteur de 2 m au-dessus du sol. Au premier rebond, la balle atteint une hauteur de 1,85 m, où on la rattrape. Trouvez la vitesse de la balle (a) à l'instant où elle arrive au sol et (b) à l'instant où elle quitte le sol après avoir rebondi. (c) En négligeant le temps pendant lequel la balle reste en contact avec le sol, trouvez le temps total entre l'instant où on laisse tomber la balle et l'instant où on la rattrape.
48. Un avion Cessna 150 a une vitesse de décollage voisine de 125 km/h. (a) Quelle doit être la valeur minimale de l'accélération constante pour que l'avion décolle au bout de 250 m ? (b) Quel est le temps de décollage correspondant ? (c) Si l'avion continue d'accélérer à ce rythme, quelle vitesse atteint-il 25 s après avoir commencé à rouler ?
49. Un athlète court le 100 m en 10,3 s. Un autre athlète arrive deuxième avec un temps de 10,8 s. En supposant que les athlètes ont couru à leur vitesse moyenne sur toute la distance, déterminez la distance séparant les deux athlètes lorsque le gagnant atteint la ligne d'arrivée.
50. Un objet qui tombe met 1,50 s pour parcourir les derniers 30 m avant de toucher le sol. De quelle hauteur au-dessus du sol est-il tombé ?
51. Une jeune femme nommée Catherine achète une voiture de sport qui peut accélérer à raison de 4 m/s². Pour tester la voiture, elle décide de faire la course avec Stéphane, lui aussi amateur de vitesse. Ils partent tous deux du repos mais Stéphane, qui est plus expérimenté, quitte la ligne de départ 1 s avant Catherine. Il roule avec une accélération constante de 3 m/s² et Catherine garde une accélération de 4 m/s². (a) Trouvez le temps que met Catherine pour rattraper Stéphane. (b) Quelle distance parcourt-elle avant de le rattraper ? (c) Trouvez les vitesses des deux voitures à l'instant où elle le rattrape.
52. Un joueur de hockey effectue un lancer frappé sur une rondelle initialement au repos. La rondelle glisse sur la glace sur 10 pi sans frottement avant d'arriver sur de la glace rugueuse. Elle accélère ensuite uniformément à raison de −20 pi/s². Si la vitesse de la rondelle est de 40 pi/s lorsqu'elle a parcouru 100 pi à partir du point d'impact, (a) quelle est l'accélération moyenne transmise à la rondelle par le bâton de hockey ? (On suppose que la durée de contact est de 0,01 s.) (b) Quelle distance totale parcourt la rondelle avant de s'arrêter ? (c) Quelle est la durée totale du mouvement de la rondelle, si on néglige le temps de contact ?
53. Un automobiliste en excès de vitesse passe à 105 km/h devant une voiture de police stationnée. La voiture de police initialement au repos démarre avec une accélération uniforme de 2,44 m/s². Quelle distance parcourt la voiture en excès de vitesse avant d'être rattrapée par la voiture de police ?
54. En 1983, Kebede Balcha remporta le marathon de Montréal, de 42,195 kilomètres, en 2 heures 10 minutes 9 secondes. (a) Trouvez sa vitesse moyenne en mètres par seconde. (b) À la borne de 34 km, Balcha avait une avance de 2,50 min sur le coureur qui était en deuxième position et qui devait passer la ligne d'arrivée 30 s après Balcha. On suppose que Balcha a gardé une vitesse moyenne constante et que les deux coureurs allaient à la même vitesse lorsque Balcha est passé devant la borne de 34 km. Trouvez l'accélération moyenne (en mètres par seconde carrée) du deuxième

coureur pendant le reste de la course, à partir du moment où Balcha est passé devant la borne de 34 km.

55. On laisse tomber dans un puits une pierre initialement au repos. (a) Si on entend le son qu'elle fait au contact de l'eau 2,4 s plus tard, quelle est la distance entre la margelle du puits et la surface de l'eau ? La vitesse du son dans l'air (à la température ambiante) est de 336 m/s. (b) Quel pourcentage d'erreur introduit-on dans le calcul de la profondeur du puits si on néglige le temps de parcours du son ?

56. On lance une fusée verticalement vers le haut à une vitesse initiale de 80 m/s. Elle accélère vers le haut à raison de 4 m/s² jusqu'à une altitude de 1 000 m. À ce niveau, ses moteurs tombent en panne et la fusée passe en vol libre avec une accélération de −9,8 m/s². (a) Quelle est la durée de son mouvement ? (b) Quelle est son altitude maximale ? (c) Quelle est sa vitesse juste avant qu'elle n'arrive sur Terre ? (*Suggestion :* Séparez le mouvement de la fusée lorsque les moteurs fonctionnent de son mouvement en chute libre.)

57. Lors d'une course du 100 m, Marie et Julie franchissent à égalité la ligne d'arrivée, réalisant toutes deux un temps de 10,2 s. En accélérant uniformément, Marie a mis 2,0 s pour atteindre la vitesse maximale, et Julie 3,0 s ; elles ont maintenu cette vitesse pendant tout le reste de la course. (a) Quelle était l'accélération de chaque athlète ? (b) Quelles étaient leurs vitesses maximales respectives ? (c) Quelle athlète devançait l'autre au repère de 6 s, et de combien ?

58. Un train roule à une vitesse v durant la première heure de son voyage, à une vitesse $3v$ durant la demi-heure suivante, à une vitesse $v/2$ durant les 90 minutes suivantes et à une vitesse $v/3$ durant les deux dernières heures. (a) Tracez le graphique vitesse-temps pour le voyage. (b) Quelle distance parcourt le train durant ce voyage ? (c) Quelle est la vitesse moyenne du train sur la totalité du voyage ?

59. Le conducteur d'un train de banlieue parvient à réduire au minimum le temps t entre deux stations en accélérant ($a_1 = 0{,}1$ m/s²) pendant un temps t_1, puis en produisant une accélération négative ($a_2 = -0{,}5$ m/s²) en utilisant les freins pendant un temps t_2. Les stations étant distantes de 1 km seulement, le train n'atteint jamais sa vitesse maximale. Trouvez la durée minimale du voyage t et le temps t_1.

60. Pour mettre ses victuailles à l'abri des ours, un scout élève son sac de masse m à l'aide d'une corde qu'il fait passer au-dessus d'une branche d'arbre située à une hauteur h au-dessus de ses mains. Il s'éloigne de la corde verticale à une vitesse constante v_0 en tenant l'extrémité libre de la corde (voir figure 2.26). (a) Montrez que la vitesse v du sac à provisions est $x(x^2 + h^2)^{-1/2}v_0$, où x est la distance dont il s'est éloigné de la corde verticale. (b) Montrez que l'accélération a du sac à provisions est $h^2(x^2 + h^2)^{-3/2}v_0^2$. (c) Quelles sont les valeurs de l'accélération et de la vitesse v peu après que le scout s'éloigne de la corde verticale ? (d) Vers quelles valeurs tendent la vitesse et l'accélération lorsque la distance x continue d'augmenter ?

61. Deux objets A et B reliés par une tige rigide de longueur L glissent sur des rails perpendiculaires (voir figure 2.27). Si A glisse vers la gauche à une vitesse constante v, trouvez la vitesse de B lorsque $\alpha = 60°$.

Figure 2.26 (Problème 60)

Problèmes à faire à la calculatrice ou à l'ordinateur

62. Au problème 60, on suppose que la hauteur h est égale à 6 m et la vitesse v_0 à 2 m/s. En supposant que le sac à provisions parte du repos du bas d'une falaise à 6 m en dessous des mains du scout, (a) faites un tableau des valeurs et tracez le graphique vitesse-temps. (b) Faites un tableau des valeurs et tracez le graphique accélération-temps. (Faites varier le temps de 0 à 6 s à intervalles de 0,5 s.)

63. Une particule est soumise à une accélération variable. On mesure la vitesse à intervalles de 0,5 s et on relève les résultats indiqués ci-dessous. (a) Déterminez l'accélération moyenne dans chaque intervalle. (b) Utilisez une méthode d'intégration numérique pour déterminer la position de la particule à la fin de chaque intervalle de temps. On suppose que la position initiale de la particule est zéro.

t (s)	0	0,5	1,0	1,5	2,0	2,5	3,0	3,5	4,0	4,5	5,0
v (m/s)	0	1	3	4,5	7,0	9,5	10,5	12	14	15	17,5

64. Une particule se déplaçant sur l'axe des x est soumise à une accélération donnée par $a = \sqrt{3 + t^3}$ m/s². Utilisez une méthode d'intégration numérique pour trouver la position et la vitesse de la particule à $t = 5{,}7$ s avec une précision de 1 %.

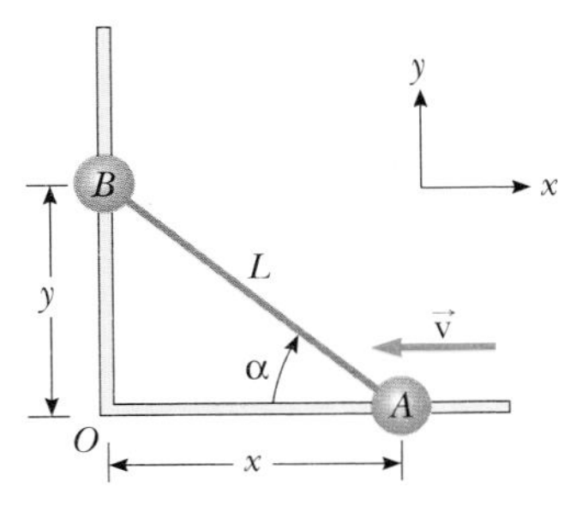

Figure 2.27 (Problème 61)

Figure 3.1
Si on néglige la résistance de l'air, la balle que s'apprête à frapper Sébastien Lareau suivra une trajectoire parabolique dont le point de rencontre avec le sol sera déterminé par la grandeur et la direction de la vitesse de la balle après l'impact. *(Ron Turenne Nationaux Sunlife 1994)*

Mouvement à deux dimensions

CHAPITRE 3

Ce chapitre porte sur la cinématique d'une particule en mouvement dans un plan, c'est-à-dire sur le mouvement à deux dimensions. Les mouvements des projectiles et des satellites sont des exemples courants de mouvement dans un plan. Nous verrons tout d'abord que la vitesse et l'accélération sont des grandeurs vectorielles. Puis, comme pour le mouvement rectiligne, nous allons établir les équations de la cinématique pour le mouvement à deux dimensions à partir des définitions fondamentales du déplacement, de la vitesse et de l'accélération. À titre d'exemple de mouvement à deux dimensions, nous allons étudier le mouvement uniformément accéléré dans un plan et le mouvement circulaire uniforme.

3.1 Vecteurs déplacement, vitesse et accélération

Nous avons vu, au chapitre 2, que le mouvement d'une particule sur une droite est complètement déterminé par la relation donnant la position de la particule en fonction du temps. Nous allons maintenant étendre cette notion au mouvement d'une particule dans le plan *xy*, en commençant par décrire la position de la particule à l'aide d'un *vecteur position* $\vec{r}$, tracé à partir de l'origine d'un référentiel situé dans le plan *xy*, comme à la figure 3.2. À l'instant t_i, la particule est au point *P* et à un temps ultérieur t_f, elle est au point *Q*. Pendant que la particule se rend du point *P* au point *Q*, c'est-à-dire pendant l'intervalle de temps $\Delta t = t_f - t_i$, le vecteur position passe de $\vec{r}_i$ à $\vec{r}_f$. Comme $\vec{r}_f = \vec{r}_i + \Delta\vec{r}$, le **vecteur déplacement** de la particule est donné par

Définition du vecteur déplacement

$$\Delta\vec{r} \equiv \vec{r}_f - \vec{r}_i \qquad [3.1]$$

La direction de $\Delta\vec{r}$ est indiquée à la figure 3.2. Notons que le vecteur déplacement est égal à la différence entre le vecteur position final et le vecteur position initial. Comme on le voit à la figure 3.2, la grandeur du déplacement est *inférieure* à la distance parcourue si la particule suit une trajectoire courbe entre *P* et *Q*. Par contre, si la trajectoire est rectiligne, la grandeur du déplacement est égale à la distance parcourue.

Par définition, la **vitesse moyenne** de la particule durant l'intervalle de temps Δt est le rapport entre le déplacement et l'intervalle de temps nécessaire pour effectuer ce déplacement :

Vitesse moyenne

$$\overline{\vec{v}} \equiv \frac{\Delta\vec{r}}{\Delta t} \qquad [3.2]$$

Puisque le déplacement est un vecteur et que l'intervalle de temps est un scalaire, nous pouvons conclure que la vitesse moyenne est une grandeur *vectorielle* orientée selon $\Delta\vec{r}$. Notons que la vitesse moyenne entre les points *P* et *Q* est *indépendante de la trajectoire suivie* entre les deux points, car elle est proportionnelle au déplacement qui ne dépend que des vecteurs position initial et final. Comme dans le cas du mouvement rectiligne, nous en concluons que si une particule en mouvement revient à son point de départ, sa vitesse moyenne est nulle puisque son déplacement est nul.

Considérons à nouveau le mouvement d'une particule entre deux points dans le plan *xy*, comme à la figure 3.3. À mesure que les intervalles de temps deviennent de plus en plus petits, les déplacements $\Delta\vec{r}_1$, $\Delta\vec{r}_2$, $\Delta\vec{r}_3$, ..., diminuent progressivement et leur direction tend vers la tangente à la trajectoire au point *P*.

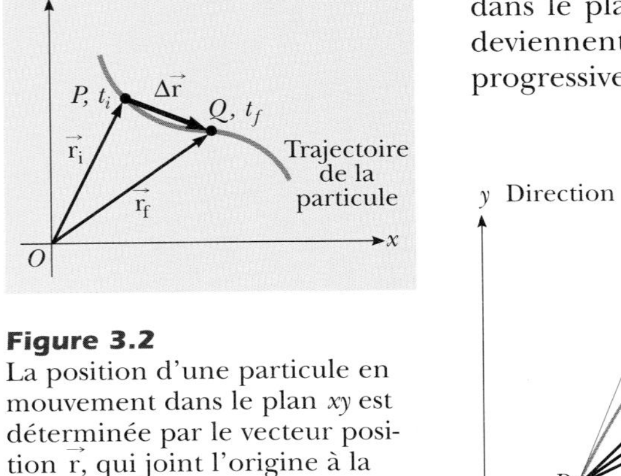

Figure 3.2
La position d'une particule en mouvement dans le plan *xy* est déterminée par le vecteur position $\vec{r}$, qui joint l'origine à la particule. Le déplacement de la particule entre les points *P* et *Q* dans l'intervalle de temps $\Delta t = t_f - t_i$ est égal au vecteur $\Delta\vec{r} = \vec{r}_f - \vec{r}_i$.

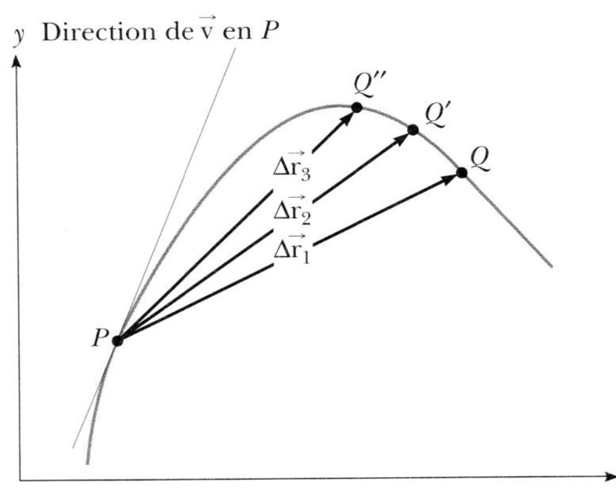

Figure 3.3
Lorsqu'une particule se déplace entre deux points, sa vitesse moyenne est orientée selon le vecteur déplacement $\vec{r}$. À mesure que le point *Q* se rapproche du point *P*, la direction de $\Delta\vec{r}$ tend vers la tangente à la courbe en *P*. Par définition, la vitesse instantanée en *P* est orientée selon cette tangente.

La **vitesse instantanée** $\vec{v}$ est égale, par définition, à la limite de la vitesse moyenne $\Delta\vec{r}/\Delta t$ lorsque Δt tend vers zéro :

$$\vec{v} \equiv \lim_{\Delta t \to 0} \frac{\Delta\vec{r}}{\Delta t} = \frac{d\vec{r}}{dt} \qquad [3.3]$$

Vitesse instantanée

Autrement dit, la vitesse instantanée est égale à la dérivée par rapport au temps du déplacement. La direction du vecteur vitesse est celle de la tangente à la trajectoire de la particule, orientée dans le sens du mouvement. C'est ce que représente la figure 3.4 pour deux points de la trajectoire. La grandeur du vecteur vitesse instantanée est appelée *vitesse scalaire*. Notons que l'équation 3.4 est une application du calcul différentiel.

Lorsque la particule se déplace de P en Q en suivant une trajectoire courbe, sa vitesse instantanée passe de $\vec{v}_i$ à l'instant t_i à $\vec{v}_f$ à l'instant t_f (voir figure 3.4).

L'**accélération moyenne** de la particule qui se déplace de P vers Q est égale, par définition, au rapport entre la variation du vecteur vitesse instantanée $\Delta\vec{v}$ et le temps écoulé Δt :

$$\bar{\vec{a}} \equiv \frac{\vec{v}_f - \vec{v}_i}{t_f - t_i} = \frac{\Delta\vec{v}}{\Delta t} \qquad [3.4]$$

Accélération moyenne

Puisque l'accélération moyenne correspond au rapport entre un vecteur $\Delta\vec{v}$ et un scalaire Δt, nous pouvons conclure que $\bar{\vec{a}}$ est une grandeur vectorielle orientée selon $\Delta\vec{v}$. Comme l'indique la figure 3.4, on détermine l'orientation de $\Delta\vec{v}$ en additionnant le vecteur $-\vec{v}_i$ (l'opposé de $\vec{v}_i$) et le vecteur $\vec{v}_f$, puisque par définition $\Delta\vec{v} = \vec{v}_f - \vec{v}_i$.

L'**accélération instantanée** $\vec{a}$ est égale, par définition, à la valeur limite du rapport $\Delta\vec{v}/\Delta t$ lorsque Δt tend vers zéro :

$$\vec{a} \equiv \lim_{\Delta t \to 0} \frac{\Delta\vec{v}}{\Delta t} = \frac{d\vec{v}}{dt} \qquad [3.5]$$

Accélération instantanée

En d'autres mots, l'accélération instantanée est égale à la dérivée première de la vitesse par rapport au temps.

Il est important de savoir qu'une particule peut accélérer de plusieurs façons. Tout d'abord, elle accélère si la grandeur de la vitesse (vitesse scalaire) varie en fonction du temps. Deuxièmement, une particule accélère si la direction de la vitesse varie en fonction du temps (trajectoire courbe), même si la vitesse scalaire est constante. Enfin, l'accélération peut être due à la fois à une variation de grandeur et à une variation de direction de la vitesse.

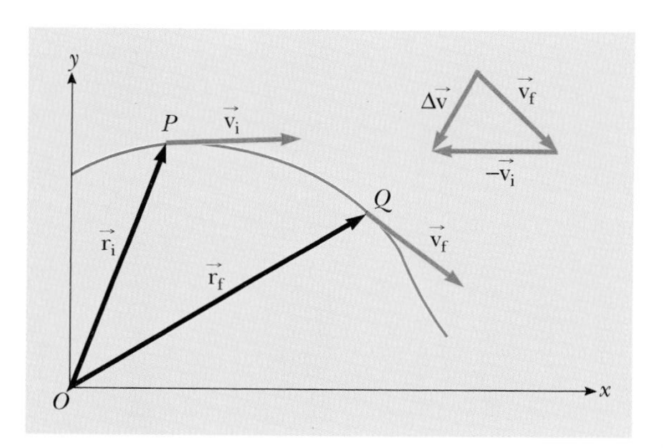

Figure 3.4
Le vecteur accélération moyenne, $\bar{\vec{a}}$, d'une particule se déplaçant de P à Q est orienté selon la direction de la variation de vitesse, $\Delta\vec{v} = \vec{v}_f - \vec{v}_i$.

3.2 Mouvement à deux dimensions à accélération constante

Considérons le mouvement à deux dimensions d'une particule dont l'accélération est constante (nous supposons que la grandeur et la direction de l'accélération ne varient pas au cours du mouvement). La particule en mouvement étant représentée par son vecteur position $\vec{r}$, ce dernier peut donc s'écrire dans le plan xy :

$$\vec{r} = x\vec{i} + y\vec{j} \qquad [3.6]$$

où x, y et $\vec{r}$ varient en fonction du temps, comme on peut le voir à la figure 3.4, page 49. Si on connaît le vecteur position, on peut obtenir la vitesse de la particule à partir des équations 3.3 et 3.6 :

$$\vec{v} = \frac{d\vec{r}}{dt} = \frac{dx}{dt}\vec{i} + \frac{dy}{dt}\vec{j}$$

$$\vec{v} = v_x\vec{i} + v_y\vec{j} \qquad [3.7]$$

L'accélération $\vec{a}$ étant constante, ses composantes a_x et a_y sont elles aussi constantes. On peut donc appliquer les équations de la cinématique aux composantes en x et en y du vecteur vitesse. L'équation 2.7 ($v = v_0 + at$) nous donne $v_x = v_{x0} + a_x t$ et $v_y = v_{y0} + a_y t$, qu'on peut remplacer dans l'équation 3.7 pour obtenir :

$$\vec{v} = (v_{x0} + a_x t)\vec{i} + (v_{y0} + a_y t)\vec{j}$$

$$= (v_{x0}\vec{i} + v_{y0}\vec{j}) + (a_x\vec{i} + a_y\vec{j})t$$

Vitesse en fonction du temps

$$\vec{v} = \vec{v}_0 + \vec{a}t \qquad [3.8]$$

Ce résultat nous indique que la vitesse d'une particule à un instant quelconque t est égale à la somme vectorielle de sa vitesse initiale $\vec{v}_0$ et de la vitesse supplémentaire $\vec{a}t$ résultant de l'accélération constante à laquelle elle a été soumise pendant le temps t.

De même, on sait d'après l'équation 2.10 que les coordonnées en x et en y de la particule en mouvement uniformément accéléré sont :

$$x = x_0 + v_{x0}t + \tfrac{1}{2}a_x t^2 \quad \text{et} \quad y = y_0 + v_{y0}t + \tfrac{1}{2}a_y t^2$$

En remplaçant ces expressions dans l'équation 3.6, on obtient :

$$\vec{r} = (x_0 + v_{x0}t + \tfrac{1}{2}a_x t^2)\vec{i} + (y_0 + v_{y0}t + \tfrac{1}{2}a_y t^2)\vec{j}$$

$$= (x_0\vec{i} + y_0\vec{j}) + (v_{x0}\vec{i} + v_{y0}\vec{j})t + \tfrac{1}{2}(a_x\vec{i} + a_y\vec{j})t^2$$

Vecteur position en fonction du temps

$$\vec{r} = \vec{r}_0 + \vec{v}_0 t + \tfrac{1}{2}\vec{a}t^2 \qquad [3.9]$$

Cette équation nous indique que le déplacement $\vec{r} - \vec{r}_0$ est la somme vectorielle d'un déplacement $\vec{v}_0 t$, découlant de la vitesse initiale de la particule, et d'un déplacement $\tfrac{1}{2}\vec{a}t^2$, attribuable à l'accélération uniforme de la particule.

Exemple 3.1 Mouvement dans un plan

Soit une particule en mouvement dans le plan xy dont l'accélération constante a seulement une composante en x donnée par $a_x = 4\ \text{m/s}^2$. La particule part de l'origine à $t = 0$ avec une vitesse initiale dont la composante en x vaut 20 m/s et la composante en y vaut −15 m/s.

(a) Déterminez les composantes de la vitesse en fonction du temps et la vitesse résultante à un instant quelconque.

Solution Puisque $v_{x0} = 20$ m/s et $a_x = 4$ m/s^2, les équations de la cinématique donnent :

$$v_x = v_{x0} + a_x t = (20 + 4t) \text{ m/s}$$

De même, comme $v_{y0} = -15$ m/s et $a_y = 0$,

$$v_y = v_{y0} = -15 \text{ m/s}$$

En utilisant les résultats précédents et en notant que la vitesse $\vec{v}$ a deux composantes, on obtient donc :

$$\vec{v} = v_x\vec{i} + v_y\vec{j} = \boxed{[(20 + 4t)\vec{i} - 15\vec{j}] \text{ m/s}}$$

On aurait pu obtenir directement ce résultat à partir de l'équation 3.8, en notant que $\vec{v} = 4\vec{i}$ m/s^2 et $\vec{v}_0 = (20\vec{i} - 15\vec{j})$ m/s. Faites-en la vérification.

(b) Calculez la vitesse et la vitesse scalaire de la particule à $t = 5$ s.

Solution Pour $t = 5$ s, le résultat obtenu en (a) donne :

$$\vec{v} = \{[20 + 4(5)]\vec{i} - 15\vec{j}\} \text{ m/s} = \boxed{(40\vec{i} - 15\vec{j}) \text{ m/s}}$$

Ainsi, à $t = 5$ s, $v_x = 40$ m/s et $v_y = -15$ m/s. La vitesse scalaire est, par définition, la grandeur du vecteur vitesse $\vec{v}$, ou

$$|\vec{v}| = v = \sqrt{v_x^2 + v_y^2} = \sqrt{(40)^2 + (-15)^2} \text{ m/s} = \boxed{42{,}7 \text{ m/s}}$$

(*Remarque : v* est supérieur à v_0. Pourquoi ?)

On peut calculer l'angle θ que fait $\vec{v}$ avec l'axe des x en utilisant le fait que tg $\theta = v_y/v_x$, d'où

$$\theta = \text{tg}^{-1}\left(\frac{v_y}{v_x}\right) = \text{tg}^{-1}\left(\frac{-15}{40}\right) = \boxed{-20{,}6°}$$

(c) Déterminez les coordonnées en x et en y à $t = 5$ s et le vecteur déplacement à cet instant.

Réponse $x = 150$ m, $y = -75$ m, $\vec{r} = (150\vec{i} - 75\vec{j})$ m

3.3 Mouvement d'un projectile

Vous avez souvent observé le mouvement d'un projectile, qu'il s'agisse d'une balle de baseball ou d'un autre objet lancé en l'air. Pour une direction arbitraire de la vitesse initiale, la balle suit une trajectoire courbe. Ce type de mouvement est très courant et très simple à étudier si on formule les hypothèses suivantes : (1) l'accélération gravitationnelle $\vec{g}$ est constante tout au long du mouvement et elle est dirigée vers le bas[1]; (2) l'effet de la résistance de l'air est négligeable[2]. Compte tenu de ces hypothèses, nous allons d'abord montrer que la *trajectoire* d'un projectile est *toujours* une parabole. *Nous utiliserons ces hypothèses tout au long du chapitre.*

Hypothèses du mouvement d'un projectile

[1] Cette approximation est plausible dans la mesure où les distances intervenant dans le mouvement sont petites par rapport au rayon de la Terre ($6{,}4 \times 10^6$ m). En effet, cette approximation revient à supposer que la Terre est plate à l'échelle du mouvement étudié et de densité uniforme.

[2] En règle générale, cette approximation *n'est pas* justifiée, surtout si les vitesses sont élevées. De plus, le mouvement de rotation du projectile sur lui-même, comme dans le cas de la balle de baseball, peut donner lieu à des effets aérodynamiques intéressants (par exemple la balle courbe d'un lanceur de baseball).

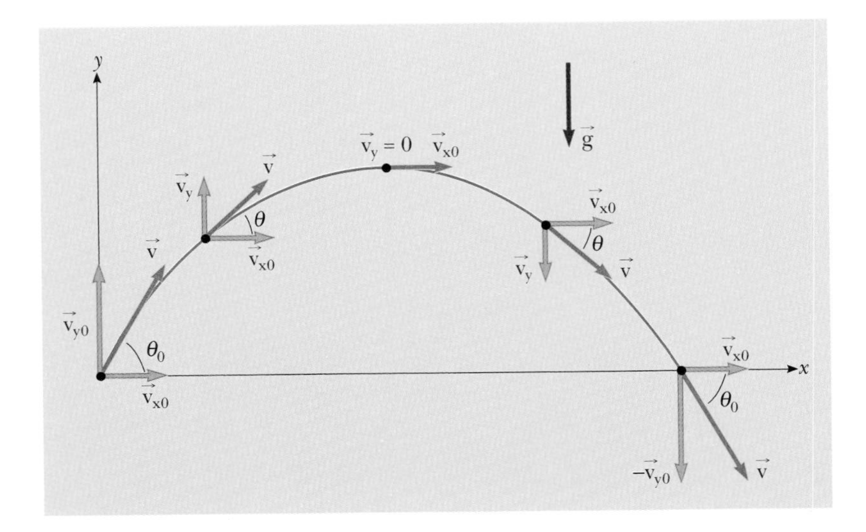

Figure 3.5
La trajectoire parabolique d'un projectile quittant l'origine avec une vitesse $\vec{v}_0$. Notez que le vecteur vitesse $\vec{v}$ varie avec le temps. Toutefois, la composante en x du vecteur vitesse, $\vec{v}_{x0}$, reste constante dans le temps. De plus, $\vec{v}_y = 0$ au sommet de la trajectoire.

Si nous choisissons un référentiel dans lequel l'axe des y est vertical et orienté positivement vers le haut, nous avons $a_y = -g$ (comme pour la chute libre rectiligne) et $a_x = 0$ (si on néglige la résistance de l'air). De plus, supposons qu'à $t = 0$, le projectile quitte l'origine ($x_0 = y_0 = 0$) à une vitesse $\vec{v}_0$, comme le montre la figure 3.5. Si le vecteur $\vec{v}_0$ forme un angle θ_0 avec l'axe des x, θ_0 étant l'angle de projection, les définitions des fonctions cosinus et sinus et la figure 3.5 nous permettent d'écrire :

$$v_{x0} = v_0 \cos \theta_0 \quad \text{et} \quad v_{y0} = v_0 \sin \theta_0$$

En substituant ces expressions dans les équations 3.8 et 3.9, avec $a_x = 0$ et $a_y = -g$, on obtient les composantes de la vitesse et les coordonnées du projectile à un instant quelconque t :

Composante horizontale de la vitesse

$$v_x = v_{x0} = v_0 \cos \theta_0 = \text{constante} \qquad [3.10]$$

Composante verticale de la vitesse

$$v_y = v_{y0} - gt = v_0 \sin \theta_0 - gt \qquad [3.11]$$

Composante horizontale de la position

$$x = v_{x0}t = (v_0 \cos \theta_0)\, t \qquad [3.12]$$

Composante verticale de la position

$$y = v_{y0}t - \tfrac{1}{2}gt^2 = (v_0 \sin \theta_0)\, t - \tfrac{1}{2}gt^2 \qquad [3.13]$$

L'équation 3.10 nous indique que v_x reste constant en fonction du temps et égal à la composante initiale v_{x0} de la vitesse, puisqu'il n'y a pas de composante horizontale de l'accélération. En outre, pour le mouvement sur l'axe des y, les expressions donnant v_y et y sont identiques à celles que nous avons utilisées pour décrire la chute libre au chapitre 2. En fait, *toutes* les équations de la cinématique établies au chapitre 2 sont applicables au mouvement d'un projectile.

En isolant t dans l'équation 3.12 et en remplaçant t par l'expression obtenue dans l'équation 3.13, on trouve :

$$y = (\text{tg } \theta_0)\, x - \left(\frac{g}{2v_0^2 \cos^2 \theta_0} \right) x^2 \qquad [3.14]$$

Cette équation est valable pour $0 < \theta_0 < \pi/2$. Elle est de la forme $y = ax - bx^2$, qui correspond à l'équation d'une parabole passant par l'origine. Nous venons donc de démontrer que la trajectoire d'un projectile est une parabole. Notons que la trajectoire est *entièrement* déterminée si v_0 et θ_0 sont connus.

On peut déterminer la vitesse scalaire v en fonction du temps pour le projectile en remarquant que les équations 3.10 et 3.11 donnent les composantes en x et en y de la vitesse à tout instant. Puisque v est égal à la grandeur de $\vec{v}$, on a donc, par définition

$$v = \sqrt{v_x^2 + v_y^2} \qquad [3.15]$$

Vitesse scalaire

Comme le vecteur vitesse est tangent à la trajectoire à tout instant (voir figure 3.5), l'angle θ que forme $\vec{v}$ avec l'horizontale peut être déterminé à partir de v_x et v_y au moyen de l'expression

$$\text{tg } \theta = \frac{v_y}{v_x} \qquad [3.16]$$

Partant de l'équation 3.9 et de $\vec{a} = \vec{g}$, on en déduit directement l'expression du vecteur position du projectile en fonction du temps :

$$\vec{r} = \vec{v}_0 t + \tfrac{1}{2}\vec{g}t^2$$

Cette expression est équivalente aux équations 3.12 et 3.13 et sa représentation graphique est donnée à la figure 3.6. S'il n'y avait pas d'accélération, la particule continuerait de se déplacer sur une trajectoire rectiligne ayant la même orientation que $\vec{v}_0$. La distance verticale, $\frac{1}{2}gt^2$, dont tombe la particule, est celle d'un corps en chute libre. *Nous en concluons que le mouvement d'un projectile est la superposition de deux mouvements : (1) le mouvement d'un corps en chute libre à accélération constante dans la direction verticale, et (2) un mouvement uniforme à vitesse constante dans la direction horizontale.*

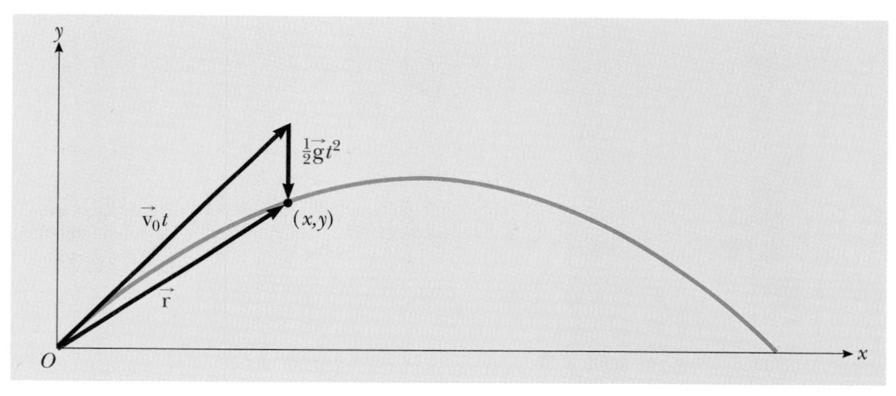

Figure 3.6
Le vecteur déplacement $\vec{r}$ d'un projectile ayant une vitesse initiale $\vec{v}_0$ à l'origine. Le vecteur $\vec{v}_0 t$ correspondrait au déplacement du projectile s'il n'était soumis à aucune accélération et le vecteur $\frac{1}{2}\vec{g}t^2$ correspond à son déplacement vertical pendant le temps t.

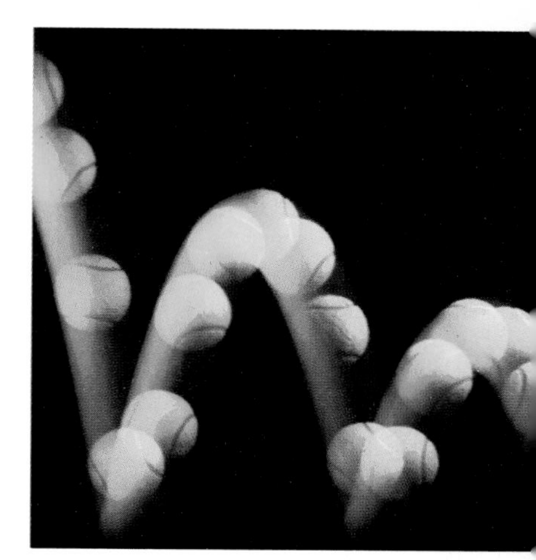

Figure 3.7
Photographie multiséquentielle d'une balle de tennis effectuant plusieurs rebonds sur une surface dure. Notez la trajectoire parabolique de la balle après chaque rebond. *(Richard Megna 1992, Fundamental Photographs)*

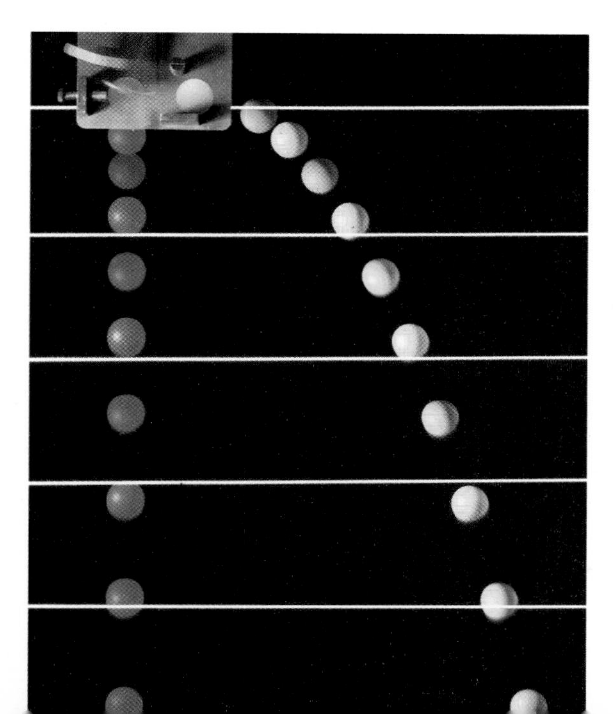

Figure 3.8
Cette photographie multiséquentielle de deux balles lâchées simultanément illustre à la fois la chute libre (balle rouge) et le mouvement (balle jaune) d'un projectile. Pouvez-vous expliquer pourquoi les balles atteignent le sol en même temps? *(Richard Megna 1990, Fundamental Photographs)*

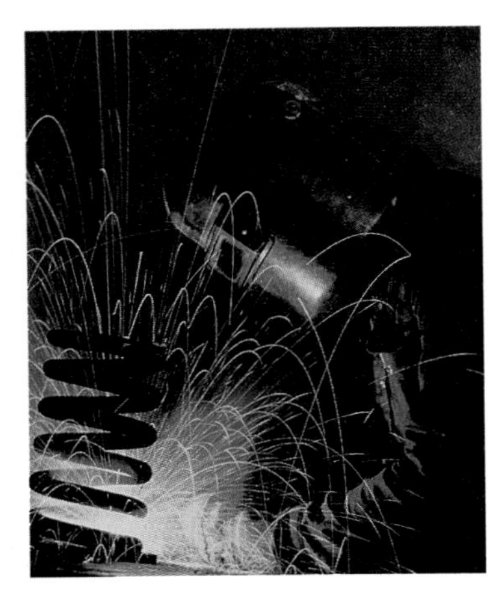

Figure 3.9
Un soudeur peut percer des trous dans une grosse poutre métallique à l'aide d'un chalumeau. Les étincelles produites suivent des trajectoires paraboliques puisqu'il s'agit de projectiles soumis à l'accélération gravitationnelle.
(R. Maisonneuve/Publiphoto)

Avant d'examiner quelques exemples numériques portant sur le mouvement d'un projectile, résumons ce que nous venons d'apprendre sur ce type de mouvement :

1. À condition que la résistance de l'air soit négligeable, la composante horizontale de la vitesse, v_x, reste constante puisqu'il n'y a pas de composante horizontale de l'accélération.
2. La composante verticale de l'accélération est égale à l'accélération gravitationnelle $\vec{g}$.
3. La composante verticale de la vitesse, v_y, et le déplacement sur l'axe des y sont identiques à ceux d'un corps en chute libre.
4. Le mouvement d'un projectile peut être représenté par la superposition de deux mouvements, l'un sur l'axe des x et l'autre sur l'axe des y.

Stratégie de résolution des problèmes : mouvement d'un projectile

Nous vous suggérons d'adopter la démarche qui suit pour résoudre les problèmes portant sur le mouvement d'un projectile :

1. Choisissez un système de coordonnées.
2. Décomposez le vecteur vitesse initial en ses composantes en x et en y.
3. Traitez séparément le mouvement horizontal et le mouvement vertical.
4. Pour analyser le mouvement horizontal du projectile, suivez les méthodes de résolution des problèmes à vitesse constante.
5. Pour analyser le mouvement vertical du projectile, suivez les méthodes de résolution des problèmes à accélération constante.

Exemple 3.2 Le saut en longueur

Un athlète qui effectue un saut en longueur quitte le sol selon un angle de 20° par rapport à l'horizontale et à une vitesse scalaire de 11 m/s.

(a) Quelle est la longueur de son saut ? (On assimile le mouvement de l'athlète à celui d'une particule.)

Solution Ce mouvement horizontal est décrit par l'équation 3.12 :

$$x = (v_0 \cos \theta_0)t = (11 \text{ m/s})(\cos 20°)t$$

On peut déterminer la valeur de x si on connaît t, la durée totale du saut. Pour trouver t, on utilise l'expression $v_y = v \sin \theta_0 - gt$, en notant qu'au point le plus haut du saut, la composante verticale de la vitesse s'annule :

$$v_y = v_0 \sin \theta_0 - gt$$

$$0 = (11 \text{ m/s}) \sin 20° - (9{,}8 \text{ m/s}^2)t_1$$

$$t_1 = 0{,}384 \text{ s}$$

Notons que t_1 est l'intervalle de temps nécessaire pour atteindre le *point le plus haut* du saut. À cause de la symétrie du mouvement vertical, un intervalle de temps identique s'écoule avant que le sauteur ne revienne au sol. Par conséquent, la *durée totale* de sa trajectoire dans l'air est $t = 2t_1 = 0{,}768$ s. En remplaçant t par cette valeur dans l'expression donnant x, on obtient :

$$x = (11 \text{ m/s})(\cos 20°)(0{,}768 \text{ s}) = \boxed{7{,}94 \text{ m}}$$

(b) Quelle est la hauteur maximale atteinte ?

Solution On détermine la hauteur maximale atteinte à partir de l'équation 3.13, avec $t = t_1 = 0{,}384$ s :

$$y_{max} = (v_0 \sin \theta_0) t_1 - \tfrac{1}{2} g t_1^2$$

$$y_{max} = (11 \text{ m/s})(\sin 20°)(0{,}384 \text{ s}) - \tfrac{1}{2}(9{,}8 \text{ m/s}^2)(0{,}384 \text{ s})^2 = \boxed{0{,}722 \text{ m}}$$

Le fait d'assimiler le saut en longueur au mouvement d'un projectile est une simplification excessive du problème, mais les valeurs obtenues sont toutefois raisonnables.

Exemple 3.3 Un jet de pierre

À partir du toit d'un immeuble, on lance une pierre vers le haut avec un angle de 30° par rapport à l'horizontale et à une vitesse scalaire initiale de 20 m/s, comme à la figure 3.10. La hauteur du bâtiment est de 45 m.

(a) Combien de temps la pierre reste-t-elle en l'air ?

Solution Les composantes en x et en y de la vitesse initiale sont :

$$v_{x0} = v_0 \cos \theta_0 = (20 \text{ m/s})(\cos 30°) = 17{,}3 \text{ m/s}$$

$$v_{y0} = v_0 \sin \theta_0 = (20 \text{ m/s})(\sin 30°) = 10 \text{ m/s}$$

Pour trouver t, on peut utiliser l'expression $y = v_{y0}t - \frac{1}{2}gt^2$ (équation 3.13) avec $y = -45$ m et $v_{y0} = 10$ m/s (le toit du bâtiment ayant été choisi comme origine, comme l'indique la figure 3.10) :

$$-45 \text{ m} = (10 \text{ m/s})t - \tfrac{1}{2}(9{,}8 \text{ m/s}^2)t^2$$

En résolvant l'équation du second degré en t, on obtient pour la racine positive $t = 4{,}22$ s. La racine négative a-t-elle un sens physique ? (Pouvez-vous imaginer une autre façon de déterminer t à partir des données dont on dispose ?)

(b) Quelle est la vitesse de la pierre juste avant qu'elle ne touche le sol ?

Solution La composante en y de la vitesse, juste avant que la pierre ne touche le sol, peut être déterminée à partir de l'équation $v_y = v_{y0} - gt$ (équation 3.11) avec $t = 4{,}22$ s :

$$v_y = 10 \text{ m/s} - (9{,}8 \text{ m/s}^2)(4{,}22 \text{ s}) = (-31{,}4 \text{ m/s})$$

Puisque $v_x = v_{x0} = 17{,}3$ m/s, la grandeur de la vitesse cherchée est donnée par :

$$v = \sqrt{v_x^2 + v_y^2} = \sqrt{(17{,}3)^2 + (-31{,}4)^2} \text{ m/s} = \boxed{35{,}9 \text{ m/s}}$$

Exercice À quel endroit la pierre touche-t-elle le sol ?

Réponse À 73 m du pied de l'immeuble.

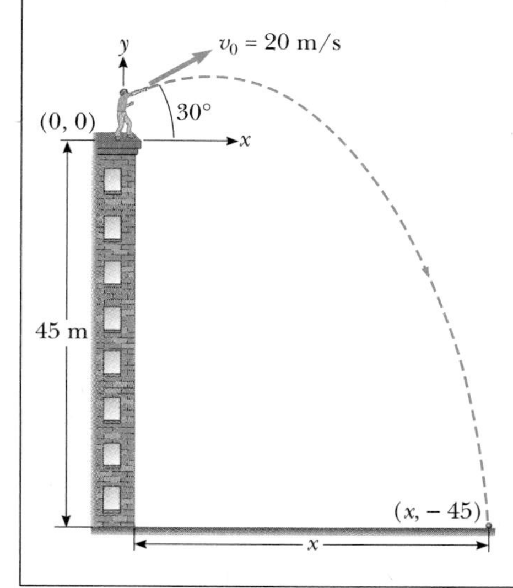

Figure 3.10
(Exemple 3.3)

Exemple 3.4 L'explorateur

Un avion de recherche et sauvetage largue un paquet de vivres d'urgence destiné à un explorateur égaré (voir figure 3.11). Si l'avion vole horizontalement à 100 m au-dessus du sol à une vitesse de 40 m/s, à quel endroit le paquet touche-t-il le sol par rapport au point d'où il est lâché ?

Solution Le système de coordonnées choisi pour le problème est représenté à la figure 3.11, avec l'axe des x orienté positivement vers la droite et l'axe des y orienté positivement vers le haut.

Considérons d'abord le mouvement horizontal du paquet. La seule équation dont nous disposons est $x = v_{x0}t$. La composante en x de la vitesse initiale du paquet est la même que la vitesse de l'avion à l'instant où le paquet est largué, c'est-à-dire 40 m/s. On a donc :

$$x = v_{x0}t = (40\ \text{m/s})\,t$$

Si on connaît t, qui est la durée de la trajectoire du paquet dans l'air, on peut déterminer x, la distance parcourue par le paquet à l'horizontale. Pour trouver t, nous allons nous servir des équations du mouvement vertical du paquet. On sait qu'à l'instant où le paquet touche le sol, sa coordonnée y est -100 m. On sait également que la vitesse initiale du paquet dans la direction verticale, v_{y0}, est nulle, car à l'instant où il a été largué, le paquet avait une vitesse uniquement à l'horizontale. L'équation 3.13 nous donne :

$$y = -\tfrac{1}{2}gt^2$$

$$-100\ \text{m} = \tfrac{1}{2}(9{,}8\ \text{m/s}^2)\,t^2$$

$$t^2 = 20{,}4\ \text{s}^2$$

$$t = 4{,}51\ \text{s}$$

En remplaçant t par cette valeur dans l'expression donnant la coordonnée x, on trouve :

$$x = (40\ \text{m/s})(4{,}51\ \text{s}) = \boxed{180\ \text{m}}$$

Exercice Quelles sont les composantes horizontale et verticale de la vitesse du paquet juste avant qu'il ne touche le sol ?

Réponse $v_x = 40$ m/s, $v_y = -44{,}1$ m/s

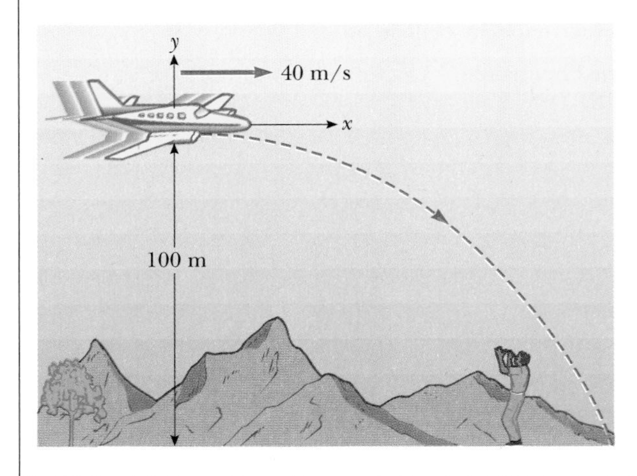

Figure 3.11 (Exemple 3.4) Pour un observateur situé au sol, un paquet largué d'un avion de sauvetage suit la trajectoire représentée sur la figure.

3.4 Mouvement circulaire uniforme

La figure 3.12a représente un objet en mouvement sur une trajectoire circulaire avec une *vitesse linéaire constante v*. On peut être surpris de constater *qu'un objet peut avoir une accélération, même si la grandeur de sa vitesse est constante.* Nous allons voir pourquoi c'est possible en considérant l'expression définissant l'accélération moyenne, $\overline{\vec{a}} = \Delta\vec{v}/\Delta t$.

Notons que l'accélération dépend de *la variation du vecteur vitesse.* La vitesse étant un vecteur, l'accélération peut être produite soit par une variation de *grandeur* de la vitesse, soit par une variation de *direction* de la vitesse, comme dans le cas d'un objet en mouvement sur une trajectoire circulaire avec une vitesse de grandeur constante. Nous allons montrer que, dans ce cas, le vecteur accélération est perpendiculaire à la trajectoire et toujours orienté vers le centre du cercle. Ce type d'accélération est appelé **accélération centripète** (qui tend vers le centre) et sa valeur est donnée par :

Grandeur de l'accélération centripète

$$a_r = \frac{v^2}{r} \qquad [3.17]$$

Pour établir l'équation 3.17, considérons la figure 3.12b. L'objet est d'abord observé au point P avec une vitesse $\vec{v}_i$ à l'instant t_i, puis au point Q avec une vitesse $\vec{v}_f$ à l'instant t_f. Nous supposons également que $\vec{v}_i$ et $\vec{v}_f$ n'ont pas la même orientation, mais que leurs grandeurs sont les mêmes (c'est-à-dire $v_i = v_f = v$). Pour calculer l'accélération, nous partons de l'équation définissant l'accélération moyenne (équation 3.4) :

$$\overline{\vec{a}} = \frac{\vec{v}_f - \vec{v}_i}{t_f - t_i} = \frac{\Delta\vec{v}}{\Delta t}$$

Cette équation nous demande de soustraire vectoriellement $\vec{v}_i$ de $\vec{v}_f$, $\Delta\vec{v} = \vec{v}_f - \vec{v}_i$ étant la variation du vecteur vitesse. Puisque $\vec{v}_i + \Delta\vec{v} = \vec{v}_f$, le vecteur $\Delta\vec{v}$ peut être déterminé graphiquement comme l'indique le triangle des vecteurs de la figure 3.12c. Notons que lorsque $\Delta\vec{v}$ est très petit, Δs et $\Delta\theta$ sont également très petits. Dans ce cas, $\vec{v}_f$ est presque parallèle à $\vec{v}_i$ et le vecteur $\Delta\vec{v}$ leur est presque perpendiculaire, et orienté vers le centre du cercle.

Considérons maintenant le triangle de la figure 3.12b, qui a pour côtés Δs et r. Ce triangle et le triangle qui a pour côtés Δv et v à la figure 3.12c sont des triangles semblables. (Deux triangles sont *semblables* si leurs angles sont respectivement égaux et si les longueurs de leurs côtés respectifs sont dans des rapports égaux.) Ceci nous permet d'écrire une relation entre les longueurs des côtés :

$$\frac{\Delta v}{v} = \frac{\Delta s}{r}$$

Cette équation nous permet de trouver Δv, et on peut remplacer $\overline{a} = \Delta v/\Delta t$ dans l'expression ainsi obtenue pour obtenir $\overline{a}\,\Delta t = v\Delta s/r$, ou

$$\overline{a} = \frac{v}{r}\frac{\Delta s}{\Delta t}$$

Imaginons maintenant que les points P et Q de la figure 3.12b deviennent infiniment proches l'un de l'autre. Dans ce cas, $\Delta\vec{v}$ est dirigé vers le centre de la trajectoire circulaire ; l'accélération ayant la même orientation que $\Delta\vec{v}$ est donc elle aussi dirigée vers le centre. En outre, à mesure que P et Q s'approchent l'un de l'autre, Δt tend vers zéro et le rapport $\Delta s/\Delta t$ tend vers la valeur v de la vitesse. Par conséquent, lorsque $\Delta t \to 0$, la valeur limite de l'accélération est :

$$a_r = \frac{v^2}{r}$$

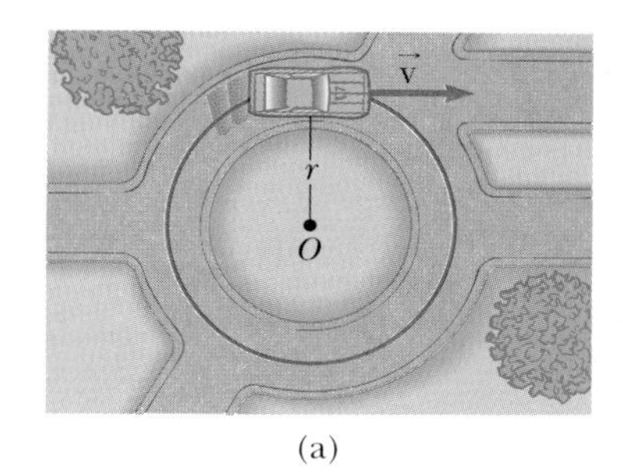

(a)

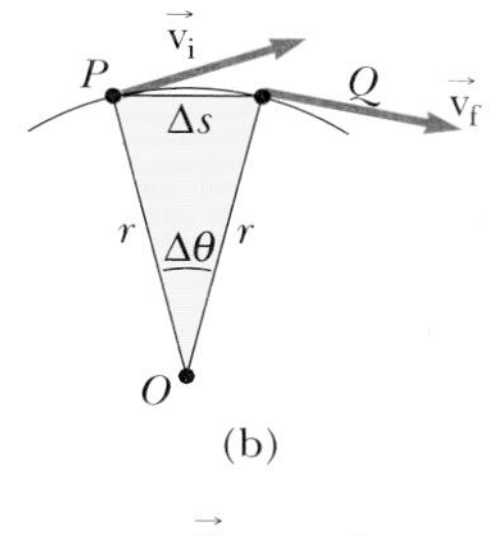

(b)

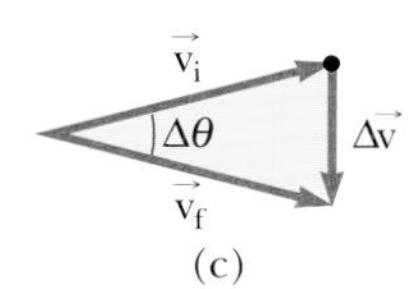

(c)

Figure 3.12
(a) Mouvement circulaire d'un objet se déplaçant à vitesse constante.
(b) Pendant que la particule se déplace de P vers Q, la direction de son vecteur vitesse varie et passe de $\vec{v}_i$ à $\vec{v}_f$.
(c) La construction géométrique permettant de déterminer la direction de la variation de vitesse $\Delta\vec{v}$, orientée vers le centre du cercle.

Nous en concluons donc que dans un mouvement circulaire uniforme, l'accélération est dirigée vers l'intérieur, vers le centre du cercle et a pour valeur v^2/r. Vous pouvez vérifier que a_r a pour dimensions L/T^2, comme il se doit puisqu'il s'agit d'une vraie accélération.

3.5 Accélération tangentielle et accélération radiale dans le mouvement curviligne

Considérons le mouvement d'une particule sur une trajectoire courbe si la vitesse varie à la fois en direction et en grandeur comme l'indique la figure 3.13. Dans ce cas, la vitesse de la particule est toujours tangente à la trajectoire, mais le vecteur accélération $\vec{a}$ forme maintenant un certain angle avec la trajectoire. Au cours du déplacement de la particule sur la trajectoire courbe de la figure 3.13, on voit que la direction du vecteur accélération totale $\vec{a}$ varie en chaque point tout comme dans le cas du mouvement circulaire. Ce vecteur peut être décomposé en deux composantes vectorielles : une composante radiale $\vec{a}_r$ et une composante tangentielle $\vec{a}_\theta$. Autrement dit, le vecteur accélération *totale* $\vec{a}$ peut s'écrire comme la somme vectorielle de ces deux composantes :

Accélération totale

$$\vec{a} = \vec{a}_r + \vec{a}_\theta \qquad [3.18]$$

La composante tangentielle de l'accélération découle de la variation de grandeur de la vitesse de la particule, et sa valeur absolue est donnée par :

Accélération tangentielle

$$a_\theta = \frac{d|\vec{v}|}{dt} \qquad [3.19]$$

La composante radiale de l'accélération découle de la variation d'orientation du vecteur vitesse et a pour valeur :

Accélération centripète

$$a_r = \frac{v^2}{r} \qquad [3.20]$$

où r est le rayon de courbure de la trajectoire au point considéré. Puisque $\vec{a}_r$ et $\vec{a}_\theta$ sont les composantes rectangulaires de $\vec{a}$, il s'ensuit que $a = \sqrt{a_r^2 + a_\theta^2}$. Comme dans le cas du mouvement circulaire uniforme, $\vec{a}_r$ est toujours dirigé vers le centre de courbure, comme l'indique la figure 3.13. L'orientation de $\vec{a}_\theta$ est soit identique à celle de $\vec{v}$ (si v augmente), soit opposée à celle de $\vec{v}$ (si v diminue).

Il est plus facile d'exprimer l'accélération d'une particule en mouvement sur une trajectoire circulaire à l'aide de vecteurs unitaires. Pour ce faire, nous définissons les vecteurs unitaires $\vec{u}_r$ et $\vec{u}_\theta$, où $\vec{u}_r$ est un *vecteur unitaire radial orienté vers l'extérieur,* à partir du centre de courbure, et $\vec{u}_\theta$ est un *vecteur unitaire tangent à la trajectoire circulaire,* comme l'indique la figure 3.14a. Les vecteurs $\vec{u}_r$ et $\vec{u}_\theta$ sont toujours perpendiculaires entre eux. Le vecteur $\vec{u}_\theta$ est orienté dans le sens correspondant à un accroissement de θ, θ étant mesuré dans le sens antihoraire à partir de l'axe des x positifs. Notons que les vecteurs unitaires $\vec{u}_r$ et $\vec{u}_\theta$ « se déplacent tous deux avec la particule » et varient donc dans le temps par rapport à un observateur fixe. À l'aide de cette notation, nous pouvons exprimer l'accélération résultante sous la forme :

$$\vec{a} = \vec{a}_\theta + \vec{a}_r = \frac{d|\vec{v}|}{dt}\vec{u}_\theta - \frac{v^2}{r}\vec{u}_r \qquad [3.21]$$

Ces vecteurs sont représentés à la figure 3.14b. Le signe négatif dans l'expression donnant $\vec{a}_r$ indique que la composante radiale est toujours orientée vers l'intérieur, dans le sens *opposé* au vecteur unitaire $\vec{u}_r$.

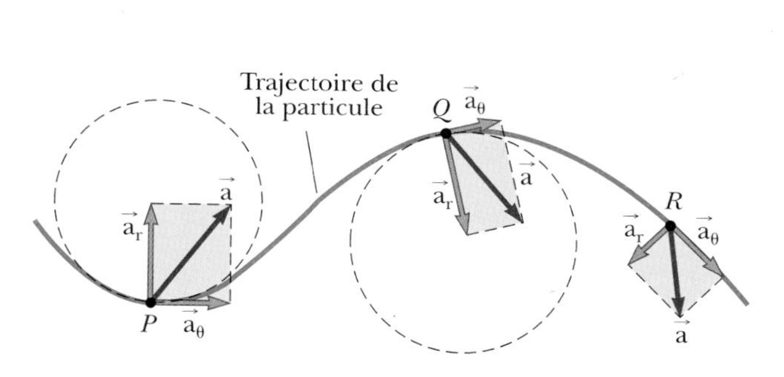

Figure 3.13
Mouvement d'une particule suivant une trajectoire curviligne arbitraire dans le plan *xy*. Si la grandeur et l'orientation du vecteur vitesse $\vec{v}$ (toujours tangent à la trajectoire) varient, les composantes vectorielles de l'accélération correspondent à un vecteur tangentiel, $\vec{a}_\theta$, et à un vecteur radial, $\vec{a}_r$.

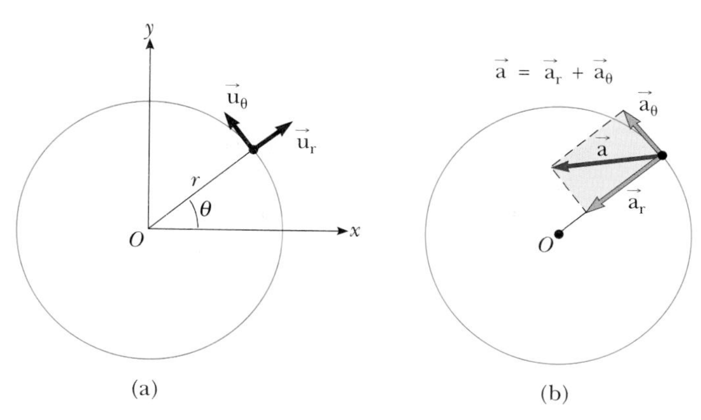

Figure 3.14
(a) Description des vecteurs unitaires $\vec{u}_r$ et $\vec{u}_\theta$.
(b) L'accélération résultante $\vec{a}$ d'une particule ayant un déplacement circulaire comporte une composante radiale, $\vec{a}_r$, dirigée vers le centre de rotation, et une composante tangentielle, $\vec{a}_\theta$. La composante $\vec{a}_\theta$ est nulle si la grandeur de la vitesse est constante.

Exemple 3.5 Oscillation d'une balle

Une balle attachée à l'extrémité d'une ficelle de 0,5 m de longueur décrit un cercle vertical tout en subissant l'influence de la gravité, comme l'indique la figure 3.15. Lorsque la ficelle fait un angle $\theta = 20°$ avec la verticale, la balle a une vitesse de 1,5 m/s.

(a) Trouvez la composante radiale de l'accélération à cet instant.

Solution Puisque $v = 1{,}5$ m/s et $r = 0{,}5$ m, on obtient :

$$a_r = \frac{v^2}{r} = \frac{(1{,}5 \text{ m/s})^2}{0{,}5 \text{ m}} = \boxed{4{,}5 \text{ m/s}^2}$$

(b) Lorsque la balle fait un angle θ avec la verticale, elle a une accélération tangentielle de valeur $g \sin \theta$ (la composante de g tangente au cercle). Pour $\theta = 20°$, on trouve donc $a_\theta = g \sin 20° = 3{,}36$ m/s². Trouvez la valeur et la direction de l'accélération *résultante* à $\theta = 20°$.

Solution Puisque $\vec{a} = \vec{a}_r + \vec{a}_t$, la grandeur de a pour $\theta = 20°$ est donnée par :

$$a = \sqrt{a_r^2 + a_\theta^2} = \sqrt{(4{,}5)^2 + (3{,}36)^2} \text{ m/s}^2 = \boxed{5{,}61 \text{ m/s}^2}$$

Si ϕ est l'angle compris entre $\vec{a}$ et la ficelle, on a :

$$\phi = \text{tg}^{-1}\frac{a_\theta}{a_r} = \text{tg}^{-1}\left(\frac{3{,}36 \text{ m/s}^2}{4{,}5 \text{ m/s}^2}\right) = \boxed{36{,}7°}$$

Notons que tous les vecteurs, $\vec{a}$, $\vec{a}_\theta$ et $\vec{a}_r$, varient à la fois en direction *et* en grandeur pendant le mouvement circulaire de la balle. Lorsque la balle est à son point le plus bas ($\theta = 0$), $a_\theta = 0$ puisque $\vec{g}$ n'a pas de composante tangentielle pour cet angle et a_r est *maximal* puisque v est maximal. Lorsque la balle est à son point le plus haut ($\theta = 180°$), a_θ est à nouveau égal à zéro, mais a_r est minimal puisque v est minimal. Enfin, pour les deux positions horizontales ($\theta = 90°$ et 270°), $|\vec{a}_\theta| = g$ et a_r a une valeur comprise entre son minimum et son maximum.

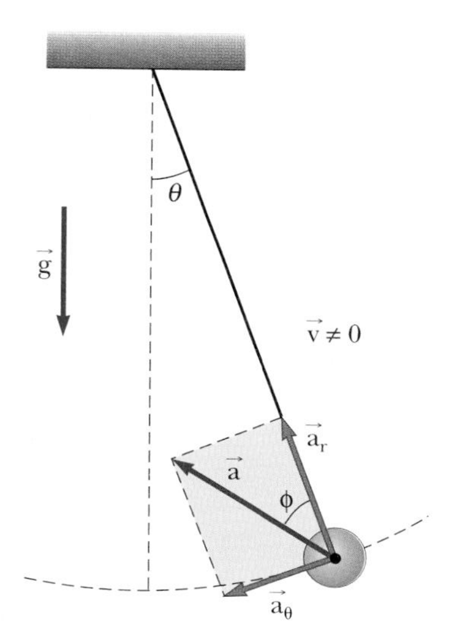

Figure 3.15
(Exemple 3.5) Mouvement circulaire d'une balle attachée à l'extrémité d'une ficelle de longueur r. La balle oscille dans un plan vertical et son accélération $\vec{a}$ possède une composante radiale, $\vec{a}_r$, et une composante tangentielle, $\vec{a}_\theta$.

3.6 Vitesse relative et accélération relative

Pour des observateurs situés dans des référentiels différents, les mesures du déplacement, de la vitesse et de l'accélération d'une particule en mouvement peuvent être différentes. Ainsi, les mesures effectuées par deux observateurs qui

HISTORIQUE

Encadré 3.1

Prisonnier d'opinion

À la question n° 11, on vous demande de répondre à un problème qui fut au cœur d'un des plus célèbres procès de l'histoire, celui de Galilée. Nous avons vu au chapitre précédent que Galilée avait secoué le dogme aristotélicien de la vitesse de chute des corps proportionnelle à la masse, mais il ne s'arrêta pas là. Ayant tourné sa lunette astronomique (qui venait à peine d'être inventée) vers les cieux, Galilée découvrit que la surface de la Lune était parsemée de montagnes et de crevasses, contrairement à la croyance de l'époque qui voulait que les corps célestes soient parfaits, donc lisses. Il observa aussi que Jupiter possédait quatre satellites, ce qui était inadmissible selon le modèle adopté officiellement d'après lequel la Terre était immobile au centre du monde et tous les autres corps étaient en mouvement circulaire autour d'elle (modèle géocentrique). Galilée osa publiquement prendre position en faveur du système proposé par Copernic qui plaçait le Soleil au centre de l'univers. Après quelques années de tolérance relative, l'Église cita Galilée à son procès pour hérésie. (Notons en passant que Galilée n'a rien fait pour arranger les choses en se créant inutilement des ennemis auprès des gens qui partageaient pourtant un point de vue similaire au sien, du moins initialement.) Un des arguments avancé au procès pour prouver l'impossibilité du mouvement de la Terre fut que, si celle-ci tourne autour du Soleil et sur elle-même, alors les hommes, les chevaux, les oiseaux et l'air ne pourraient pas la suivre dans son mouvement. En conclusion du procès, Galilée renia ses propos, épousant publiquement le modèle géocentrique (la Terre au centre de l'Univers) soutenu par l'Église catholique. Il fut placé par la suite en résidence forcée (bien que confortable) jusqu'à la fin de sa vie.

Si vous aviez été l'avocat de Galilée, quels arguments auriez-vous invoqués pour sa défense ?

LECTURES SUGGÉRÉES
- L. Geymonat, *Galilée*, Seuil, 1992.
- *Le messager des étoiles*, Galilée, Seuil, 1992.

Figure 3.16
Galileo Galilei (1564-1642). *(Édimédia/Publiphoto)*

se déplacent l'un par rapport à l'autre ne donnent pas en général les mêmes résultats.

Prenons l'exemple de deux voitures qui roulent dans la même direction avec des vitesses de 50 km/h et de 60 km/h ; pour un passager voyageant dans la voiture la plus lente, la vitesse de l'autre voiture est de 10 km/h par rapport à la voiture où il se trouve. Pour un observateur immobile, la vitesse de la voiture la plus rapide est évidemment de 60 km/h. Cet exemple simple nous montre que les mesures de vitesses dépendent des systèmes de référence dans lesquels elles sont effectuées.

Prenons maintenant l'exemple d'un paquet largué d'un avion qui vole à vitesse constante parallèlement à la Terre. Pour un observateur situé dans l'avion, le paquet semble avoir une trajectoire rectiligne vers la Terre. Par contre, pour un observateur situé au sol, la trajectoire du paquet est une parabole. Par rapport au sol, la vitesse du paquet a une composante verticale uniformément accélérée (en raison de l'accélération gravitationnelle et égale à la vitesse mesurée par l'observateur dans l'avion) *et* une composante horizontale constante (donnée par le mouvement de l'avion). Si l'avion continue de voler horizontalement à la même vitesse, le paquet touchera le sol en un point situé exactement sous l'avion (si on néglige bien sûr la résistance de l'air) !

Nous allons envisager maintenant un cas plus général. Soit une particule située au point P, comme à la figure 3.17. Imaginons qu'une description du mouvement de cette particule soit donnée par deux observateurs, l'un dans le référentiel S, fixe par rapport à la Terre, et l'autre dans le référentiel S', qui se déplace vers la droite par rapport à S à une vitesse constante $\vec{v}$. (Pour un observateur situé dans S', S se déplace vers la gauche à une vitesse $-\vec{v}$.) La position de

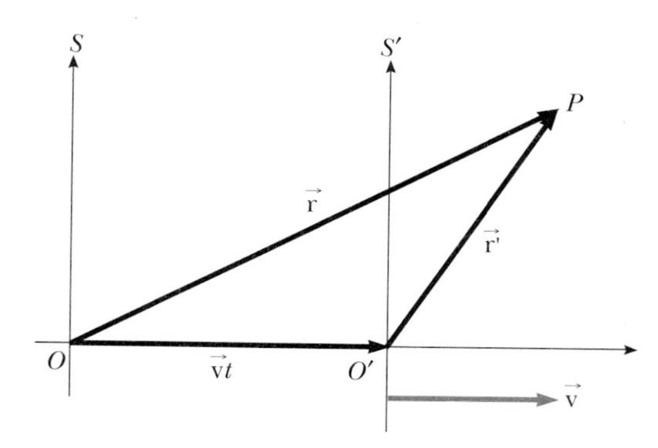

Figure 3.17
Une particule située au point P est décrite par deux observateurs ; le premier se trouve dans le référentiel fixe S et l'autre dans le référentiel S' qui se déplace vers la droite à vitesse constante $\vec{v}$. Le vecteur $\vec{r}$ est le vecteur position de la particule par rapport à S et $\vec{r}'$ est son vecteur position par rapport à S'.

chaque observateur dans son référentiel n'a pas d'importance, mais nous pouvons, pour préciser les choses, supposer qu'il se trouve à l'origine.

La position de la particule par rapport au référentiel S est représentée par le vecteur position $\vec{r}$ et sa position par rapport au référentiel S' par le vecteur $\vec{r}'$, à un instant quelconque t. Si les origines des deux systèmes de référence coïncident à $t = 0$, les vecteurs $\vec{r}$ et $\vec{r}'$ sont liés par la relation $\vec{r} = \vec{r}' + \vec{v}t$, ou :

Transformation de Galilée de la position

$$\vec{r}' = \vec{r} - \vec{v}t \qquad [3.22]$$

Cela signifie que pendant le temps t, le référentiel S' se déplace de $\vec{v}t$ vers la droite.

En dérivant l'équation 3.21 par rapport au temps et en notant que $\vec{v}$ est constant, on obtient :

$$\frac{d\vec{r}'}{dt} = \frac{d\vec{r}}{dt} - \vec{v}$$

Transformation de Galilée de la vitesse

$$\vec{u}' = \vec{u} - \vec{v} \qquad [3.23]$$

où $\vec{u}'$ est la vitesse de la particule observée dans le référentiel S' et $\vec{u}$ est la vitesse observée dans le référentiel S. Les équations 3.22 et 3.23 sont les *équations de la transformation de Galilée.*

▼▼▼

Exemple 3.6 La traversée d'un fleuve

Un bateau dont le cap apparent est dirigé vers le nord traverse un large fleuve à la vitesse de 10 km/h par rapport à l'eau. Le fleuve coule vers l'est à une vitesse uniforme de 5 km/h. Déterminez la vitesse du bateau par rapport à un observateur situé au bord du fleuve.

Solution Nous avons

$\vec{v}_{bf} = 10\vec{j}$ km/h vers le nord (vitesse du *bateau*, b, par rapport au *fleuve*, f)

$\vec{v}_{ft} = 5\vec{i}$ km/h vers l'est (vitesse du *fleuve*, f, par rapport à la *Terre*, t)

et nous voulons trouver $\vec{v}_{bt}$, la vitesse du *bateau* par rapport à la *Terre*. Notre équation devient :

$$\vec{v}_{bt} = \vec{v}_{bf} + \vec{v}_{ft}$$

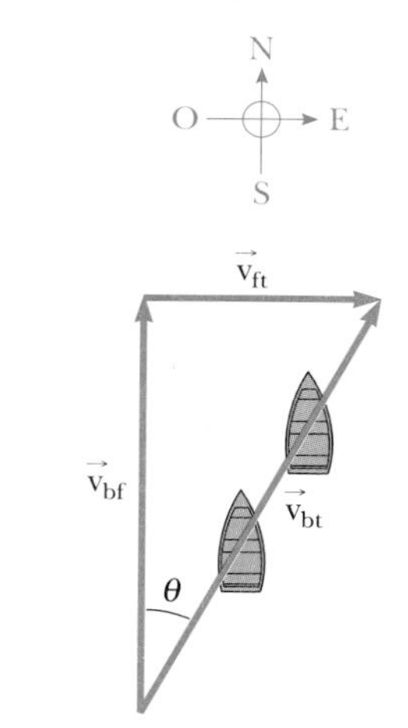

Figure 3.18
(Exemple 3.6)

Les termes de l'équation sont les vecteurs représentés à la figure 3.18 et doivent donc être traités comme des grandeurs vectorielles. Le vecteur $\vec{v}_{bf}$ est dirigé vers le nord, $\vec{v}_{ft}$ est dirigé vers l'est et leur vecteur somme $\vec{v}_{bt}$ forme un angle θ comme l'indique la figure 3.18. On voit donc qu'on peut déterminer la grandeur de la vitesse du bateau par rapport à la Terre à l'aide du théorème de Pythagore :

$$v_{bt} = \sqrt{(v_{bf})^2 + (v_{ft})^2} = \sqrt{(10 \text{ km/h})^2 + (5 \text{ km/h})^2} = 11{,}2 \text{ km/h}$$

et l'orientation de $\vec{v}_{bt}$ est donnée par :

$$\theta = \text{tg}^{-1}\left(\frac{v_{ft}}{v_{bf}}\right) = \text{tg}^{-1}\ \frac{5}{10} = 26{,}6^\circ$$

Le bateau se déplace donc par rapport à la Terre à la vitesse de 11,2 km/h dans la direction 63,4° nord-est.

Exercice Si la largeur du fleuve est de 3 km, trouvez le temps que met le bateau pour traverser le fleuve.

Réponse 30 min

APPLICATION

Encadré 3.2

Mais vers où s'en vont-elles ?

Vous avez certainement déjà entendu parlé du Big Bang (le gros Bang), ce modèle cosmologique faisant remonter la naissance de l'univers à approximativement 15 milliards d'années lors d'une explosion primordiale d'où proviendrait toute la matière. Cette théorie, la plus en vogue à l'heure actuelle, trouve son origine dans les résultats obtenus dans les années 20 par le boxeur et astronome Edwin Hubble. Ce dernier, utilisant le télescope du mont Wilson, remarqua qu'à partir d'une certaine distance de la nôtre toutes les galaxies s'éloignent et que plus elles sont loin, plus elles s'éloignent rapidement. Hubble obtint la relation suivante exprimant la vitesse (v) de fuite en fonction de la distance (R) : v = HR, H représentant une constante baptisée de nos jours du nom de son créateur, constante de Hubble (pouvez-vous trouver ses dimensions ?).

Un problème sérieux se posa alors : si toutes les galaxies s'éloignent de nous, nous sommes alors le centre du monde ! La section 3.6 peut nous aider à mieux comprendre ce phénomène. Nous y avons vu que toute vitesse est relative à un référentiel donné (à l'exception notable de la vitesse de la lumière). Si notre référentiel est « attaché » à la Terre, les galaxies s'enfuient par rapport à nous. Plaçons alors le référentiel sur une autre galaxie choisie au hasard. On observera exactement le même phénomène, car celle-ci se considérera immobile et verra toutes les autres s'éloigner à un taux proportionnel à la distance séparatrice. Ainsi donc, l'univers étant considéré infini, chaque point est le centre du monde.

Si vous n'êtes toujours pas convaincu de la relativité des vitesses (au sens galiléen) vous n'avez qu'à vous souvenir de votre réaction en automobile lorsque, immobilisé à une intersection, vous avez vu le véhicule d'à côté reculer. Immédiatement, vous avez eu l'impression d'être en train d'avancer. L'illusion cesse lorsque vous choisissez un référentiel plus stable par rapport au sol (un lampadaire par exemple). Pouvez-vous identifier un référentiel rigoureusement fixe au sein de l'univers ?

LECTURE SUGGÉRÉE

- J.-R. Roy, *L'astronomie et son histoire*, Presse de l'Université du Québec, 1982.

Figure 3.19
Le satellite-télescope Hubble. *(Explorer/Publiphoto)*

Piste de réflexion

La théorie du Big Bang, esquissée dans l'encadré d'application, entraîne plusieurs sujets de réflexion, voire de controverse où l'opinion d'une personne ne vaut ni plus ni moins que celle d'une autre, fut-elle lauréate du prix Nobel. Qu'y avait-il avant le big bang ? Peut-il exister d'autres univers que le nôtre ? Pensez-vous que la science pourra un jour répondre à ces questions ou que ces sujets lui échappent et sont du domaine des croyances personnelles ?

LECTURE SUGGÉRÉE

Stephen Hawking, *Une brève histoire du Temps*, Flammarion, Paris, 1989.

Résumé

- Si une particule en mouvement à accélération *constante* $\vec{a}$ possède une vitesse $\vec{v}_0$ et un vecteur position $\vec{r}_0$ à $t = 0$, son vecteur vitesse et son vecteur position à un instant ultérieur t sont donnés par :

$$\vec{v} = \vec{v}_0 + \vec{a}t \quad [3.8]$$

$$\vec{r} = \vec{r}_0 + \vec{v}_0 t + \tfrac{1}{2}\vec{a}t^2 \quad [3.9]$$

Dans le cas d'un **mouvement à deux dimensions** à accélération constante dans le plan xy, ces expressions vectorielles sont équivalentes aux expressions de deux composantes, l'une correspondant à un mouvement d'accélération $\vec{a}_x$ sur l'axe des x et l'autre à un mouvement $\vec{a}_y$ sur l'axe des y.

- Le **mouvement d'un projectile** est un mouvement à deux dimensions en accélération constante où $a_x = 0$ et $a_y = -g$. Dans ce cas, si $x_0 = y_0 = 0$, les composantes des équations 3.8 et 3.9 deviennent :

$$v_x = v_{x0} = \text{constante} \quad [3.10]$$

$$v_y = v_{y0} - gt \quad [3.11]$$

$$x = v_{x0}t \quad [3.12]$$

$$y = v_{y0}t - \tfrac{1}{2}gt^2 \quad [3.13]$$

où $v_{x0} = v_0 \cos \theta_0$, $v_{y0} = v_0 \sin \theta_0$ sont les composantes de la vitesse initiale du projectile et θ_0 est l'angle entre $\vec{v}_0$ et l'axe des x positifs. Notons que ces expressions donnent les composantes de la vitesse (et donc du vecteur vitesse) et les coordonnées du projectile (et donc le vecteur position) à *tout* instant t pendant le mouvement du projectile.

- Le mouvement d'un projectile peut être représenté par la superposition de deux mouvements : (1) un mouvement uniforme à vitesse constante v_x dans la direction des x, et (2) un mouvement dans la direction verticale soumis à une accélération constante vers le bas de valeur $g = 9{,}8$ m/s².

- Une particule décrivant un cercle de rayon r à vitesse constante v est soumise à une **accélération centripète** (ou radiale) $\vec{a}_r$ parce que l'orientation de $\vec{v}$ varie en fonction du temps. La valeur de $\vec{a}_r$ est donnée par :

$$a_r = \frac{v^2}{r} \quad [3.17]$$

et elle est toujours orientée vers le centre du cercle.

- Si une particule se déplace sur une *trajectoire courbe* de sorte que la grandeur et la direction de sa vitesse $\vec{v}$ varient avec le temps, le vecteur accélération de la particule peut être représenté par ses deux composantes vectorielles : (1) une **composante radiale** $\vec{a}_r$ découlant de la variation de direction de $\vec{v}$, et (2) une **composante tangentielle** $\vec{a}_\theta$ découlant de la variation de la grandeur de $\vec{v}$. La grandeur de $\vec{a}_r$ est v^2/r et la valeur de $\vec{a}_\theta$ est $d|\vec{v}|/dt$.

- La vitesse $\vec{u}$ d'une particule mesurée dans un **référentiel fixe** S est liée à la vitesse de la même particule, $\vec{u}'$, mesurée dans un **référentiel en mouvement** S' par la relation

$$\vec{u}' = \vec{u} - \vec{v} \quad [3.23]$$

où $\vec{v}$ est la vitesse de S' par rapport à S.

Questions et exercices conceptuels

1. Si la vitesse moyenne d'une particule est nulle durant un intervalle de temps, que pouvez-vous dire du déplacement de la particule durant cet intervalle ?
2. Si on connaît le vecteur position d'une particule en deux points de sa trajectoire ainsi que le temps qu'elle a mis pour se rendre d'un point à l'autre, peut-on déterminer la vitesse instantanée de la particule ? Sa vitesse moyenne ? Expliquez.
3. Décrivez une situation dans laquelle la vitesse d'une particule est perpendiculaire au vecteur position.
4. Une particule peut-elle accélérer si sa vitesse scalaire est constante ? Peut-elle accélérer si son vecteur vitesse est constant ? Expliquez.
5. Les particules suivantes ont-elles une accélération ? (a) Une particule en mouvement rectiligne se déplaçant à vitesse scalaire constante. (b) Une particule se déplaçant sur une courbe avec une vitesse scalaire constante.
6. Corrigez l'énoncé suivant : « Dans un virage, la voiture de course roule à une vitesse constante de 90 kilomètres par heure. »
7. Parmi les mobiles suivants, déterminez ceux dont la trajectoire est pratiquement parabolique : (a) une balle lancée dans une direction quelconque, (b) un avion à réaction, (c) une fusée quittant sa rampe de lancement, (d) une fusée quelques minutes après le lancement, avec les moteurs coupés et (e) une pierre qu'on a lancée et qui coule au fond d'un étang.
8. Un étudiant prétend qu'un satellite est en orbite autour de la Terre sur une trajectoire circulaire, que sa vitesse est constante et qu'il n'a donc pas d'accélération. Qu'y a-t-il de faux dans l'argument de l'étudiant ?
9. Quelle est la différence fondamentale entre les vecteurs unitaires $\vec{u}_r$ et $\vec{u}_\theta$ définis à la figure 3.14 et les vecteurs unitaires $\vec{i}$ et $\vec{j}$?
10. À l'extrémité de l'arc de cercle décrit par un pendule, sa vitesse est nulle. Son accélération est-elle aussi nulle en ce point ?
11. Si on laisse tomber une pierre du haut du mât d'un voilier, va-t-elle toucher le pont au même point si le bateau est au repos ou s'il est en mouvement avec une vitesse constante ?
12. On lance une pierre vers le haut à partir du toit d'un bâtiment. Le déplacement de la pierre dépend-il de la position de l'origine du système de coordonnées ? La vitesse de la pierre dépend-elle de la position de l'origine ?

13. Un véhicule peut-il se déplacer sur une trajectoire courbe sans accélérer ? Expliquez.
14. Un objet se déplace sur une trajectoire circulaire à une vitesse de grandeur constante v. (a) La vitesse de l'objet est-elle constante ? (b) Son accélération est-elle constante ? Expliquez.
15. Pendant le mouvement d'un projectile sur sa trajectoire parabolique, y a-t-il des points de la trajectoire où la vitesse et le vecteur d'accélération sont (a) perpendiculaires entre eux et (b) parallèles ?
16. On lance un projectile avec un certain angle par rapport à l'horizontale à une vitesse initiale de grandeur v_0 et on néglige la résistance de l'air. Le projectile est-il un corps en chute libre ? Quelle est son accélération dans la direction verticale ? Quelle est son accélération dans la direction horizontale ?
17. Parmi les grandeurs suivantes, indiquez celles qui restent constantes pendant le mouvement d'un projectile sur sa trajectoire parabolique : (a) grandeur de la vitesse, (b) accélération, (c) composante horizontale de la vitesse, (d) composante verticale de la vitesse et (e) la vitesse.
18. Un projectile atteint sa portée maximale lorsqu'il est lancé avec un angle de 45° par rapport à l'horizontale, si on néglige la résistance de l'air. Si on ne néglige pas la résistance de l'air, l'angle qui permet d'obtenir la portée maximale est-il supérieur ou inférieur à 45° ? Expliquez.
19. Le passager d'un train qui roule à vitesse constante lance une balle vers le haut. Décrivez la trajectoire de la balle observée par le passager. Décrivez la trajectoire observée par un observateur immobile à l'extérieur du train. En quoi ces observations seraient-elles modifiées si le train accélérait sur la voie ?
20. Une personne laisse tomber une cuillère dans un train qui roule à vitesse constante. Quelle est l'accélération de la cuillère par rapport (a) au train et (b) à la Terre ?
21. Décrivez comment un automobiliste peut faire tourner une voiture roulant à vitesse scalaire constante de sorte que (a) l'accélération soit nulle et (b) la grandeur de l'accélération reste constante.
22. Soit une patineuse sur glace en train de faire un huit, figure composée de deux trajectoires circulaires égales et tangentes. Pendant qu'elle exécute le premier cercle, la grandeur de sa vitesse augmente uniformément ; en exécutant le deuxième cercle, la grandeur de sa vitesse reste constante. Faites un croquis représentant son vecteur accélération en divers points sur la trajectoire.
23. Construisez les diagrammes du mouvement représentant la vitesse et l'accélération d'un projectile en divers points de sa trajectoire si (a) le projectile est lancé horizontalement et (b) le projectile est lancé avec un angle θ par rapport à l'horizontale.
24. On lance une balle de baseball dont on connaît les composantes de la vitesse en x et en y. En négligeant la résistance de l'air, comment calcule-t-on, à l'instant où la balle atteint le sommet de sa trajectoire : (a) ses coordonnées, (b) son vecteur vitesse et (c) son accélération ? En quoi ces résultats seraient-ils modifiés si on tenait compte de la résistance de l'air ?
25. Un projectile est lancé avec un angle de 30° par rapport à l'horizontale à une certaine vitesse initiale. Si on lance un deuxième projectile à une vitesse de même valeur, quel est l'autre angle de tir qui donnerait la même portée horizontale ? On néglige la résistance de l'air.
26. Un projectile est lancé sur la Terre à une certaine vitesse initiale. Un autre projectile est lancé sur la Lune à la *même* vitesse initiale. En négligeant la résistance de l'air, quel est le projectile qui a la plus grande portée ? Quel projectile atteint la plus grande altitude ? (Notez que l'accélération gravitationnelle sur la Lune est d'environ 1,6 m/s².)
27. Une pièce de monnaie posée sur une table reçoit une vitesse horizontale initiale qui l'envoie jusqu'au bord de la table et la fait tomber sur le sol. À l'instant où la pièce quitte le bord de la table, une balle est lâchée de la même hauteur et tombe sur le sol. Expliquez pourquoi les deux objets touchent le sol en même temps, même si la pièce a une vitesse initiale.

Problèmes

Section 3.1 Vecteurs déplacement, vitesse et accélération

1. On suppose que la trajectoire d'une particule est donnée par $\vec{r}(t) = x(t)\vec{i} + y(t)\vec{j}$ avec $x(t) = at^2 + bt$ et $y(t) = ct + d$, où a, b, c et d sont des constantes de dimensions appropriées. Quel est le déplacement de la particule entre $t = 1$ s et $t = 3$ s ?
2. On suppose que le vecteur position d'une particule est donné par $\vec{r}(t) = x(t)\vec{i} + y(t)\vec{j}$, avec $x(t) = at + b$ et $y(t) = ct^2 + d$, où $a = 1$ m/s, $b = 1$ m, $c = 1/8$ m/s² et $d = 1$ m. (a) Calculez la vitesse vectorielle moyenne pendant l'intervalle de temps allant de $t = 2$ s à $t = 4$ s. (b) Déterminez la vitesse vectorielle et la vitesse scalaire à $t = 2$ s.
3. Un automobiliste roule vers le sud à 20 m/s pendant 3 min puis tourne vers l'ouest et roule à 25 m/s pendant 2 min et enfin roule vers le nord-ouest à 30 m/s pendant 1 min. Pendant ce parcours de 6 min, trouvez (a) le vecteur résultant du déplacement de l'automobiliste, (b) la vitesse scalaire moyenne de l'automobiliste et (c) la vitesse vectorielle moyenne de l'automobiliste.
4. Une balle de golf est frappée par une crosse au bord d'une falaise. Ses coordonnées en x et en y par rapport au temps sont données par les expressions suivantes :

   $x = (18 \text{ m/s})t$ et $y = (4 \text{ m/s})t - (4{,}9 \text{ m/s}^2)t^2$

   (a) Écrivez l'expression vectorielle donnant la position $\vec{r}$ en fonction du temps t à l'aide des vecteurs unitaires $\vec{i}$ et $\vec{j}$. En prenant les dérivées, écrivez les expressions donnant (b) le vecteur vitesse $\vec{v}$ en fonction du temps et (c) le vecteur accélération $\vec{a}$ en fonction du temps. (d) Trouvez les coordonnées x et y de la balle de golf à $t = 3$ s. À l'aide des vecteurs unitaires $\vec{i}$ et $\vec{j}$, écrivez les expressions donnant (e) le vecteur vitesse $\vec{v}$ et (f) l'accélération $\vec{a}$ à l'instant $t = 3$ s.

Section 3.2 Mouvement à deux dimensions à accélération constante

5. À $t = 0$, une particule en mouvement à accélération constante dans le plan xy a une vitesse $\vec{v}_0 = (3\vec{i} - 2\vec{j})$ m/s à l'origine. À $t = 3$ s, la vitesse de la particule est $\vec{v} = (9\vec{i} + 7\vec{j})$ m/s. Déterminez (a) l'accélération de la particule et (b) ses coordonnées à un instant t quelconque.
6. Une particule part du repos à $t = 0$ à l'origine et se déplace dans le plan xy avec une accélération constante $\vec{a} = (2\vec{i} + 4\vec{j})$ m/s^2. Au bout d'un temps t, déterminez (a) les composantes en x et en y de son vecteur vitesse, (b) les coordonnées de la particule et (c) la valeur de sa vitesse scalaire instantanée.
7. Un poisson nageant dans un plan horizontal a une vitesse donnée par $\vec{v}_0 = (4\vec{i} + \vec{j})$ m/s en un point de l'océan dont le vecteur position par rapport à un certain rocher est $\vec{r}_0 = (10\vec{i} - 4\vec{j})$ m. Après avoir nagé à une accélération constante pendant 20,0 s, le poisson a une vitesse $\vec{v} = (20\vec{i} - 5\vec{j})$ m/s. (a) Quelles sont les composantes de l'accélération ? (b) Quelle est la direction de l'accélération en fonction du vecteur unitaire $\vec{i}$? (c) Où se trouve le poisson à $t = 25$ s et dans quelle direction se déplace-t-il ?
8. Le vecteur position d'une particule varie avec le temps selon l'expression $\vec{r} = (3\vec{i} + 6t^2\vec{j})$ m. (a) Trouvez les expressions donnant la vitesse et l'accélération en fonction du temps. (b) Déterminez la position et la vitesse de la particule à $t = 1$ s.
9. Une particule initialement située à l'origine a une accélération $\vec{a} = 3\vec{j}$ m/s^2 et une vitesse initiale $\vec{v}_0 = 5\vec{i}$ m/s. Déterminez (a) le vecteur position et la vitesse à un instant quelconque t et (b) les coordonnées et la valeur de la vitesse scalaire instantanée de la particule à $t = 2$ s.

Section 3.3 Mouvement d'un projectile

(On néglige la résistance de l'air dans tous les problèmes.)

10. Une étudiante debout au bord d'une falaise jette une pierre horizontalement à une vitesse de 18 m/s. Le bord de la falaise est à une hauteur de 50 m au-dessus d'une plage horizontale, comme l'indique la figure 3.20. Au bout de combien de temps la pierre arrive-t-elle sur la plage ? Quelle est la grandeur de sa vitesse et l'angle d'impact lorsqu'elle touche le sol ?
11. Dans un bar, un client fait glisser une chope vide sur le comptoir pour qu'on la remplisse de bière. Le serveur, momentanément distrait, ne voit pas la chope, qui tombe du comptoir et touche le sol à 1,4 m du pied du comptoir. La hauteur du comptoir est de 0,9 m. (a) Quelle est la vitesse de la chope lorsqu'elle quitte le comptoir ? (b) Quelle était l'orientation de la vitesse de la chope juste avant qu'elle ne touche le sol ?
12. Un étudiant décide de mesurer la vitesse des projectiles à la bouche de son pistolet à bouchon. Il dirige le pistolet horizontalement. Une cible se trouve sur un mur vertical à la distance x du pistolet. Les projectiles frappent la cible à une distance verticale y sous le pistolet.

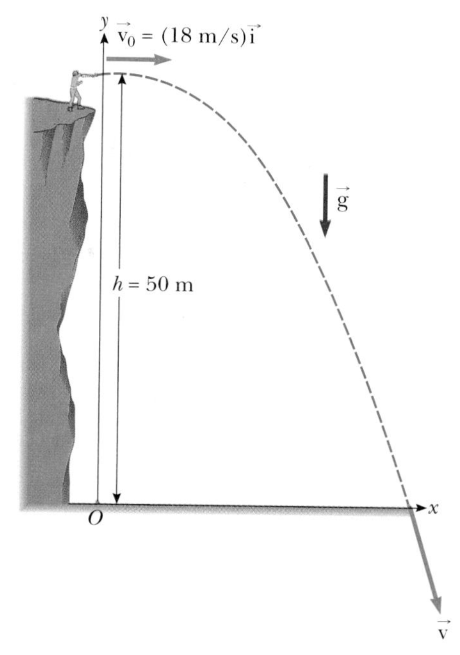

Figure 3.20 (Problème 10)

(a) Montrez que la position du projectile pendant son mouvement dans l'air est donnée par $y = Ax^2$, où A est une constante. (b) Exprimez la constante A en fonction de la grandeur de la vitesse initiale et de l'accélération gravitationnelle. (c) Si $x = 3{,}0$ m et $y = 0{,}21$ m, quelle est la grandeur de la vitesse initiale du projectile ?

13. Superman vole à la hauteur de la cime des arbres près de Paris lorsqu'il voit l'ascenseur de la tour Eiffel commencer à tomber (le câble s'est rompu). Son sixième sens lui indique que son amie Lois est à l'intérieur. Si Superman se trouve à 1 km de la tour Eiffel, et si l'ascenseur tombe d'une hauteur de 240 m, de combien de temps dispose-t-il pour sauver Lois et quelle doit être sa vitesse moyenne ?
14. Un joueur de golf veut frapper une balle de golf à une distance de 283 m. S'il frappe la balle à 15° au-dessus de l'horizontale, quelle doit être la valeur de la vitesse initiale de la balle pour qu'elle atteigne la distance requise ? (On néglige la résistance de l'air et on utilise $g = 9{,}8$ m/s^2.)
15. On lance une balle horizontalement à partir du toit d'un bâtiment de 35 m de hauteur. La balle touche le sol en un point situé à 80 m de la base du bâtiment. Trouvez (a) la durée de la trajectoire de la balle dans l'air, (b) sa vitesse initiale et (c) les composantes en x et en y de sa vitesse juste avant qu'elle ne touche le sol.
16. Un joueur de football doit taper le ballon en un point situé à 36 m du but et le ballon doit passer au-dessus de la barre transversale, qui est à une hauteur de 3,05 m. Le ballon quitte le sol à une vitesse de 20,0 m/s avec un angle de 53° par rapport à l'horizontale. (a) À quelle distance au-dessus ou en dessous de la barre transversale passe le ballon ? (b) Le ballon est-il en train de monter ou de descendre lorsqu'il s'approche de la barre transversale ?

17. Un pompier situé à 50 m d'un bâtiment en flammes dirige le jet d'eau d'un boyau à incendie avec un angle de 30° au-dessus de l'horizontale. Si la vitesse du jet est de 40 m/s, à quelle hauteur le jet d'eau frappe-t-il le bâtiment ?
18. On raconte que, lorsqu'il était jeune, George Washington lança un dollar en argent de l'autre côté d'une rivière. En supposant que la rivière avait une largeur de 75 m, (a) quelle valeur *initiale minimale* devait avoir la vitesse de la pièce de monnaie pour atteindre la rive opposée et (b) combien de temps la pièce de monnaie est-elle restée en l'air ?
19. Une joueuse de tennis debout à 12,6 m du filet frappe la balle à 3° au-dessus de l'horizontale au niveau du sol. Pour passer au-dessus du filet, la balle doit s'élever à 0,33 m au moins. Si la balle passe juste au-dessus du filet au sommet de sa trajectoire, quelle était sa vitesse à l'instant où elle a quitté la raquette ?
20. Un obus d'artillerie est tiré à une vitesse initiale de 300 m/s avec un angle de 55° au-dessus de l'horizontale. Il explose sur le flanc d'une montagne 42 s après avoir été tiré. Quelles sont les coordonnées x et y de l'obus lorsqu'il explose, par rapport au point de tir ?
21. Le lancer le plus rapide en ligue majeure de baseball était de 162 km/h et fut effectué en 1974 par Nolan Ryan. Si on lance la balle horizontalement à cette vitesse, à quelle distance va-t-elle tomber à la verticale lorsqu'elle atteint le marbre situé à 18,3 m ?
22. Sur une planète inconnue, une astronaute s'aperçoit qu'elle arrive à sauter sur une distance horizontale *maximale* de 15 m si sa vitesse initiale est de 3 m/s. Quelle est l'accélération gravitationnelle sur la planète ?
23. On lance une balle par une fenêtre d'un étage élevé. La balle a une vitesse initiale de 8 m/s formant un angle de 20° vers le bas par rapport à l'horizontale. Elle touche le sol 3 s plus tard. (a) À quelle distance horizontale de la base du bâtiment la balle touche-t-elle le sol ? (b) Déterminez la hauteur d'où la balle a été lancée. (c) Combien de temps met la balle pour atteindre un point situé à 10 m au-dessous du niveau où elle a été lancée ? On néglige la résistance de l'air.

Section 3.4 Mouvement circulaire uniforme

24. Trouvez l'accélération d'une particule en mouvement à vitesse constante de 8 m/s sur un cercle de 2 m de rayon.
25. Avant d'affronter le géant Goliath, le jeune David s'est entraîné à la fronde. Il arrivait à faire tourner une fronde de 0,6 m de longueur à raison de 8 tr/s. En augmentant la longueur jusqu'à 0,9 m, il ne pouvait faire tourner la fronde que 6 fois par seconde. (a) Quelle fréquence de rotation donne la vitesse linéaire la plus grande ? (b) Quelle est l'accélération centripète à 8 tr/s ? (c) Quelle est l'accélération centripète à 6 tr/s ?
26. Une athlète fait tourner un disque de 1 kg sur une trajectoire circulaire de 1,06 m de rayon (voir figure 3.21). La vitesse maximale du disque est de 20 m/s. Déterminez la valeur de l'accélération radiale maximale du disque.
27. L'orbite de la Lune autour de la Terre est pratiquement circulaire avec un rayon moyen de $38{,}4 \times 10^8$ m. La Lune met 27,3 jours pour effectuer une révolution autour de la Terre. Trouvez (a) la grandeur de la vitesse orbitale moyenne de la lune et (b) son accélération centripète.

Figure 3.21 (Problème 26) *(David Madison, Duomo)*

28. Pendant le cycle d'essorage d'une machine à laver, le tambour, d'un rayon de 0,3 m, tourne uniformément à la vitesse de 630 tr/min. Quelle est la vitesse linéaire maximale avec laquelle l'eau sort de la machine ?
29. Un pneu de 0,5 m de rayon tourne à une vitesse constante de 200 tr/min. Trouvez la valeur de la vitesse et de l'accélération d'un petit caillou coincé dans une rainure du pneu (sur le bord externe).

Section 3.5 Accélération tangentielle et accélération radiale dans le mouvement curviligne

30. La figure 3.22 représente l'accélération totale d'une particule se déplaçant dans le sens horaire sur un cercle d'un rayon de 2,5 m à un instant donné. À cet instant, déterminez (a) l'accélération centripète, (b) la grandeur de la vitesse de la particule et (c) son accélération tangentielle.
31. Une automobile dont la vitesse augmente à raison de 0,6 m/s² roule sur une route circulaire d'un rayon de 20 m. Lorsque la vitesse instantanée de l'automobile est égale à 4 m/s vers le nord, trouvez (a) l'accélération tangentielle, (b) l'accélération centripète et (c) la grandeur et la direction de l'accélération totale.

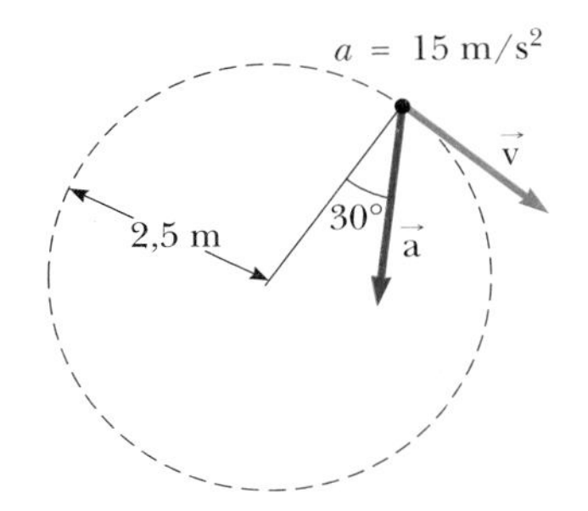

Figure 3.22 (Problème 30)

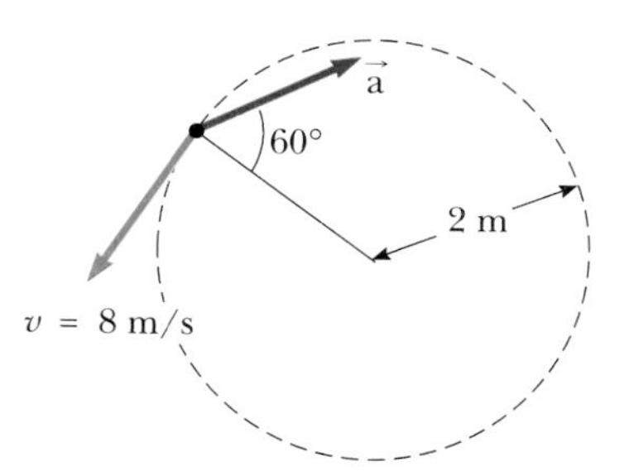

Figure 3.23 (Problème 33)

32. Un train ralentit dans un virage horizontal serré et sa vitesse passe de 90 km/h à 50 km/h dans les 15 s qu'il met pour effectuer le virage. Le rayon de courbure est de 150 m. Calculez l'accélération au moment où la vitesse du train atteint 50 km/h, en supposant qu'il continue de ralentir à cet instant.
33. À un instant donné, une particule décrit un cercle d'un rayon de 2 m dans le sens antihoraire à une vitesse de 8 m/s et son accélération totale est orientée comme l'indique la figure 3.23. À cet instant, déterminez (a) l'accélération centripète de la particule, (b) l'accélération tangentielle et (c) la grandeur de l'accélération totale.
34. Un étudiant fait tournoyer une balle attachée à l'extrémité d'une ficelle de 0,6 m de longueur. La balle décrit un cercle vertical. Sa vitesse est de 4,3 m/s à son point le plus haut et de 6,5 m/s à son point le plus bas. Déterminez l'accélération de la balle (a) à son point le plus haut et (b) à son point le plus bas.

Section 3.6 Vitesse relative et accélération relative

35. Le courant d'une rivière a une vitesse constante de 0,5 m/s. Un étudiant nage vers l'amont sur une distance de 1 km puis revient à la nage jusqu'à son point de départ. Si l'étudiant est capable de nager à une vitesse de 1,2 m/s en eau calme, combien de temps met-il pour faire le trajet aller et retour à la nage ? Comparez ce résultat avec le temps qu'il mettrait pour faire le même trajet en eau calme.
36. Deux personnes ayant des canots identiques exercent la même force sur leurs pagaies. Le premier canot se dirige vers l'amont et le deuxième vers l'aval. Un observateur situé sur la berge mesure leurs vitesses respectives et obtient 1,2 m/s et 2,9 m/s. À quelle vitesse coule la rivière ?
37. Un bateau traverse un fleuve de largeur L = 160 m, dans lequel le courant a une vitesse uniforme de 1,5 m/s. L'homme de barre maintient un cap (la direction vers laquelle est orienté son bateau) perpendiculaire au fleuve et maintient une vitesse constante de 2 m/s par rapport à l'eau. (a) Quel est le vecteur vitesse du bateau par rapport à un observateur immobile sur la rive ? (b) À quelle distance en aval de la position initiale se trouve le bateau lorsqu'il atteint la rive opposée ?
38. Le pilote d'un avion remarque que le compas indique un cap plein ouest. La vitesse de l'avion par rapport à l'air a une valeur de 150 km/h. Si le vent est de 3 km/h vers le nord, trouvez la vitesse de l'avion par rapport au sol.
39. Une voiture roule vers l'est à une vitesse de 50 km/h. La pluie tombe verticalement par rapport à la Terre. Les traces de pluie sur les vitres latérales de la voiture forment un angle de 60° avec la verticale. Déterminez la vitesse de la pluie par rapport (a) à la voiture et (b) à la Terre.
40. Un enfant qui vient de tomber à l'eau dans une rivière est emporté vers l'aval par un courant uniforme de vitesse égale à 2,5 km/h. L'enfant se trouve à 0,6 km de la rive et à 0,8 km en amont d'une jetée lorsqu'un bateau de sauvetage part de cette jetée située sur la rive. (a) Si le bateau avance avec sa vitesse maximale de 20 km/h par rapport à l'eau, quel cap doit prendre le bateau par rapport à la rive ? (b) Quel est l'angle entre la vitesse du bateau et la rive ? (c) Combien de temps met le bateau pour atteindre l'enfant ?
41. Une étudiante en sciences se trouve sur la plate-forme d'un train qui roule sur une voie rectiligne horizontale à une vitesse constante de 10 m/s. L'étudiante lance une balle en l'air selon une trajectoire qui, à son avis, fait un angle initial de 60° avec l'horizontale et qu'elle pense être parallèle à la voie ferrée. Pour le professeur de l'étudiante, qui se tient au bord de la voie, la balle semble monter verticalement. Jusqu'à quelle hauteur monte la balle ?

Problèmes supplémentaires

42. À $t = 0$, une particule quitte l'origine à une vitesse de 6 m/s dans le sens des y positifs. Son accélération est donnée par $\vec{a} = (2\vec{i} - 3\vec{j})$ m/s². Lorsque la particule atteint sa coordonnée *y maximale*, la composante en y de sa vitesse est nulle. À cet instant, déterminez (a) la vitesse de la particule et (b) les coordonnées x et y de la particule.
43. Une voiture est stationnée en haut d'une pente raide allant vers l'océan et formant un angle de 37° avec l'horizontale. Le conducteur négligeant laisse la voiture au point mort (neutre) alors que son frein à main est défectueux. Partant du repos, la voiture dévale la pente sur 50 m avec une accélération constante de 4 m/s², jusqu'au bord de la falaise, qui est à 30 m au-dessus de l'océan. Trouvez (a) la grandeur de la vitesse de la voiture lorsqu'elle atteint la falaise et le temps qu'elle met pour y arriver, (b) la vitesse de la voiture lorsqu'elle touche l'océan, (c) la durée totale du mouvement de la voiture et (d) la position de la voiture par rapport au pied de la falaise lorsqu'elle touche l'océan.
44. Un frappeur frappe une balle de baseball à 1 m au-dessus du sol et lui imprime une vitesse de 40 m/s. Le voltigeur de gauche l'attrape au vol à 60 m du marbre, avec son gant à 1 m au-dessus du sol. Si l'arrêt-court, situé à 45 m du marbre, avait sauté à la verticale pour intercepter la balle, à quelle hauteur au-dessus du sol aurait dû se trouver son gant ?
45. La vitesse initiale d'un projectile a une grandeur de 200 m/s. S'il est lancé vers une cible qui se trouve à une distance horizontale de 2 km, déterminez (a) les deux angles de projection pour lesquels la cible est touchée

et (b) la durée totale du mouvement en l'air pour chacune des deux trajectoires trouvées en (a).

46. La vitesse d'une particule a pour composantes :

$$v_x = 4 \text{ m/s} \qquad v_y = -(6 \text{ m/s}^2)t + 4 \text{ m/s}$$

Calculez la vitesse scalaire de la particule et la direction $\theta = \text{tg}^{-1}(v_y/v_x)$ du vecteur vitesse à $t = 2$ s.

47. Les coordonnées x et y d'une particule sont données par :

$$x = 2 \text{ m} + (3 \text{ m/s})t \qquad y = x - (5 \text{ m/s}^2)t^2$$

À quelle distance de l'origine se trouve la particule à (a) $t = 0$ et (b) $t = 2$ s ?

48. L'astronaute en orbite autour de la Terre se prépare à s'arrimer sur un satellite Westar VI en train de tourner sur lui-même (voir figure 3.24). Le satellite est sur une orbite circulaire de 600 km au-dessus de la surface terrestre, où l'accélération gravitationnelle est de 8,21 m/s². Le rayon de la Terre est de 6 400 km. Déterminez la grandeur de la vitesse du satellite et le temps nécessaire pour effectuer une orbite autour de la Terre.

Figure 3.24 (Problème 48) *(NASA)*

49. Une fusée est lancée avec un angle de 53° par rapport à l'horizontale à une vitesse initiale de 100 m/s. Pendant 3 s, elle suit sa trajectoire initiale avec une accélération de 30 m/s². Ses moteurs sont ensuite coupés et la fusée continue en chute libre. Déterminez (a) l'altitude maximale atteinte par la fusée, (b) la durée totale de son vol et (c) sa portée horizontale.

50. Un bateau traverse une rivière de 150 m de large. La vitesse du bateau par rapport à l'eau est de 3 m/s et la rivière coule à la vitesse de 2 m/s. Quels points en amont et en aval le bateau peut-il atteindre sur la rive opposée en 2 min ?

51. Durant un match de baseball, un coup de circuit est frappé de sorte que la balle passe juste au-dessus d'un mur de 21 m de hauteur, situé à 130 m du marbre. La balle est frappée avec un angle de 35° par rapport à l'horizontale et la résistance de l'air est négligeable. Déterminez (a) la grandeur de la vitesse initiale de la balle, (b) le temps que met la balle pour atteindre le mur et (c) les composantes de la vitesse et la grandeur de la vitesse de la balle lorsqu'elle atteint le mur. On suppose que la balle est frappée à une hauteur de 1 m par rapport au sol.

52. Un cascadeur est propulsé hors d'un canon à une vitesse initiale de 25 m/s avec un angle de 45° par rapport à l'horizontale. Un filet est placé à une distance horizontale de 50 m du canon. À quelle hauteur au-dessus du canon doit-on placer le filet pour qu'il puisse recevoir le cascadeur ?

53. La position d'une particule en fonction du temps t est donnée par :

$$\vec{r} = (bt)\vec{i} + (c - dt^2)\vec{j} \qquad b = 2 \text{ m/s}$$
$$c = 5 \text{ m} \qquad d = 1 \text{ m/s}^2$$

(a) Exprimez y en fonction de x et représentez graphiquement la trajectoire de la particule. Quelle forme a cette trajectoire ? (b) Déduisez une relation vectorielle donnant la vitesse. (c) À quel instant ($t > 0$) le vecteur vitesse est-il perpendiculaire au vecteur position ?

54. Un avion vole horizontalement à une vitesse de 275 m/s par rapport au sol et à une altitude de 3 000 m au-dessus d'un terrain horizontal. On néglige la résistance de l'air. (a) S'il lâche un colis, à quelle distance va-t-il toucher le sol par rapport à la projection verticale du point où il est lâché ? (b) Si l'avion maintient sa route et sa vitesse initiale, où se trouvera-t-il lorsque le colis touchera le sol ? (c) Dans les conditions précédentes, à quel angle par rapport à la verticale du point de largage le viseur télescopique doit-il être réglé pour que le colis touche la cible apparaissant dans le viseur au moment du largage ?

55. Une plongeuse s'élance d'un plongeoir à 3 m au-dessus de l'eau à une vitesse de 2 m/s avec un angle de 60° avec l'horizontale. Déterminez la durée de sa trajectoire dans l'air.

56. Un pistolet est dirigé horizontalement vers le centre d'une cible située à 100 m mais la balle frappe la cible à 10 cm au-dessous du centre. Calculez la grandeur de la vitesse de la balle à l'instant où elle sort du pistolet.

57. Un ballon de football est lancé vers un receveur à une vitesse initiale de 20 m/s avec un angle de 30° au-dessus de l'horizontale. À cet instant, le receveur se trouve à 20 m du quart-arrière. Dans quelle direction et à quelle vitesse le receveur doit-il courir s'il veut attraper le ballon à la hauteur à laquelle il a été lancé ?

58. Une étudiante capable de nager à une vitesse de 1,5 m/s en eau calme décide de traverser une rivière dont le courant a une vitesse de 1,2 m/s vers le sud. La rivière a une largeur de 50 m. (a) Si l'étudiante part de la rive ouest de la rivière, dans quelle direction doit-elle se diriger pour traverser la rivière perpendiculairement à la rive ? Combien de temps dure la traversée ? (b) Si elle se dirige vers l'est, combien de temps lui faut-il pour traverser la rivière ? (*Remarque :* Dans ce cas, l'étudiante parcourt plus de 50 m.)

59. Un voilier navigue pendant une heure à 4 km/h avec un cap constant de 40° est par rapport au nord. En même temps, le voilier est emporté par un courant. Au

bout d'une heure, il se trouve à 6,12 km de son point de départ. La droite joignant le voilier au point de départ est orientée à 60° nord-est par rapport au nord. Trouvez les composantes de la vitesse de l'eau.

60. Un marin dirige sa barque vers une île située à 2 km vers l'est et à 3 km vers le nord par rapport à son point de départ. Après avoir ramé pendant une heure, il voit l'île à l'ouest. Il oriente alors le bateau dans la direction opposée à sa première direction, rame pendant une autre heure puis se trouve à 4 km à l'est de son point de départ. Il en déduit à juste titre que le courant va d'ouest en est. (a) Quelle est la vitesse du courant ? (b) Montrez que la vitesse du bateau par rapport à la côte, pendant la première heure, peut s'écrire $\vec{u} = (4 \text{ km/h})\vec{i} + (3 \text{ km/h})\vec{j}$, où $\vec{i}$ est orienté vers l'est et $\vec{j}$ vers le nord.

61. Après avoir distribué ses jouets, le Père Noël décide, pour s'amuser un peu, de glisser sur un toit verglacé, comme le montre la figure 3.25. Partant du repos au sommet d'un toit de 8 m de longueur, il accélère à raison de 5 m/s². Le bord du toit est à 6 m au-dessus d'un tas de neige molle, sur lequel il atterrit. Déterminez (a) les composantes de sa vitesse lorsqu'il atteint le tas de neige, (b) la durée totale de son mouvement et (c) la distance *d* entre la maison et le point où il atterrit sur la neige.

Figure 3.25 (Problème 61)

62. Un skieur quitte la rampe de saut à une vitesse de 10 m/s et avec un angle de 15° au-dessus de l'horizontale, comme l'indique la figure 3.26. L'inclinaison de la pente est de 50° et la résistance de l'air est négligeable. Déterminez (a) la distance à laquelle le skieur atterrit sur la pente à partir de la rampe et (b) les composantes de sa vitesse juste avant son atterrissage. (À votre avis, les résultats seraient-ils modifiés si on tenait compte de la résistance de l'air ? Notez que les sauteurs à ski se penchent en avant et plaquent leurs mains sur le côté pour avoir un profil aérodynamique afin d'augmenter la distance parcourue. Pourquoi cette position est-elle efficace ?)

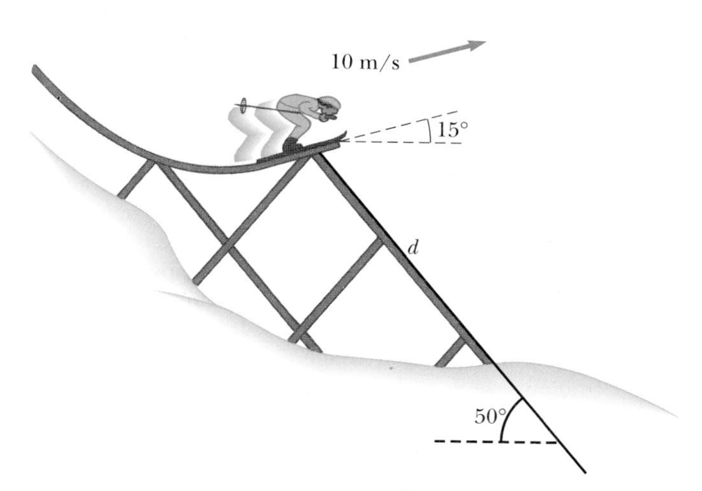

Figure 3.26 (Problème 62)

63. Un navire ennemi se trouve à l'est d'une île montagneuse, comme l'indique la figure 3.27. Il peut manœuvrer jusqu'à 2 500 m du point culminant, d'une altitude de 1 800 m, et peut tirer des projectiles à une vitesse initiale de 250 m/s. Si la côte ouest est à une distance horizontale de 300 m du point culminant, quelles sont les distances à partir de la côte ouest auxquelles un navire est à l'abri du bombardement du navire ennemi ?

64. Un faucon vole horizontalement à 10,0 m/s sur une trajectoire rectiligne, à 200 m au-dessus du sol. Il lâche une souris qu'il transportait dans ses griffes. Le faucon continue sur sa trajectoire à la même vitesse pendant 2 secondes avant d'essayer de rattraper sa proie. Pour cela, il fait un piqué en ligne droite à vitesse constante et rattrape la souris à 3,0 m au-dessus du sol. (a) En négligeant la résistance de l'air, déterminez la grandeur de la vitesse du faucon pendant son piqué. (b) Quel angle forme la trajectoire du faucon par rapport à l'horizontale durant sa descente ? (c) Pendant combien de temps a duré la chute libre de la souris ?

65. Le coyote persévérant est une fois de plus à la poursuite du Roadrunner. Pour essayer d'attraper sa proie, le coyote a chaussé des patins à roulettes motopropulsés qui lui donnent une accélération constante de

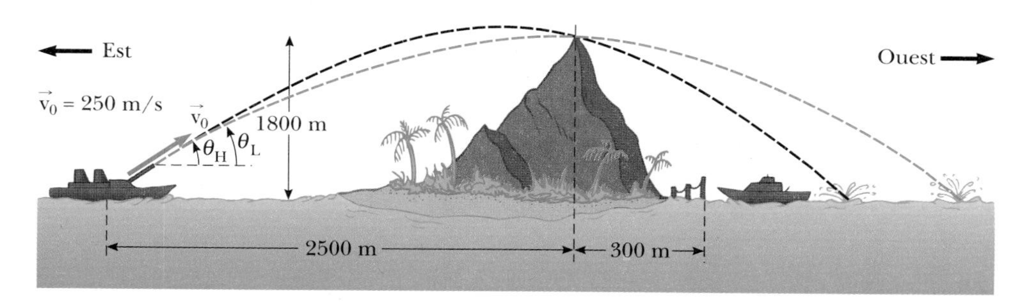

Figure 3.27 (Problème 63)

15 m/s² (voir figure 3.28). Au repos à 70 m du bord d'une falaise, le coyote prend le départ à l'instant où le Roadrunner passe en trombe devant lui en direction du précipice. (a) Si le Roadrunner se déplace à vitesse constante, déterminez la vitesse minimale qu'elle doit avoir pour atteindre le bord du précipice avant le coyote. (b) Si le bord du précipice est à une hauteur de 100 m au-dessus d'un canyon, déterminez à quel endroit atterrit le coyote dans le canyon (en supposant que ses patins continuent de fonctionner durant la chute). (c) Déterminez les composantes de la vitesse du coyote juste avant son atterrissage dans le canyon. (Comme toujours, le Roadrunner s'en tire sain et sauf en virant brusquement juste au bord du vide.)

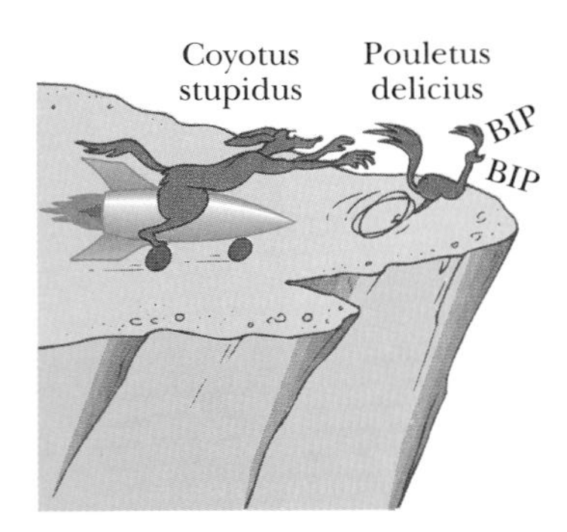

Figure 3.28 (Problème 65)

66. Un champion olympique du décathlon, qui est aussi un brillant étudiant en physique, est prisonnier sur le toit d'un bâtiment en flammes avec un crayon, une feuille de papier et une calculatrice de poche. Il a 15 minutes pour décider s'il doit sauter jusqu'au bâtiment voisin en courant à toute vitesse horizontalement jusqu'au bord du toit ou en effectuant un saut en longueur. Le bâtiment voisin est à une distance horizontale de 9,15 m et son toit est situé verticalement 3 m plus bas. L'étudiant sait que son temps aux 100 m est de 10,3 s et qu'il peut atteindre 7,77 m au saut en longueur. (On suppose qu'il saute en longueur avec un angle de 45° au-dessus de l'horizontale.) Effectuez les calculs pour décider quelle méthode (le cas échéant) il peut utiliser pour atteindre l'autre bâtiment en toute sécurité.
67. Au baseball, lorsque les joueurs dans le champ arrière lancent la balle, ils la laissent en général rebondir une fois, sachant qu'elle arrive plus rapidement de cette façon. On suppose qu'après le rebond, la balle rebondit avec le même angle θ qu'auparavant, comme l'indique la figure 3.29, mais perd la moitié de sa vitesse. (a) En supposant que la balle est toujours lancée à la même vitesse initiale, avec quel angle θ doit-elle être lancée pour atteindre la même distance D si elle rebondit une fois (trajectoire bleue) que si elle est lancée à 45° sans rebond (trajectoire verte) ? (b) Déterminez le rapport entre la durée de la trajectoire avec rebond et la durée de la trajectoire sans rebond.

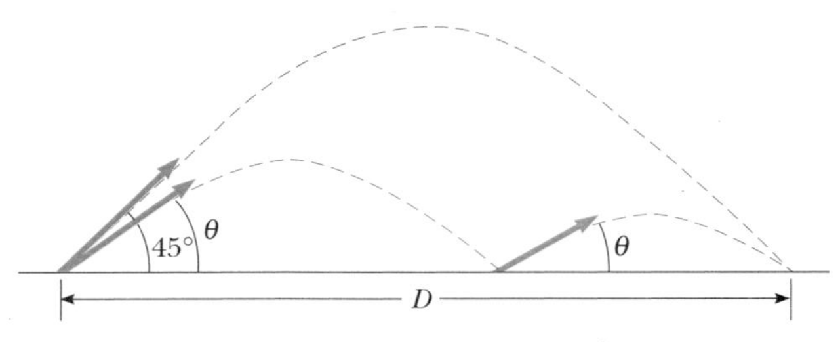

Figure 3.29 (Problème 67)

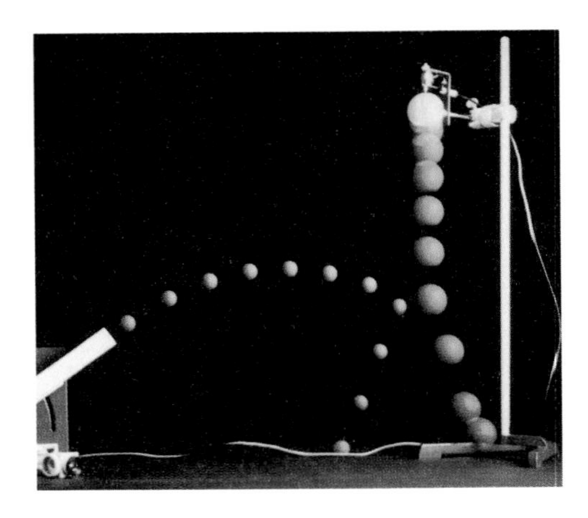

Figure 3.30 (Problème 68)

68. Au cours d'une démonstration très connue, on lance un projectile qui quitte le pistolet à l'instant où une cible est lâchée à partir du repos (voir figure 3.30). Montrez que si le pistolet est initialement orienté en direction de la cible, le projectile va frapper la cible.

Problèmes à faire avec une calculatrice ou un ordinateur

69. Un projectile est lancé à partir de l'origine à une vitesse initiale v_0 avec un angle de θ_0 par rapport à l'horizontale. Écrivez les programmes permettant de tabuler les coordonnées x et y, le déplacement, les composantes en x et en y de la vitesse et la grandeur de sa vitesse en fonction du temps. Tabulez ces valeurs pour les données suivantes : $v_0 = 50$ m/s et $\theta_0 = 60°$ à intervalles de temps de 0,2 s, jusqu'à ce que le temps atteigne la valeur totale de 4,4 s.
70. On lâche une bille du point de coordonnées $x = 4$ m, $y = 2$ m. Au même instant, une deuxième bille est lancée de $x = 0$, $y = 0$ avec un angle de 20° au-dessus de l'axe des x positifs à une vitesse de 6 m/s. Déterminez (a) la distance minimale entre les billes et (b) l'instant correspondant à ce minimum. *Suggestion :* Si vous ne pouvez pas résoudre ce problème analytiquement, vous pouvez essayer d'écrire et de faire tourner un court programme informatique pour déterminer la position du minimum du *carré* de la distance entre les billes.

Figure 4.1
Le duo « Aéris », qui effectue un exercice difficile, montre un exemple spectaculaire d'un système mécanique en équilibre. *(Alain Comtois)*

Les lois du mouvement

CHAPITRE 4

Dans les deux chapitres précédents sur la cinématique, nous avons décrit les mouvements de particules. Nous aimerions maintenant répondre à cette question liée aux causes du mouvement : « Comment un mouvement est-il généré ? » Dans ce chapitre, nous expliquerons les variations du mouvement d'une particule à partir des notions de force et de masse. Nous étudierons ensuite les *trois lois fondamentales du mouvement* énoncées par Sir Isaac Newton il y a un peu plus de trois siècles.

Nous étudierons également les *lois de la mécanique* qui indiquent comment calculer la force exercée sur un objet si on connaît son environnement. Avec les lois du mouvement, elles constituent les fondements de la mécanique classique.

4.1 Introduction à la mécanique classique

La mécanique dynamique classique sert à établir un lien entre le mouvement d'un corps et les forces qui agissent sur lui. Rappelons que la mécanique classique s'applique à des corps de grandes dimensions par rapport aux dimensions des atomes ($\approx 10^{-10}$ m). De plus, ces corps se déplacent à des vitesses beaucoup moins grandes que la vitesse de la lumière (3×10^8 m/s).

4.2 La notion de force

Vous avez fort probablement tous développé une compréhension intuitive de la notion de force à partir de vos activités quotidiennes. Lorsque vous poussez ou que vous tirez un objet, vous exercez une force sur lui. Vous exercez également une force lorsque vous lancez un ballon ou que vous le frappez avec le pied. Dans ces exemples, le terme *force* correspond au résultat d'une activité musculaire. Les forces ne servent pas toujours à mettre un objet en mouvement. Par exemple, pendant que vous êtes assis à lire ce livre, la force gravitationnelle agit sur votre corps et pourtant, vous êtes immobile.

Un corps accélère sous l'effet d'une force extérieure

C'est avec Newton que la définition moderne de la notion de force a été conçue. Depuis Newton, on considère que la variation de vitesse d'un objet est causée par des forces en déséquilibre (qui ne compensent pas mutuellement leur action). Puisque seule une force non équilibrée peut produire une variation de vitesse, nous pouvons considérer que *la force est ce qui fait accélérer un corps.*

Définition de l'équilibre dynamique

Lorsque plusieurs forces agissent simultanément sur un corps, on considère l'effet global de ces forces, soit la *force nette.* Nous parlerons souvent de *force résultante* pour désigner cette force nette. *Si la force résultante est nulle, l'accélération est nulle et la vitesse de l'objet est constante ou l'objet est au repos.* Lorsqu'un corps se déplace à une vitesse constante ou lorsqu'il demeure au repos, on dit qu'il est en situation *d'équilibre dynamique.*

Voici des exemples qui font intervenir une catégorie de force appelée *force de contact.* Si on tire, par exemple, sur un ressort, comme à la figure 4.2a, le ressort s'allonge. Si un enfant tire suffisamment fort sur un chariot, comme à la figure 4.2b, il le fera bouger s'il arrive à vaincre les forces de frottement. Lorsqu'on frappe avec le pied un ballon de football, comme aux figures 4.2c et 4.3, page 74, le ballon se déforme et entre en mouvement. Une force de contact résulte d'un contact physique entre deux objets.

Il existe une autre catégorie de forces qui ne font pas intervenir de contact physique entre deux objets. L'idée de force qui agit entre deux objets qui ne se touchent pas, a eu du mal à être admise par certains scientifiques, y compris Newton. Pour résoudre ce problème conceptuel, Michael Faraday (1791-1867) eut l'idée d'introduire la notion de *champ.* Les forces correspondantes sont appelées *forces d'interaction.* Selon cette approche, lorsqu'on place une masse m_1 en un point P près d'une deuxième masse m_2, on peut dire que m_1 interagit avec m_2 par le biais du *champ* gravitationnel qui existe en P. Le champ en P est créé par la masse m_2. Ainsi, la force d'attraction gravitationnelle entre deux corps, illustrée à la figure 4.2d, est un exemple de force d'interaction. Cette force maintient les corps à la surface de la Terre. Les planètes de notre système solaire sont soumises à des forces gravitationnelles. Un autre exemple courant de force d'interaction est la force électrique exercée par une charge électrique sur une autre, comme à la figure 4.2e. Un troisième exemple de force d'interaction est la force exercée par un barreau aimanté sur un morceau de fer, comme à la figure 4.2f. Les forces entre des particules subatomiques (plus petites que l'atome) sont également des forces d'interaction, mais sont en général de très courte portée. Elles repré-

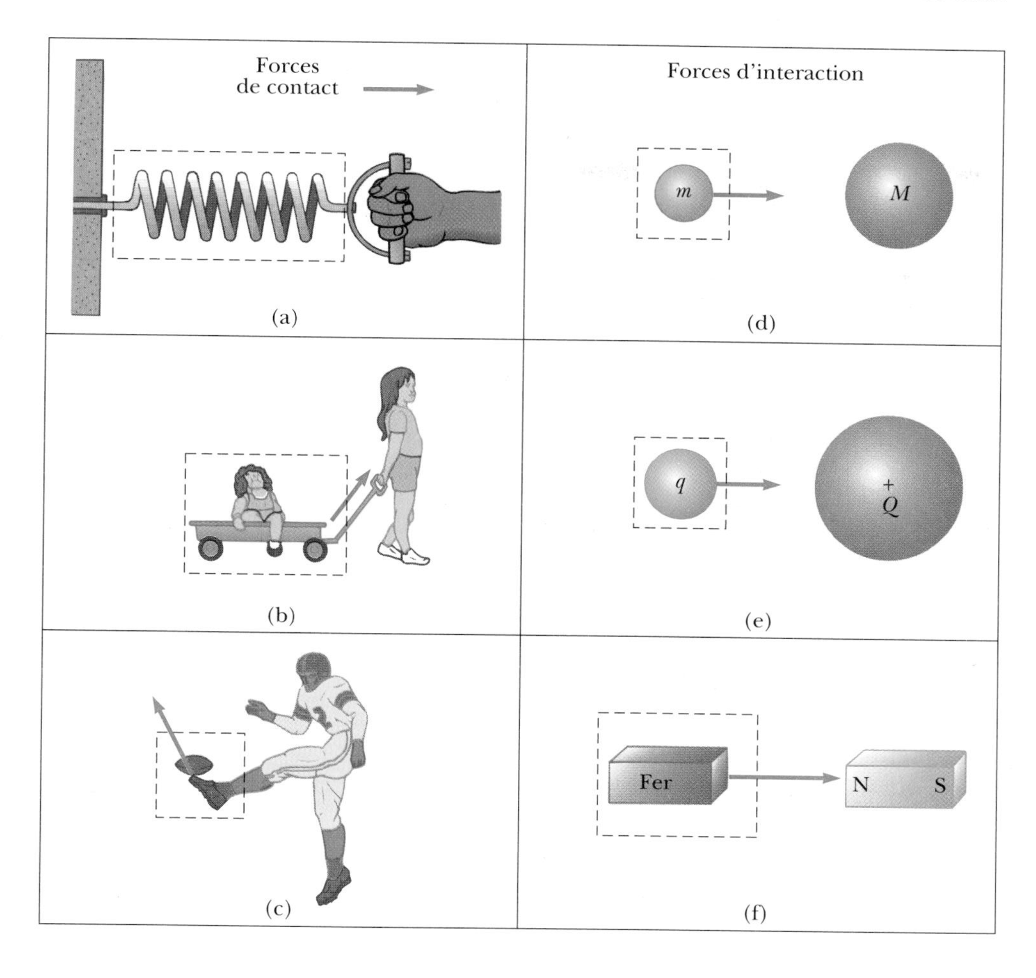

Figure 4.2
Quelques exemples de forces appliquées à divers objets. Dans chaque cas, une force est exercée sur la particule ou sur l'objet à l'intérieur du cadre en pointillés. L'environnement extérieur au cadre en pointillés fournit cette force.

sentent les principales interactions entre des particules séparées par des distances de l'ordre de 10^{-15} m.

La distinction entre les forces de contact et les forces d'interaction n'est pas aussi nette qu'on pourrait le croire. Au niveau atomique, les forces dites de contact sont dues, en réalité, à des forces de répulsion entre charges électriques, qui sont elles-mêmes des forces d'interaction. Les forces *fondamentales* reconnues par les scientifiques sont (1) l'attraction gravitationnelle entre les corps par interaction de leurs masses, (2) les forces électromagnétiques entre des charges électriques au repos ou en mouvement, (3) les forces nucléaires d'interaction forte entre les particules subatomiques et (4) les forces nucléaires d'interaction faible survenant dans certains processus de désintégration radioactive. Toutes ces forces sont des forces d'interaction. En physique classique, nous étudions seulement les forces gravitationnelles et électromagnétiques.

Forces fondamentales dans la nature

Pour mesurer une force, il est pratique d'utiliser la déformation d'un ressort. Lorsqu'un ressort s'allonge proportionnellement à la force qui s'exerce sur lui, on dit qu'il obéit à la *loi de Hooke*. On peut ainsi construire et étalonner des ressorts pour mesurer des forces inconnues. Supposons une force appliquée verticalement à un ressort qui obéit à la loi de Hooke et dont l'extrémité supérieure est fixe, comme à la figure 4.4a, page 74. Pour étalonner le ressort, on définit une unité de force correspondant à la force $\vec{F}_1$ qui produit une élongation de 1 cm. Si une force $\vec{F}_2$ appliquée horizontalement, comme à la figure 4.4b, produit une élongation de 2 cm, cette force a une intensité de deux unités. Si les deux forces $\vec{F}_1$ et $\vec{F}_2$ sont appliquées simultanément, comme à la figure 4.4c, l'élongation du ressort est $\sqrt{5} = 2{,}24$ cm. La force unique $\vec{F}$ capable de produire le même allongement est la somme vectorielle de $\vec{F}_1$ et $\vec{F}_2$, représentée à la figure 4.4c.

Figure 4.3
Un ballon de football est mis en mouvement sous l'effet d'une force de contact $\vec{F}$ exercée par le pied du joueur. Le ballon subit une déformation durant le court intervalle de temps pendant lequel il est en contact avec le pied. *(Ralph Cowan, Tony Stone Worldwide)*

Autrement dit, $|\vec{F}| = \sqrt{\vec{F}_1^{\,2} + \vec{F}_2^{\,2}} = \sqrt{5}$ unités et sa direction est θ = arc tg (−0,5) = −26,6°. *Puisque les forces sont des vecteurs, vous devez utiliser les règles de l'addition vectorielle pour déterminer la force résultante sur un corps.*

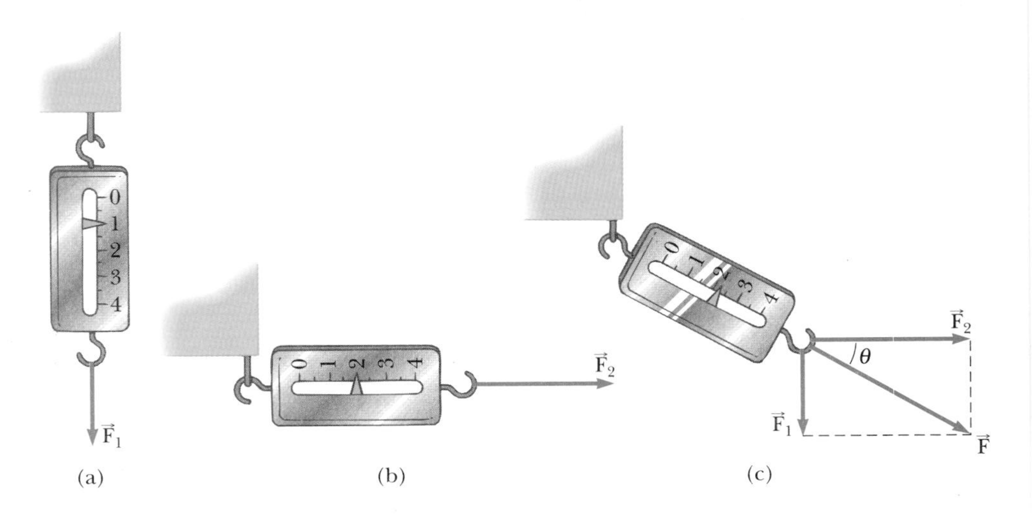

Figure 4.4
Vérification de la nature vectorielle d'une force à l'aide d'un dynamomètre. (a) La force verticale vers le bas $\vec{F}_1$ allonge le ressort d'une unité. (b) La force horizontale $\vec{F}_2$ allonge le ressort de deux unités. (c) La combinaison de $\vec{F}_1$ et $\vec{F}_2$ allonge le ressort de $\sqrt{1^2 + 2^2} = \sqrt{5}$ unités.

4.3 Première loi de Newton et systèmes inertiels

Considérons un livre posé sur une table. Il est évident qu'en l'absence de toute influence, le livre demeurera au repos sur la table. Imaginons maintenant que vous poussiez le livre avec une force horizontale supérieure à la force de frottement. Le livre peut alors accélérer. Si vous cessez d'exercer la force, le livre arrête de glisser après s'être légèrement déplacé sur une courte distance parce que la force de frottement ralentit son mouvement. Imaginons maintenant qu'on pousse le livre sur un parquet lisse et bien ciré. Là encore, le livre ralentit et finit par s'immobiliser dès qu'on cesse d'appliquer la force, mais pas aussi rapidement qu'auparavant. Finalement, imaginez le mouvement du livre sur une surface horizontale sans frottement : le livre, une fois mis en mouvement, glissera jusqu'à ce qu'il frappe un mur. Mais s'il n'y avait pas de mur, qu'adviendrait-il de son mouvement ? Quel est le mouvement naturel du livre ?

Avant 1600, les scientifiques pensaient que l'état de repos était l'état naturel de la matière. Galilée a remis en question cette conception du mouvement naturel. En *imaginant* des objets en mouvement sur une surface sans frottement, il préféra considérer qu'un corps n'a pas naturellement tendance à s'arrêter une fois qu'il est en mouvement, mais qu'il a plutôt tendance à résister à la décélération et à l'accélération. Selon lui, « toute vitesse imprimée à un corps en mouvement sera strictement maintenue si les causes externes de freinage sont supprimées ».

Ce changement conceptuel du mouvement fut étudié ultérieurement par Newton qui le formalisa dans un énoncé qui porte le nom de **première loi du mouvement de Newton** :

Énoncé de la première loi de Newton

Tout corps au repos conserve son état de repos et tout corps en mouvement conserve un mouvement rectiligne uniforme (à vitesse constante sur une trajectoire rectiligne) s'il n'est soumis à aucune force résultante extérieure.

Autrement dit, *l'accélération d'un corps est nulle lorsque la force résultante exercée sur ce corps est nulle.* Ainsi, si $\Sigma\vec{F} = \vec{0}$, alors $\vec{a} = \vec{0}$. D'après la première loi, nous pouvons conclure qu'un corps isolé (un corps qui n'a pas d'interaction avec son environnement) est soit au repos, soit animé d'un mouvement à vitesse constante.

Un autre exemple de mouvement uniforme est celui d'un disque léger sur un plan presque sans frottement qui se déplace sur des coussins d'air, comme à la figure 4.5.

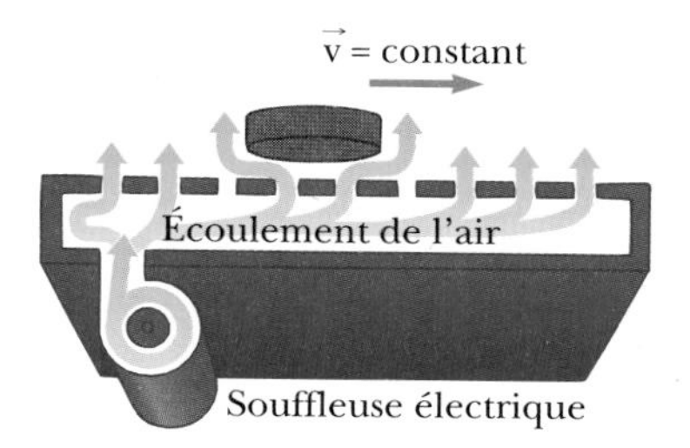

Figure 4.5
Un disque se déplaçant sur un coussin d'air est un exemple de mouvement uniforme, c'est-à-dire d'un mouvement dans lequel l'accélération est nulle.

Enfin, considérons un vaisseau spatial se déplaçant dans l'espace (pas trop près des autres planètes ou d'autres corps célestes massifs afin de ne pas être capturé par leur champ gravitationnel). Il a besoin d'un système de propulsion pour *changer* de vitesse. Toutefois, si on met le système de propulsion à l'arrêt quand le vaisseau atteint une vitesse $\vec{v}$, il « flotte » dans l'espace à cette vitesse et les astronautes sont alors en « vol libre » (ils se déplacent à la vitesse $\vec{v}$ sans avoir besoin du système de propulsion).

Systèmes inertiels

La première loi de Newton, parfois appelée *loi de l'inertie*, permet de définir un ensemble de systèmes de référence appelés *systèmes inertiels.*

Système inertiel

Un **système inertiel de référence** est un système dans lequel s'applique la première loi de Newton.

Tout système de référence qui se déplace à vitesse constante par rapport à un système inertiel est lui-même un système inertiel. Un système de référence qui se déplace à vitesse constante par rapport aux étoiles lointaines constitue la meilleure approximation d'un système inertiel. La Terre n'est pas un système inertiel, à cause de son mouvement orbital autour du Soleil et de son mouvement de rotation autour de son propre axe. Les accélérations subies par la Terre sont toutefois petites par rapport à g et peuvent être négligées. Dans la plupart des cas, nous pouvons donc *supposer qu'un système situé à la surface de la Terre ou à proximité est un système inertiel.*

Ainsi, si un objet se déplace à vitesse constante, son accélération et la force résultante exercée sur lui sont nulles pour un observateur situé dans le système inertiel attaché à l'objet. Un observateur situé dans *n'importe quel* autre système inertiel trouvera également que $\vec{a} = \vec{0}$ et $\vec{F} = \vec{0}$ pour cet objet. Du point de vue de la loi de l'inertie, un corps au repos et un corps en mouvement à vitesse constante sont équivalents. À moins d'indications contraires, nous écrirons en général les lois du mouvement par rapport à un observateur au repos dans un système inertiel.

4.4 Masse inertielle

Inertie

Lorsqu'on essaie de modifier la vitesse d'un objet, celui-ci résiste au changement. Cette tendance qu'ont les corps à rester au repos ou en mouvement uniforme est une propriété de la matière appelée **inertie**. Considérons par exemple un chariot chargé de roches. Si on pousse le chariot sur une surface horizontale rugueuse pour le déplacer, il est évident qu'il faut fournir beaucoup plus d'effort que pour déplacer le même chariot mais vide. Dans le même ordre d'idées, il est beaucoup plus difficile d'immobiliser le chariot chargé que lorsqu'il est vide. C'est pourquoi on dit que le chariot chargé a une plus grande inertie que le chariot vide.

La **masse** sert à mesurer l'inertie et l'unité SI de masse est le kilogramme. Plus la masse d'un corps est grande, moins il accélère (moins il change sa vitesse) sous l'action d'une force.

La masse et le poids sont des quantités différentes

Il est important de ne pas confondre la masse avec le poids. *La masse et le poids sont deux quantités distinctes.* Le poids d'un corps est défini à la section 4.6. Retenez que la masse d'un corps est partout la même, ce qui n'est pas le cas du poids. Un corps qui a une masse de 2 kg sur Terre aura également une masse de 2 kg sur la Lune.

Supposons qu'une force agissant sur un corps de masse m_1 produise une accélération $\vec{a}_1$ et que la *même force* agissant sur un corps de masse m_2 produise une accélération $\vec{a}_2$. L'expérience précédente montre que le rapport des deux masses correspond alors au rapport *inverse* des grandeurs des accélérations produites par la même force :

$$\frac{m_1}{m_2} = \frac{a_2}{a_1} \qquad [4.1]$$

Si l'une des masses est connue, on peut déterminer la masse inconnue en mesurant les accélérations.

La masse est une propriété intrinsèque d'un corps qui ne dépend pas de l'environnement du corps ni de la méthode utilisée pour la mesurer. La masse est une quantité scalaire qui obéit aux règles de l'arithmétique. Autrement dit, les masses s'additionnent numériquement. Par exemple, si on combine une masse de 3 kg avec une masse de 5 kg, la masse totale obtenue est de 8 kg.

4.5 Deuxième loi de Newton

La deuxième loi de Newton décrit le comportement d'un objet lorsque la force résultante qui agit sur lui n'est pas nulle.

Supposons que vous poussiez un bloc de glace sur une surface horizontale lisse telle que les forces de frottement soient négligeables. Lorsque vous exercez une force horizontale $\vec{F}$, le bloc se déplace avec une accélération $\vec{a}$. Une expérience montrerait que lorsque vous exercez une force deux fois plus grande, l'accélération double. Si vous exerciez une force égale à $3\vec{F}$, l'accélération triplerait, et ainsi de suite. À partir de ces observations, nous pouvons conclure que *l'accélération d'un corps est directement proportionnelle à la force résultante qui agit sur lui.*

L'accélération d'un corps dépend également de sa masse. Si vous exercez une force $\vec{F}$ sur un bloc posé sur une surface sans frottement, le bloc sera soumis à une accélération $\vec{a}$. Si on double la masse du bloc, la même force exercée produira une accélération égale à $\vec{a}/2$. Si on triple la masse, la même force produira une accélération égale à $\vec{a}/3$, et ainsi de suite. Nous pouvons en conclure que *l'accélération d'un corps est inversement proportionnelle à sa masse.*

Ces observations sont résumées dans la **deuxième loi de Newton** :

$\vec{a} \propto \frac{\Sigma \vec{F}}{m}$

L'accélération d'un corps est directement proportionnelle à la force résultante agissant sur lui et inversement proportionnelle à sa masse.

Tableau 4.1
Unités de force, de masse et d'accélération[1]

Système d'unités	Masse	Accélération	Force
SI	kg	m/s^2	$N = kg \cdot m/s^2$
cgs	g	cm/s^2	$dyne = g \cdot cm/s^2$

[1] $1\ N = 10^5$ dyne

La deuxième loi de Newton s'exprime mathématiquement par la relation suivante entre la masse et la force[1] :

$$\sum \vec{F} = m\vec{a} \qquad [4.2]$$

Deuxième loi de Newton

L'équation 4.2 étant une équation *vectorielle*, elle implique trois équations qui font intervenir les composantes des vecteurs (forme scalaire de la loi) :

$$\sum F_x = ma_x \qquad \sum F_y = ma_y \qquad \sum F_z = ma_z \qquad [4.3]$$

Deuxième loi de Newton sous forme scalaire

Unité de force

L'unité SI de force est le **newton**, qui est défini comme la force nécessaire pour produire une accélération de 1 m/s^2 sur une masse de 1 kg.

Cette définition et la deuxième loi de Newton nous permettent d'exprimer le newton en fonction des unités fondamentales de masse, de longueur et de temps :

$$1\ N = 1\ kg \cdot m/s^2 \qquad [4.4]$$

Définition d'un newton

Les unités de force, de masse et d'accélération sont résumées au tableau 4.1. Les calculs que nous aurons à faire en mécanique font tous intervenir les unités SI.

[1] L'équation 4.2 n'est valable que si la vitesse de l'objet est très inférieure à la vitesse de la lumière. Nous étudierons le cas relativiste dans le troisième tome.

Exemple 4.1 Une rondelle de hockey en accélération

Pour vérifier la seconde loi de Newton, deux étudiants poussent une rondelle de hockey d'une masse de 0,3 kg, pouvant glisser sans frottement, sur la surface horizontale d'une patinoire. Ils exercent deux forces sur la rondelle, comme l'indique la figure 4.16 : la force $\vec{F}_1$ d'une grandeur de 5 N et la force $\vec{F}_2$ de 8 N. Déterminez l'accélération de la rondelle.

Solution La force résultante selon l'axe des x est :

$$\sum F_x = F_{1x} + F_{2x} = F_1 \cos 20° + F_2 \cos 60°$$
$$= (5\ N)(0{,}940) + (8\ N)(0{,}500) = 8{,}70\ N$$

La force résultante selon l'axe des y est :

$$\sum F_y = F_{1y} + F_{2y} = -F_1 \sin 20° + F_2 \sin 60°$$
$$= -(5\ N)(0{,}342) + (8\ N)(0{,}866) = 5{,}22\ N$$

Nous pouvons maintenant utiliser la deuxième loi de Newton sous sa forme scalaire pour trouver les composantes en x et en y de l'accélération :

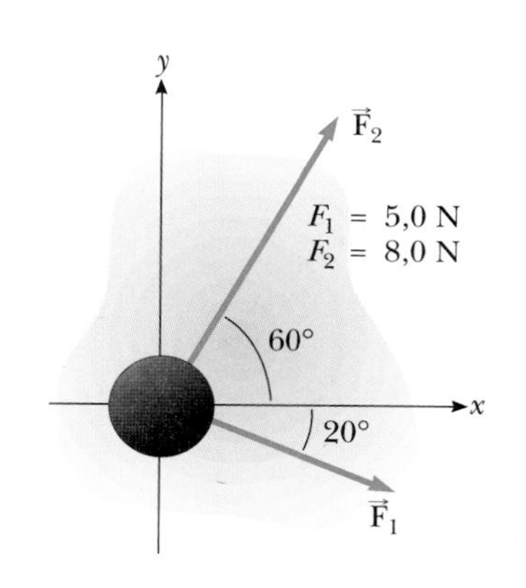

Figure 4.6
(Exemple 4.1) Un corps en mouvement sur une surface lisse accélère dans la direction de la force *résultante*, $\vec{F}_1 + \vec{F}_2$.

$$a_x = \frac{\Sigma F_x}{m} = \frac{8{,}70 \text{ N}}{0{,}3 \text{ kg}} = 29{,}0 \text{ m/s}^2$$

$$a_y = \frac{\Sigma F_y}{m} = \frac{5{,}22 \text{ N}}{0{,}3 \text{ kg}} = 17{,}4 \text{ m/s}^2$$

L'accélération a pour grandeur :

$$a = \sqrt{(29{,}0)^2 + (17{,}4)^2} \text{ m/s}^2 = \boxed{33{,}8 \text{ m/s}^2}$$

et sa direction est :

$$\theta = \text{tg}^{-1}\ (a_y/a_x) = \text{tg}^{-1}\ (17{,}4/29{,}0) = \boxed{31{,}0°}$$

par rapport à l'axe positif des x.

Exercice Déterminez les composantes d'une troisième force qui, lorsqu'elle est appliquée à la rondelle, la met en état d'équilibre.

Réponse $F_x = -8{,}70$ N, $F_y = -5{,}22$ N

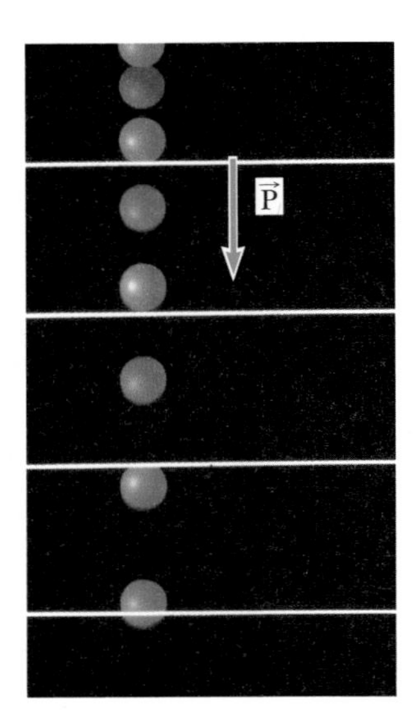

Figure 4.7
La seule force agissant sur un corps en chute libre est son poids $\vec{P}$. La deuxième loi de Newton appliquée dans le sens vertical donne $P = mg$. *(Richard Megna 1990, Fundamental Photographs)*

4.6 Poids

Nous savons que tous les corps sont attirés vers la Terre. La force qu'exerce la Terre sur un corps est ce qu'on appelle le **poids** du corps, désignée par $\vec{P}$. Cette force est orientée vers le centre de la Terre[2]. Plus précisément, le poids d'un objet est la force gravitationnelle résultante sur cet objet, celle-ci étant due en réalité à l'action de tous les autres corps de l'Univers (mais leur effet est négligeable) !

Nous avons vu qu'un corps en chute libre est soumis à une accélération $\vec{g}$ orientée vers le centre de la Terre. En appliquant la deuxième loi de Newton, $\vec{F} = m\vec{a}$, au corps en chute libre (voir figure 4.7) avec $\vec{a} = \vec{g}$ et $\vec{F} = \vec{P}$, on obtient :

$$\vec{P} = m\vec{g} \qquad [4.5]$$

Puisque le poids dépend de g, il varie d'un lieu à l'autre. C'est ainsi qu'un corps pèse moins à haute altitude qu'au niveau de la mer parce que g décroît à mesure qu'augmente la distance au centre de la Terre. Par conséquent, contrairement à la masse, le poids n'est pas une propriété intrinsèque. Par exemple, si un corps a une masse de 70 kg, la valeur de son poids en un point où $g = 9{,}80$ m/s^2 est $mg = 686$ N. Au sommet d'une montagne où $g = 9{,}76$ m/s^2, le poids de ce corps est de 683 N. Si vous voulez perdre du poids sans faire de régime, il vous suffit donc de grimper au sommet d'une montagne !

Il est bien important de distinguer le poids de la masse. Le poids est une force, ce qui n'est pas le cas de la masse. Le poids se mesure à l'aide d'un dynamomètre ou d'un peson alors que la masse se mesure à l'aide d'une balance.

4.7 Troisième loi de Newton

La **troisième loi** de Newton s'énonce ainsi :

Énoncé de la troisième loi de Newton

S'il y a interaction entre deux corps, la force exercée sur le corps 1 par le corps 2 est égale en grandeur, mais de direction opposée à la force exercée sur le corps 2 par le corps 1.

---

[2] Cet énoncé est une simplification, car il fait abstraction du fait que la masse de la Terre n'est pas répartie de façon parfaitement sphérique.

HISTORIQUE

Encadré 4.1

Isaac Newton

Isaac Newton est né prématurément en 1642, trois mois après le décès de son père. Dès l'âge de deux ans, il est séparé de sa mère et passe son enfance auprès de sa grand-mère et de son oncle. Il n'excellait pas particulièrement dans ses études, et semblait davantage intéressé par des choses moins « sérieuses » : la boxe, la peinture et la poésie. Cependant, c'était un habile bricoleur doté d'une grande ingéniosité. Mais qu'est-ce donc qui l'a motivé à s'investir dans des activités de nature plus scientifique ? Au début de son adolescence, vers l'âge de 12 ans, il vivait chez un apothicaire qui possédait de nombreux livres, Newton en a sûrement lu plusieurs. C'est aussi durant cette période qu'il connut son seul amour, une jeune fille qu'il ne put épouser. Newton devint donc un personnage solitaire, très émotif dans ses relations avec autrui, souvent en conflit pour des questions de paternité concernant des productions scientifiques. Il a même commis un abus de pouvoir, vers la fin de sa carrière, pour s'approprier la paternité du calcul différentiel et intégral en accusant le philosophe et mathématicien Leibniz de plagiat et en rédigeant *lui-même* le compte-rendu du procès !

À 18 ans, après avoir échoué dans la gestion du domaine familial, Newton retourne aux études à Cambridge. Le titulaire de la chaire de mathématiques lui est associé comme mentor. Cet homme, Isaac Barrow, a sans nul doute marqué Newton en lui faisant découvrir les mathématiciens grecs de l'Antiquité. À 23 ans, il arrête ses études car la peste a éclaté. Il retourne alors au domaine familial où il débute ses plus grandes productions intellectuelles (en mathématiques, en optique, en mécanique). C'est d'ailleurs à cette époque que semble être survenue la fameuse histoire de la pomme que Newton a rendu publique lorsqu'il était âgé de plus de 80 ans... fiction ou réalité ?

Quelques mois plus tard, il retourne à Cambridge. C'est en 1687 (à 42 ans) que son livre majeur, *Principia*, paraît en trois tomes, grâce au financement du scientifique Edmund Halley (vous savez, la fameuse comète...). Il n'y aurait pas eu plus de 400 exemplaires. Les trois lois du mouvement qui ont été présentées dans ce chapitre constituent l'essentiel du premier tome. Bien qu'au cours des éditions de *Principia*, il ait modifié quelques données pour rendre certaines de ses théories plus convainquantes aux yeux des autres scientifiques, Newton est probablement l'un des plus grands scientifiques de l'histoire des sciences.

Quelques années après la parution de *Principia*, Newton prend plaisir à discuter de théologie, à commenter les écrits canoniques chrétiens, en particulier ceux du prophète Daniel. À partir de son interprétation des textes, il tente même de prévoir l'avenir. Il s'adonne aussi à l'alchimie, y voyant probablement une façon d'étudier la matière. Puis, pendant près de deux ans (à partir de l'année 1690), Newton est malade, névrosé à la suite d'un incendie, dans son laboratoire, causé par son chien. Une fois rétabli, Newton occupe divers postes importants, dont celui de président de la Royal Society, qui lui feront terminer sa vie dans l'aisance.

LECTURES SUGGÉRÉES

- R. Pépin, « Newton : 300 bougies pour la gravitation » dans *Québec Science*, 26, n° 4, déc. 1987, p. 40-42.
- R.-P. Guillot, « Il y a trois cents ans Newton révélait au monde les lois de l'attraction universelle » dans *Historia*, n° 490, oct. 1987, p. 79-86.
- R. de la Taille, « Newton : trois siècles d'âge et toujours vert » dans *Science et vie*, n° 841, oct. 1987, p. 31-38.
- M. Blay, « Il y a trois siècles, un certain Newton... » dans *Sciences et avenir*, n° 467, janv. 1986, p. 86-91.

Figure 4.8
Isaac Newton. *(Giraudon/Art Resource)*

On a donc :

$$\vec{F}_{12} = -\vec{F}_{21} \quad [4.6]$$

Cette loi, illustrée à la figure 4.9, page 80, s'explique en disant que les *forces interviennent toujours par paires. Une force isolée unique ne peut pas exister.* La force exercée par le corps 1 sur le corps 2 est parfois appelée *force d'action*, et la force exercée par le corps 2 sur le corps 1 est appelée *force de réaction*. En fait, chacune des forces peut être considérée comme une action ou une réaction. *Dans tous les cas, les forces d'action et de réaction agissent sur des objets différents.* Par exemple, la force exercée sur un projectile en chute libre est son poids, $\vec{P} = m\vec{g}$. Cette force est égale à la force exercée par la Terre sur le projectile. La réaction à cette force

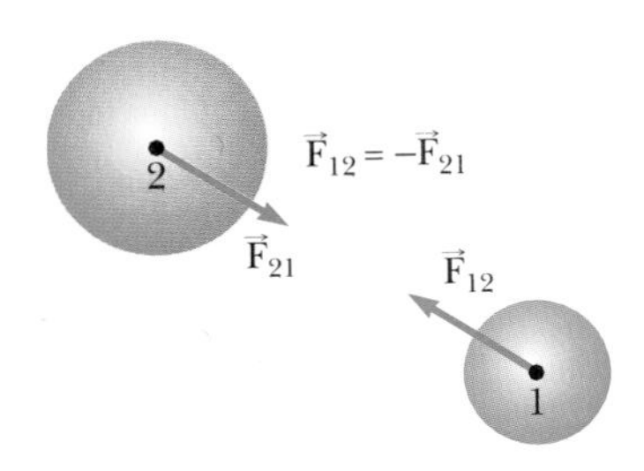

Figure 4.9
Troisième loi de Newton. La force exercée par le corps 1 sur le corps 2 ($\vec{F}_{21}$) est égale et opposée à la force exercée par le corps 2 sur le corps 1 ($\vec{F}_{12}$).

est la force du projectile sur la Terre, $\vec{P}' = -\vec{P}$. La force de réaction $\vec{P}'$ doit faire accélérer la Terre vers le projectile tout comme la force d'action $\vec{P}$ fait accélérer le projectile vers la Terre. Mais, étant donné la masse considérable de la Terre, l'accélération produite par cette force de réaction est négligeable.

La figure 4.10 illustre bien la troisième loi de Newton. Pour identifier des forces d'action et de réaction, vous pouvez donner un coup de poing dans un mur ou donner un coup de pied dans un ballon pied nu.

Si un bloc est au repos sur une table, comme à la figure 4.11a, la force de réaction au poids est la force qu'exerce le bloc sur la Terre, $\vec{P}'$. Le bloc n'accélère pas puisqu'il est retenu par la table. La table exerce donc sur le bloc une force d'action dirigée vers le haut, appelée **force normale** $\vec{N}$[3]. C'est la force qui empêche le bloc de tomber et de passer au travers de la table. Elle peut prendre n'importe quelle valeur jusqu'au point de rupture de la table. La force normale s'additionne vectoriellement au poids et établit ainsi l'équilibre du bloc. La réaction à la force $\vec{N}$ est la force exercée par le bloc sur la table, $\vec{N}'$. Par conséquent, $P = -\vec{P}'$ et $\vec{N} = -\vec{N}'$.

4.8 Quelques applications des lois de Newton

Dans cette section, nous allons examiner quelques applications simples des lois de Newton à des corps en équilibre ($\vec{a} = \vec{0}$) ou en mouvement rectiligne uniformément accéléré sous l'action de forces extérieures constantes. Nous supposerons que les corps se comportent comme des particules, nous n'aurons donc pas besoin de tenir compte des mouvements de rotation. Dans cette section, nous ferons également abstraction des effets de frottement pour tous les problèmes portant sur le mouvement. Cela revient à dire que les surfaces sont *lisses,* c'est-à-dire *sans frottement.* Enfin, nous négligerons en général les masses des cordes

[3] On utilise le terme *normal* parce que la direction de $\vec{N}$ est toujours *perpendiculaire* à la surface où se fait le contact.

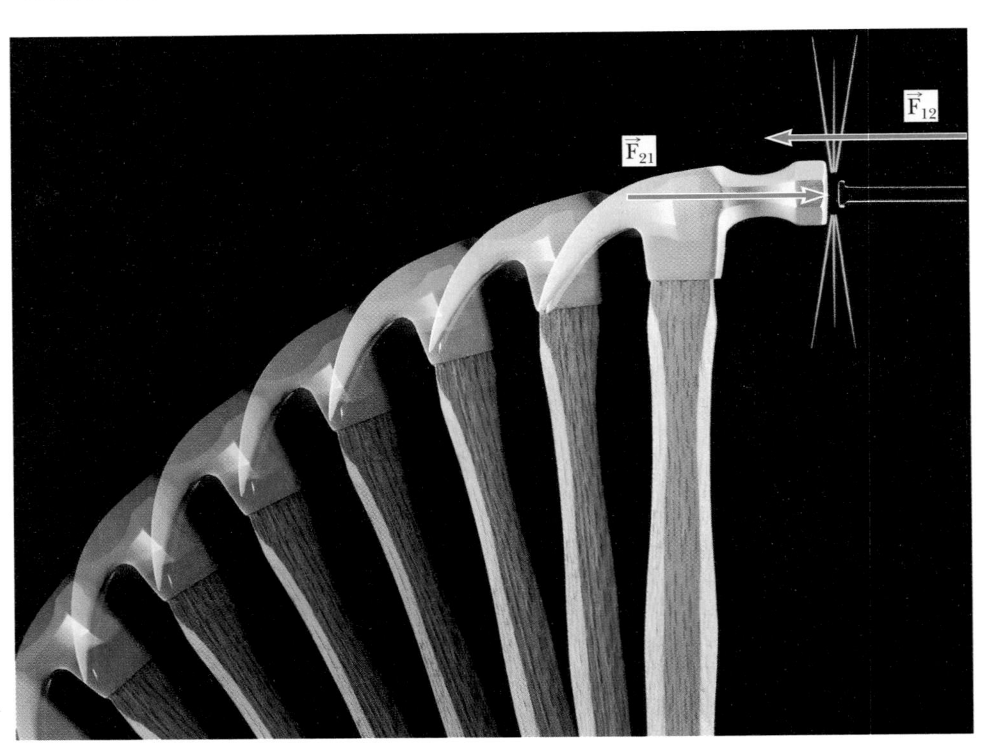

Figure 4.10
Voici un exemple d'application de la troisième loi de Newton. La force exercée par le marteau sur le clou ($\vec{F}_{21}$) est égale et opposée à la force exercée par le clou sur le marteau ($\vec{F}_{12}$). *(John Gillmoure, The Stock Market)*

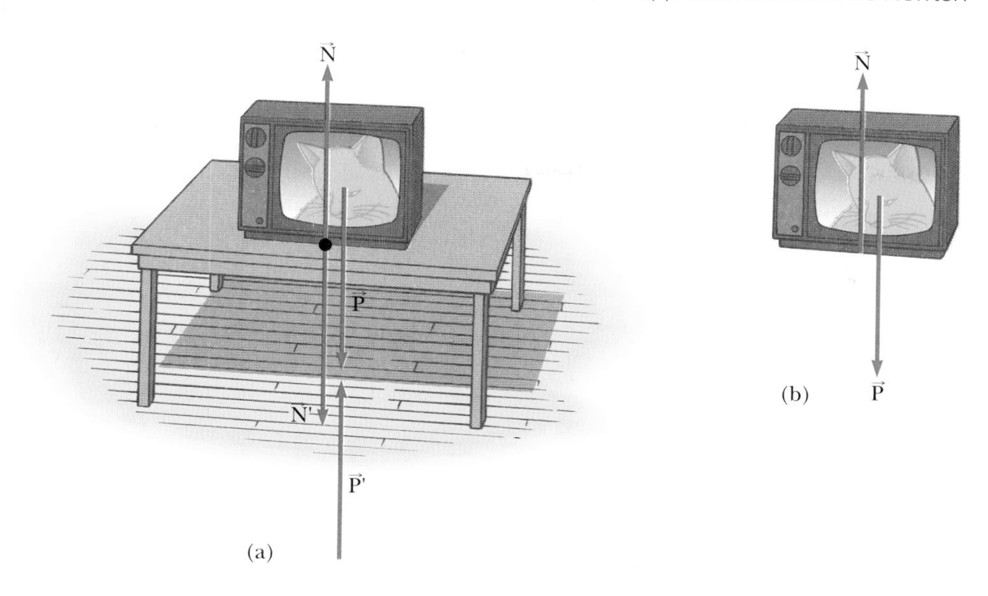

Figure 4.11
Lorsqu'un téléviseur est posé sur une table, les forces agissant sur le téléviseur sont la force normale $\vec{N}$ et la force gravitationnelle $\vec{P}$, comme l'indique la figure (b). La réaction à $\vec{N}$ est la force $\vec{N}'$ exercée par le téléviseur sur la table. La réaction au poids $\vec{P}$ est la force $\vec{P}'$ du téléviseur sur la Terre.

intervenant dans les problèmes. Avec cette approximation, la force exercée en tout point de la corde a la même valeur.

Lorsqu'on applique les lois de Newton au mouvement d'un corps, on ne s'intéresse qu'aux forces extérieures qui agissent *sur le corps.* Par exemple, à la figure 4.11, les seules forces extérieures agissant sur le bloc sont $\vec{N}$ et $\vec{P}$. Les réactions à ces forces, $\vec{N}'$ et $\vec{P}'$, agissent respectivement sur la table et sur la Terre et n'interviennent pas dans la deuxième loi de Newton appliquée au bloc.

Tension

Lorsqu'on déplace un objet en tirant sur une corde à laquelle il est attaché, la corde exerce une force sur l'objet. Par définition, la **tension** de la corde est la force qu'exerce la corde sur l'objet auquel elle est attachée.

Un bloc est tiré vers la droite sur une surface lisse et horizontale comme à la figure 4.12a. Supposons qu'on vous demande de déterminer l'accélération du bloc et la force qu'exerce la surface sur le bloc. Notons tout d'abord que la force horizontale agit sur le bloc par l'intermédiaire de la corde. La force qu'exerce la corde sur le bloc est désignée par le symbole $\vec{T}$. La grandeur de $\vec{T}$ est égale à la tension de la corde. Le cercle en pointillés qui est dessiné autour du bloc à la figure 4.12a nous rappelle que c'est le bloc qui est l'objet d'intérêt et qui doit alors être isolé de son environnement.

Puisque nous nous intéressons seulement au mouvement du bloc, nous devons pouvoir *identifier toutes les forces extérieures qui agissent sur lui.* Ces forces sont représentées à la figure 4.12b. En plus de la force $\vec{T}$, le diagramme des forces comprend également le poids $\vec{P}$ du bloc et la force normale $\vec{N}$. $\vec{P}$ correspond à la force gravitationnelle qui attire le bloc vers le bas et $\vec{N}$ représente la force de la surface sur le bloc.

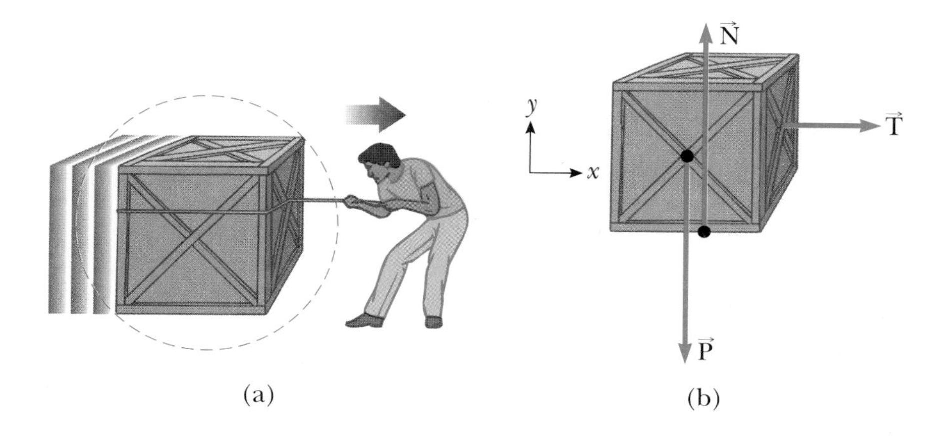

Figure 4.12
(a) Le bloc est tiré vers la droite sur une surface lisse. (b) Voici le diagramme des forces qui représente les forces extérieures agissant sur le bloc.

Les diagrammes des forces constituent une étape importante dans l'application des lois de Newton.

La construction d'un tel **diagramme des forces** est une étape importante dans l'application des lois de Newton. Les *réactions* aux forces que nous venons de citer ne figurent pas dans le diagramme des forces puisqu'elles agissent sur *d'autres* corps et non pas sur le bloc.

Pour appliquer la deuxième loi de Newton au bloc, il faut tout d'abord choisir un système de coordonnées approprié. Dans le cas présent, il est facile d'utiliser le système de coordonnées représenté à la figure 4.12b. On applique la deuxième loi de Newton dans la direction des x ou dans la direction des y, selon ce que le problème demande de déterminer. De plus, *si l'accélération est constante,* nous pouvons éventuellement utiliser les équations du mouvement à accélération constante qui ont été établies au chapitre 2 pour déterminer le déplacement ou la vitesse du bloc à un instant donné. Par exemple, si la force $\vec{T}$ de la figure 4.12 est constante, il s'ensuit que l'accélération dans la direction des x est également constante parce que $\vec{a}_x = \vec{T}/m$.

Objets en équilibre et première loi de Newton

Lorsque des objets sont au repos ou se déplacent à vitesse constante, on dit qu'ils sont en équilibre dynamique et la première loi de Newton énonce une condition qui doit être remplie pour que les conditions d'équilibre soient vérifiées. Sous forme d'équation, cette condition d'équilibre s'exprime par :

Première condition d'équilibre

$$\sum \vec{F} = \vec{0} \qquad [4.7]$$

Cette équation signifie que la somme *vectorielle* de toutes les forces (la force résultante) agissant sur un objet en équilibre est nulle.

En général, les problèmes d'équilibre que nous rencontrerons sont plus faciles à résoudre si on utilise l'équation 4.7 sous sa forme scalaire. Dans un problème à deux dimensions, la somme des composantes en x et la somme des composantes en y des forces extérieures doivent être séparément égales à zéro ; on a donc :

$$\sum F_x = 0 \qquad \sum F_y = 0 \qquad [4.8]$$

Ce système d'équations est souvent appelé **première condition d'équilibre**.

▼▼▼

Stratégie de résolution des problèmes : objets en équilibre

Voici la marche à suivre recommandée pour résoudre les problèmes faisant intervenir des objets en équilibre :

1. Tracez un schéma de chaque objet étudié.
2. Tracez un diagramme des forces pour chaque objet *isolé* en identifiant toutes les forces extérieures qui agissent sur l'objet et en précisant l'orientation de chaque force. Si vous choisissez une orientation qui donne une grandeur négative dans votre solution, ce n'est pas grave ; cela signifie simplement que l'orientation de la force est opposée à celle que vous avez choisie par hypothèse.
3. Obtenez les composantes en x et en y de toutes les forces après avoir choisi un système de coordonnées approprié.
4. Utilisez les équations $\Sigma F_x = 0$ et $\Sigma F_y = 0$ en faisant attention aux signes des diverses composantes.
5. L'étape 4 donne un système d'équations à plusieurs inconnues. Résolvez le système pour obtenir les inconnues en fonction des grandeurs connues.

Exemple 4.2 Un feu de circulation immobile

Un feu de circulation pesant 100 N est suspendu à un câble qui est lui-même attaché à deux autres câbles fixés à un support, comme à la figure 4.13a. Les câbles supérieurs font des angles de 37° et 53° avec l'horizontale. Déterminez la tension des trois câbles.

Solution Construisons d'abord un diagramme des forces *pour le feu de circulation*, comme à la figure 4.13b. La tension dans le câble vertical, T_3, soutient le feu et on voit donc que $T_3 = P = 100$ N. Construisons maintenant un diagramme de force *pour le nœud* qui maintient les trois câbles ensemble, comme à la figure 4.13c. Il est bon de choisir ce point parce que toutes les forces qui entrent en jeu agissent en ce point. Nous choisissons les axes de coordonnées représentés à la figure 4.13c pour résoudre les composantes des forces en x et en y :

Force	Composante en x	Composante en y
$\vec{T}_1$	$-T_1 \cos 37°$	$+T_2 \sin 37°$
$\vec{T}_2$	$+T_2 \cos 53°$	$+T_2 \sin 53°$
$\vec{T}_3$	0	-100 N

La première condition d'équilibre nous donne les équations :

$$(1) \qquad \sum F_x = T_2 \cos 53° - T_1 \cos 37° = 0$$

$$(2) \qquad \sum F_y = T_1 \sin 37° + T_2 \sin 53° - 100 \text{ N} = 0$$

Les composantes horizontales des tensions s'équilibrent, en (1), ainsi que les composantes verticales, en (2). On peut résoudre l'équation (1) pour T_2 en fonction de T_1, ce qui donne :

$$T_2 = T_1 \left(\frac{\cos 37°}{\cos 53°} \right) = 1{,}33 T_1$$

En remplaçant cette valeur de T_2 dans l'équation (2), on obtient :

$$T_1 \sin 37° + (1{,}33 T_1)(\sin 53°) - 100 \text{ N} = 0$$

$$T_1 = \boxed{60{,}1 \text{ N}}$$

$$T_2 = 1{,}33 T_1 = \boxed{79{,}9 \text{ N}}$$

Exercice Dans quel cas a-t-on $T_1 = T_2$?

Réponse Lorsque les câbles de soutien font des angles égaux avec le support horizontal.

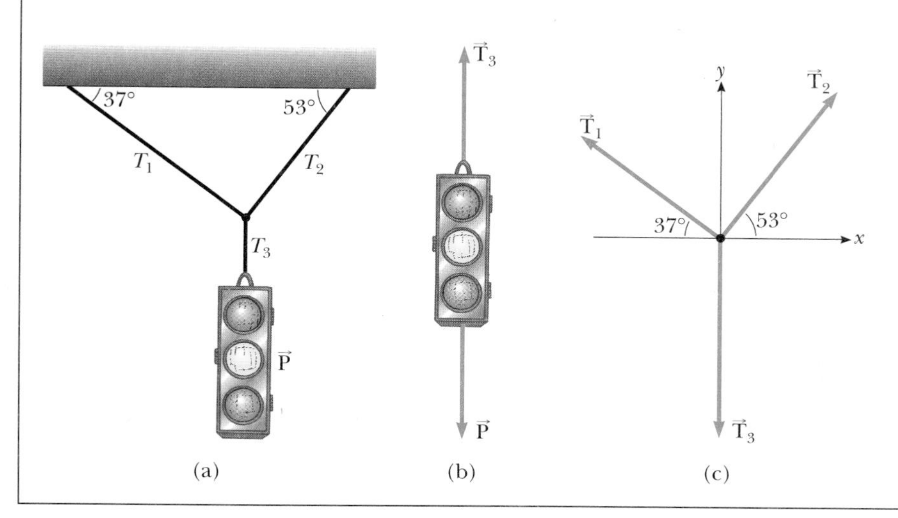

Figure 4.13 (Exemple 4.2) (a) Un feu de circulation suspendu par des câbles. (b) Diagramme des forces pour le feu de circulation. (c) Diagramme des forces pour le nœud sur le câble.

Exemple 4.3 Une luge sur une colline verglacée

Un enfant tient une luge au repos sans frottement sur une colline couverte de neige verglacée, comme à la figure 4.14a. Si la luge pèse 77 N, déterminez la force que doit exercer l'enfant sur la corde et la force qu'exerce la colline sur la luge.

Solution La figure 4.14b représente les forces agissant sur la luge avec un système de coordonnées approprié à ce type de problème. Notons que $\vec{N}$, la force exercée par la colline sur la luge, est perpendiculaire aux surfaces en contact. Cette force normale étant exactement sur l'axe des y, elle n'a aucune composante en x. De plus, comme il n'y a pas de frottement, les contributions en x proviennent seulement de la tension exercée par l'enfant et de la composante en x du poids de la luge.

En appliquant la première condition d'équilibre à la luge, on obtient :

$$\sum F_x = T - (77\ \text{N})(\sin 30°) = 0$$

$$T = \boxed{38{,}5\ \text{N}}$$

$$\sum F_y = N - (77\ \text{N})(\cos 30°) = 0$$

$$N = \boxed{66{,}7\ \text{N}}$$

Notons que dans ce cas, $\vec{N}$ est *inférieur* au poids de la luge, parce que la luge est sur un plan incliné et que la force $\vec{N}$ est égale et opposée à la composante en y du poids.

Exercice Que devient la force normale à mesure qu'augmente l'angle de la pente ?

Réponse Elle diminue jusqu'à devenir nulle. À ce moment, la colline est plutôt une falaise et la luge est en chute libre!

Exercice Dans quels contextes la force normale est-elle égale au poids de la luge ?

Réponse Lorsque la luge est sur une surface horizontale ou lorsque la force appliquée est nulle ou horizontale.

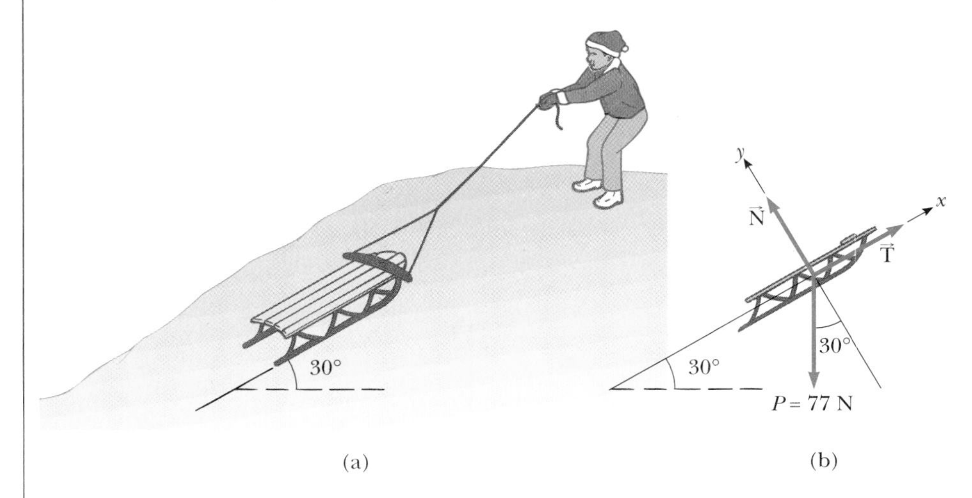

Figure 4.14
(Exemple 4.3) (a) Un enfant tenant une luge sur une pente sans frottement.
(b) Diagramme des forces pour la luge.

Objets en accélération et deuxième loi de Newton

Les suggestions et exemples qui suivent vous aideront à résoudre les problèmes nécessitant l'utilisation de la deuxième loi de Newton.

▼▼▼

Stratégie de résolution des problèmes : deuxième loi de Newton

Voici la marche à suivre recommandée pour résoudre les problèmes portant sur l'application de la deuxième loi de Newton :

1. Tracez un schéma du système.
2. Isolez le corps dont vous étudiez le mouvement. Tracez un diagramme des forces en indiquant *toutes les forces extérieures agissant sur le corps.* Pour les systèmes comprenant plusieurs corps, tracez un diagramme *distinct* pour chaque corps.
3. Choisissez des axes de coordonnées appropriés pour chaque corps et déterminez les composantes des forces sur les axes. Appliquez la deuxième loi de Newton, $\Sigma\vec{F} = m\vec{a}$, pour chaque objet sur les axes des x et des y.
4. Résolvez les équations obtenues avec les composantes, sans oublier qu'il faut avoir autant d'équations indépendantes que d'inconnues.
5. Au besoin, utilisez les équations de la cinématique (mouvement à accélération constante) du chapitre 2 pour trouver toutes les inconnues.

▼▼▼

Exemple 4.4 Un bloc sur une pente lisse

Un bloc de masse m se trouve sur un plan incliné sans frottement d'angle θ, comme à la figure 4.15a.

(a) Déterminez l'accélération du bloc lorsqu'on le lâche.

Solution Le diagramme des forces agissant sur le bloc est représenté à la figure 4.15b. Les seules forces agissant sur le bloc sont la force normale $\vec{N}$, qui agit perpendiculairement au plan incliné et le poids $\vec{P}$, qui est vertical et orienté vers le bas. *Il est plus facile de choisir l'axe des x parallèle au plan incliné et l'axe des y perpendiculaire au plan incliné.* Nous pouvons alors remplacer le vecteur poids par une composante de grandeur $mg\sin\theta$ sur l'axe des x positifs et une composante de grandeur $mg\cos\theta$ sur l'axe des y négatifs. En appliquant la deuxième loi de Newton sous sa forme scalaire et en remarquant que $a_y = 0$, on obtient :

$$(1) \qquad \sum F_x = mg\sin\theta = ma_x$$

$$(2) \qquad \sum F_y = N - mg\cos\theta = 0$$

D'après l'équation (1), on a :

$$(3) \qquad a_x = \boxed{g\sin\theta}$$

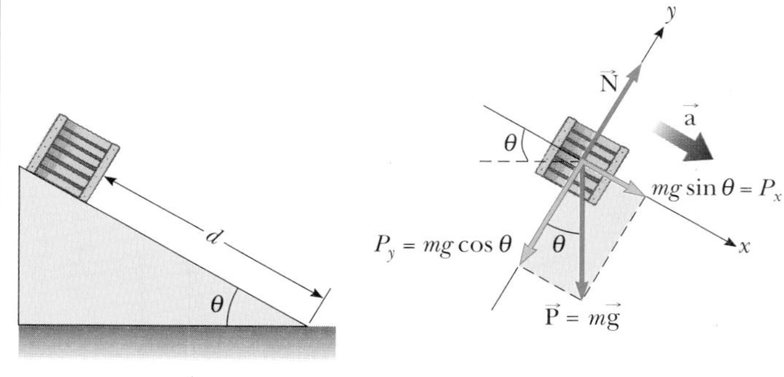

Figure 4.15
(Exemple 4.4) (a) Un bloc glissant sur un plan incliné sans frottement. (b) Diagramme des forces pour le bloc.

Notons que l'accélération est *indépendante* de la masse du bloc. Elle dépend uniquement de l'angle d'inclinaison et de g.

Cas particuliers Si $\theta = 90°$, $a = g$ et $N = 0$. Ce cas correspond à la chute libre du bloc. Si $\theta = 0$, $a_x = 0$ et $N = mg$ (sa valeur maximale).

(b) Supposons que le bloc au repos parte du sommet du plan incliné, à la distance d du bas du plan. Combien de temps met-il pour atteindre le bas du plan incliné et quelle est alors sa vitesse ?

Solution Puisque a_x = constante, on peut appliquer l'équation $x - x_0 = v_{x0}t + \frac{1}{2}a_x t^2$ (équation 2.10) au bloc. Comme le déplacement est $d = x - x_0$ et que la composante en x de la vitesse initiale est $v_{x0} = 0$, on obtient $d = \frac{1}{2}a_x t^2$, ou

$$(4) \quad t = \sqrt{\frac{2d}{a_x}} = \boxed{\sqrt{\frac{2d}{g\sin\theta}}}$$

De même, puisque $v_x^2 = v_{x0}^2 + 2a_x(x - x_0)$ (équation 2.11), on obtient $v_x^2 = 2a_x d$, ou

$$(5) \quad v_x = \sqrt{2a_x d} = \boxed{\sqrt{2gd\sin\theta}}$$

On remarque à nouveau que t et v_x sont *indépendants* de la masse du bloc. Ce résultat nous permettrait de concevoir une expérience pour calculer la valeur de g à partir des équations (4) et (5).

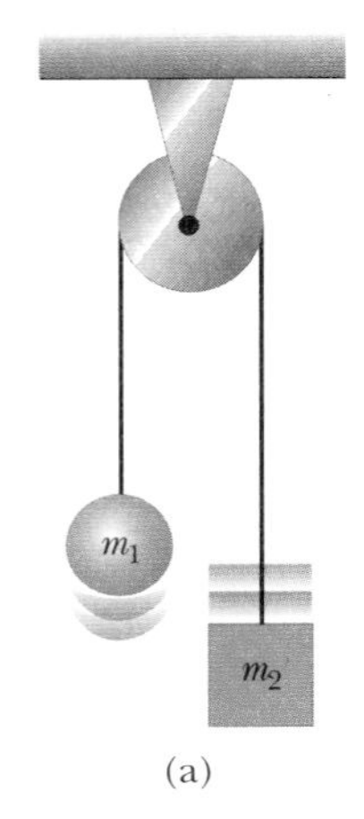

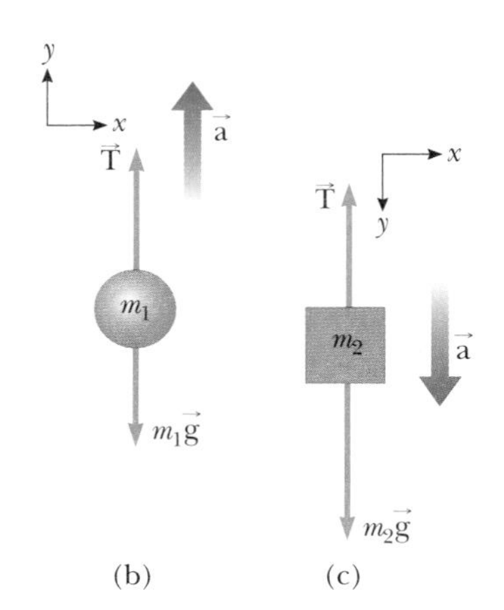

Figure 4.16
(Exemple 4.5) La machine d'Atwood. (a) Deux masses reliées par une ficelle de masse négligeable passant sur une poulie sans frottement.
(b) Diagrammes des forces pour m_1 et m_2.

Exemple 4.5 La machine d'Atwood

La *machine d'Atwood* est constituée de deux masses inégales suspendues verticalement aux extrémités d'une ficelle de masse négligeable qui passe sur une poulie sans frottement, comme à la figure 4.16a. On se sert parfois de ce dispositif en laboratoire pour mesurer l'accélération gravitationnelle. Calculez l'accélération des deux masses et la tension de la corde en fonction de g.

Solution Les diagrammes des forces exercées sur les deux masses sont représentés à la figure 4.16b et 4.16c, où on suppose que $m_2 > m_1$. En appliquant la deuxième loi de Newton à m_1, avec a orienté vers le haut pour cette masse puisque $m_2 > m_1$, on obtient :

$$(1) \quad \sum F_y = T - m_1 g = m_1 a$$

De même, en choisissant un repère selon le sens du mouvement pour m_2, on obtient :

$$(2) \quad \sum F_y = m_2 g - T = m_2 a$$

Remarquez que les masses m_1 et m_2 ont la même accélération.

En additionnant l'équation (2) à l'équation (1), on élimine T, et on obtient :

$$-m_1 g + m_2 g = m_1 a + m_2 a$$

$$(3) \quad \boxed{a = \left(\frac{m_2 - m_1}{m_1 + m_2}\right) g}$$

Par substitution de l'équation (3) dans l'équation (1), on obtient :

$$(4) \quad \boxed{T = \left(\frac{2m_1 m_2}{m_1 + m_2}\right) g}$$

Cas particuliers Si $m_1 = m_2$, $a = 0$ et $T = m_1 g = m_2 g$, comme prévu à l'équilibre. De même, si $m_2 \gg m_1$, $a \approx g$ (corps en chute libre) et $T \approx 2m_1 g$.

Exercice Déterminez l'accélération et la tension d'une machine d'Atwood dans laquelle $m_1 = 2$ kg et $m_2 = 4$ kg.

Réponse $a = 3{,}27$ m/s², $T = 26{,}1$ N

Exemple 4.6 Deux objets reliés entre eux

Deux masses inégales sont reliées par une ficelle légère de masse négligeable passant sur une poulie sans frottement, comme à la figure 4.17a. Le bloc de masse m_2 glisse sur un plan incliné lisse d'angle θ. Déterminez l'accélération des deux masses et la tension de la ficelle.

Solution Puisque les deux masses sont reliées par une ficelle (nous supposons qu'elle ne s'étire pas), leurs accélérations ont la même valeur. Les diagrammes des forces pour les deux masses sont représentés aux figures 4.17b et 4.17c. En supposant que l'accélération $\vec{a}$ de la force m_1 est orientée vers le haut, l'application de la deuxième loi de Newton sous forme scalaire permet d'obtenir pour la masse m_1 :

$$(1) \quad \sum F_x = 0$$

$$(2) \quad \sum F_y = T - m_1 g = m_1 a$$

Notons que pour que a soit positif, il faut que $T > m_1 g$.

Pour la masse m_2, il convient de faire coïncider l'axe des x' avec le plan incliné, comme l'indique la figure 4.14c. En appliquant la forme scalaire de la deuxième loi de Newton à m_2, on obtient :

$$(3) \quad \sum F_{x'} = m_2 g \sin \theta - T = m_2 a$$

$$(4) \quad \sum F_{y'} = N - m_2 g \cos \theta = 0$$

En résolvant le système formé par les équations (2) et (3), dont les inconnues sont a et T, on trouve :

$$(5) \quad a = \frac{m_2 g \sin \theta - m_1 g}{m_1 + m_2}$$

En remplaçant a par cette valeur dans l'équation (2), on obtient :

$$(6) \quad T = \frac{m_1 m_2 g(1 + \sin \theta)}{m_1 + m_2}$$

Notons que m_2 accélère vers le bas du plan incliné (direction $+x'$) si $m_2 \sin \theta$ est supérieur à m_1 (c'est-à-dire si a est positif comme nous l'avons supposé). Si m_1 est supérieur à $m_2 \sin \theta$, l'accélération de m_2 est orientée vers le haut du plan incliné et celle de m_1 vers le bas.

Exercice Si $m_1 = 10$ kg, $m_2 = 5$ kg et $\theta = 45°$, déterminez l'accélération.

Réponse $a = -4{,}22 \text{ m/s}^2$

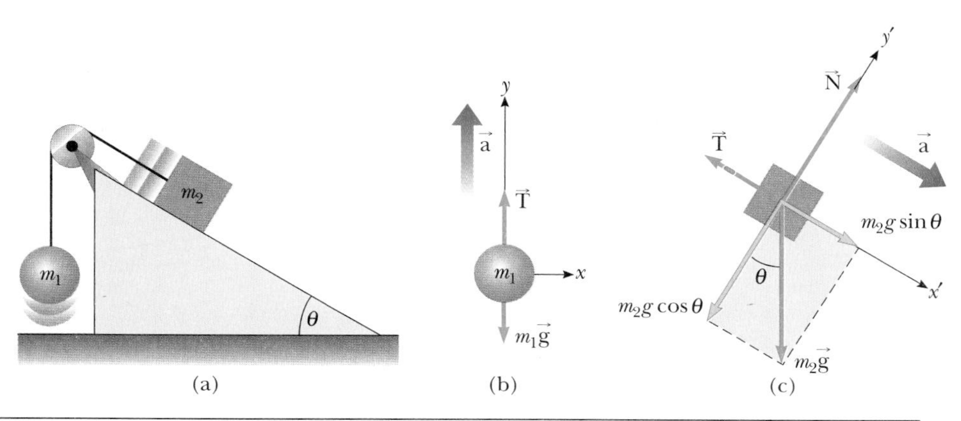

Figure 4.17 (Exemple 4.6) (a) Deux masses reliées par une ficelle de masse négligeable passant sur une poulie sans frottement. (b) Diagramme des forces pour m_1. (c) Diagramme des forces pour m_2 (le plan incliné est lisse).

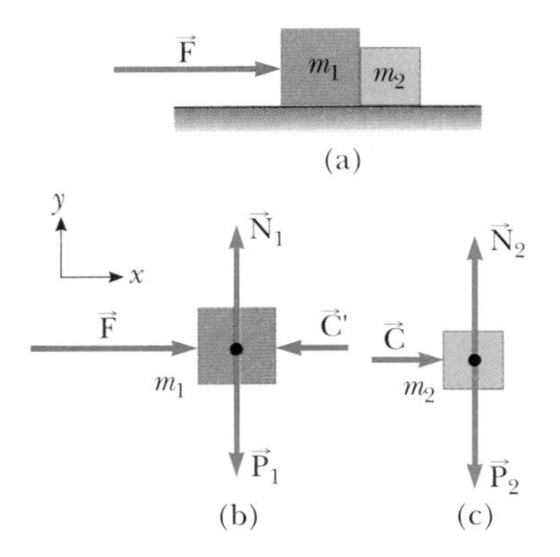

Figure 4.18
(Exemple 4.7)

Exemple 4.7 Un bloc en pousse un autre

Soit deux blocs de masses m_1 et m_2 qui se touchent sur une surface horizontale lisse, comme à la figure 4.18a. On exerce une force horizontale constante $\vec{F}$ sur la masse m_1, comme le montre la figure.

(a) Déterminez l'accélération du système.

Solution Les deux blocs doivent être soumis à la *même* accélération puisqu'ils sont en contact. La force $\vec{F}$ étant la *seule* force horizontale sur le système (constitué par les deux blocs), on a :

$$\sum F_x(\text{système}) = F = (m_1 + m_2)a$$

$$(1) \quad a = \frac{F}{m_1 + m_2}$$

(b) Déterminez la valeur de la force de contact entre les deux blocs.

Solution Pour résoudre cette question, il est nécessaire de tracer un diagramme des forces pour un des blocs représentés aux figures 4.18b et 4.18c, la force de contact étant désignée par $\vec{C}$. D'après la figure 4.18c, on voit que la seule force horizontale agissant sur m_2 est la force de contact $\vec{C}$ (la force de m_1 agissant sur m_2) qui est orientée vers la droite. L'application de la deuxième loi de Newton à la masse m_2 donne :

$$(2) \quad \sum F_x = C = m_2 a$$

En remplaçant dans l'équation (2) l'accélération a par la valeur trouvée à l'équation (1), on obtient :

$$(3) \quad C = m_2 a = \left(\frac{m_2}{m_1 + m_2}\right) F$$

Notons d'après ce résultat que la force de contact $\vec{C}$ est *inférieure* à la force appliquée $\vec{F}$. Cette inégalité concorde avec le fait que la force nécessaire pour accélérer m_2 doit être *inférieure* à la force nécessaire pour produire la même accélération sur le système des deux blocs.

En utilisant la 2e et la 3e loi de Newton sur la masse m_1, on obtiendrait la même expression pour la grandeur de $\vec{C}'$ (en considérant les forces qui agissent sur m_1 et qui sont représentées à la figure 4.18b).

Exercice Si $m_1 = 4$ kg, $m_2 = 3$ kg et $F = 9$ N, déterminez l'accélération du système et la valeur de la force de contact.

Réponse $a = 1{,}29$ m/s^2, $C = 3{,}86$ N

Exemple 4.8 Comment peser un poisson dans un ascenseur

La figure 4.19 représente une personne en train de peser un poisson à l'aide d'une balance à ressort fixée au plafond d'un ascenseur. Démontrez que si l'ascenseur accélère ou décélère, le poids indiqué par la balance à ressort est différent du poids réel du poisson.

Solution Les forces extérieures agissant sur le poisson sont : son poids réel $\vec{P}$ et la force de contrainte $\vec{T}$ dirigée vers le haut qu'exerce la balance sur le poisson. D'après la troisième loi de Newton, T correspond également à la valeur indiquée par la balance à ressort. Si l'ascenseur est au repos ou en mouvement à vitesse constante, le poisson ne subit pas d'accélération et $T = P = mg$ (avec $g = 9{,}80$ m/s^2). Si l'ascenseur monte avec une accélération $\vec{a}$ par rapport à un observateur extérieur situé dans un système inertiel (voir figure 4.19a), l'application de la deuxième loi de Newton au poisson de masse m nous donne la force résultante $\vec{F}$ sur le poisson :

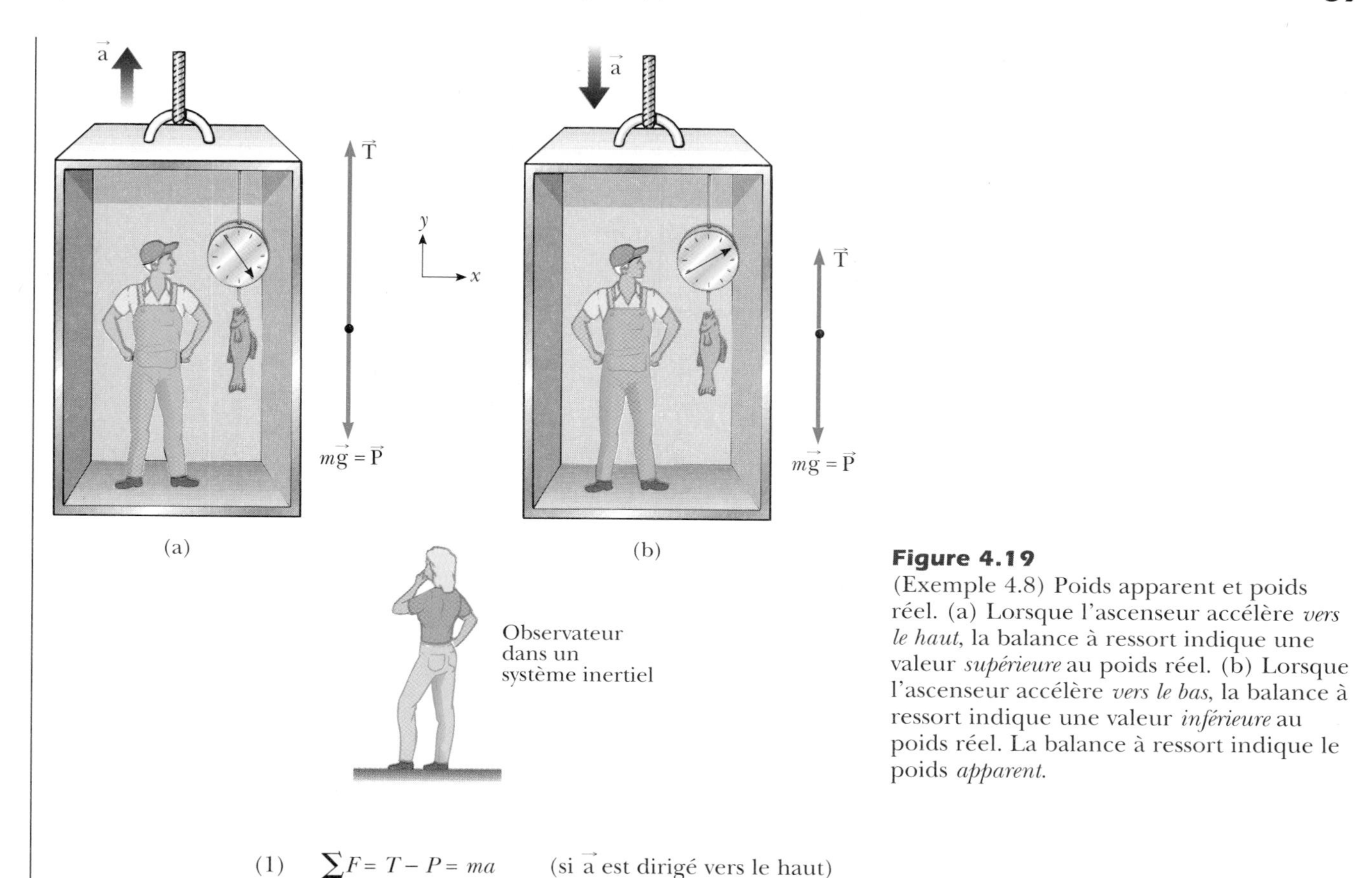

Figure 4.19
(Exemple 4.8) Poids apparent et poids réel. (a) Lorsque l'ascenseur accélère *vers le haut*, la balance à ressort indique une valeur *supérieure* au poids réel. (b) Lorsque l'ascenseur accélère *vers le bas*, la balance à ressort indique une valeur *inférieure* au poids réel. La balance à ressort indique le poids *apparent*.

$$(1)\qquad \sum F = T - P = ma \qquad (\text{si } \vec{a} \text{ est dirigé vers le haut})$$

De même, si l'ascenseur accélère vers le bas comme à la figure 4.19b, la deuxième loi de Newton appliquée au poisson devient :

$$(2)\qquad \sum F = T - P = -ma \qquad (\text{si } \vec{a} \text{ est dirigé vers le bas})$$

À partir de l'équation (1), nous pouvons donc conclure que la valeur T indiquée par la balance (poids apparent) est supérieure au poids réel P si $\vec{a}$ est dirigé vers le haut. D'après l'équation (2), on voit que T est inférieur à P si $\vec{a}$ est dirigé vers le bas.

Par conséquent, s'il vous arrive d'acheter un poisson dans un ascenseur, vous avez tout intérêt à ce que l'ascenseur soit immobile, à vitesse constante ou en accélération vers le bas !

Cas particuliers Si le câble se rompt, l'ascenseur tombe en chute libre avec une accélération $a = -g$. Puisque $P = mg$, on voit, d'après l'équation (1), que le poids apparent T est nul, c'est-à-dire que le poisson est en état d'apesanteur. Si l'ascenseur accélère *vers le bas* avec une accélération *supérieure* à g, le poisson (de même que la personne dans l'ascenseur) heurtera le plafond puisque l'accélération du poisson demeure celle d'un corps en chute libre par rapport à un observateur extérieur.

Pour en savoir plus sur les diagrammes des forces

Pour appliquer correctement la deuxième loi de Newton à un système mécanique, vous devez d'abord être capable de reconnaître toutes les forces qui agissent sur le système, c'est-à-dire de construire correctement le diagramme des forces. (*Un diagramme incorrect mènera presque toujours à une solution fausse.*) La figure 4.20, page 90, présente quelques systèmes mécaniques avec les diagrammes des forces correspondants. Lorsqu'un système contient plusieurs éléments, il est important de construire un diagramme des forces pour *chacun* des éléments.

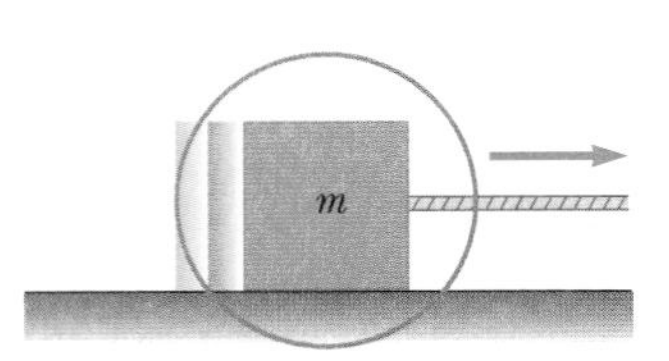

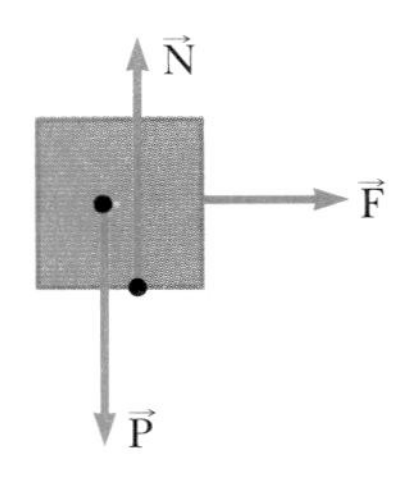

Un bloc tiré vers la droite sur une surface horizontale lisse

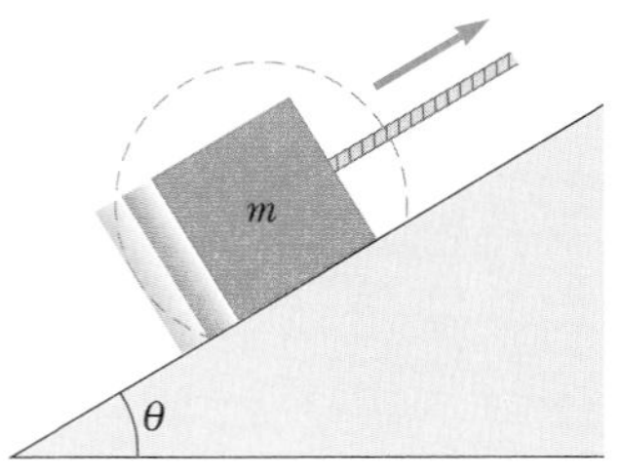

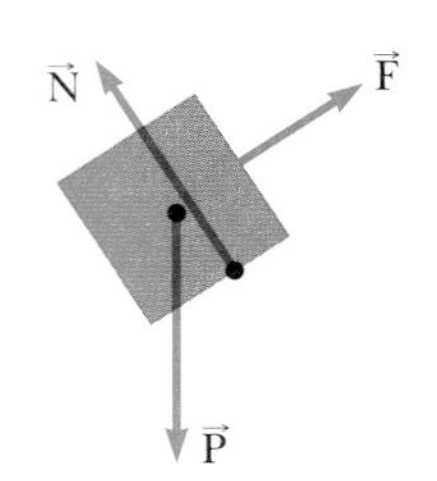

Un bloc tiré vers le haut sur un plan incliné lisse

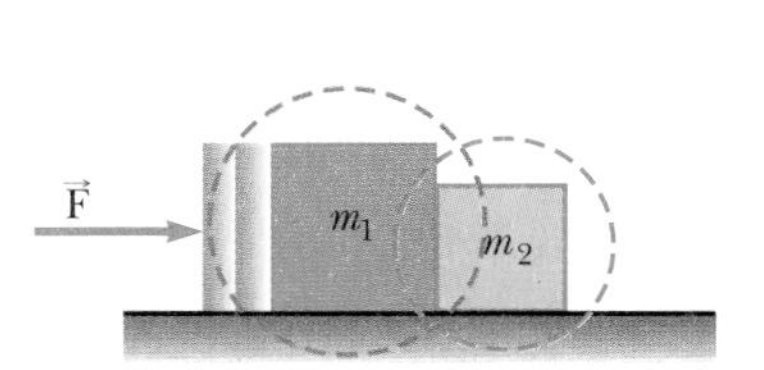

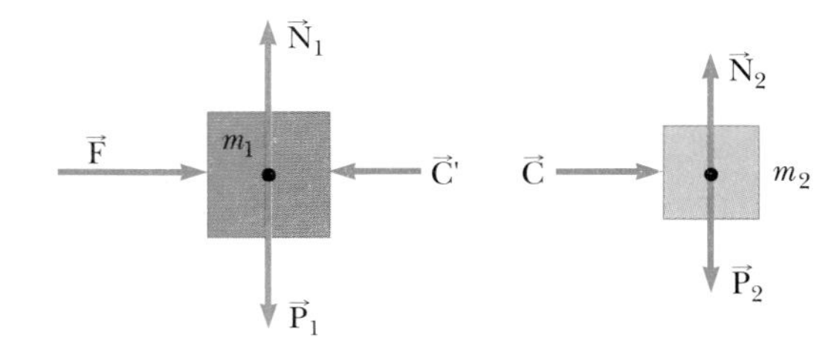

Deux blocs en contact, poussés vers la droite sur une surface lisse

Remarque: $\vec{C}' = -\vec{C}$ puisqu'il constitue une paire action-réaction

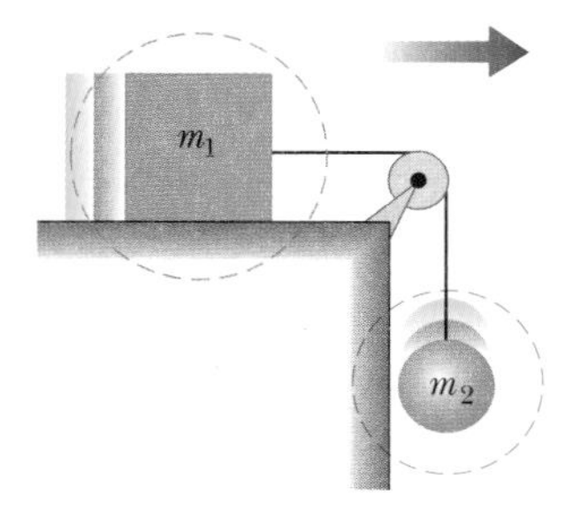

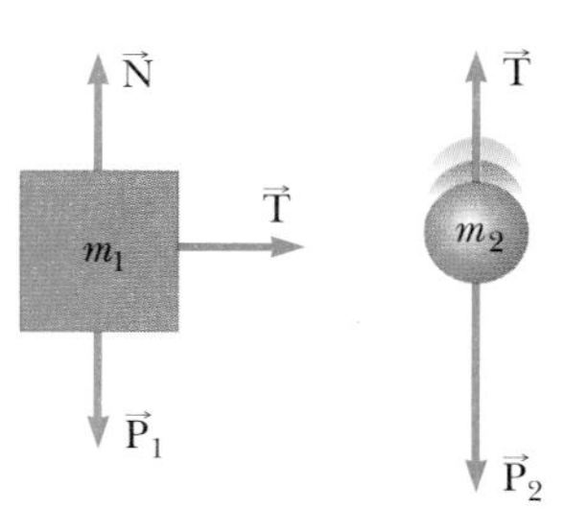

Deux objets reliés par une ficelle de masse négligeable. La surface est lisse et la poulie est sans frottement.

Figure 4.20
Quelques configurations mécaniques (*à gauche*) et les diagrammes des forces correspondants (*à droite*).

APPLICATION

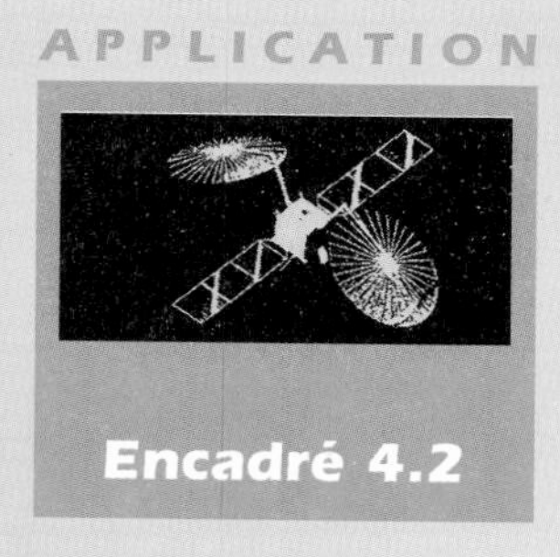

Encadré 4.2

Accoucher avec Newton !

Comment les lois de Newton peuvent-elles faire comprendre cet acte prodigieux qu'est l'accouchement ? En s'attardant aux principales forces qui sont impliquées dans le processus de l'enfantement, on peut clarifier la façon dont un accouchement dit « normal » se déroule.

Tout d'abord, le bébé n'effectue pas un simple mouvement rectiligne uniforme entre l'univers utérin et sa sortie du vagin. Au cours de sa descente, le bébé doit changer de direction. Pour modifier ainsi son mouvement, l'enfant doit être soumis à une force résultante non nulle. Quelles forces extérieures subit-il ?

Pendant la première phase du travail, les contractions de l'utérus permettent la dilatation du col et la descente du bébé dans le bassin. La force gravitationnelle agit aussi sur le bébé. La première étape de la descente s'effectue en direction de l'anus, la femme a donc tout intérêt à privilégier les positions verticales (marcher, par exemple) afin de bénéficier de l'effet gravitationnel. Lors de la phase d'expulsion, la force gravitationnelle est toujours présente, mais s'ajoutent en plus les poussées volontaires et involontaires de la mère (autres manifestations des contractions).

Les poussées, que nous pouvons appeler *forces de poussée utérine* $\vec{U}$, peuvent se décomposer en deux forces mutuellement perpendiculaires : $\vec{R}$ et $\vec{G}$. La première ($\vec{R}$) génère une pression sur un des côtés du crâne du bébé, ce qui induit une rotation au corps. La seconde ($\vec{G}$) est responsable de la propulsion du bébé. Le chemin que parcourt le bébé (la cavité pelvienne) peut être comparé à un morceau de beigne rétréci à ses deux extrémités (les *détroits*). La force de poussée n'est pas parallèle à l'axe du détroit supérieur (la direction de l'axe est donnée par une perpendiculaire à la surface du détroit). Plus l'angle entre la force $\vec{G}$ et l'axe du détroit est petit, plus l'intensité de $\vec{G}$ est grande. Une telle condition est obtenue lorsque la femme effectue une flexion des cuisses.

À partir de ces données dynamiques, on voit qu'une position accroupie ou couchée, cuisses fléchies, maximisent l'effet de la composante $\vec{G}$. Cependant, la physiologie du bassin, jumelée à l'action de la force gravitationnelle, indiquerait que la position couchée n'est pas la plus favorable à l'expulsion du bébé. En effet, dans une telle position, la femme pousse le bébé vers le haut, tel qu'illustré à la figure 4.21 (le coccyx impose une petite montée dans la trajectoire du bébé). Par conséquent, lorsqu'une femme opte pour une position couchée sur le dos, elle doit combattre la force gravitationnelle pendant ses poussées. Pendant le déroulement d'une poussée, ce sont les positions *à genoux, accroupie (ou assise sur un petit banc très bas)* et *debout les genoux fléchis* qui profitent de la gravité.

On voit donc que pour accoucher, il y a plus d'une position possible. De plus, il n'y a aucune obligation à adopter *une* seule position car, parfois, c'est justement en changeant de position qu'un travail qui semblait arrêter peut reprendre de plus belle : le changement de position fait contribuer les diverses forces (physiologiques ou gravitationnelle) d'une autre façon, aidant ainsi le bébé dans son parcours vers sa nouvelle vie.

LECTURES SUGGÉRÉES
- Y. Malinas et M. Farier, *Mécanique obstétricale*, éd. Masson, Paris, 1979.
- I. Brabant, *Une naissance heureuse*, Les éditions coopératives Albert Saint-Martin, Montréal, 1991.
- B. Gasquet-Pistre, « La liberté posturale au cours de l'accouchement » dans *Les dossiers de l'obstétrique*, nº 182, mars 1991, p. 9-11.
- R. Merger, J. Lévy et J. Melchior, *Précis d'obstétrique*, éd. Masson, Paris, 1979.

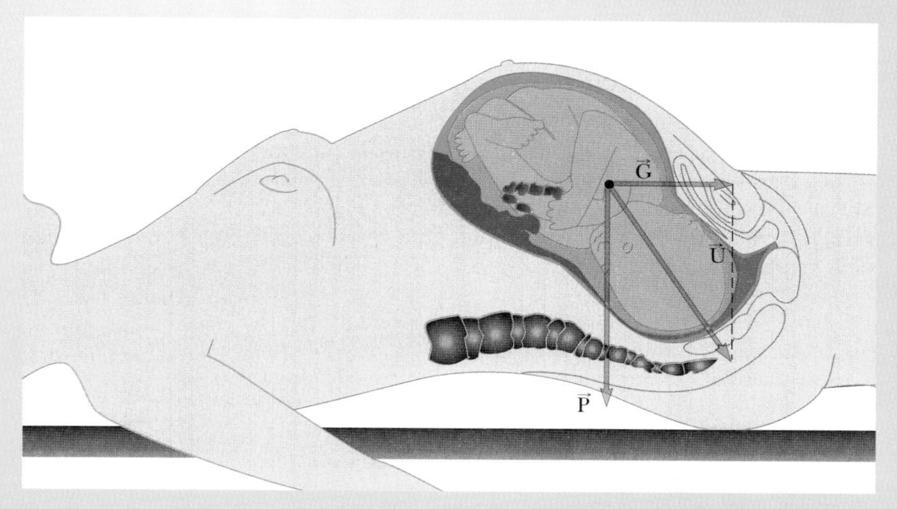

Figure 4.21
Bassin d'une femme en train d'accoucher avec les différentes forces qui sont en jeu.

Piste de réflexion

L'expérimentation joue un rôle important pour déterminer si une théorie peut être considérée comme scientifique. La théorie doit être vérifiée « sur le terrain » et les observations doivent être en accord avec elle. Cependant, la théorie de la gravitation de Newton fut largement reconnue malgré une anomalie inexplicable de l'orbite de la planète Mercure. Pourquoi alors conserver ce modèle de toute évidence inadéquat ?

LECTURE SUGGÉRÉE
Gérard Fourez, *La construction des sciences. Introduction à la philosophie et à l'éthique des sciences*, éd. De Boeck, Bruxelles, 1992.

Résumé

- Selon la **première loi de Newton**, un corps au repos demeurera au repos et un corps en mouvement rectiligne uniforme gardera ce mouvement, à moins qu'une force résultante extérieure n'agisse sur le corps.
- Selon la **deuxième loi de Newton**, l'accélération d'un corps est proportionnelle à la force résultante agissant sur lui et inversement proportionnelle à sa masse. Si la masse du corps est constante, la force résultante est égale au produit de la masse par l'accélération, c'est-à-dire $\Sigma\vec{F} = m\vec{a}$.
- La première et la deuxième loi de Newton sont valables dans des systèmes de référence inertiels. Un **système inertiel** est un système dans lequel la première loi de Newton est vérifiée.
- La **masse** est une grandeur scalaire.
- Le **poids** d'un corps est la force qu'exerce un astre sur ce corps. Il est égal au produit de la masse du corps par l'accélération gravitationnelle de l'astre. Pour la Terre, $\vec{P} = m\vec{g}$.
- Selon la **troisième loi de Newton**, s'il y a interaction entre deux corps, la force exercée par le corps 2 sur le corps 1 est égale et opposée à la force exercée par le corps 1 sur le corps 2. Dans le langage des physiciens, une force isolée ne peut donc pas exister.

Questions et exercices conceptuels

1. Si un objet est au repos, pouvons-nous conclure qu'aucune force extérieure n'agit sur lui ?
2. Si l'or était vendu au poids, auriez-vous intérêt à l'acheter à Jasper, dans les Rocheuses canadiennes, ou à Québec ? S'il était vendu à la masse, où auriez-vous intérêt à l'acheter ? Pourquoi ?
3. Un passager assis à l'arrière d'un autobus prétend qu'il a été blessé par une valise qui se trouvait à l'avant de l'autobus et qui aurait été projetée vers l'arrière lorsque le chauffeur a freiné brutalement. Si vous étiez juge dans cette affaire, quel serait votre réaction ? Pourquoi ?
4. Une astronaute se trouve dans un vaisseau spatial situé dans l'espace, loin de toute planète ou étoile. Elle remarque une grosse pierre, vraisemblablement un spécimen d'une planète inconnue, flottant à l'intérieur de la cabine du vaisseau. Doit-elle la pousser doucement vers le compartiment de rangement ou la pousser fortement du pied vers ce compartiment ? Pourquoi ?
5. L'observateur, dans l'exemple 4.8 de l'ascenseur, prétend que le poids du poisson est T, comme l'indique la balance. C'est évidemment faux. Pourquoi cette observation diffère-t-elle de celle d'une personne à l'extérieur de l'ascenseur, au repos par rapport à l'ascenseur ?
6. Identifiez les couples action-réaction dans les cas suivants : un homme fait un pas en avant ; une boule de neige frappe une fillette dans le dos ; un joueur de baseball attrape une balle ; une rafale de vent frappe une vitre.
7. Quelles forces agissent sur un ballon de football pendant sa trajectoire dans l'air ? Quels sont les couples action-réaction pendant que le ballon est poussé du pied et pendant sa trajectoire dans l'air ?
8. Une personne tient une balle dans la main. (a) Identifiez toutes les forces extérieures agissant sur la balle et la réaction à chacune de ces forces. (b) Si la personne laisse tomber la balle, quelle force est exercée sur la balle pendant la chute ? Identifiez la force de réaction dans ce cas. (On néglige la résistance de l'air.)
9. Un enfant tire un chariot avec une force suffisante pour le faire accélérer. Selon la troisième loi de Newton, le chariot exerce une force de réaction égale et opposée sur l'enfant. Pourquoi le chariot peut-il accélérer ?

10. Une balle de caoutchouc tombe sur le sol. Quelle force fait rebondir la balle dans l'air ?
11. Pourquoi l'énoncé qui suit est-il faux : « Puisque la voiture est au repos, il n'y a pas de force qui agit sur elle » ? Veuillez corriger cette phrase.
12. Si vous avez déjà pris un ascenseur dans un gratte-ciel, vous avez probablement ressenti la sensation étrange de lourdeur ou de légèreté selon le sens de l'accélération $\vec{a}$. Expliquez ces sensations. Sommes-nous réellement en apesanteur durant la chute libre ?
13. Si les forces d'action et de réaction sont égales et opposées, pourquoi peut-il y avoir une force résultante qui agit sur un objet ?
14. La force gravitationnelle est deux fois plus grande sur une pierre de 20 N que sur une pierre de 10 N. Pourquoi la pierre de 20 N n'a-t-elle pas une accélération supérieure en chute libre ?
15. Est-il possible d'avoir un mouvement en l'absence de force ? Expliquez.
16. Existe-t-il une relation entre la force résultante agissant sur un objet et la direction de son mouvement ? Expliquez.
17. On lance vers le haut une balle de baseball de 0,15 kg à une vitesse initiale de 20 m/s. Si on néglige la résistance de l'air, quelle est la force résultante sur la balle (a) lorsqu'elle atteint la moitié de sa hauteur maximale et (b) lorsqu'elle atteint son point le plus haut ?
18. Deux athlètes qui font une lutte de traction tirent chacun sur la corde avec une force de 200 N. Quelle est la tension de la corde ? Si la corde ne bouge pas, quelle force exerce chaque athlète sur le sol ?
19. Si une voiture roule vers les x positifs à une vitesse constante de 20 m/s, quelle est la force résultante qui agit sur elle ? Quelles sont les forces appliquées sur cette voiture ?
20. Supposons que vous ayez un marteau dont la tête, mal enfoncée, bouge sur le manche et que vous vouliez l'enfoncer correctement. En faisant intervenir l'inertie, expliquez comment vous pouvez y parvenir en cognant le bas du manche (au lieu de la tête) contre une surface dure.
21. Soit un camion plein de sable qui accélère à 0,5 m/s² sur une route. On suppose que le fond du camion est percé et qu'il perd du sable à débit constant. Que devient l'accélération si la force motrice du camion reste constante ?
22. Si une petite voiture sport heurte de front un gros camion, lequel des deux véhicules est soumis à la plus grande force d'impact ? Quel véhicule subit la plus grande accélération ?
23. Tracez un diagramme des forces pour chacun des corps suivants : (a) un projectile en mouvement en présence de la résistance de l'air, (b) une fusée quittant la rampe de lancement avec ses moteurs en marche et (c) un athlète courant sur une piste horizontale.

Problèmes

Sections 4.1 à 4.7

1. Une force $\vec{F}$ appliquée à un objet de masse m_1 produit une accélération de 3 m/s². La même force appliquée à un deuxième objet de masse m_2 produit une accélération de 1 m/s². (a) Quelle est la valeur du rapport m_1/m_2 ? (b) Si on combine m_1 et m_2, déterminez leur accélération en fonction de la force $\vec{F}$.
2. Un objet de 6 kg subit une accélération de 2 m/s². (a) Quelle est la valeur de la force résultante agissant sur l'objet ? (b) Si la même force est appliquée à un objet de 4 kg, quelle accélération produit-elle ?
3. Une force de 10 N agit, vers les x positifs, sur un corps d'une masse de 2 kg. Quelle est (a) l'accélération du corps, (b) son poids en newton et (c) son accélération si la force est doublée ?
4. Une particule de 3 kg part du repos et parcourt une distance de 4 m en 2 s sous l'action d'une force unique et constante. Déterminez la valeur de cette force.
5. Supposons qu'un lanceur lâche une balle de baseball d'un poids de 1,4 N à une vitesse de 32 m/s en accélérant uniformément son bras pendant 0,09 s. Si la balle part du repos, (a) sur quelle distance la balle accélère-t-elle avant d'être lâchée et (b) quelle doit être la force moyenne exercée sur la balle pour produire cette accélération ?
6. Une masse de 3 kg subit une accélération donnée par $\vec{a} = (2\vec{i} + 5\vec{j})$ m/s². Déterminez la force résultante $\vec{F}$ et sa grandeur.
7. Si un homme pèse 900 N sur la Terre, quel serait son poids sur Jupiter où l'accélération gravitationnelle est de 25,9 m/s² ?
8. Une voiture de 1 800 kg se déplace en ligne droite à la vitesse de 25 m/s. Quelle est la grandeur de la force horizontale constante nécessaire pour mettre la voiture au repos sur une distance de 80 m ?
9. Des forces de 10 N vers les y positifs, 20 N vers les x positifs et 15 N vers les y négatifs sont appliquées simultanément sur une masse de 4 kg. Déterminez l'accélération de l'objet.
10. Un train de marchandises a une masse de 15×10^6 kg. Si la force résultante sur le train est de 750 000 N, combien de temps lui faut-il pour passer de la vitesse 0 à la vitesse 80 km/h ?
11. Deux forces $\vec{F}_1$ et $\vec{F}_2$ agissent sur une masse de 5 kg. Si F_1 = 20 N et F_2 = 15 N, déterminez les accélérations en (a) et (b) à la figure 4.22.

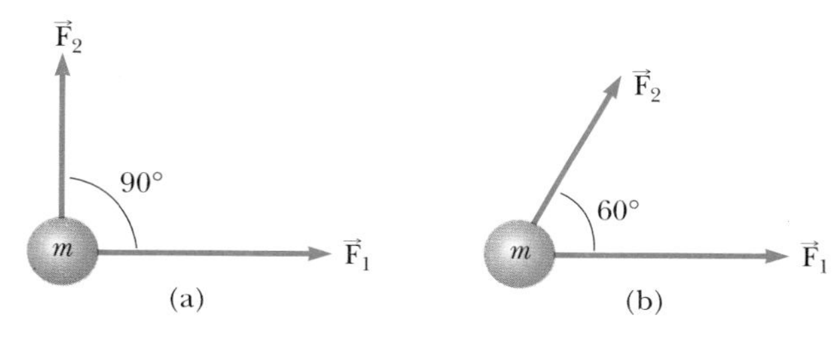

Figure 4.22 (Problème 11)

12. Une force constante fait passer la vitesse d'un coureur de 80 kg de 3 m/s à 4 m/s en 0,5 s. (a) Calculez la grandeur de l'accélération du coureur. (b) Déterminez la grandeur de la force. (c) Déterminez la valeur de l'accélération d'un coureur de 50 kg soumis à la même force. (On suppose le mouvement linéaire.)
13. À un instant donné, le vecteur vitesse d'un objet de 4 kg est $3\vec{i}$ m/s. Huit secondes plus tard, son vecteur vitesse est $(8\vec{i} + 10\vec{j})$ m/s. En supposant que l'objet était soumis à une force résultante constante, déterminez (a) les composantes de cette force et (b) sa grandeur.
14. Un joueur de football imprime une vitesse de 30 m/s à un ballon de football initialement au repos. Si le ballon a une masse de 0,5 kg, quelle est la force exercée sur le pied s'il reste en contact avec le ballon pendant 0,025 s ?
15. Un électron de masse $9,1 \times 10^{-31}$ kg a une vitesse initiale de $3,0 \times 10^5$ m/s. Il décrit une trajectoire rectiligne et sa vitesse augmente à $7,0 \times 10^5$ m/s sur une distance de 5,0 cm. En supposant son accélération constante, (a) déterminez la force sur l'électron et (b) comparez cette force avec le poids de l'électron, que nous avons négligé.
16. Un bloc de 67 N est au repos sur le sol. (a) Quelle est la force exercée par le sol sur le bloc ? (b) Quelle est la force exercée par le sol sur le bloc de 67 N si on l'attache à une corde verticale passant sur une poulie et si on suspend un poids de 44 N à l'autre extrémité de la corde ? (c) Si on remplace le poids de 44 N de la question (b) par un poids de 89 N, quelle est la force exercée par le sol sur le bloc de 67 N ?

Section 4.8 Quelques applications des lois de Newton

17. Lors d'une compétition de funambules amateurs, un concurrent de 600 N se retrouve dans la position représentée à la figure 4.23. Si l'angle entre la corde et l'horizontale est de 8°, déterminez la tension de la corde de chaque côté du concurrent.

Figure 4.23 (Problème 17)

18. Une mangeoire de 150 N est soutenue par trois câbles, comme l'indique la figure 4.24. Déterminez la tension de chaque câble.

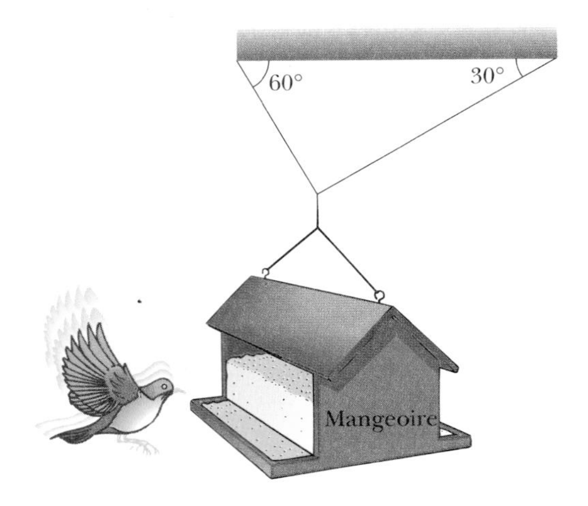

Figure 4.24 (Problème 18)

19. Une masse de 1 kg accélère à 10 m/s² dans la direction 30° par rapport à l'horizontale (voir figure 4.25). L'une des deux forces agissant sur la masse a une valeur de 5 N et elle est orientée vers les y positifs. Déterminez la grandeur et l'orientation de la deuxième force agissant sur la masse.

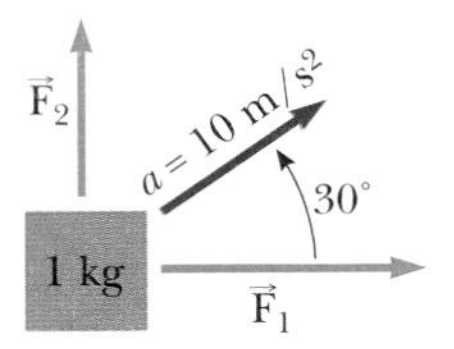

Figure 4.25 (Problème 19)

20. Déterminez la tension de chaque corde dans les systèmes décrits à la figure 4.26 (ces cordes ont des masses négligeables).

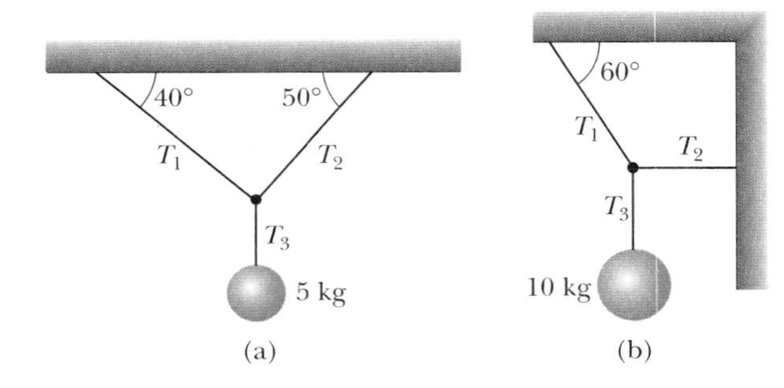

Figure 4.26 (Problème 20)

21. La distance entre deux poteaux téléphoniques est de 50 m. Lorsqu'un oiseau de 1 kg se pose sur le fil téléphonique à mi-chemin entre les poteaux, le fil s'affaisse de 0,2 m. Quelle est la tension du fil produite par l'oiseau ? Ne tenez pas compte du poids du fil.
22. Les systèmes représentés à la figure 4.27 sont en équilibre. Si les dynamomètres sont étalonnés en newtons, quelles valeurs indiquent-ils ? (On suppose que les masses des poulies et des ressorts sont négligeables et que le plan incliné est sans frottement.)

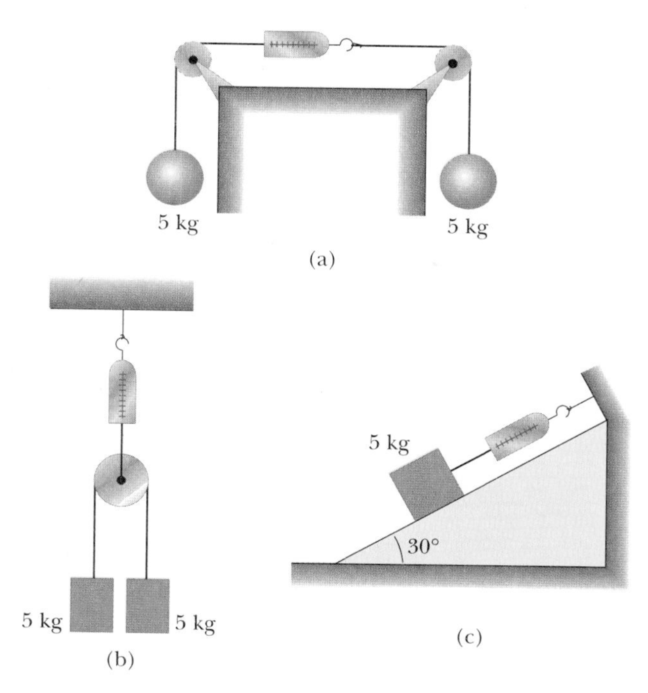

Figure 4.27 (Problème 22)

23. Une balle de baseball de 0,15 kg se déplaçant à 20 m/s atteint le gant du receveur. Le gant recule d'une distance de 8 cm. Quelle est la force moyenne exercée par le gant sur la balle ? Quelle est la force moyenne exercée par la balle sur le gant ?
24. Un train ayant une masse de $5{,}22 \times 10^6$ kg se déplace à la vitesse de 90,0 km/h. Le mécanicien actionne les freins de sorte que le train subit une force résultante vers l'arrière de $1{,}87 \times 10^6$ N. Il garde les freins serrés pendant 30,0 s. (a) Quelle est la nouvelle vitesse du train ? (b) Quelle distance parcourt le train pendant cette période ?
25. Le parachute d'une voiture de course de 900 kg s'ouvre à la fin d'un parcours de 400 m lorsque la vitesse de la voiture atteint 35 m/s. Quelle force de freinage totale doit fournir le parachute pour arrêter la voiture sur une distance de 1 000 m ?
26. On remonte un seau d'eau de 5 kg en tirant sur une corde attachée au seau. Si l'accélération ascendante du seau est de 3 m/s², déterminez la force exercée sur le seau par la corde.
27. Une masse de 5 kg posée sur une table horizontale lisse est attachée à un câble qui passe sur une poulie et dont l'autre extrémité est attachée à une masse suspendue de 10 kg, comme à la figure 4.28. Déterminez l'accélération des deux objets et la tension de la corde.

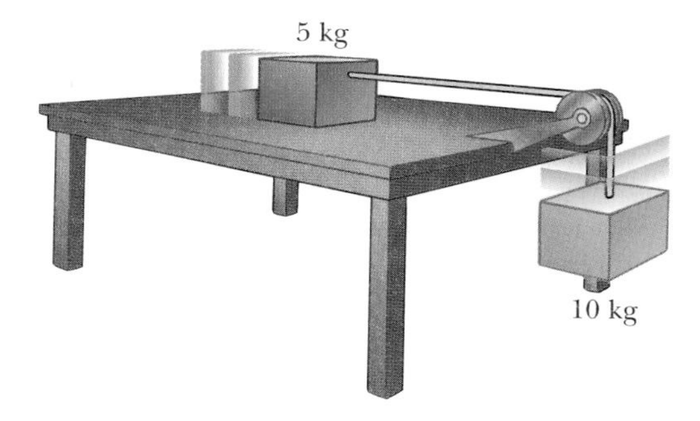

Figure 4.28 (Problème 27)

28. Un voilier de 2 000 kg est soumis à une force vers les x positifs de 3 000 N en raison du courant de marée et de la force du vent contre ses voiles d'une puissance de 6 000 N et orientée à 135° par rapport à l'horizontale (voir figure 4.29). Quelles sont la grandeur et l'orientation de l'accélération résultante ?

Figure 4.29
(Explorer/Publiphoto)

29. Deux masses m_1 et m_2 situées sur une surface horizontale lisse sont reliées par une ficelle de masse négligeable. On exerce une force $\vec{F}$ orientée vers la droite sur une des masses (voir figure 4.30). Déterminez l'accélération du système et la tension T de la corde.

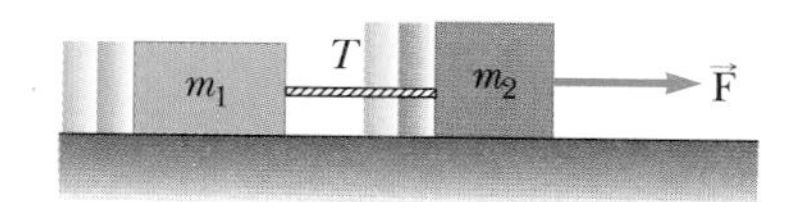

Figure 4.30 (Problème 29)

30. Deux masses de 3 kg et de 5 kg sont reliées par une ficelle de masse négligeable qui passe sur une poulie sans frottement, comme à la figure 4.31, page 96. Déterminez (a) la tension de la corde, (b) l'accélération de chaque masse et (c) la distance que parcourt chaque masse durant la première seconde du mouvement, si elles partent du repos.
31. Un bloc glisse vers le bas d'un plan sans frottement dont l'inclinaison est $\theta = 15°$ (voir figure 4.32, page 96). Si le bloc au repos part du sommet du plan incliné dont la longueur est égale à 2 m, déterminez (a) l'accélération du bloc et (b) sa vitesse lorsqu'il atteint la base du plan incliné.

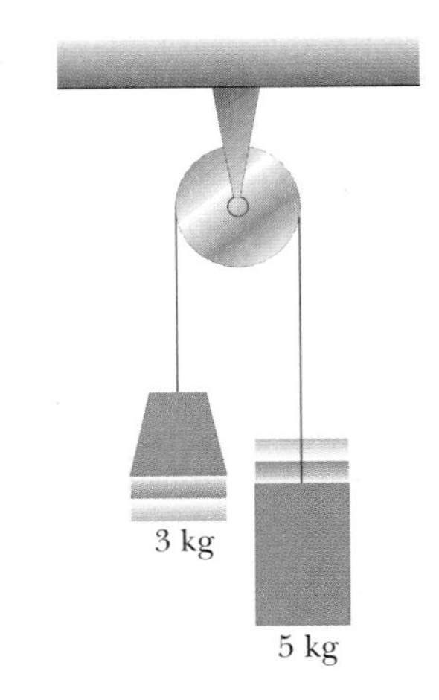

Figure 4.31 (Problème 30)

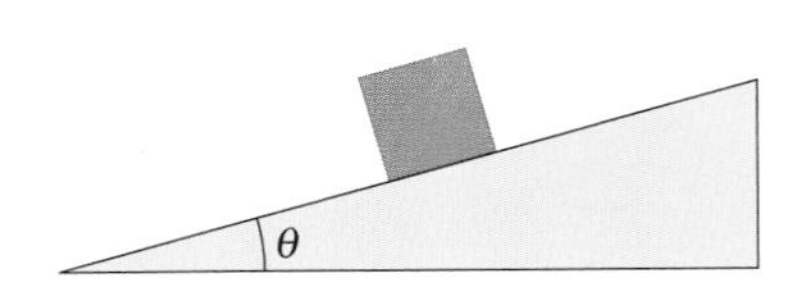

Figure 4.32 (Problèmes 31 et 32)

32. On donne à un bloc une vitesse initiale de 5 m/s vers le haut d'un plan lisse incliné à 20° (voir figure 4.32). Sur quelle distance le bloc va-t-il glisser vers le haut avant de s'arrêter ?
33. Deux masses sont reliées par une ficelle de masse négligeable passant sur une poulie sans frottement, comme à la figure 4.17. Si le plan incliné est lisse et si $m_1 = 2$ kg, $m_2 = 6$ kg et $\theta = 55°$, déterminez (a) les accélérations des masses, (b) la tension de la ficelle et (c) la vitesse de chaque masse 2 s après qu'elle soit partie du repos.
34. Soit une voiture d'une masse de 1 500 kg qu'on tire vers le haut d'une rampe de chargement inclinée à 30° sur l'horizontale, comme à la figure 4.33. La voiture est attachée à un câble qui passe sur une poulie sans frottement et auquel est suspendu un contrepoids de 10 000 N. Déterminez (a) la tension du câble, (b) l'accélération du système et (c) quelle devrait être la masse du contrepoids pour que la voiture accélère à 2 m/s^2 vers le bas du plan incliné. (On néglige tous les effets de frottement.)

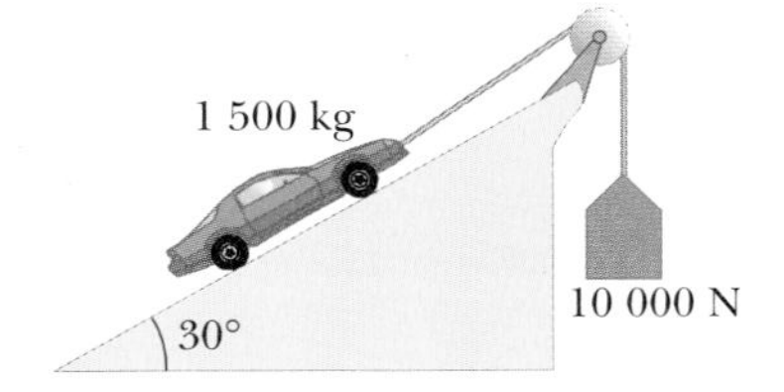

Figure 4.33 (Problème 34)

35. La masse m_1 située sur une table horizontale lisse est reliée à la masse m_2 par l'intermédiaire d'une poulie P_1 et d'une poulie fixe P_2, toutes deux de masse négligeable (voir figure 4.34). (a) Si a_1 et a_2 sont les accélérations de m_1 et m_2 respectivement, quelle est la relation entre ces accélérations ? Exprimez (b) les tensions des cordes et (c) les accélérations a_1 et a_2 en fonction des masses m_1 et m_2 et en fonction de g.

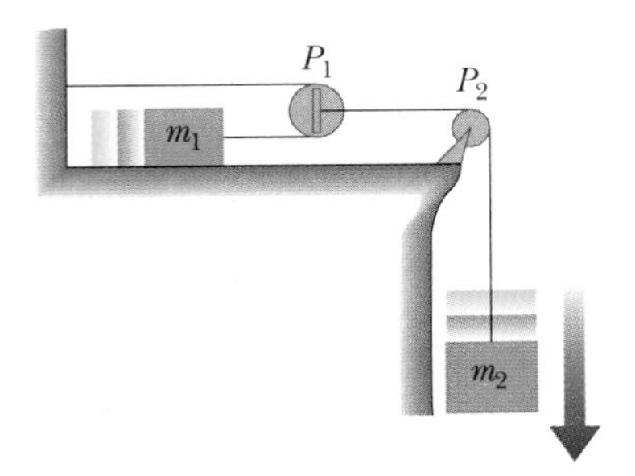

Figure 4.34 (Problème 35)

Problèmes supplémentaires

36. (a) Quelle est la force résultante exercée par les deux câbles auxquels est accroché le feu de circulation, à la figure 4.35 ? (b) Quel est le poids du feu ?

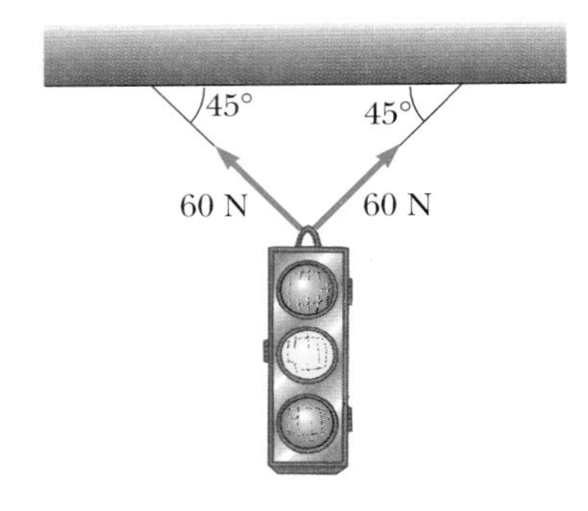

Figure 4.35 (Problème 36)

37. Une voiture est au repos en haut d'une pente de 20°. Si on lâche le frein en mettant le levier de vitesses au point neutre, déterminez (a) l'accélération de la voiture lorsqu'elle descend la pente et (b) le temps qu'elle met pour atteindre le bas de la pente, à 10 m de son point de départ.
38. Une voiture de 2 000 kg ralentit uniformément, sa vitesse passant de 20 m/s à 5 m/s en 4 s. Quelle est la force exercée par la route sur la voiture pendant ce temps et quelle est la distance parcourue par la voiture durant la décélération ?
39. Un ascenseur accélère vers le haut à raison de 1,5 m/s^2. Si sa masse est de 200 kg, déterminez la tension du câble.
40. Se souvenant d'avoir appris en physique que les poulies peuvent servir à soulever des objets lourds, monsieur Muscle imagine le système de poulies sans frottement, représenté à la figure 4.36, pour soulever un coffre-fort jusqu'à un bureau situé au deuxième étage. Le coffre-fort pèse 1 778 N et monsieur Muscle peut exercer une force de traction de 1 067 N. (a) Parviendra-t-il à soulever le coffre-fort ? (b) Quel est le poids maximal que monsieur Muscle peut soulever à l'aide de son système

Figure 4.36 (Problème 40)

de poulies ? (*Remarque :* La plus grande des poulies est attachée par un étrier à la corde que tire monsieur Muscle.)

41. La figure 4.37 représente trois blocs en contact sur une surface horizontale lisse. On applique une force horizontale $\vec{F}$ au bloc de masse m_1. Si $m_1 = 2$ kg, $m_2 = 3$ kg, $m_3 = 4$ kg et $F = 18$ N, déterminez (a) l'accélération des blocs, (b) la force *résultante* sur chacun des blocs et (c) les valeurs des forces de contact entre les blocs.

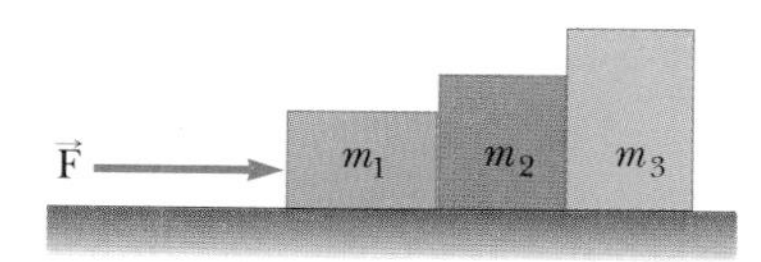

Figure 4.37 (Problème 41)

42. Un plongeur d'une masse de 70 kg saute d'un plongeoir à 10 m au-dessus de l'eau. Quelle est la force moyenne ascendante exercée par l'eau sur le plongeur si sa descente dans l'eau dure 2 s ?
43. Enfant à l'esprit inventif, Patrick cherche un moyen de cueillir une pomme sur l'arbre sans grimper à l'arbre. Assis sur un siège relié à une corde qui passe sur une poulie sans frottement (voir figure 4.38), Patrick tire sur l'extrémité libre de la corde avec une force telle que la balance à ressort indique 250 N. Le poids réel de Patrick est de 320 N et le siège pèse 160 N. (a) Tracez les diagrammes des forces pour Patrick et pour le siège considérés comme des systèmes séparés et un autre diagramme pour Patrick et le siège considérés comme un seul système. (b) Montrez que l'accélération du système est *dirigée vers le haut* et déterminez sa grandeur. (c) Déterminez la force qu'exerce Patrick sur le siège.
44. Deux forces, $\vec{F}_1 = (-6\vec{i} - 4\vec{j})$ N et $\vec{F}_2 = (-3\vec{i} + 7\vec{j})$ N, agissent sur un objet d'une masse de 2 kg initialement au repos au point de coordonnées (−2 m, +4 m). (a) Quelles sont les composantes de la vitesse de l'objet à $t = 10$ s ? (b) Dans quelle direction se déplace l'objet à $t = 10$ s ? (c) Quel est le déplacement de l'objet pendant les 10 premières secondes ? (d) Quelles sont les coordonnées de l'objet à $t = 10$ s ?

Figure 4.38 (Problème 43)

45. L'un des grands dangers de l'alpinisme est l'*avalanche* qui se produit lorsqu'une masse de neige et de glace se décroche et effectue une descente pratiquement sans frottement sur un coussin d'air comprimé vers le bas de la montagne. Si vous vous trouvez sur une pente montagneuse de 30° et si une avalanche démarre 400 m plus haut sur la pente, combien de temps avez-vous pour vous écarter de sa trajectoire ?
46. Une camionnette accélère vers le bas d'une colline (voir figure 4.39) et passe d'une vitesse nulle à 30 m/s en 6 s. Durant l'accélération, un jouet ($m = 0{,}1$ kg) est suspendu par une ficelle au toit de la camionnette. L'accélération est telle que la ficelle reste perpendiculaire au toit. Déterminez (a) l'angle θ et (b) la tension de la ficelle.

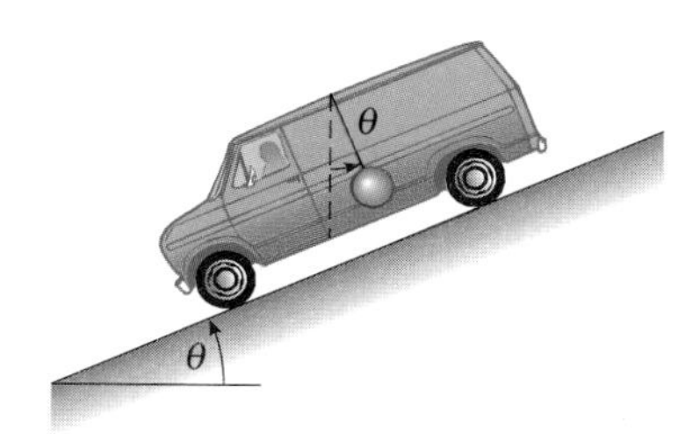

Figure 4.39 (Problème 46)

Figure 5.1
Lorsque ce pêcheur réussit à attraper une prise, différentes forces sont mises en cause. On retrouve tout d'abord la force de contact entre les pieds du pêcheur et le fond de la chaloupe, la force de tension dans le fil de pêche qui est attaché à la canne et enfin la force gravitationnelle. Pouvez-vous identifier les forces qui agissent sur le poisson ? *(Gérard Bilodeau)*

Autres applications des lois de Newton

CHAPITRE 5

Au chapitre 4, nous avons étudié des systèmes physiques dans lesquels nous pouvions négliger les forces de frottement. Dans ce chapitre, nous étendrons notre étude à des systèmes en mouvement en présence de forces de frottement. Ces systèmes peuvent être des objets se déplaçant sur des surfaces rugueuses ou se déplaçant dans des fluides, tels les liquides ou les gaz (air). Nous appliquerons également les lois de Newton à la dynamique du mouvement circulaire. Enfin, le chapitre se termine par une brève analyse du mouvement d'un objet dans un système en accélération par rapport à l'observateur.

5.1 Forces de frottement

Lorsqu'un corps se déplace sur une surface rugueuse ou dans un fluide, comme l'air ou l'eau, l'interaction entre le corps et son environnement produit une résistance au mouvement. C'est cette résistance que nous appelons **force de frottement**. Les forces de frottement jouent un rôle très important dans nos activités quotidiennes. En effet, nous en avons besoin pour marcher et pour courir et elles sont nécessaires pour permettre le mouvement des véhicules sur roues.

Considérons un bloc posé sur une table, comme à la figure 5.2a. Si nous appliquons, sur le bloc, une force horizontale extérieure $\vec{F}$ dirigée vers la droite, le bloc restera immobile si $\vec{F}$ n'est pas suffisamment grande. La force qui empêche le bloc de se déplacer agit vers la gauche et s'appelle la force de frottement statique $\vec{f}_s$. Tant que le bloc reste immobile, $f_s = F$. Ainsi, si l'intensité de la force $\vec{F}$ augmente, celle de $\vec{f}_s$ augmente aussi. De même, si l'intensité de $\vec{F}$ diminue, celle de $\vec{f}_s$ diminue aussi. L'expérience montre que la force de frottement dépend de la nature des deux surfaces en contact : comme elles sont rugueuses, le contact n'est possible qu'en quelques points, comme le montre la portion agrandie de la figure 5.2a. En réalité, la force de frottement est beaucoup plus complexe, car, en fin de compte, elle fait intervenir des forces entre les atomes ou les molécules des points de contact entre les surfaces.

Si nous augmentons suffisamment l'intensité de la force $\vec{F}$, comme à la figure 5.2b, le bloc finit par se mettre en mouvement. Lorsqu'il est sur le point d'entrer en mouvement, la grandeur de $\vec{f}_s$ est maximale. Lorsque F devient supérieure à $f_{s,\text{max}}$, le bloc entre en mouvement en accélérant vers la droite. Pendant son mouvement, la force de frottement devient inférieure à $f_{s,\text{max}}$ (voir figure 5.2c).

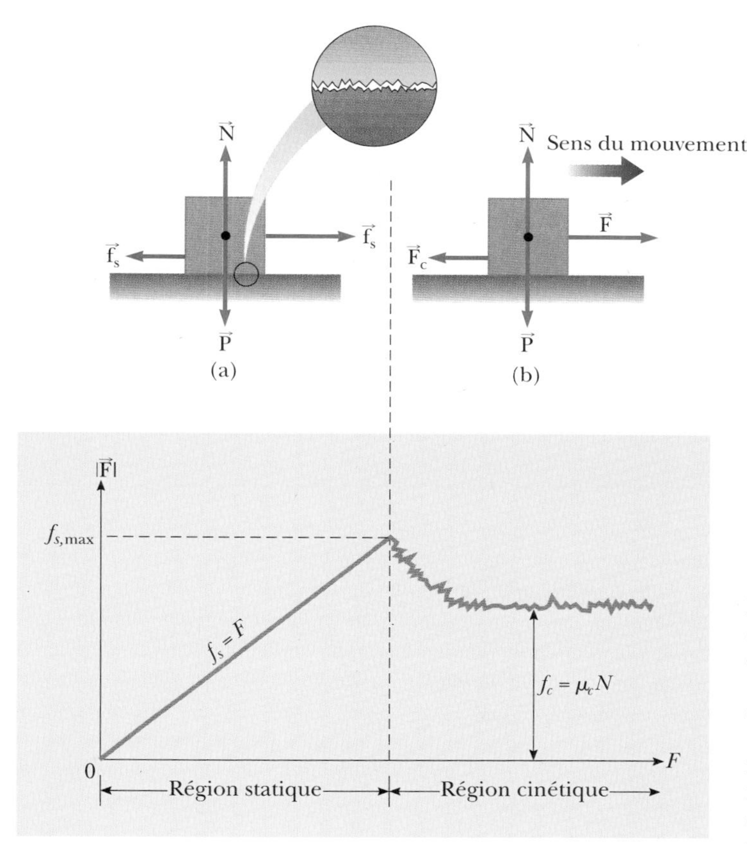

Figure 5.2
La force de frottement $\vec{f}$ entre un bloc et une surface rugueuse est opposée à la force appliquée $\vec{F}$. (a) La force de frottement statique est égale à la force appliquée. (b) Lorsque la force appliquée est supérieure à la force de frottement cinétique, le bloc accélère vers la droite. (c) Graphique représentant la grandeur de la force de frottement en fonction de la force appliquée. On remarque que $f_{s,\text{max}} > f_c$. La ligne irrégulière indique la complexité de la force de frottement cinétique du fait que les points de contact sont variables, perturbés par la chaleur causée par le frottement.

La force de frottement pour un objet en mouvement est alors appelée **force de frottement cinétique** $\vec{f}_c$. La force résultante sur l'axe des x, $\vec{F} - \vec{f}_c$, produit une accélération vers la droite. Si $F = f_c$, le bloc se déplace alors vers la droite à une vitesse constante puisque la force résultante est nulle. Si on supprime la force appliquée, la force de frottement agissant vers la gauche fait décélérer le bloc et celui-ci finit par s'arrêter.

La force de frottement cinétique est inférieure à $f_{s,max}$ pour la raison suivante : lorsque l'objet est immobile, les points de contact entre l'objet et la surface sont comparables à de petites soudures à froid. Lorsque l'objet est en mouvement, la chaleur qui est occasionnée par le frottement empêche la formation de ces petites soudures et la force de frottement diminue.

L'expérience montre que $f_{s,max}$ et f_c sont toutes deux proportionnelles à la force normale agissant sur le bloc. Les observations expérimentales peuvent se résumer ainsi :

1. La force de frottement statique entre deux surfaces en contact est opposée à la force appliquée et peut prendre des valeurs telles que :

$$f_s \leq \mu_s N \qquad \textbf{[5.1]}$$

   où la constante sans dimension μ_s est appelée **coefficient de frottement statique** et N est la force normale. L'inéquation 5.1 prend la forme d'une équation lorsque le bloc est sur le point de glisser, c'est-à-dire lorsque $f_s = f_{s,max} = \mu_s N$. Elle prend la forme d'une inégalité lorsque la force appliquée est inférieure à cette valeur. En général, lorsqu'un objet est au repos par rapport à une surface, la force de frottement agit toujours de manière à maintenir la vitesse nulle par rapport à la surface.
2. La force de frottement cinétique est opposée à la direction du mouvement et sa grandeur est donnée par :

$$f_c = \mu_c N \qquad \textbf{[5.2]}$$

   où μ_c est le **coefficient de frottement cinétique**.
3. Les valeurs de μ_c et de μ_s dépendent de la nature des surfaces, mais μ_c est généralement inférieur à μ_s. Les valeurs caractéristiques de μ sont comprises entre 0,01 et 1,5. Quelques valeurs connues de μ figurent au tableau 5.1.

Tableau 5.1
Coefficients de frottement[1]

	μ_s	μ_c
Acier sur acier	0,74	0,57
Aluminium sur acier	0,61	0,47
Cuivre sur acier	0,53	0,36
Caoutchouc sur béton	1,0	0,8
Bois sur bois	0,25 – 0,5	0,2
Verre sur verre	0,94	0,4
Bois ciré sur neige mouillée	0,14	0,1
Bois ciré sur neige sèche	—	0,04
Métal sur métal (lubrifié)	0,15	0,06
Glace sur glace	0,1	0,03
Téflon sur téflon	0,04	0,04
Rotule du genou	0,01	0,003

[1] Toutes les valeurs sont approximatives.

Exemple 5.1 Le glissement d'une rondelle de hockey

On imprime à une rondelle de hockey une vitesse initiale de 20 m/s sur un étang gelé (voir la figure 5.3). La rondelle demeure sur la glace et glisse sur 120 m avant de s'arrêter. Déterminez le coefficient de frottement cinétique entre la rondelle et la glace.

Solution On peut trouver l'accélération de la rondelle à l'aide de la formule $v^2 = v_0^2 + 2ax$, où la vitesse finale v est égale à zéro, la vitesse initiale $v_0 = 20$ m/s et la distance parcourue $x = 120$ m.

$$v^2 = v_0^2 + 2ax$$

$$0 = (20 \text{ m/s})^2 + 2a(120 \text{ m})$$

$$a = -1{,}67 \text{ m/s}^2$$

Le signe négatif signifie que l'accélération est dirigée vers la gauche, dans la direction *opposée* à celle de la vitesse.

On peut déterminer l'intensité de la force de frottement cinétique à l'aide de la formule $f_c = \mu_c N$, et on obtient N grâce à l'équation $\Sigma F_y = 0$:

$$\sum F_y = N - P = 0$$

$$N = P = mg$$

On a donc :

$$f_c = \mu_c N = \mu_c mg$$

Appliquons maintenant la deuxième loi de Newton sur l'axe horizontal.

$$\sum F_x = -f_c = ma$$

$$-\mu_c \not{m} g = \not{m}(-1{,}67 \text{ m/s}^2)$$

$$\mu_c = \frac{1{,}67 \text{ m/s}^2}{9{,}8 \text{ m/s}^2} = \boxed{0{,}170}$$

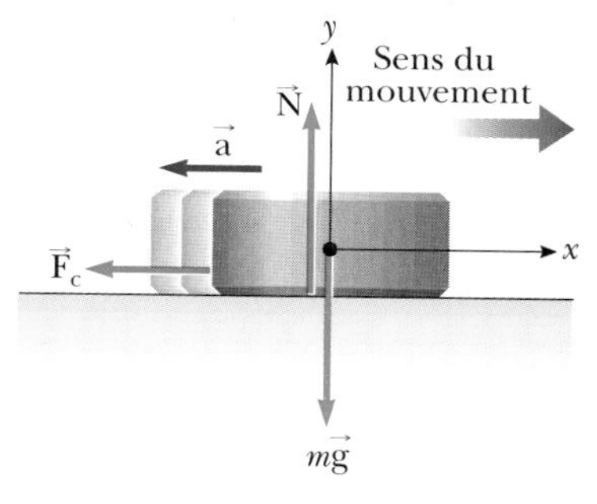

Figure 5.3
(Exemple 5.1) *Après* avoir reçu une vitesse initiale, la rondelle est soumise à des forces extérieures qui sont son poids $m\vec{g}$, la force normale $\vec{N}$ et la force de frottement cinétique $\vec{f}_c$.

Exemple 5.2 Objets reliés entre eux

Une balle et un cube sont reliés entre eux par une ficelle de masse négligeable qui passe sur une poulie sans frottement, comme à la figure 5.4a, page 102.

(a) Le coefficient de frottement cinétique entre le cube et la surface est égal à 0,3. Déterminez l'accélération des deux objets et la tension de la ficelle.

Solution Isolons tout d'abord chaque objet de la figure 5.4a et déterminons les forces extérieures agissant sur chacun d'eux. En appliquant *au cube* la deuxième loi de Newton sous sa forme scalaire, on obtient :

$$\sum F_x = T - f_c = m_1 a$$

$$\sum F_y = N - m_1 g = 0$$

Puisque $f_c = \mu_c N$ et $N = m_1 g = (4 \text{ kg})\ (9{,}8 \text{ m/s}^2) = 39{,}2$ N, on a :

$$f_c = \mu_c N = (0{,}3)(39{,}2 \text{ N}) = 11{,}8 \text{ N}$$

Par conséquent,

$$(1) \qquad T = f_c + m_1 a = 11{,}8 \text{ N} + (4 \text{ kg})a$$

Appliquons maintenant la deuxième loi de Newton *à la balle* qui est en mouvement sur l'axe vertical. Puisque nous considérons que la corde est légère, la tension a partout la même valeur le long de la corde.

$$\sum F_y = m_2 g - T = m_2 a$$

ou

$$(2) \qquad T = 68{,}6 \text{ N} - (7 \text{ kg})a$$

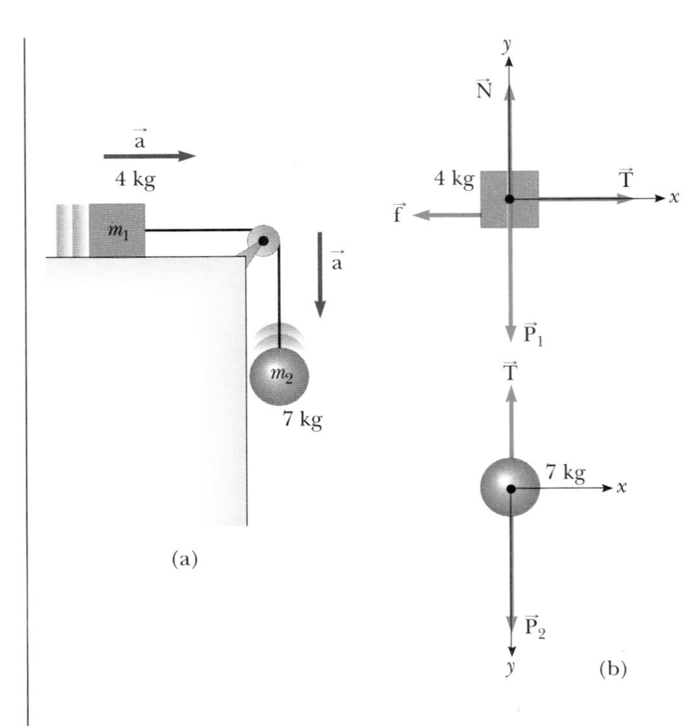

Figure 5.4 (Exemple 5.2) (a) Deux objets reliés par une ficelle de masse négligeable qui passe sur une poulie sans frottement. (b) Diagrammes des forces pour chacun des deux objets pris isolément.

En soustrayant (1) de (2), on élimine T :

$$56{,}8 \text{ N} - (11 \text{ kg})a = 0$$

$$a = \boxed{5{,}16 \text{ m/s}^2}$$

Quand on remplace l'accélération par cette valeur dans (1), on obtient :

$$T = \boxed{32{,}4 \text{ N}}$$

(b) Quelle est la force nécessaire pour mettre le cube en mouvement si le coefficient de frottement statique entre la table et le cube est de 0,4 ?

Solution Le diagramme des forces pour le cube est le même que celui utilisé en (a) sauf que la force de frottement impliquée est la force de frottement *statique* et non plus cinétique. En effet, nous considérons le système juste avant qu'il n'entre en mouvement, c'est-à-dire lorsque la force T exercée sur le cube atteint la grandeur $f_{s,\max}$. Puisque $f_{s,\max} = \mu_s N$ et que $N = P_1 = 39{,}2$ N, on a $f_{s,\max} = (0{,}4)(39{,}2 \text{ N}) = 15{,}7$ N. Par conséquent, la force qui permettra le déclenchement du mouvement est $T = f_{s,\max} = 15{,}7$ N.

5.2 Application de la deuxième loi de Newton au mouvement circulaire uniforme

À la section 3.4 du chapitre 3, nous avons appris qu'une particule qui décrit une trajectoire circulaire de rayon r à une vitesse uniforme v subit une accélération de grandeur

$$a_r = \frac{v^2}{r}$$

Comme le vecteur vitesse $\vec{v}$ change de direction continuellement pendant le mouvement, le vecteur accélération $\vec{a}_r$ est dirigé vers le centre du cercle et porte le nom d'accélération centripète. De plus, $\vec{a}_r$ est toujours perpendiculaire à $\vec{v}$.

Soit une balle de masse m reliée à une ficelle de longueur r, qu'on fait tournoyer pour lui faire décrire une trajectoire circulaire horizontale sur le dessus

APPLICATION

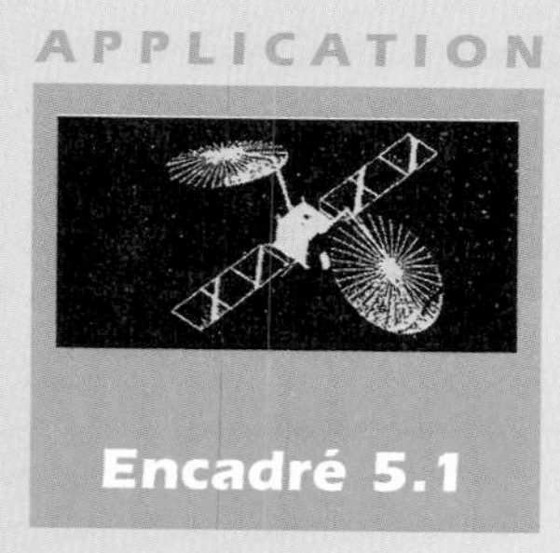

Encadré 5.1

Qu'est-ce qu'un séisme ?

Vous marchez grâce à la force de frottement entre vos pieds et le sol. Ce sol qui vous paraît si stable, si immobile est, en fait, en mouvement et peut même se dérober sous vos pieds lors d'un séisme, qu'on appelle aussi tremblement de terre. Mais quelle est donc l'origine des séismes ?

Un séisme est l'aboutissement de la maturation d'un long processus géologique composé, entre autres choses, de forces de frottement. Voyons comment celles-ci interviennent dans la genèse des séismes.

De nos jours, la communauté scientifique reconnaît la validité de la *tectonique des plaques*. Selon cette théorie, la croûte terrestre (croûte océanique et croûte continentale) se déplace sur l'asthénosphère (portion de notre planète qui est constituée d'une matière visqueuse, « plastique »). N'allez surtout pas imaginer que la croûte terrestre se déplace d'un seul bloc en décrivant un mouvement circulaire uniformément accéléré ! La croûte terrestre est morcelée et chaque fraction de l'écorce terrestre est appelée *plaque*. Chacune d'elles se déplace selon une direction et une vitesse qui lui est propre, d'où la possibilité que certaines se *frottent* l'une contre l'autre. Ce frottement provoque évidemment des tensions sur la matière environnante. Au-delà d'une certaine tension, l'équilibre des matériaux est atteint. Et crac ! voilà le déclenchement d'un séisme. C'est ce qui s'est produit notamment en Californie. En effet, cette région se situe non loin de la rencontre des plaques Juan de Fuca et nord-américaine.

Cependant, certains mystères demeurent. Ainsi, la communauté scientifique n'a pas encore trouvé d'explication à la sismicité au Québec. Les zones à risques sismiques, comme la région de Charlevoix, ne sont pas situées aux environs de plaques actives. Les hypothèses ne manquent pas mais ça, c'est une autre histoire.

LECTURES SUGGÉRÉES

- C.M.R. Fowler, *The Solid Earth. An Introduction to Global Geophysics*, éd. Cambridge University Press, Cambridge, 1990.
- Note de cours. *Planète Terre GLG-18751*, Université Laval, 1993, Pierre-André Bourque.

Figure 5.5
Voici ce qui reste d'un édifice, après un séisme. *(Sygma/Publiphoto)*

d'une table, comme à la figure 5.6, page 104. Supposons que la vitesse de la balle a une grandeur constante. L'inertie de la balle aurait tendance à maintenir le mouvement sur une trajectoire rectiligne, mais la ficelle empêche ce mouvement en exerçant sur la balle une force qui lui fait suivre une trajectoire circulaire. Cette force est dirigée le long de la ficelle vers le centre du cercle, comme le montre la figure 5.6 ; on dit alors que cette force est une **force centripète**. Si on applique la deuxième loi de Newton sur la direction radiale, on constate que la force centripète requise est

$$F_r = ma_r = m\frac{v^2}{r} \qquad [5.3]$$

Force centripète

Comme l'accélération centripète, la force centripète agit vers le centre de la trajectoire circulaire de la balle. Parce qu'elles agissent vers le centre de

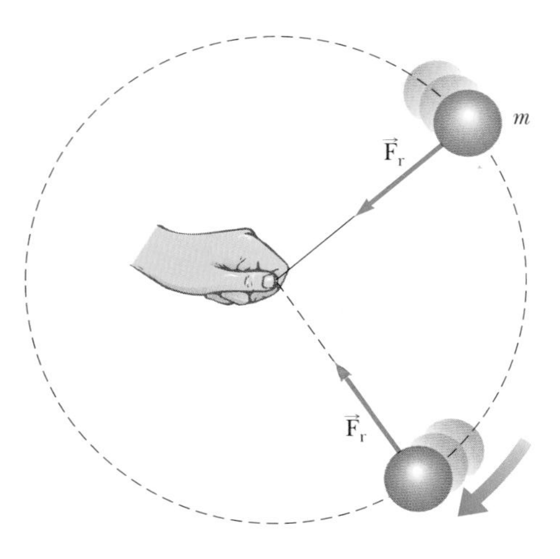

Figure 5.6
Une balle décrivant une trajectoire circulaire horizontale, vue de dessus. Une force $\vec{F}_r$ dirigée vers le centre du cercle maintient la balle en mouvement sur le cercle à vitesse constante.

Figure 5.7
Ces coureurs du Grand prix des Amériques, en train de prendre un virage sur une piste horizontale, sont soumis à une force centripète fournie par la force de frottement statique entre les pneus et la surface de la piste.
(P. Roussel/Publiphoto)

courbure, les forces centripètes font varier la direction de la vitesse. Le terme *centripète* sert simplement à indiquer que *la force est dirigée vers le centre d'un cercle.* Dans le cas d'une balle en rotation à l'extrémité d'une ficelle, la force de tension correspond à la force centripète. Dans le cas d'un satellite sur une orbite circulaire autour de la Terre, la force de gravité est la force centripète. La force centripète agissant sur une voiture ou une bicyclette en train de prendre un virage sur une route plate est la force de frottement entre les pneus et la chaussée (voir figure 5.7), et ainsi de suite.

Quel que soit l'exemple utilisé, si la force centripète agissant sur un objet disparaît, l'objet quitte sa trajectoire circulaire et emprunte alors une trajectoire rectiligne. C'est ce que montre la figure 5.8 dans le cas d'une balle décrivant un cercle à l'extrémité d'une ficelle. Si la ficelle casse à un instant donné, la balle suit la trajectoire rectiligne qui est tangente au cercle au point où se trouvait la balle à l'instant où la ficelle a cassé.

En général, un corps peut décrire une trajectoire circulaire sous l'influence du frottement, de la force gravitationnelle ou d'une combinaison de forces dont la force résultante a les caractéristiques d'une force centripète. Dans les exemples qui suivent, assurez-vous d'identifier la force ou les forces extérieures qui agissent comme une force centripète sur le corps et qui lui font suivre sa trajectoire circulaire.

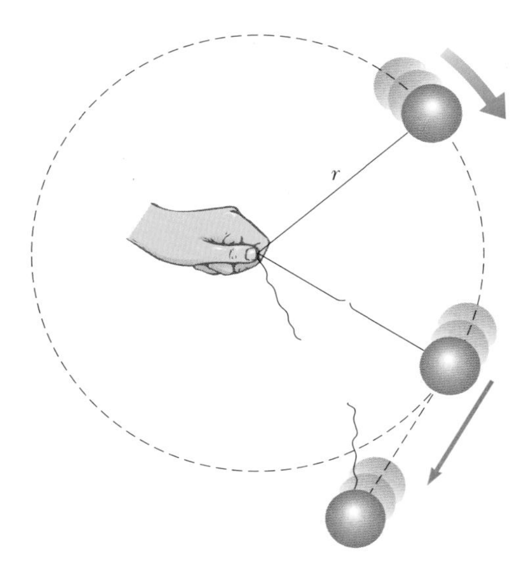

Figure 5.8
Lorsque la ficelle casse, le mouvement de la balle devient tangent à la trajectoire circulaire.

Exemple 5.3 À quelle vitesse peut-on faire tourner une balle ?

Une balle d'une masse de 0,5 kg est attachée à l'extrémité d'une corde d'une longueur de 1,5 m. On fait tournoyer la balle dans un cercle horizontal, comme à la figure 5.8. Si la corde peut supporter une tension maximale de 50 N, quelle vitesse maximale peut atteindre la balle avant que la corde ne casse ?

Solution Comme la force centripète dans ce cas est égale à la tension T de la corde, l'équation 5.3 donne :

$$T = m\frac{v^2}{r}$$

En isolant v, on obtient :

$$v = \sqrt{\frac{Tr}{m}}$$

La vitesse maximale de la balle sera atteinte lorsque la corde subira la tension maximale. Par conséquent, on trouve :

$$v_{\max} = \sqrt{\frac{T_{\max}r}{m}} = \sqrt{\frac{(50\text{ N})(1{,}5\text{ m})}{0{,}5\text{ kg}}} = 12{,}2\text{ m/s}$$

Exercice Calculez la tension de la corde si la vitesse de la balle est de 5 m/s.

Réponse 8,33 N

Figure 5.9
Cet amateur de planche à roulettes est en train d'exécuter un exercice difficile consistant à décrire une trajectoire en spirale à l'intérieur d'un tunnel cylindrique. La force centripète agissant sur lui est la force normale dirigée vers le centre du tunnel. *(Eric Sander, Gamma-Liaison)*

Exemple 5.4 La pendule conique

Un petit corps de masse m est suspendu à l'extrémité d'une ficelle de longueur L. Le corps décrit un cercle horizontal de rayon r à une vitesse constante v, comme à la figure 5.11. Le système est appelé *pendule conique* parce que la ficelle décrit la surface d'un cône. Déterminez la vitesse du corps et la période de révolution T_p.

Solution La figure 5.11 représente le diagramme des forces pour la masse m, la tension $\vec{T}$ ayant été décomposée en une composante verticale $T\cos\theta$ et une composante horizontale $T\sin\theta$ agissant vers le centre de rotation. Puisque le corps n'accélère pas dans la direction verticale, la composante verticale de la tension doit équilibrer le poids. Par conséquent :

$$\sum F_y = T\cos\theta - P = 0$$

$$(1) \qquad T\cos\theta = mg$$

Puisque dans cet exemple la force centripète correspond à la composante horizontale $T\sin\theta$, la deuxième loi de Newton nous donne :

$$(2) \qquad T\sin\theta = ma_r = \frac{mv^2}{r}$$

En divisant (2) par (1), on élimine T et on trouve :

$$\text{tg}\ \theta = \frac{v^2}{rg}$$

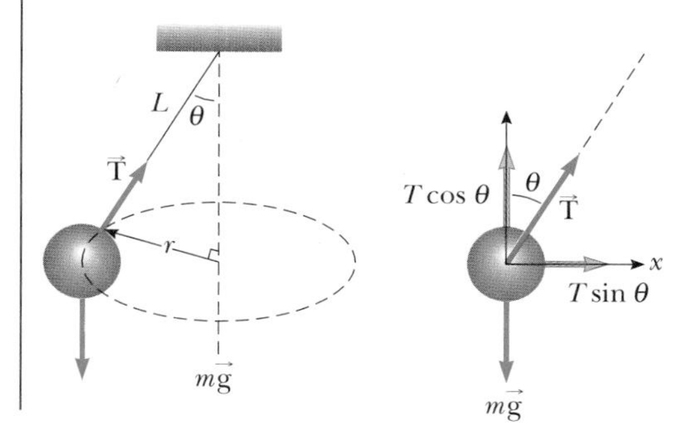

Figure 5.11
(Exemple 5.4) Le pendule conique et le diagramme des forces agissant sur sa masse.

Figure 5.10
N'allez surtout pas croire que les étoiles tournent dans le ciel, de cette façon ! Les trajectoires circulaires sont dues à la rotation de la Terre autour de son axe (la caméra qui photographie les étoiles est alors en mouvement). *(Ève L. Bourque/Publiphoto)*

Mais d'après la figure, on remarque que $r = L \sin \theta$, alors :

$$v = \sqrt{rg \operatorname{tg} \theta} = \boxed{\sqrt{Lg \sin \theta \operatorname{tg} \theta}}$$

La période de révolution T_p (à ne pas confondre avec la tension T) est donnée par :

$$(3) \qquad T_p = \frac{2\pi r}{v} = \frac{2\pi L \sin \theta}{\sqrt{Lg \sin \theta \operatorname{tg} \theta}} = \boxed{2\pi \sqrt{\frac{L \cos \theta}{g}}}$$

Pour obtenir (3), nous avons utilisé la relation trigonométrique $\operatorname{tg} \theta = \sin \theta / \cos \theta$. Notez que T_p est indépendant de m !

Est-il physiquement possible d'avoir un pendule conique pour lequel $\theta = 90°$?

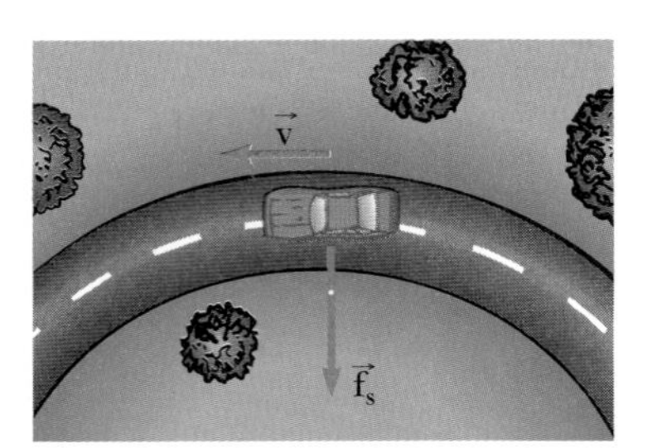

Figure 5.12
(Exemple 5.5) La force de frottement statique dirigée vers le centre de l'arc de cercle maintient la voiture en mouvement circulaire.

Exemple 5.5 Quelle est la vitesse maximale de la voiture ?

Une voiture de 1 500 kg roulant sur une route horizontale prend un virage de 35 m de rayon, comme à la figure 5.12. Si le coefficient de frottement statique entre les pneus et la chaussée est égal à 0,5, déterminez la vitesse maximale à laquelle la voiture peut prendre le virage sans problème.

Solution Dans ce cas, la force centripète qui permet à la voiture de rester sur sa trajectoire circulaire est la force de frottement statique. L'équation 5.3 nous donne :

$$(1) \qquad f_s = m \frac{v^2}{r}$$

La valeur maximale de la vitesse à laquelle la voiture peut prendre le virage correspond à la vitesse avec laquelle elle est sur le point de déraper vers l'extérieur. À cette vitesse, la force de frottement a sa valeur maximale, donnée par :

$$f_{s,\max} = \mu N$$

Comme la valeur de la force normale est égale au poids, on trouve :

$$f_{s,\max} = \mu mg = (0{,}5)(1\ 500 \text{ kg})(9{,}8 \text{ m/s}^2) = 7\ 350 \text{ N}$$

En remplaçant f_s par cette valeur dans l'équation (1), on obtient la vitesse maximale :

$$v_{\max} = \sqrt{\frac{f_{s,\max} r}{m}} = \sqrt{\frac{(7\ 350 \text{ N})(35 \text{ m})}{1\ 500 \text{ kg}}} = \boxed{13{,}1 \text{ m/s}}$$

Exercice Un jour où la chaussée est mouillée, la voiture décrite dans cet exemple commence à déraper dans le virage lorsque sa vitesse atteint 8 m/s. Quel est, dans ce cas, le coefficient de frottement statique ?

Réponse 0,19

Exemple 5.6 Le looping

Un pilote de masse m dans un avion à réaction exécute un « looping », comme à la figure 5.13a. Pendant cette manœuvre, l'avion décrit un cercle vertical d'un rayon de 2,7 km à une *vitesse constante* de 225 m/s. Déterminez la force sur le siège du pilote (a) au point le plus bas de la boucle, et (b) au sommet de la boucle. Exprimez vos réponses en fonction du poids du pilote, mg.

Solution (a) Le diagramme des forces pour le pilote au point le plus bas de la boucle est représenté à la figure 5.13b. Les seules forces qui agissent sur le pilote sont la force gravitationnelle dirigée vers le bas, mg, et la force ascendante $\vec{N}_{bas}$ exercée par le siège. Puisque la force résultante ascendante qui produit l'accélération centripète est $N_{bas} - mg$, la deuxième loi de Newton sur la direction radiale permet d'obtenir :

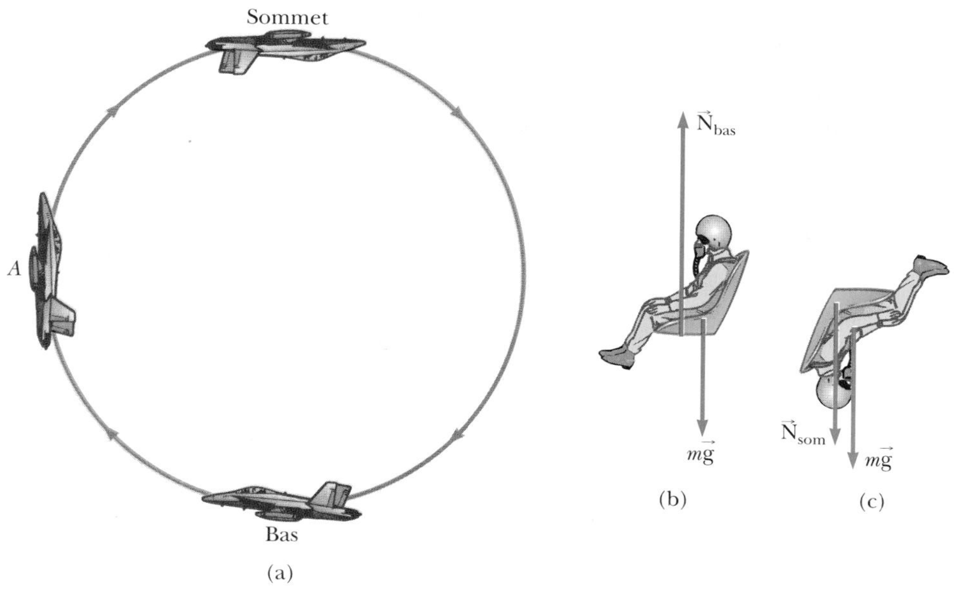

Figure 5.13
(Exemple 5.6)

$$N_{bas} - mg = m\frac{v^2}{r}$$

$$N_{bas} = mg + m\frac{v^2}{r} = mg\left[1 + \frac{v^2}{rg}\right]$$

En remplaçant la vitesse et le rayon par les valeurs données, $v = 225$ m/s et $r = 2{,}7 \times 10^3$ m, on obtient :

$$N_{bas} = mg\left[1 + \frac{(225\ \text{m/s})^2}{(2{,}7 \times 10^3\ \text{m})(9{,}8\ \text{m/s}^2)}\right] = \boxed{2{,}91\ mg}$$

La force exercée sur le siège du pilote est *supérieure* au poids réel mg d'un facteur égal à 2,91.

(b) Le diagramme des forces pour le pilote au sommet de la boucle est représenté à la figure 5.13c. En ce point, le poids et la force du siège sur le pilote, $\vec{N}_{som}$, agissent *vers le bas*, de sorte que la force résultante agissant vers le bas qui fournit l'accélération centripète a pour valeur $N_{som} + mg$. L'application de la deuxième loi de Newton permet d'obtenir :

$$N_{som} + mg = m\frac{v^2}{r}$$

$$N_{som} = m\frac{v^2}{r} - mg = mg\left[\frac{v^2}{rg} - 1\right]$$

$$N_{som} = mg\left[\frac{(225\ \text{m/s})^2}{(2{,}7 \times 10^3\ \text{m})(9{,}8\ \text{m/s}^2)} - 1\right] = \boxed{0{,}91\ mg}$$

Dans ce cas, la force du siège sur le pilote est égale au poids réel multiplié par 0,91. Le pilote va donc se sentir plus léger au sommet de la boucle.

Exercice Calculez la force centripète agissant sur le pilote lorsque l'avion est au point A à la figure 5.13a, à mi-hauteur de la boucle.

Réponse $N_A = 1{,}91\ mg$; elle est dirigée vers la droite.

5.3 Mouvement circulaire non uniforme

Nous avons vu, au chapitre 3, que lorsqu'une particule décrit une trajectoire circulaire à vitesse variable, son accélération a, en plus de la composante centripète, une composante tangentielle de grandeur dv/dt. Par conséquent, la force qui agit sur la particule doit elle aussi avoir une composante tangentielle et une composante radiale. Puisque l'accélération totale s'écrit $\vec{a} = \vec{a}_r + \vec{a}_\theta$, la force totale s'écrit $\vec{F} = \vec{F}_r + \vec{F}_\theta$, comme on le voit à la figure 5.14. La force tangentielle $\vec{F}_\theta$ produit l'accélération tangentielle.

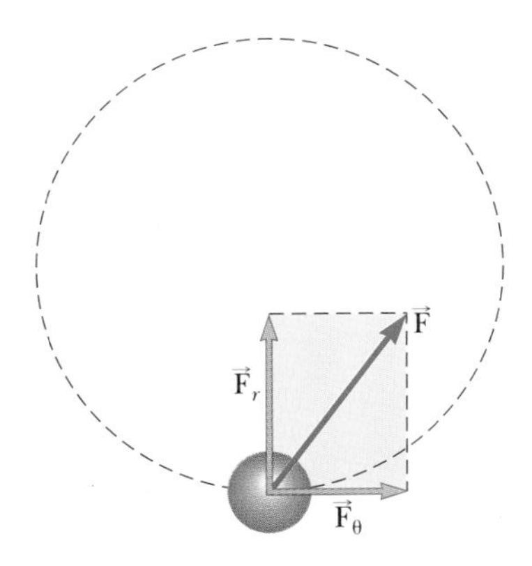

Figure 5.14
Lorsque la force qui agit sur une particule a une composante tangentielle F_θ, la grandeur de la vitesse de la particule varie. La force totale agissant sur la particule dans ce cas est égale à la somme vectorielle de la force tangentielle et de la force centripète, c'est-à-dire $\vec{F} = \vec{F}_\theta + \vec{F}_r$.

Exemple 5.7 Une balle décrivant un cercle vertical

Une petite sphère de masse m est attachée à l'extrémité d'une corde d'une longueur R qui décrit un cercle *vertical* centré au point O, comme à la figure 5.15a. Déterminez la tension de la corde à un instant quelconque où la vitesse de la sphère a pour valeur v, la corde faisant un angle θ avec la verticale.

Solution D'après le diagramme des forces de la figure 5.15a, on constate que les seules forces qui agissent sur la sphère sont le poids $m\vec{g}$ et la force de contrainte (égale à la force de tension) $\vec{T}$. Le poids $m\vec{g}$ se décompose en une composante tangentielle $mg \sin\theta$ et en une composante radiale $mg\cos\theta$. L'application de la deuxième loi de Newton sur la tangente du cercle au point occupé par la sphère permet d'obtenir :

$$\sum F_\theta = mg\sin\theta = ma_\theta$$

$$(1) \qquad a_\theta = g\sin\theta$$

Cette composante fait varier v dans le temps puisque $a_\theta = dv/dt$. En appliquant la deuxième loi de Newton sur l'axe radial et en notant que $\vec{T}$ et $\vec{a}_r$ sont dirigés vers le point O, on obtient :

$$\sum F_r = T - mg\cos\theta = \frac{mv^2}{R}$$

$$(2) \qquad T = m\left(\frac{v^2}{R} + g\cos\theta\right)$$

Cas limite Au *sommet* de la trajectoire, où $\theta = 180°$, on voit d'après l'équation (2) que, puisque $\cos 180° = -1$,

$$T_{\text{som}} = m\left(\frac{v_{\text{som}}^2}{R} - g\right)$$

Cette valeur est la grandeur *minimale* de T. Notons qu'en ce point, $a_\theta = 0$ et l'accélération est alors radiale et dirigée vers le bas, comme à la figure 5.15b.

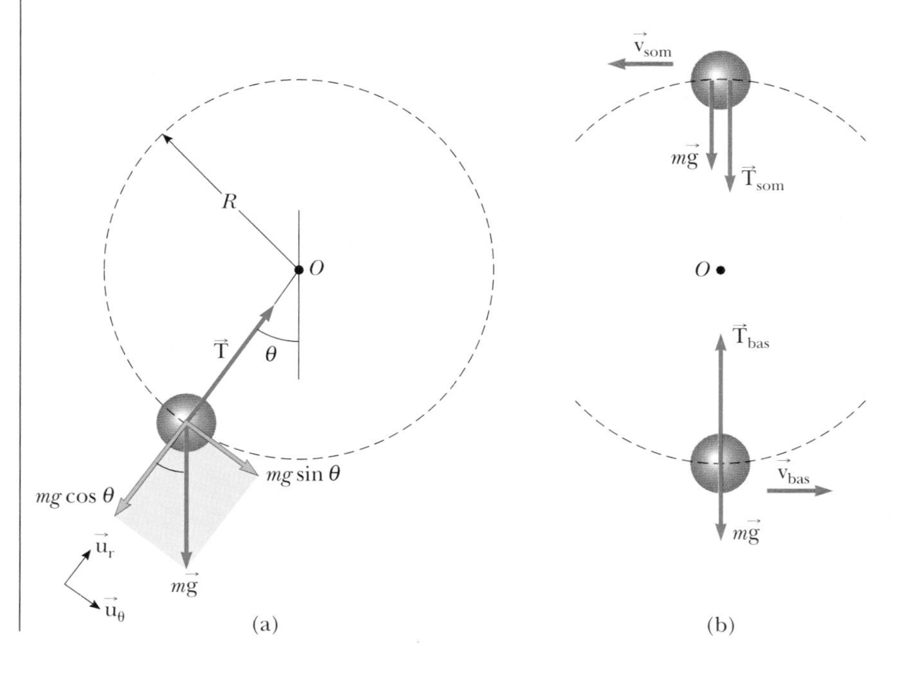

Figure 5.15
(Exemple 5.7) (a) Forces agissant sur une sphère de masse m qui tourne dans un cercle vertical de rayon R centré en O.
(b) Forces agissant sur la sphère lorsqu'elle est au sommet ainsi qu'en bas du cercle. Notez que la tension en bas du cercle est maximale et la tension au sommet est minimale.

Au point le plus *bas* de la trajectoire, où $\theta = 0°$, on peut voir, d'après l'équation (2), puisque $\cos 0° = 1$,

$$T_{\text{bas}} = m\left(\frac{v_{\text{bas}}^2}{R} + g\right)$$

Cette valeur est la grandeur *maximale* de T. Notons là encore que $a_\theta = 0$ et que l'accélération est radiale et dirigée vers le haut.

Exercice Pour quelle direction la corde a-t-elle le plus de chance de se rompre si la valeur moyenne de la vitesse augmente ?

Réponse Direction verticale, vers le bas, là où T prend sa valeur maximale.

5.4 Mouvement en présence de forces de résistance dépendant de la vitesse

Aux sections précédentes, nous avons fait complètement abstraction de l'interaction entre l'objet et le *milieu* dans lequel il se déplace. Le milieu exerce une force **de résistance** $\vec{R}$ sur l'objet qui le traverse. La grandeur de cette force dépend de certains facteurs comme la vitesse de l'objet, et la direction de $\vec{R}$ est toujours opposée à la direction du mouvement de l'objet par rapport au milieu. En général, la grandeur de la force de résistance augmente avec la vitesse. Parmi les exemples de ce type de mouvement, citons la résistance de l'air qui agit sur les véhicules en mouvement (qu'on appelle parfois traînée) et les forces de frottement visqueux qui agissent sur des objets en mouvement dans un liquide. Étudions le cas où il y a la résistance de l'air.

Figure 5.16
Une voiture aérodynamique. On utilise ce genre de carrosserie profilée pour les voitures de sport et autres véhicules afin de diminuer la résistance de l'air et la consommation en carburant. *(1992 Dick Kelley)*

Résistance de l'air

Pour les objets de grandes dimensions qui se déplacent dans l'air à grande vitesse, comme les avions, les parachutistes en chute libre, les balles de baseball, la résistance de l'air est approximativement proportionnelle au *carré* de la vitesse. La grandeur de la force de résistance peut alors s'écrire :

$$R = \tfrac{1}{2}C\rho Av^2 \qquad \textbf{[5.4]}$$

où ρ est la densité de l'air, A est l'aire de la section transversale de l'objet en mouvement mesurée dans un plan perpendiculaire à son mouvement et C est une grandeur empirique sans dimension appelée *coefficient de résistance*. La valeur de ce coefficient dépend de la forme de l'objet. Elle est voisine de 0,5 pour un objet sphérique et peut atteindre 2 pour un objet de forme irrégulière.

Considérons un avion en vol qui est soumis à la résistance de l'air. L'équation 5.4 montre que la force de résistance est proportionnelle à la densité de l'air. Comme la densité de l'air diminue en altitude, la force de résistance qui agit sur un avion volant, à une vitesse donnée, doit également diminuer lorsque l'avion prend de l'altitude. De plus, si la vitesse de l'avion double, la force de résistance augmente d'un facteur 4. Par conséquent, pour maintenir l'avion à cette nouvelle vitesse, la force de propulsion doit également être multipliée par 4.

Figure 5.17
En étendant leurs bras et leurs jambes, tout en gardant le plan de leur corps parallèle au sol, les parachutistes augmentent la résistance de l'air, ce qui leur permet d'atteindre une vitesse limite de 60 m/s environ. *(Tom Sanders, The Stock Market)*

Analysons maintenant la chute libre d'une masse soumise à la résistance de l'air dirigée vers le haut et donnée par $R = \frac{1}{2}C\rho Av^2$. Supposons que la masse m, initialement au repos, parte du point $y = 0$, comme à la figure 5.18, page 110. La masse est soumise à l'action de deux forces extérieures : le poids, $m\vec{g}$, dirigé vers le bas et la force de résistance $\vec{R}$ dirigée vers le haut. (Il y a aussi la poussée d'Archimède dirigée vers le haut, dont nous ne tiendrons pas compte.) La force résultante a pour grandeur :

$$F = mg - \tfrac{1}{2}C\rho Av^2 \qquad \textbf{[5.5]}$$

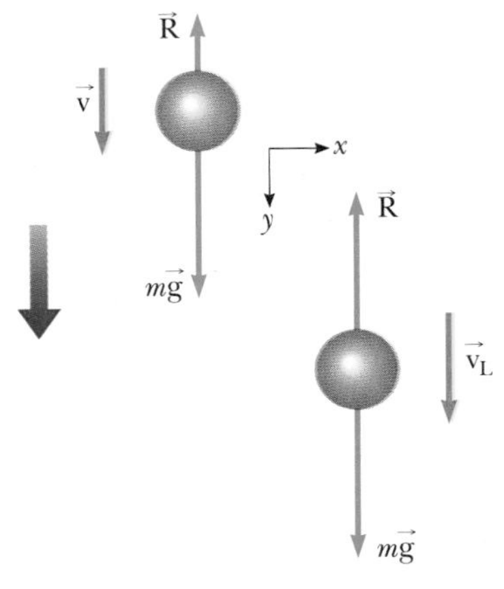

Figure 5.18
Un objet qui tombe dans l'air est soumis à une force de résistance $\vec{R}$ et à la force gravitationnelle $m\vec{g}$. L'objet atteint sa vitesse limite (à droite) lorsque la force résultante est nulle, c'est-à-dire lorsque $R = mg$. Avant d'atteindre la vitesse limite, l'accélération varie en fonction de la vitesse selon l'équation 5.6.

Tableau 5.2
Vitesse limite de chute de divers objets dans l'air

Objet	Masse (kg)	Aire (m²)	v_L (m/s)[2]
Parachutiste	75	0,7	60
Balle de baseball (d'un rayon de 3,66 cm)	0,145	$4{,}2 \times 10^{-3}$	33
Balle de golf (d'un rayon de 2,1 cm)	0,046	$1{,}4 \times 10^{-3}$	32
Grêlon (d'un rayon de 0,5 cm)	$4{,}8 \times 10^{-4}$	$7{,}9 \times 10^{-5}$	14
Goutte de pluie (d'un rayon de 0,2 cm)	$3{,}4 \times 10^{-5}$	$1{,}3 \times 10^{-5}$	9

[2] Dans chaque cas, on suppose que le coefficient de résistance C est égal à 0,5.

En utilisant $F = ma$ dans l'équation 5.5, on trouve que la masse a une accélération vers le bas dont la grandeur est :

$$a = g - \left(\frac{C\rho A}{2m}\right) v^2 \qquad [5.6]$$

Nous pouvons calculer la vitesse limite v_L en utilisant le fait que lorsque le poids est équilibré par la force de résistance, la force résultante est nulle et qu'alors l'accélération est nulle. À ce moment, la masse continue à se déplacer avec une accélération nulle. En posant $a = 0$ dans l'équation 5.6, on obtient :

$$g - \left(\frac{C\rho A}{2m}\right) v_L^2 = 0$$

Vitesse limite

$$v_L = \sqrt{\frac{2mg}{C\rho A}} \qquad [5.7]$$

Cette expression nous montre que la vitesse limite dépend des dimensions de l'objet. Dans le cas d'une sphère de rayon r, $A \propto r^2$ et $m \propto r^3$. Par conséquent, $v_L \propto \sqrt{r}$. Autrement dit, à mesure que r augmente, la vitesse limite augmente selon la racine carrée du rayon.

Le tableau 5.2 donne les vitesses limites de plusieurs objets tombant dans l'air.

5.5 Mouvement dans un référentiel accéléré

Les mouvements sont généralement étudiés dans des systèmes de référence inertiels, mais il y a des cas où il vaut mieux utiliser un système en accélération. Dans cette section, nous verrons comment un observateur situé dans un système non inertiel (c'est-à-dire dans un système accéléré) peut appliquer la deuxième loi de Newton.

Si une particule est en mouvement avec une accélération $\vec{a}$ par rapport à un observateur qui est dans un référentiel inertiel, alors cet observateur peut appliquer la deuxième loi de Newton et écrire $\Sigma\vec{F} = m\vec{a}$. Par contre, si l'observateur se trouve dans un référentiel accéléré, il doit, pour appliquer la deuxième loi de Newton au mouvement de la particule, faire intervenir des forces *fictives*. Ces forces *semblent* réelles dans le référentiel accéléré, mais nous insistons sur le fait qu'elles *n*'existent *pas* lorsqu'on observe le mouvement dans un référentiel inertiel. Les forces fictives, qui ne sont utilisées que dans les référentiels accélérés, *ne sont pas* des forces réelles agissant sur le corps. Par force réelle, on entend l'interaction du corps avec son environnement. Si les forces fictives sont correctement définies dans le référentiel accéléré, la description du mouvement dans ce référentiel est équivalente à la description faite par un observateur inertiel qui ne fait intervenir que les forces réelles.

Forces fictives

Pour mieux comprendre le mouvement d'un système en rotation, considérons une voiture roulant à grande vitesse et amorçant un virage, comme à la figure 5.19. Au moment où la voiture tourne brusquement à droite pour prendre le virage, le conducteur se trouve déporté vers la gauche et plaqué contre la portière. La force exercée par la portière l'empêche d'être éjecté de la voiture. Pourquoi le conducteur se trouve-t-il déplacé vers la porte ? L'explication courante consiste à dire qu'une force mystérieuse le pousse vers l'extérieur. (C'est ce qu'on appelle souvent la force centrifuge, mais nous n'utiliserons pas ce terme, car il porte souvent à confusion.) Le conducteur invente cette force fictive pour expliquer ce qui se passe dans le référentiel accéléré de la voiture.

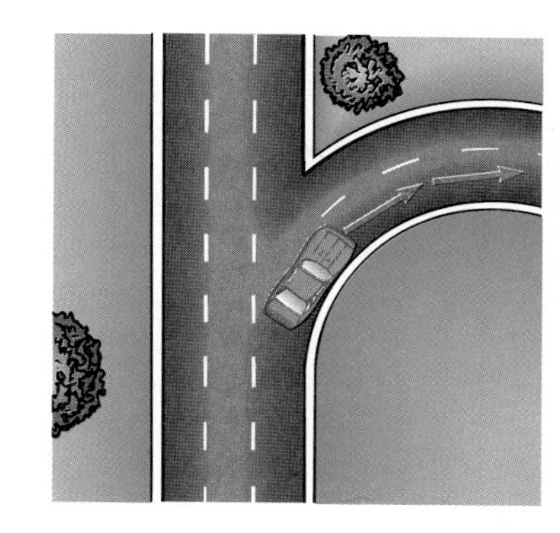

Figure 5.19 Une voiture amorçant un virage.

Nous pouvons expliquer autrement le phénomène de la manière suivante. Avant l'entrée du virage, la voiture et le conducteur suivent une trajectoire rectiligne. À l'instant où la voiture amorce le virage et où sa trajectoire devient incurvée, le conducteur a tendance à rester sur la trajectoire rectiligne initiale. Ceci est en effet conforme à la première loi de Newton : la tendance naturelle d'un corps est de continuer son mouvement sur une trajectoire rectiligne. Si la force centripète agissant sur le conducteur (vers le centre de courbure) est assez grande, il suit une trajectoire courbe, comme la voiture. L'origine de cette force centripète est la force de frottement entre le conducteur et le siège de la voiture. Si cette force de frottement n'est pas assez grande, il va toutefois glisser vers la gauche (c'est-à-dire s'éloigner du centre de courbure) alors que la voiture tourne. Le conducteur finit par rencontrer la porte, qui fournit alors une force centripète assez grande pour lui permettre de suivre la même trajectoire curviligne que la voiture. En résumé, il glisse vers la porte, non pas à cause d'une force mystérieuse vers l'extérieur, mais parce que *la force centripète n'est pas assez grande pour lui permettre de suivre la même trajectoire circulaire que la voiture.*

Exemple 5.8 Force fictive dans un système en rotation

Un observateur dans un système en rotation est un exemple d'observateur non inertiel. Supposons un bloc de masse m posé sur le plateau horizontal sans frottement d'une table tournante et relié à une ficelle, comme à la figure 5.20. Pour un observateur inertiel, si le bloc tourne uniformément, il subit une accélération centripète v^2/r, où v est sa vitesse tangentielle. L'observateur inertiel en conclut que cette accélération centripète est fournie par la tension de la ficelle, T, et écrit la deuxième loi de Newton $T = mv^2/r$.

Pour un observateur non inertiel situé sur le plateau de la table tournante, le bloc est immobile. Par conséquent, en appliquant la deuxième loi de Newton, cet observateur introduit une force fictive *dirigée vers l'extérieur* et appelée *force centrifuge*, de grandeur mv^2/r. Pour l'observateur non inertiel, cette force centrifuge équilibre la force de tension et on a alors $T - mv^2/r = 0$.

Faites bien attention lorsque vous utilisez des forces fictives pour décrire des phénomènes physiques. Rappelez-vous que les forces fictives, comme la force centrifuge, sont utilisées *uniquement* dans des référentiels non inertiels ou accélérés. En général, dans les problèmes de dynamique, il vaut mieux utiliser un référentiel inertiel.

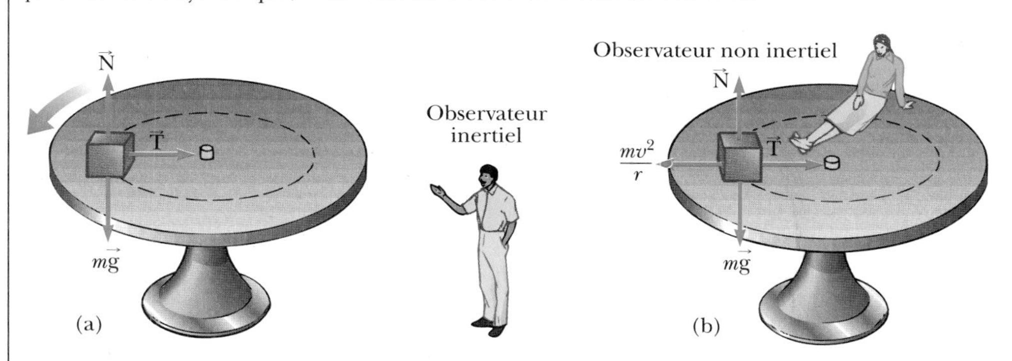

Figure 5.20 (Exemple 5.8) Un bloc de masse m est attaché à une ficelle, elle-même attachée au centre d'une table tournante. (a) Pour l'observateur inertiel, la force centripète est fournie par la force de tension $\vec{T}$. (b) Pour l'observateur non inertiel, le bloc n'accélère pas. Il introduit alors une force fictive centrifuge mv^2/r qui agit vers l'extérieur et qui équilibre la tension.

HISTORIQUE

Encadré 5.2

D'Aristote à aujourd'hui

Même si vous êtes maintenant familier avec les lois de Newton, il ne faudrait pas croire qu'il a été le seul à avoir conçu des lois concernant le mouvement. Ainsi, Aristote (philosophe grec, 384-322 av. J.-C.) s'est lui aussi intéressé aux mouvements à partir de ses observations sur le quotidien. Pour Aristote, les mouvements de tous les jours impliquent nécessairement la présence de forces de résistance. C'est pourquoi, il a établi une loi selon laquelle la vitesse de déplacement d'un objet est proportionnelle à la force qui permet de mettre l'objet en mouvement et à la résistance du milieu où se fait le déplacement. Avec cette loi du mouvement, l'absence de résistance implique l'absence de mouvement. Pour Aristote, tenter d'envisager un mouvement sans résistance était ridicule parce que cette situation ne survenait jamais dans le quotidien.

L'étude historique des sciences du passé est toujours difficile, car la lecture des documents anciens se fait avec nos conceptions scientifiques contemporaines et non celles de l'époque. Par exemple, plusieurs seraient tentés d'écrire que la loi du mouvement d'Aristote est $F \propto Rv$. Mais ce serait commettre un anachronisme parce que ce type de relation mathématique n'apparaît pas avant le XVIe siècle et que cette relation implique les notions de force newtonienne et de vitesse instantanée. Or, ces notions n'apparaissent qu'en 1687.

Il faut comprendre aussi que les questions et les problèmes que se posent les scientifiques changent au fil des ans. Ainsi, du temps d'Aristote, on essayait d'expliquer le mouvement. L'état au repos était le mouvement naturel d'un corps (c'est-à-dire qui n'a pas besoin d'être expliqué). Puis, avec Galilée, on voulait comprendre les *changements d'état* de mouvement. On entend souvent dire que Galilée est venu soudainement rectifier l'« erreur » comme si tous les scientifiques précédents n'avaient eu aucun sens critique. En fait Aristote lui-même admettait que sa façon d'expliquer le mouvement était limitée et dès 500 ap. J.-C., Jean Philopon affirmait que le système d'Aristote ne permettait pas d'expliquer certains mouvements. Il est vrai qu'avec Galilée, un important changement conceptuel s'est effectué. Il a émis l'idée que le mouvement uniformément accéléré pouvait aussi, avec l'état de repos, être un mouvement naturel. Mais le mouvement uniforme auquel il faisait allusion n'était pas une droite, mais un cercle autour du centre de la Terre. C'est avec Newton que le mouvement rectiligne uniforme est devenu un mouvement naturel.

L'histoire ne s'arrête pas là ! Avec Einstein, une nouvelle conception du mouvement naturel a été acceptée par la communauté scientifique : la chute libre. Une particule qui suit simplement la courbure de l'espace-temps est en chute libre et décrit alors un mouvement naturel...

LECTURES SUGGÉRÉES

- S. Toulmin, *L'explication scientifique*, éd. Librairie Armand Colin, Paris, 1973.
- I.B. Cohen, *Les origines de la physique moderne*, éd. du Seuil, Paris, 1993.

Piste de réflexion

D'après vous, si Newton n'avait pas énoncé ses idées sur la gravitation, croyez-vous que quelqu'un d'autre aurait eu exactement les mêmes un jour ou l'autre ? Pensez-vous que la théorie de la gravitation universelle soit une *invention* propre à l'esprit de Newton au même titre que la neuvième symphonie est propre à l'esprit de Beethoven ?

LECTURE SUGGÉRÉE

P. Thuillier, « *Comment se constituent les théories scientifiques ?* » dans *La Recherche*, 2 (13), p. 537-554, 1971.

Résumé

- La **force maximale de frottement statique**, $\vec{f}_{s,max}$, entre un corps et une surface est proportionnelle à la force normale qui agit sur le corps. On utilise cette valeur maximale seulement lorsque le corps est sur le point de glisser. En général, $f_s \leq \mu_s N$, où μ_s est le *coefficient de frottement statique* et N est la grandeur de la force normale. Lorsqu'un corps glisse sur une surface rugueuse, la *force de frottement cinétique* f_c est opposée au mouvement et proportionnelle à la force normale. La grandeur de cette force est donnée par $f_c = \mu_c N$ où μ_c est le *coefficient de frottement cinétique*. En général, $\mu_c < \mu_s$.

- Selon la deuxième loi de Newton appliquée à une particule en **mouvement circulaire uniforme**, la force résultante sur l'axe radial doit être égale au produit de la masse par l'accélération centripète :

$$F_r = ma_r = \frac{mv^2}{r} \qquad [5.3]$$

Une particule en mouvement circulaire non uniforme est soumise à la fois à une accélération centripète et à une accélération tangentielle. Dans le cas d'une particule décrivant un cercle vertical, la force gravitationnelle fournit l'accélération tangentielle et une partie ou la totalité de l'accélération centripète.

- Un corps en mouvement dans un liquide ou dans un gaz est soumis à une **force de résistance** qui dépend de la vitesse. Cette force de résistance est opposée au mouvement et augmente généralement avec la vitesse. Elle dépend aussi de la forme du corps et des propriétés du milieu dans lequel le corps se déplace. Dans le cas limite de la chute d'un corps, lorsque la force de résistance équilibre le poids ($a = 0$), le corps atteint sa **vitesse limite**.

- Un observateur situé dans un système de référence non inertiel (accéléré) doit faire intervenir des **forces fictives** lorsqu'il applique la deuxième loi de Newton dans ce système. Si ces forces fictives sont correctement définies, la description du mouvement dans le système non inertiel est équivalente à la description faite par un observateur situé dans un système inertiel. Toutefois, pour ces observateurs situés dans deux référentiels différents, les causes du mouvement ne seront pas les mêmes.

Questions et exercices conceptuels

1. Bien que la force de frottement entre deux surfaces puisse diminuer si les surfaces deviennent plus lisses, la force recommence à augmenter si les surfaces deviennent extrêmement lisses et planes. Pouvez-vous expliquer ce phénomène ?
2. Pourquoi la force de frottement qui intervient lorsqu'un corps roule sur un autre est-elle inférieure à celle qui intervient dans un mouvement de glissement ?
3. Supposez que vous soyez en train de conduire une voiture à grande vitesse sur une autoroute. Pourquoi devez-vous éviter d'appuyer brutalement sur la pédale de freins si vous voulez vous arrêter sur la plus courte distance possible ?
4. Le chauffeur d'un camion vide roulant à grande vitesse freine brusquement et dérape sur une distance d avant de s'arrêter. (a) Sur quelle distance déraperait le camion s'il était lourdement chargé (avec une masse double) ? (b) Sur quelle distance déraperait le camion si sa vitesse initiale était deux fois moindre ?
5. Lorsqu'on pousse une lourde caisse initialement au repos, une certaine force $\vec{F}$ est nécessaire pour la mettre en mouvement. Toutefois, lorsque la caisse a commencé à glisser, la force nécessaire pour la maintenir en mouvement est *plus faible* que la force initiale. Pourquoi ?
6. Parce qu'elle tourne autour de son axe et autour du Soleil, la Terre est un système référentiel non inertiel. Si on suppose que la Terre est une sphère uniforme, pourquoi le *poids apparent* d'un objet serait-il plus grand aux pôles qu'à l'équateur ?
7. Expliquez pourquoi la Terre n'est pas sphérique mais légèrement bombée à l'équateur.
8. Pouvez-vous expliquer la force qui semble pousser un passager vers le côté de la voiture lorsque la voiture subit un virage ?
9. Un parachutiste en chute libre atteint sa vitesse limite. Une fois le parachute ouvert, quels sont les paramètres qui changent pour diminuer cette vitesse limite ?
10. Pourquoi un astronaute dans une capsule spatiale en orbite autour de la Terre se sent-il en état d'apesanteur ?
11. Vous pouvez faire décrire un cercle vertical à un seau plein d'eau sans renverser d'eau. Pourquoi l'eau reste-t-elle dans le seau, même lorsqu'il est au-dessus de votre tête ?
12. Supposons que vous attachiez un objet lourd à une des extrémités d'un ressort et que vous fassiez tourner l'objet dans un cercle horizontal en tenant l'autre extrémité du ressort. Le ressort va-t-il s'allonger ? Si oui, pourquoi ? Expliquez en faisant intervenir la force centripète.
13. On a déjà pensé envoyer dans l'espace de gros cylindres rotatifs d'une longueur d'environ 16 km et d'un diamètre de 8 km qui serviraient de stations spatiales habitées. La rotation permettrait de simuler la gravité pour les occupants du cylindre. Expliquez comment cela peut fonctionner.
14. Pourquoi les pilotes ont-ils tendance à s'évanouir après un piqué ?
15. Trouvez un cas où un conducteur d'automobile peut avoir une accélération centripète mais pas d'accélération tangentielle.
16. Est-il possible pour une voiture de décrire une trajectoire circulaire de manière à avoir une accélération tangentielle mais pas d'accélération centripète ?
17. Considérons la chute d'une parachutiste dans l'air *avant* qu'elle n'ait atteint sa vitesse limite. À mesure qu'augmente la vitesse de la parachutiste, qu'advient-il de son accélération ?
18. On utilise souvent des centrifugeuses dans les crémeries pour séparer la crème du lait. Comment se distribuent la crème et le lait à l'intérieur de la centrifugeuse lorsque l'opération est terminée ?
19. Supposons qu'on lâche d'un avion une balle de baseball et une balle molle. Laquelle des deux a la plus grande vitesse limite ? Environ une seconde après avoir été lâchées, laquelle est soumise à la plus grande accélération avant d'atteindre sa vitesse limite ?
20. À titre expérimental, on a conçu des trains permettant de prendre des virages à grande vitesse sur des voies ferrées traditionnelles (à 240 km/h environ), ce qui réduit le temps du trajet d'environ 35 %. Grâce à une commande qui incline

le train lorsqu'il amorce un virage, on peut ainsi augmenter sa vitesse (voir figure 5.21). Expliquez pourquoi l'inclinaison du train lui permet de rouler plus vite dans les virages.

Figure 5.21 (Question 20) Un train à grande vitesse incliné sur ses rails, en Suède. *(Gamma)*

21. Les cabines d'une montagne russe décrivent une grande boucle verticale circulaire. Dessinez les vecteurs qui représentent la vitesse instantanée et la force résultante qui agit sur une cabine (a) au point le plus bas de la boucle et (b) au sommet de la boucle.
22. Un objet effectue un mouvement circulaire à vitesse constante lorsqu'une force résultante, de grandeur constante, agit perpendiculairement à la vitesse. Que devient la grandeur de la vitesse si la force n'est pas perpendiculaire au vecteur vitesse ?
23. Lorsqu'ils effectuent de longs voyages, les avions à réaction volent en général à une haute altitude d'environ 9 km. D'un point de vue économique, quel est le principal avantage de voler à cette altitude ?

Problèmes

Section 5.1 Forces de frottement

1. Un bloc de 25 kg est initialement au repos sur une surface horizontale. Une force horizontale de 75 N est nécessaire pour mettre le bloc en mouvement. Une fois qu'il est en mouvement, une force horizontale de 60 N suffit pour le maintenir en mouvement à vitesse constante. À partir de ces données, déterminez les coefficients de frottement statique et cinétique.
2. On suppose que le coefficient de frottement entre les roues d'une voiture de course et la piste est égal à 1. Si la voiture part du repos et accélère avec une accélération constante maximale sur 400 m, quelle est la valeur de sa vitesse à la fin de la course ?
3. Une voiture de course accélère uniformément de 0 à 130 km/h en 8 s (voir figure 5.22). Si les pneus ne glissent pas en tournant, déterminez le coefficient de frottement *minimal* entre les pneus et la route.

Figure 5.22 (Problème 3)
Jacques Villeneuve en pleine action ! *(Ted Romer/Publiphoto)*

4. Un poids suspendu de 9 kg est relié par une corde et une poulie à un bloc de 5 kg qui glisse sur une table horizontale (voir figure 5.23). Si le coefficient de frottement cinétique est égal à 0,2, déterminez la tension de la ficelle.

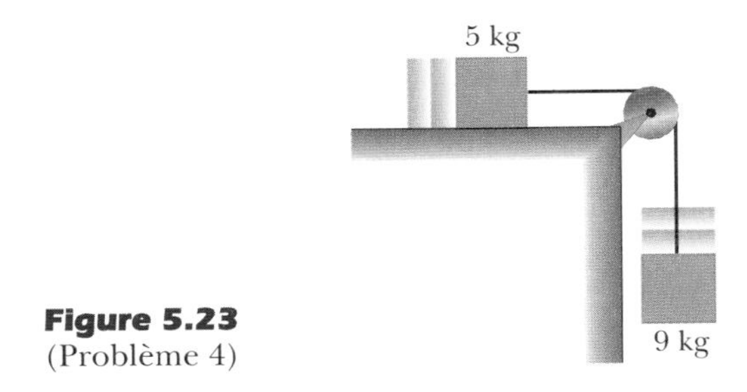

Figure 5.23 (Problème 4)

5. Une fillette se tient debout sur un étang gelé à 12 m du bord de l'étang. Si le coefficient de frottement statique entre ses bottes et la glace est égal à 0,5, déterminez le temps minimal qu'il lui faut pour marcher jusqu'au bord de l'étang sans glisser.
6. Un jeune garçon traîne sa luge de 60 N à vitesse constante vers le haut d'une colline inclinée à 15°. Pour ce faire, il exerce une force de traction de 25 N sur une corde attachée à la luge. (a) Si la corde fait un angle de 35° avec l'horizontale, quel est le coefficient de frottement cinétique entre la luge et la neige ? (b) Au sommet de la colline, il saute sur la luge pour descendre la colline. Quelle est son accélération au bas de la pente ?
7. Un bloc de 3 kg, initialement au repos au sommet d'un plan incliné de 30°, glisse sur une distance de 2 m en 1,5 s jusqu'en bas du plan incliné. Déterminez (a) l'accélération du bloc, (b) le coefficient de frottement cinétique entre le bloc et le plan, (c) la force de frottement agissant sur le bloc et (d) la vitesse du bloc lorsqu'il a glissé de 2 m.
8. En vue de déterminer les coefficients de frottement entre le caoutchouc et diverses surfaces, un étudiant utilise une gomme à effacer et un plan incliné. Dans une de ses expériences, la gomme glisse vers le bas du plan incliné lorsque l'angle d'inclinaison est de 36°, puis descend à vitesse constante lorsque l'angle diminue jusqu'à 30°. D'après ces données, déterminez les coefficients de frottement statique et cinétique de cette expérience.

9. Déterminez la distance d'arrêt d'un skieur dont la vitesse est de 20 m/s (voir figure 5.24). On suppose que $\mu_c = 0{,}18$ et $\theta = 5°$.

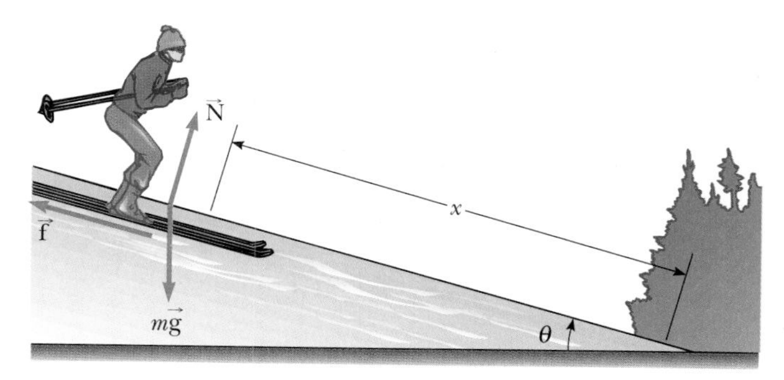

Figure 5.24 (Problème 9)

10. Dans un aéroport, une femme traîne sa valise de 20 kg, à vitesse constante, en tirant sur une courroie qui fait un angle θ au-dessus de l'horizontale (voir figure 5.25). Elle tire sur la courroie avec une force de 35 N et la force de frottement sur la valise est égale à 20 N. (a) Quel angle fait la courroie avec l'horizontale ? (b) Quelle force normale le sol exerce-t-il sur la valise ?

Figure 5.25 (Problème 10)

11. Le parachute d'une voiture de course pesant 8 820 N s'ouvre à la fin d'un trajet de 400 m alors que la voiture roule à 55 m/s. Quelle est la force totale de freinage nécessaire pour arrêter la voiture sur une distance de 1 000 m ?

Section 5.2 Application de la deuxième loi de Newton au mouvement circulaire uniforme

12. Dans un atome d'hydrogène, l'électron en orbite autour du proton est soumis à une attraction d'environ $8{,}2 \times 10^{-8}$ N. Si le rayon de l'orbite est de $5{,}3 \times 10^{-11}$ m, quelle est la fréquence, en tours par seconde ? (Des données supplémentaires figurent au tout début du volume.)
13. Une automobile passe à vitesse constante sur la crête d'une colline. L'arc que décrit la conductrice fait partie d'un cercle vertical d'un rayon de 18 m. Au sommet de la colline, la conductrice remarque qu'elle est à peine en contact avec le siège. Déterminez la vitesse du véhicule.
14. Une caisse pleine d'œufs est posée au milieu de la plate-forme d'un camion qui amorce un virage. On peut assimiler le virage à un arc de cercle d'un rayon de 35 m. Si le coefficient de frottement statique entre la caisse et la plate-forme du camion est égal à 0,6, quelle doit être la vitesse maximale du camion pour que la caisse ne glisse pas durant la manœuvre ?
15. Une voiture de 1 500 kg prend un virage non relevé d'un rayon de 52 m à la vitesse de 12 m/s. Quel doit être le coefficient de frottement minimal entre la route et les pneus pour que la voiture ne dérape pas ?
16. Une rondelle sur coussin d'air, d'une masse de 0,25 kg, est attachée à une ficelle et décrit un cercle d'un rayon de 1,0 m sur une table lisse horizontale. L'autre extrémité de la ficelle passe par un trou au centre de la table et une masse de 1 kg y est attachée. La masse suspendue reste en équilibre pendant le mouvement circulaire de la rondelle qui est sur la table. (a) Quelle est la tension de la ficelle ? (b) Quelle est la force centripète qui agit sur la rondelle ? (c) Quelle est la vitesse de la rondelle ?
17. Sur l'horloge municipale, la pointe de l'aiguille des minutes a une vitesse de $17{,}5 \times 10^{-3}$ m/s. (a) Quelle est la vitesse de la pointe de l'aiguille des secondes (les aiguilles sont de la même longueur) ? (b) Quelle est l'accélération centripète de la pointe de l'aiguille des secondes ?
18. Une pièce de monnaie est située à 30 cm du centre du plateau horizontal d'un tourne-disque. On observe que la pièce de monnaie glisse lorsque sa vitesse atteint 50 cm/s. (a) Quelle est l'origine de la force centripète lorsque la pièce est immobile par rapport au tourne-disque ? (b) Quel est le coefficient de frottement statique entre la pièce de monnaie et le plateau du tourne-disque ?

Section 5.3 Mouvement circulaire non uniforme

19. Une voiture roulant sur une route rectiligne à 9 m/s passe sur une bosse. La bosse peut être assimilée à un arc de cercle d'un rayon de 11 m. (a) Quel est le poids apparent d'une femme de 600 N assise dans la voiture lorsqu'elle passe sur la bosse ? (b) Quelle doit être la vitesse de la voiture sur la bosse pour que la passagère soit en état d'apesanteur ? (Le poids apparent doit être nul.)
20. On fait tourner dans un cercle vertical d'un rayon de 1 m un seau à moitié rempli d'eau. Quelle est la vitesse minimale du seau au sommet du cercle pour que l'eau ne se renverse pas ?
21. Une fillette de 40 kg est assise sur une balançoire suspendue par deux chaînes de 3 m de longueur. Si la tension de chacune des chaînes est de 350 N lorsque la balançoire est à son point le plus bas, déterminez (a) la vitesse de la fillette au point le plus bas et (b) la force du siège sur la fillette au point le plus bas. (On néglige la masse du siège.)

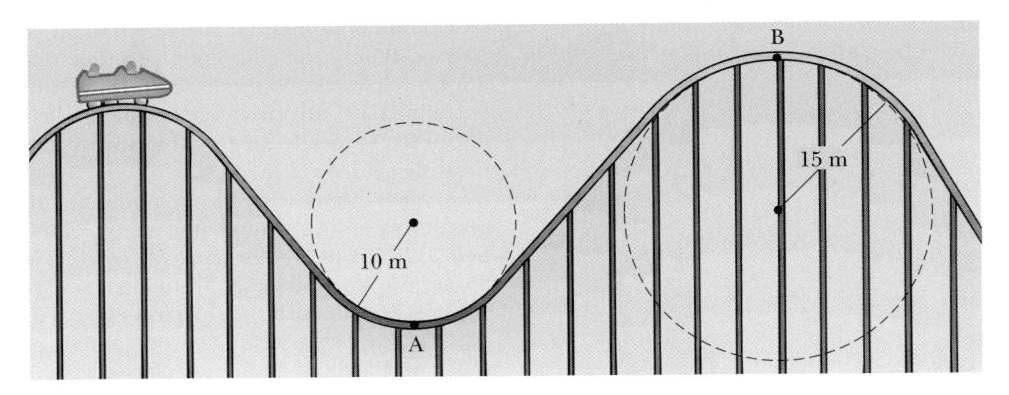

Figure 5.26
(Problème 23)

22. La grande roue d'un parc d'attractions a un rayon de 20 m et chaque cabine effectue un tour toutes les 9 s. Quelle force exerce sur son siège une passagère de 55 kg lorsqu'elle se trouve au sommet de la grande roue ?
23. La cabine d'une montagne russe a une masse de 500 kg lorsqu'elle est pleine de passagers (voir figure 5.26). (a) Si le véhicule a une vitesse de 20 m/s au point A, quelle est la force du rail sur le véhicule en ce point ? (b) Quelle est la vitesse maximale que peut avoir le véhicule en B sans quitter le rail ?
24. Tarzan (m = 85 kg) essaie de traverser une rivière en se balançant sur une liane de 10 m de long et sa vitesse au point le plus bas de son oscillation (lorsqu'il se trouve juste au-dessus de l'eau) est de 8 m/s. Tarzan ne sait pas que la tension de rupture de la liane est de 1 000 N. Peut-il traverser la rivière sans tomber dans l'eau ?
25. Le parc d'attractions de Gurnee dans l'Illinois a une montagne russe qui fait intervenir certaines techniques de construction très avancées et certains principes fondamentaux de la physique. La boucle verticale, au lieu d'être circulaire, est en forme de larme (voir figure 5.27). Au sommet, les véhicules se déplacent à l'intérieur de la boucle à des vitesses suffisantes pour qu'ils restent sur les rails. La boucle la plus grande a 40 m de hauteur et la vitesse maximale est de 31 m/s au point le plus bas.[3] On suppose que la vitesse au sommet est de 13 m/s et que l'accélération centripète correspondante est égale à $2g$. (a) Quel est le rayon de la partie circulaire au sommet de la boucle ? (b) Si la masse totale des véhicules au sommet de la boucle est M, quelle force exerce le rail sur les véhicules au sommet ? (c) On suppose maintenant que la montagne russe a une boucle circulaire d'un rayon de 20 m. Si les véhicules ont toujours une vitesse de 13 m/s au sommet, quelle est l'accélération centripète au sommet ? (d) Dans ce cas, que peut-on dire de la force normale au sommet ?

*Section 5.4 Mouvement en présence de forces de frottement dépendant de la vitesse

26. Une parachutiste d'une masse de 80 kg saute d'un avion qui vole lentement et atteint une vitesse limite de 50 m/s (voir figure 5.28). (a) Quelle est l'accélération de la parachutiste lorsque sa vitesse est égale à 30 m/s ? Quelle est la force de résistance exercée sur la parachutiste lorsque sa vitesse vaut (b) 50 m/s ? (c) 30 m/s ?

Figure 5.27 (Problème 25) *(Frank Cezus, FPG International)*

Figure 5.28
(Problème 26) La parachutiste atteint sa vitesse limite. La force de résistance de l'air, $\vec{R}$, qu'elle subit est alors de même grandeur que son poids, $m\vec{g}$. *(Guy Sauvage, Photo Researchers, Inc.)*

[3] Extrait du *New York Times*, 2 août 1988.

27. (a) Évaluez la vitesse limite d'une sphère en bois (d'une densité de 0,83 g/cm^3) en mouvement dans l'air si son rayon est de 8 cm. (b) En l'absence de la résistance de l'air, de quelle hauteur devrait tomber un objet en chute libre pour atteindre cette vitesse ?
28. Un grêlon d'une masse de $4{,}8 \times 10^{-4}$ kg tombe dans l'air et subit une force résultante donnée par :

$$F = -mg + Cv^2$$

où $C = 2{,}5 \times 10^{-5}$ kg/m. Calculez la vitesse limite du grêlon.

*Section 5.5 Mouvement dans un référentiel accéléré

29. Une balle est suspendue par une ficelle de 25 cm de long au plafond d'une voiture en mouvement. Un observateur situé dans la voiture remarque que la balle s'éloigne de 6 cm de la verticale vers l'arrière de la voiture. Quelle est l'accélération de la voiture ?
30. Une masse de 5 kg fixée à un dynamomètre est posée sur une surface horizontale lisse, comme à la figure 5.29. Le dynamomètre, qui est fixé sur la paroi avant d'un wagon, indique 18 N lorsque le wagon est en mouvement. (a) Si le dynamomètre indique zéro lorsque le wagon est immobile, déterminez l'accélération du wagon. (b) Quelle est la valeur indiquée par le dynamomètre lorsque le wagon se déplace à vitesse constante ? (c) Décrivez les forces agissant sur la masse pour un observateur situé dans le wagon et pour un observateur immobile à l'extérieur du wagon.

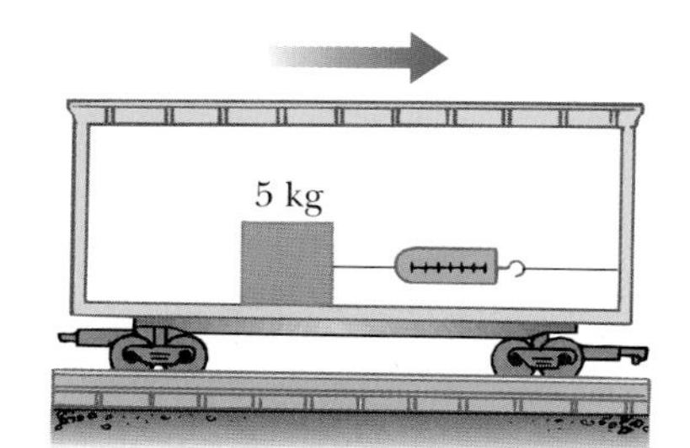

Figure 5.29 (Problème 30)

31. Un manège de chevaux fait un tour complet en 12 s. Si un enfant de 45 kg est assis sur le plancher horizontal du manège à 3 m du centre, déterminez (a) l'accélération de l'enfant et (b) la force horizontale de frottement qui agit sur l'enfant. (c) Quelle doit être la valeur minimale du coefficient de frottement statique pour que l'enfant ne glisse pas ?

Problèmes supplémentaires

32. Une balle d'un rayon de 5 cm tournant sur elle-même à la vitesse de 30 tr/min ralentit uniformément en 0,3 s avant de s'arrêter. Calculez les accélérations radiale, tangentielle et résultante d'un point de l'équateur de la balle au début du mouvement.
33. Dans le modèle de Bohr de l'atome d'hydrogène, la vitesse de l'électron est à peu près égale à $2{,}2 \times 10^6$ m/s. Déterminez (a) la force centripète agissant sur l'électron en mouvement sur une orbite circulaire d'un rayon de $0{,}53 \times 10^{-6}$ m, (b) l'accélération centripète de l'électron et (c) le nombre de révolutions par seconde effectuées par l'électron.
34. Un pendule conique est représenté à la figure 5.30. L'angle entre le fil et la verticale ne varie pas. Le pendule conique a une masse de 80 kg et un fil de 10 m qui fait un angle de 5° avec la verticale. Déterminez (a) la tension du fil et ses composantes horizontale et verticale, et (b) l'accélération radiale de la masse.
35. Sur le plateau horizontal d'un tourne-disque, on place une petite tortue à 20 cm du centre. La tortue a une masse de 50 g et le coefficient de frottement statique entre ses pattes et le plateau est égal à 0,3. Déterminez (a) le nombre *maximal* de révolutions par seconde que peut effectuer le plateau du tourne-disque pour que la tortue reste immobile par rapport au plateau et (b) la vitesse et l'accélération radiale de la tortue lorsqu'elle est sur le point de glisser.
36. À cause de la rotation de la Terre autour de son axe, un point de l'équateur est soumis à une accélération centripète de 0,034 m/s^2 alors qu'un point d'un pôle n'est soumis à aucune accélération centripète. (a) Montrez qu'à l'équateur, la force gravitationnelle sur un objet (le poids réel) doit *être supérieure* au poids apparent de l'objet. (b) Quels sont les poids apparents à l'équateur et aux pôles d'une personne ayant une masse de 75 kg ? (On suppose que la Terre est une sphère uniforme et que l'accélération gravitationnelle est $g = 9{,}8$ m/s^2).
37. Une voiture prend un virage relevé (voir figure 5.31). Le rayon de courbure de la route est R, l'angle d'inclinaison du virage est θ et le coefficient de frottement statique est μ. (a) Déterminez la *plage* de valeurs de

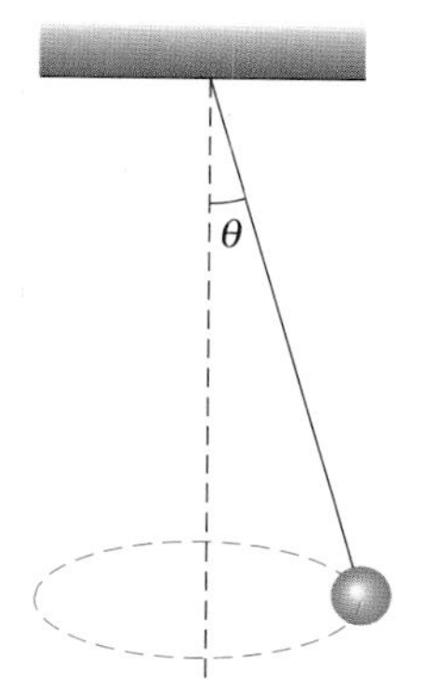

Figure 5.30 (Problème 34)

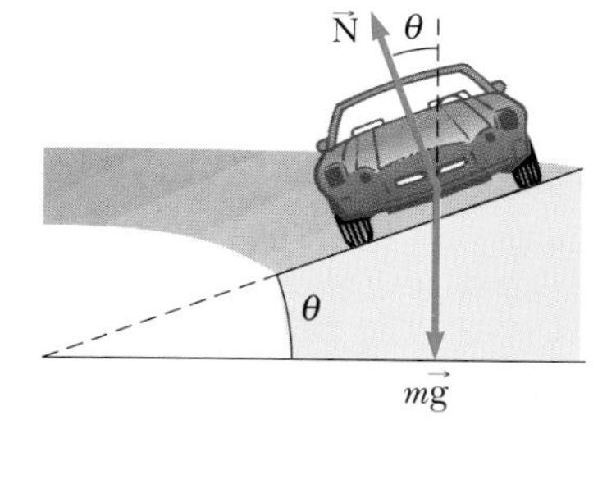

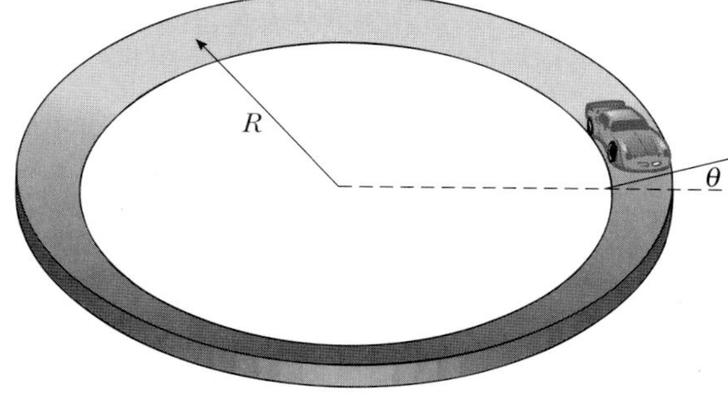

Figure 5.31 (Problème 37)

vitesse que peut avoir la voiture sans déraper vers le haut ou le bas de la route. (b) Déterminez la valeur minimale de μ pour que la vitesse minimale soit nulle. (c) Quelle est la plage de valeurs possibles de vitesse si $R = 100$ m, $\theta = 10°$ et $\mu = 0{,}1$ (route glissante) ?

38. Une maquette d'avion de masse égale à 0,75 kg vole en décrivant un cercle horizontal à l'extrémité d'un fil de guidage de 60 m à une vitesse de 35 m/s. Calculez la tension du fil s'il fait un angle constant de 20° avec l'horizontale. L'avion est soumis à la tension du fil de guidage, à son poids et à la poussée aérodynamique qui fait un angle de 20° vers l'intérieur par rapport à la verticale, comme le montre la figure 5.32.

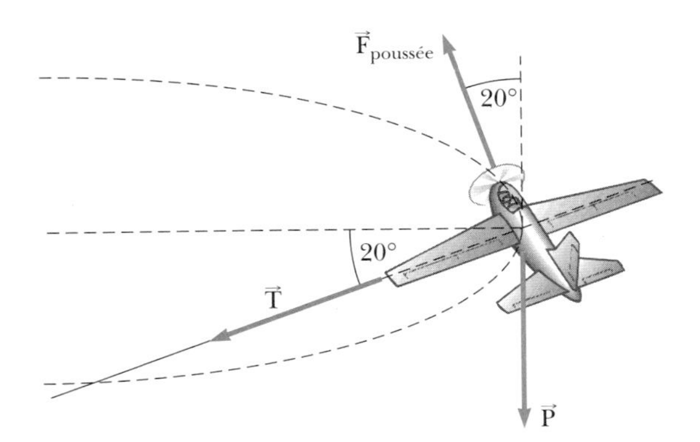

Figure 5.32 (Problème 38)

39. Une étudiante construit et étalonne un accéléromètre qu'elle utilise pour déterminer la vitesse de sa voiture dans un virage. L'accéléromètre est un pendule simple avec un rapporteur qu'elle fixe sur le toit de sa voiture. Son amie observe que le pendule fait un angle de 15° avec la verticale lorsque la voiture a une vitesse de 23 m/s. (a) Quelle est l'accélération centripète de la voiture lorsqu'elle prend le virage ? (b) Quel est le rayon de courbure ? (c) Quelle est la vitesse de la voiture si la déviation du pendule est de 9° lorsque la voiture prend le même virage ?

40. L'un des manèges du parc d'attractions La Ronde, à Montréal, est un énorme cylindre vertical qui tourne autour de son axe à une vitesse suffisante pour que les personnes situées à l'intérieur soient plaquées contre les parois lorsqu'on retire le plancher (voir figure 5.33). Le coefficient de frottement statique entre les passagers et la paroi est μ_s et le rayon du cylindre est R. (a) Montrez que la période *maximale* de révolution nécessaire pour empêcher les personnes de tomber est $T = (4\pi^2 R\mu_s/g)^{1/2}$. (b) Trouvez la valeur numérique de T si $R = 4$ m et $\mu_s = 0{,}4$. Combien de révolutions par minute effectue le cylindre ?

41. Une pièce de monnaie d'une masse de 3,1 g est posée sur un petit bloc de 20 g, lui-même situé sur un plateau tournant (voir figure 5.34). Si les coefficients de frottement entre le bloc et le disque sont de 0,75 (statique) et 0,64 (cinétique), et si les coefficients entre la pièce et le bloc sont de 0,52 (statique) et de 0,45 (cinétique), quelle est la vitesse angulaire maximale, en révolutions par minute, que peut avoir le plateau sans que le bloc ou la pièce de monnaie ne glisse sur le plateau ?

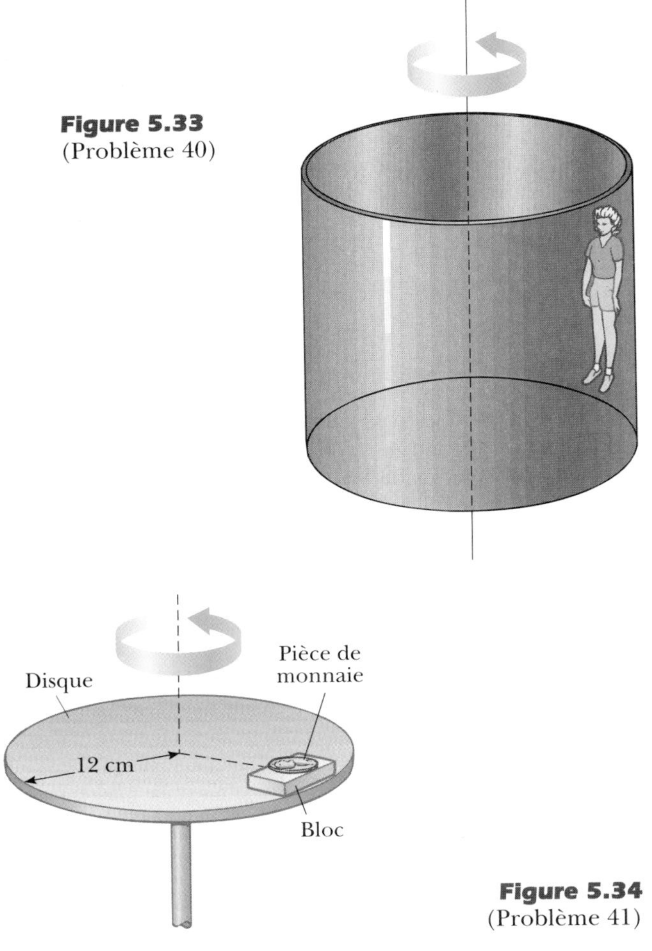

Figure 5.33 (Problème 40)

Figure 5.34 (Problème 41)

42. Dans un parc d'attractions, un manège est constitué d'une plate-forme tournante de 8 m de diamètre à laquelle sont suspendus des sièges retenus par des chaînes de 2,5 m (voir figure 5.35). Lorsque le système tourne, chaque chaîne fait un angle $\theta = 28°$ avec la verticale. (a) Quelle est la vitesse d'un siège ? (b) Quelle est la tension de la chaîne si un enfant d'une masse de 40 kg est assis sur le siège de 10 kg ?

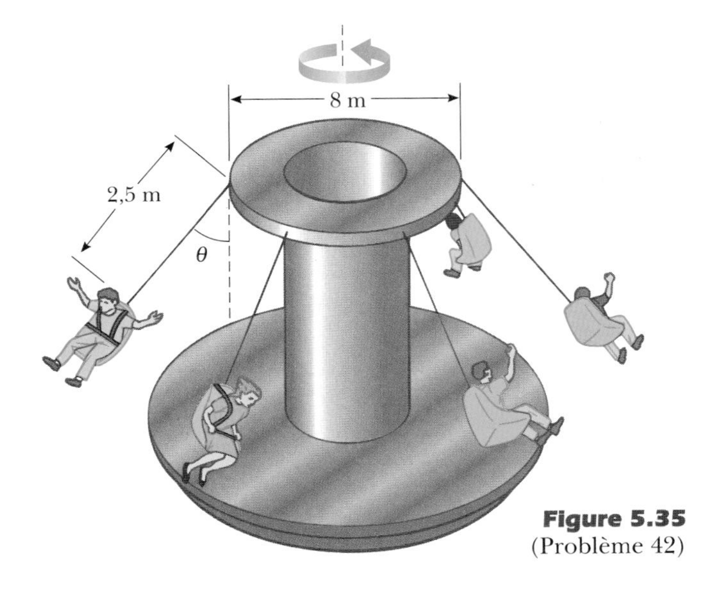

Figure 5.35 (Problème 42)

Figure 6.1
Lors d'une course de vitesse, les cyclistes fournissent un effort intense et dépensent beaucoup d'énergie. *(Index/Stock)*

Travail et énergie

CHAPITRE 6

L'énergie se manifeste sous diverses formes : mécanique, électromagnétique, chimique, thermique ou nucléaire. Lorsque l'énergie se transforme, la quantité totale d'énergie reste la même. Si un système isolé perd de l'énergie sous une forme quelconque, la conservation de l'énergie implique qu'il acquiert une quantité égale d'énergie sous d'autres formes.

Dans ce chapitre, nous allons appliquer la forme mécanique de l'énergie. Nous verrons qu'il est possible d'appliquer les notions de travail et d'énergie à la dynamique d'un système mécanique sans faire appel aux lois de Newton. Toutefois, il est important de noter que les notions de travail et d'énergie découlent des lois de Newton et ne font donc pas intervenir de nouveaux principes physiques. La notion d'énergie est particulièrement utile lorsque la force qui agit sur une particule n'est pas constante ; dans ce cas, l'accélération n'est pas constante et on ne peut appliquer les équations de la cinématique établies au chapitre 2. Dans la nature, les particules sont souvent soumises à des forces qui dépendent de leur position. C'est le cas par exemple de la force gravitationnelle ainsi que de la force qui agit sur un corps attaché à un ressort. Nous décrirons des méthodes qui permettent de résoudre ce genre de problème à l'aide d'un outil extrêmement important, le *théorème de l'énergie cinétique*, qui constitue le point essentiel de ce chapitre.

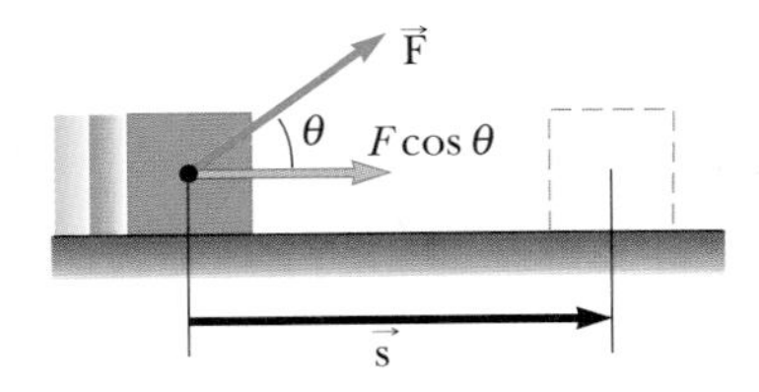

Figure 6.2
Si l'objet est soumis à un déplacement $\vec{s}$, le travail effectué par la force $\vec{F}$ est $(F\cos\theta)s$.

6.1 Travail effectué par une force constante

Presque tous les termes scientifiques que nous avons utilisés jusqu'à présent ont une signification semblable dans la vie courante. Voici maintenant un terme dont la signification en physique est nettement différente de sa signification courante : il s'agit du mot **travail**, qu'on peut définir à l'aide de la figure 6.2. Nous voyons ici un objet qui effectue un déplacement rectiligne $\vec{s}$ sous l'action d'une force constante $\vec{F}$ faisant un angle θ avec $\vec{s}$.

Le travail W, effectué par une force constante, est le produit de la composante de la force parallèle au déplacement $(F\cos\theta)$ par la grandeur du déplacement $(\vec{s})$:

$$W \equiv (F\cos\theta)s \qquad [6.1]$$

D'après cette définition, on constate qu'une force n'effectue aucun travail sur un objet si celui-ci ne se déplace pas : si $s = 0$, l'équation 6.1 donne $W = 0$. En examinant l'équation 6.1, on constate également que le travail effectué par une force est nul lorsque la force est perpendiculaire au déplacement. Autrement dit, si $\theta = 90°$, alors $W = 0$ parce que $\cos 90° = 0$. Le travail effectué par la force gravitationnelle durant le déplacement horizontal est nul pour la même raison. En général, un objet se déplace à vitesse constante ou variable sous l'action de plusieurs forces. Dans ce cas, comme le travail est une grandeur scalaire, le travail total effectué sur l'objet soumis à un déplacement quelconque est égal à la somme algébrique du travail effectué par chacune des forces.

Le signe du travail dépend également de la direction de $\vec{F}$ par rapport à $\vec{s}$. Le travail effectué par la force appliquée est positif lorsque le vecteur correspondant à la composante $F\cos\theta$ est *de même sens* que le déplacement. Par exemple, lorsqu'on soulève un objet, le travail effectué par la force appliquée est positif puisque la force qui sert à le soulever est dirigée vers le haut, c'est-à-dire dans le sens du déplacement, comme à la figure 6.3.

Lorsque le vecteur correspondant à la composante $F\cos\theta$ est de *sens contraire* au déplacement, *W est négatif*. Dans le cas d'un objet qui est soulevé, le travail effectué par la force gravitationnelle est négatif (voir figure 6.7). Il est important de noter que le travail correspond à un transfert d'énergie ; si l'énergie est *fournie au* système (objet), W est positif ; si l'énergie est *cédée par* le système, W est négatif.

Lorsque la force appliquée $\vec{F}$ agit exactement dans le sens du déplacement, $\theta = 0°$ et $\cos 0° = 1$. Dans ce cas, l'équation 6.1 donne :

$$W = Fs \qquad [6.2]$$

Figure 6.3
Lorsqu'on soulève un objet, le travail accompli par la force appliquée $\vec{F}$ est positif, car la force est dirigée dans le même sens que le déplacement $\vec{s}$. Par contre, le travail effectué par la force gravitationnelle $m\vec{g}$ est négatif, car elle est dirigée dans le sens contraire du déplacement.

Le travail est une grandeur scalaire et l'unité de travail équivaut à celle d'une force multipliée par celle d'une longueur. L'unité SI de travail est donc le **newton·mètre** (N·m), qu'on appelle aussi le **joule** (J). Les unités de travail dans le système cgs sont la **dyne·cm**, qu'on appelle aussi **erg**. Les unités de travail sont résumées au tableau 6.1 ; on peut démontrer que $1\text{J} = 10^7$ ergs.

Tableau 6.1
Unités de travail de deux systèmes d'unités courants

Système	Unité de travail	Autre nom de l'unité combinée
SI	newton·mètre (N·m)	joule (J)
cgs	dyne·centimètre (dyne·cm)	erg

Figure 6.4
Pour se réchauffer avant une épreuve, les athlètes exercent souvent une poussée contre un objet dur pour préparer leurs muscles. Bien que l'athlète pousse contre le mur, il n'effectue aucun travail sur le mur puisque ce dernier ne bouge pas. *(Fourby-Five)*

Exemple 6.1 M. Net

Pour passer l'aspirateur, un homme exerce une force $F = 50$ N avec un angle de 30°, comme le montre la figure 6.5. Il tire l'aspirateur sur une distance de 3 m. Calculez le travail effectué par la force de 50 N.

Solution On peut utiliser $W = (F \cos \theta)s$ avec $F = 50$ N, $\theta = 30°$ et $s = 3$ m, ce qui donne :

$$W_F = (50 \text{ N})(\cos 30°)(3 \text{ m}) = \boxed{130 \text{ J}}$$

La notation W_F indique qu'il s'agit du travail effectué *par* la force $\vec{F}$. Notons que la force normale $\vec{N}$, le poids $m\vec{g}$ et la composante verticale de la force appliquée, 50 sin 30°, *n'effectuent pas* de travail parce qu'elles sont perpendiculaires au déplacement.

Exercice Déterminez le travail effectué par l'homme sur l'aspirateur s'il le tire avec une force horizontale $F = 50$ N sur une distance de 3 m.

Réponse 150 J

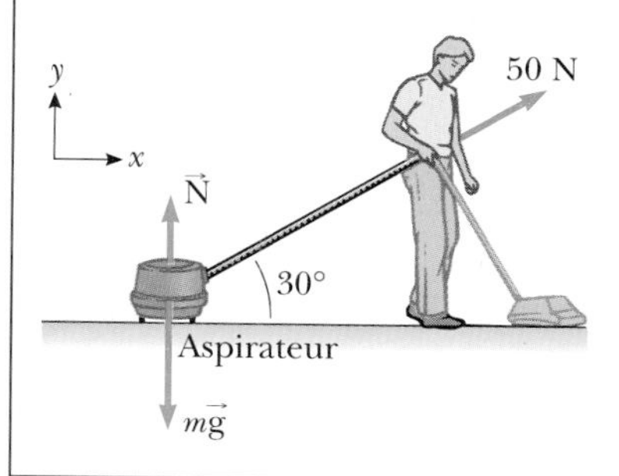

Figure 6.5
(Exemple 6.1) L'aspirateur est tiré avec un angle de 30° par rapport à l'horizontale.

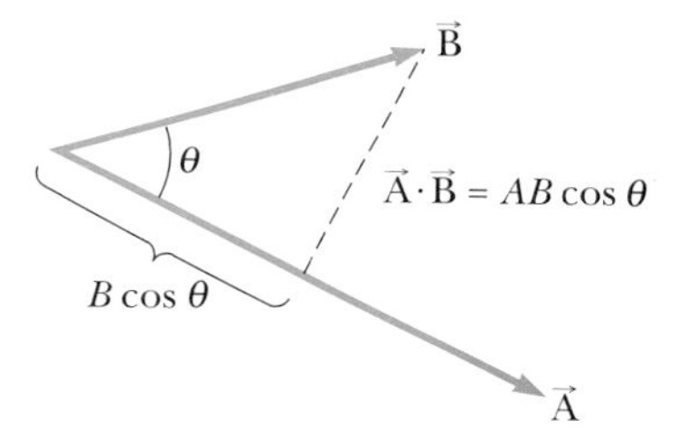

Figure 6.6
Le produit scalaire $\vec{A} \cdot \vec{B}$ est égal à la grandeur de $\vec{A}$ multipliée par la projection de $\vec{B}$ sur $\vec{A}$.

6.2 Produit scalaire de deux vecteurs

Nous avons défini le travail comme une quantité *scalaire* égale au produit de la grandeur du déplacement par la composante de la force qui est dans le sens du déplacement. Ceci correspond à la définition du **produit scalaire** des deux vecteurs $\vec{F}$ et $\vec{s}$. Ce produit s'écrit $\vec{F} \cdot \vec{s}$. On peut alors exprimer l'équation 6.1 sous forme d'un produit scalaire :

Expression du travail sous la forme d'un produit scalaire

$$W = \vec{F} \cdot \vec{s} = Fs \cos \theta \quad [6.3]$$

En général, le produit scalaire de deux vecteurs $\vec{A}$ et $\vec{B}$ est, par définition, la quantité scalaire obtenue en multipliant les grandeurs de ces deux vecteurs par le cosinus de l'angle θ entre $\vec{A}$ et $\vec{B}$:

Produit scalaire de deux vecteurs $\vec{A}$ et $\vec{B}$

$$\vec{A} \cdot \vec{B} \equiv AB \cos \theta \quad [6.4]$$

où θ est le plus petit angle entre $\vec{A}$ et $\vec{B}$, comme à la figure 6.6. Notons que $\vec{A}$ et $\vec{B}$ n'ont pas forcément les mêmes unités.

À la figure 6.6, $B \cos \theta$ est la projection de $\vec{B}$ sur $\vec{A}$. Par conséquent, la définition du produit scalaire $\vec{A} \cdot \vec{B}$, donnée par l'équation 6.4, peut aussi être considérée comme le produit de la grandeur de $\vec{A}$ par la projection de $\vec{B}$ sur $\vec{A}$[1].

D'après l'équation 6.4, on remarque également que le produit scalaire est *commutatif*, c'est-à-dire :

Dans un produit scalaire, l'ordre des termes peut être inversé

$$\vec{A} \cdot \vec{B} = \vec{B} \cdot \vec{A} \quad [6.5]$$

[1] On peut dire aussi que $\vec{A} \cdot \vec{B}$ est égal au produit de la grandeur de $\vec{B}$ par la projection de $\vec{A}$ sur $\vec{B}$.

Enfin, le produit scalaire obéit à la *loi de distributivité de la multiplication*, de sorte que :

$$\vec{A} \cdot (\vec{B} + \vec{C}) = \vec{A} \cdot \vec{B} + \vec{A} \cdot \vec{C} \qquad [6.6]$$

Il est facile de calculer le produit scalaire à partir de l'équation 6.4 lorsque $\vec{A}$ est soit perpendiculaire, soit parallèle à $\vec{B}$. Si $\vec{A}$ est perpendiculaire à $\vec{B}$ ($\theta = 90°$), alors $\vec{A} \cdot \vec{B} = 0$. Si $\vec{A}$ et $\vec{B}$ ont la même direction ($\theta = 0°$), alors $\vec{A} \cdot \vec{B} = AB$. Si $\vec{A}$ et $\vec{B}$ sont de sens contraires ($\theta = 180°$), alors $\vec{A} \cdot \vec{B} = -AB$. Le produit scalaire est négatif lorsque $90° < \theta < 180°$.

Les vecteurs unitaires $\vec{i}$, $\vec{j}$ et $\vec{k}$, définis au chapitre 1, sont orientés respectivement dans le sens positif des x, des y et des z d'un système de coordonnées direct (voir figure 6.7). D'après la définition de $\vec{A} \cdot \vec{B}$, on en déduit donc que les produits scalaires de ces vecteurs unitaires sont donnés par :

Produits scalaires des vecteurs unitaires

$$\vec{i} \cdot \vec{i} = \vec{j} \cdot \vec{j} = \vec{k} \cdot \vec{k} = 1 \qquad [6.7]$$

$$\vec{i} \cdot \vec{j} = \vec{i} \cdot \vec{k} = \vec{j} \cdot \vec{k} = 0 \qquad [6.8]$$

On sait que deux vecteurs $\vec{A}$ et $\vec{B}$ s'écrivent, en fonction de leurs composantes cartésiennes,

$$\vec{A} = A_x\vec{i} + A_y\vec{j} + A_z\vec{k}$$

$$\vec{B} = B_x\vec{i} + B_y\vec{j} + B_z\vec{k}$$

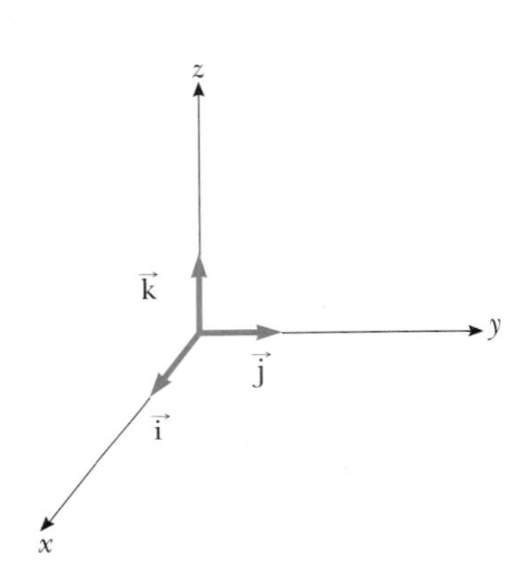

Figure 6.7
Système de coordonnées direct.

Par conséquent, les équations 6.7 et 6.8 permettent de réduire le produit scalaire de $\vec{A}$ et $\vec{B}$ à l'expression :

$$\vec{A} \cdot \vec{B} = A_xB_x + A_yB_y + A_zB_z \qquad [6.9]$$

Dans le cas particulier où $\vec{A} = \vec{B}$, on obtient :

$$\vec{A} \cdot \vec{A} = A_x^2 + A_y^2 + A_z^2 = A^2$$

Exemple 6.2 Le produit scalaire

Soit les vecteurs $\vec{A}$ et $\vec{B}$ tels que $\vec{A} = 2\vec{i} + 3\vec{j}$ et $\vec{B} = -\vec{i} + 2\vec{j}$.

(a) Déterminez le produit scalaire $\vec{A} \cdot \vec{B}$.

Solution

$$\vec{A} \cdot \vec{B} = (2\vec{i} + 3\vec{j}) \cdot (-i + 2\vec{j})$$

$$= -2\vec{i} \cdot \vec{i} + 2\vec{i} \cdot 2\vec{j} - 3\vec{j} \cdot \vec{i} + 3\vec{j} \cdot 2\vec{j}$$

$$= -2 + 6 = \boxed{4}$$

Nous avons utilisé le fait que $\vec{i} \cdot \vec{i} = \vec{j} \cdot \vec{j} = 1$ et $\vec{i} \cdot \vec{j} = \vec{j} \cdot \vec{i} = 0$. On obtient le même résultat en utilisant directement l'équation 6.9 où $A_x = 2$, $A_y = 3$, $B_x = -1$ et $B_y = 2$.

(b) Déterminez l'angle θ entre $\vec{A}$ et $\vec{B}$.

Solution Les grandeurs de $\vec{A}$ et $\vec{B}$ sont données par :

$$A = \sqrt{A_x^2 + A_y^2} = \sqrt{(2)^2 + (3)^2} = \sqrt{13}$$

$$B = \sqrt{B_x^2 + B_y^2} = \sqrt{(-1)^2 + (2)^2} = \sqrt{5}$$

En utilisant l'équation 6.4 et le résultat obtenu à la question (a), on obtient :

$$\cos\theta = \frac{\vec{A} \cdot \vec{B}}{AB} = \frac{4}{\sqrt{13}\sqrt{5}} = \frac{4}{\sqrt{65}}$$

$$\theta = \cos^{-1}\frac{4}{8{,}06} = 60{,}3°$$

Exemple 6.3 Travail effectué par une force constante

Une particule en mouvement dans le plan xy effectue un déplacement $\vec{s} = (2\vec{i} + 3\vec{j})$ m sous l'action d'une force constante donnée par $\vec{F} = (5\vec{i} + 2\vec{j})$ N.

(a) Calculez la grandeur du déplacement et de la force.

Solution

$$s = \sqrt{x^2 + y^2} = \sqrt{(2)^2 + (3)^2} = \sqrt{13}\ \text{m}$$

$$F = \sqrt{F_x^2 + F_y^2} = \sqrt{(5)^2 + (2)^2} = \sqrt{29}\ \text{N}$$

(b) Calculez le travail effectué par $\vec{F}$.

Solution En remplaçant $\vec{F}$ et $\vec{s}$ par leurs expressions dans l'équation 6.3 et en utilisant les équations 6.7 et 6.8, on obtient :

$$W = \vec{F} \cdot \vec{s} = (5\vec{i} + 2\vec{j}) \cdot (2\vec{i} + 3\vec{j})\ \text{N} \cdot \text{m}$$

$$= 5\vec{i} \cdot 2\vec{i} + 2\vec{j} \cdot 3\vec{j} = 16\ \text{N} \cdot \text{m} = 16\ \text{J}$$

Exercice Calculez l'angle entre $\vec{F}$ et $\vec{s}$.

Réponse 34,5°

6.3 Travail effectué par une force variable

Considérons un objet qui effectue un déplacement sur l'axe des x sous l'action d'une force variable, comme à la figure 6.8b. L'objet se déplace dans le sens des x croissants, de $x = x_i$ à $x = x_f$. Dans une telle situation, on ne peut pas utiliser $W = (F \cos \theta)s$ pour calculer le travail effectué par la force parce que cette relation n'est valable que si $\vec{F}$ est constante en grandeur et en direction. Toutefois, si on imagine que l'objet effectue un très petit déplacement Δx, représenté à la figure 6.8a, alors la composante en x de la force F_x peut être considérée presque constante sur cet intervalle et le travail effectué par la force sur le petit déplacement s'exprime ainsi :

$$W_1 \simeq F_x \Delta x \qquad [6.10]$$

Cette quantité correspond à l'aire du rectangle coloré à la figure 6.8a. Si on imagine maintenant que le graphique de F_x en fonction de x est composé d'un grand nombre d'intervalles Δx semblables, alors le travail total effectué au cours du déplacement de x_i à x_f est approximativement égal à la somme d'un grand nombre de petits travaux semblables à celui de l'équation 6.10 :

$$W \cong \sum_{x_i}^{x_f} F_x \Delta x$$

Si on fait tendre les déplacements Δx vers zéro, alors le nombre de termes de la somme augmentera considérablement, mais la somme tend vers une valeur qui est égale à l'aire située sous la courbe délimitée par F_x et l'axe des x. Comme il est montré en calcul différentiel et intégral, cette limite de la somme s'appelle une **intégrale** et s'écrit :

$$\lim_{\Delta x \to 0} \sum_{x_i}^{x_f} F_x \Delta x = \int_{x_i}^{x_f} F_x \, dx$$

Les bornes de l'intégrale, $x = x_i$ et $x = x_f$, indiquent qu'il s'agit d'une **intégrale définie**. (Une *intégrale indéfinie* correspond à la limite d'une somme sur un

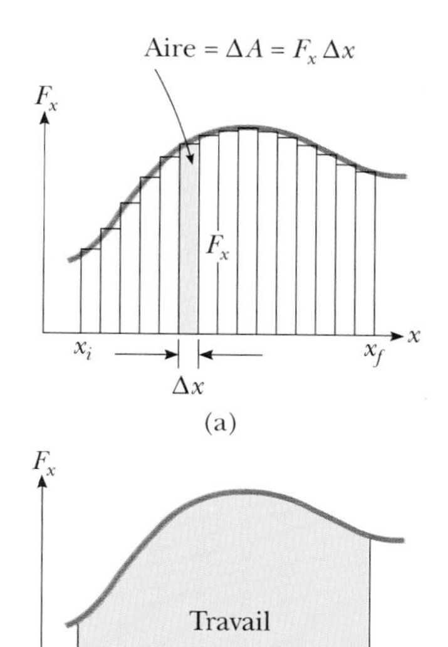

Figure 6.8
(a) Le travail effectué par la force F_x pendant le petit déplacement Δx est $F_x \Delta x$ et correspond à l'aire du rectangle coloré. Le travail total effectué pendant le déplacement de x_i à x_f est approximativement égal à la somme des aires de tous les rectangles.
(b) Le travail effectué par la force variable F_x lorsque l'objet se déplace de x_i à x_f est *exactement* égal à l'aire située sous cette courbe.

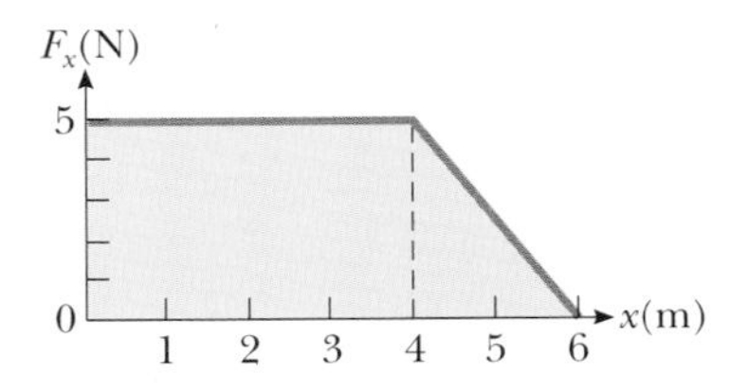

Figure 6.9
(Exemple 6.4) La force qui agit sur un objet est constante sur les 4 premiers mètres du mouvement puis décroît linéairement avec x, de $x = 4$ m à $x = 6$ m. Le travail résultant effectué par cette force est égal à l'aire située sous la courbe.

intervalle non déterminé. Une brève description du calcul intégral est donnée à l'appendice B.6.) Cette intégrale définie est numériquement égale à l'aire située sous la courbe représentative de F_x en fonction de x, entre x_i et x_f. On peut donc écrire le travail effectué par F_x au cours du déplacement de la particule de x_i à x_f sous la forme :

$$W = \int_{x_i}^{x_f} F_x \, dx \qquad [6.11]$$

Cette équation se réduit à l'équation 6.1 lorsque $F_x = F\cos\theta$ est constant.

Exemple 6.4 Méthode graphique pour calculer le travail total effectué

Une force agissant sur un objet varie en fonction de x, comme l'indique la figure 6.9. Calculez le travail effectué par la force lorsque l'objet se déplace de $x = 0$ à $x = 6$ m.

Solution Le travail effectué par la force est égal à l'aire totale située sous la courbe entre $x = 0$ et $x = 6$ m. Pour calculer cette aire, on additionne l'aire de la section rectangulaire allant de $x = 0$ à $x = 4$ m et l'aire de la section triangulaire allant de $x = 4$ m à $x = 6$ m. L'aire du rectangle vaut $(4)(5)$ N·m = 20 J et l'aire du triangle est égale à $\frac{1}{2}(2)(5)$ N·m = 5 J. Le travail total effectué est donc égal à 25 J.

Travail effectué par un ressort

La figure 6.10 représente un système physique courant dans lequel la force varie en fonction de la position : une masse placée sur une surface lisse horizontale est reliée à un ressort. Si on allonge ou si on comprime le ressort sur une petite distance à partir de sa position d'équilibre, le ressort exerce sur la masse une force donnée par **la loi de Hooke** :

Force de rappel d'un ressort

$$F_r = -kx \qquad [6.12]$$

où x est le déplacement de la masse à partir de la position d'équilibre ($x = 0$) et k est une constante positive appelée *constante de rappel* du ressort. Soulignons que la loi de Hooke est valable uniquement dans le cas de petits déplacements à partir de la position d'équilibre. La valeur de k constitue une mesure de la rigidité du ressort : elle est grande pour les ressorts rigides et elle est faible pour les ressorts souples.

Le signe négatif dans l'équation 6.12 signifie que la force exercée par le ressort est toujours dirigée dans le sens *contraire* au déplacement. Par exemple, lorsque $x > 0$, comme à la figure 6.10a, la force du ressort est dirigée vers la gauche et elle est alors négative. Lorsque $x < 0$, comme à la figure 6.10c, la force du ressort est dirigée vers la droite et elle est positive. Bien sûr, lorsque $x = 0$, comme à la figure 6.10b, le ressort est à l'équilibre et $F_r = 0$. La force exercée par le ressort ayant toujours tendance à le ramener à sa position d'équilibre, on dit qu'il s'agit d'une *force de rappel*. Lorsqu'on déplace une masse sur une distance x_m à partir de la position d'équilibre, elle se déplace de $-x_m$ à $+x_m$ en passant par zéro dès qu'on la relâche.

Supposons qu'on déplace une masse vers la gauche sur une distance x_m par rapport à la position d'équilibre, comme à la figure 6.10c, et qu'on la relâche. Calculons le *travail effectué par la force de rappel du ressort* au cours du déplacement de la masse de $x_i = -x_m$ à $x_f = 0$. En supposant que la masse puisse être considérée comme une particule, l'équation 6.11 permet d'obtenir :

Travail effectué par un ressort

$$W_r = \int_{x_i}^{x_f} F_r \, dx = \int_{-x_m}^{0} (-kx) \; dx = \tfrac{1}{2}kx_m^{\,2} \qquad [6.13]$$

où nous avons utilisé l'intégrale indéfinie $\int x \, dx = x^2/2$. Autrement dit, le travail effectué par la force du ressort est positif puisque la force du ressort s'exerce dans

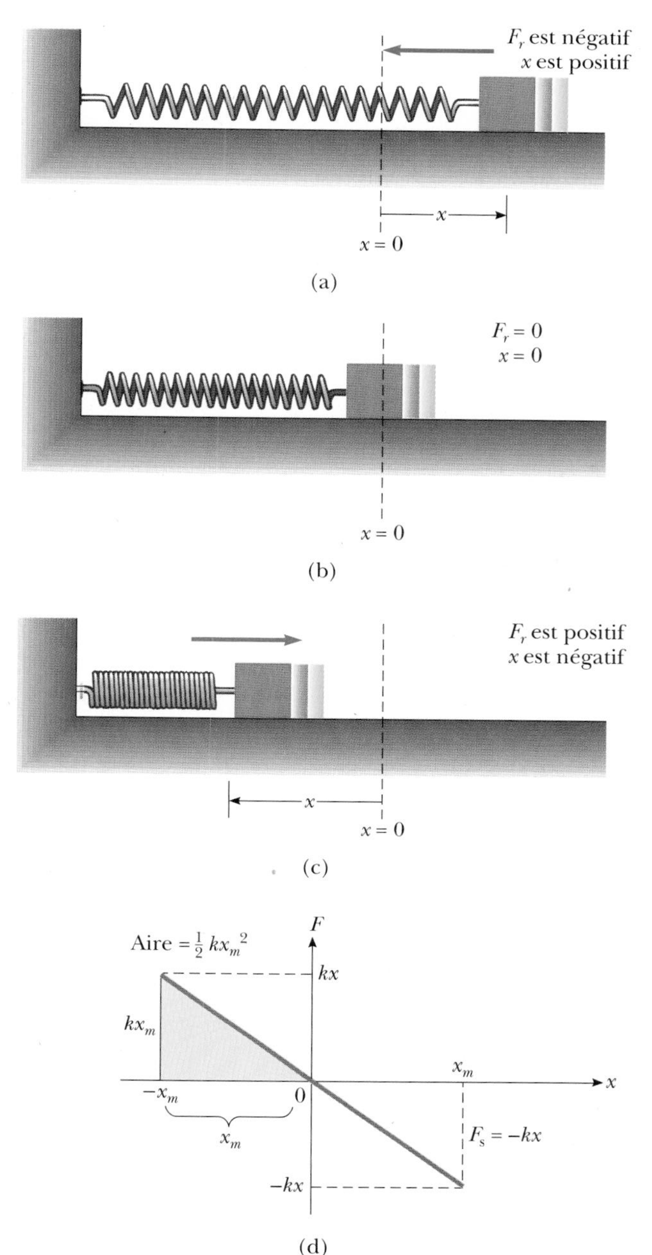

Figure 6.10
La force exercée par un ressort sur un bloc varie en fonction du déplacement du bloc par rapport à la position d'équilibre $x = 0$. (a) Lorsque x est positif (ressort allongé), la force du ressort est dirigée vers la gauche. (b) Lorsque x est nul, la force du ressort est nulle (ressort à l'équilibre). (c) Lorsque x est négatif (ressort comprimé), la force du ressort est dirigée vers la droite. (d) Graphique de $\vec{F}_r$ en fonction de x pour les systèmes décrits ci-dessus. Le travail effectué par la force du ressort lorsque le bloc se déplace de $-x_m$ à 0 correspond à l'aire du triangle coloré, c'est-à-dire à $\frac{1}{2}kx_m^2$.

le même sens que le déplacement (ils sont tous deux dirigés vers la droite). Toutefois, dans le cas du travail effectué par la force du ressort lorsque la masse se déplace de $x_i = 0$ à $x_f = x_m$, on trouve $W_r = -\frac{1}{2}kx_m^2$, car pour cette partie du mouvement, le déplacement s'effectue vers la droite alors que la force du ressort s'exerce vers la gauche. Par conséquent, le travail *résultant* effectué par la force du ressort est *nul* lorsque la masse se déplace de $x_i = -x_m$ à $x_f = x_m$.

On obtient les mêmes résultats lorsqu'on trace le graphique de F_r en fonction de x, comme à la figure 6.10d. Notons que le travail calculé à l'équation 6.13 est égal à l'aire du triangle coloré de la figure 6.10d, dont la base est x_m et la hauteur kx_m. Cette aire est égale à $\frac{1}{2}kx_m^2$.

Si la masse subit un déplacement *quelconque* de $x = x_i$ à $x = x_f$, le travail effectué par la force du ressort est :

$$W_r = \int_{x_i}^{x_f} (-kx)\ dx = \tfrac{1}{2}kx_i^2 - \tfrac{1}{2}kx_f^2 \qquad \textbf{[6.14]}$$

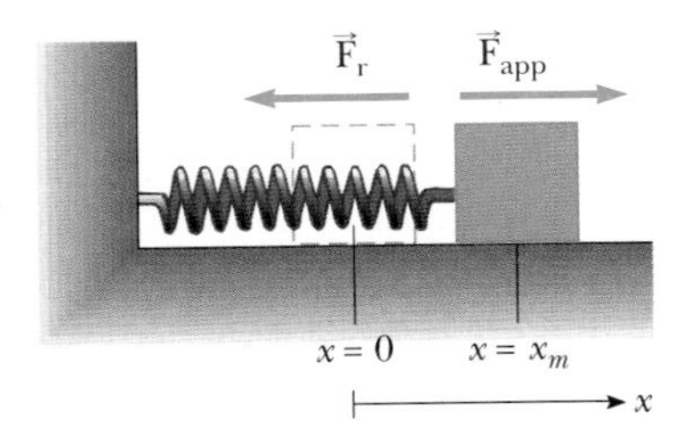

Figure 6.11
Un bloc est tiré vers la droite, sur une surface lisse, par une force $\vec{F}_{app}$ de $x = 0$ à $x = x_m$. Si le mouvement est très lent, la force appliquée est égale et opposée à tout instant à la force du ressort.

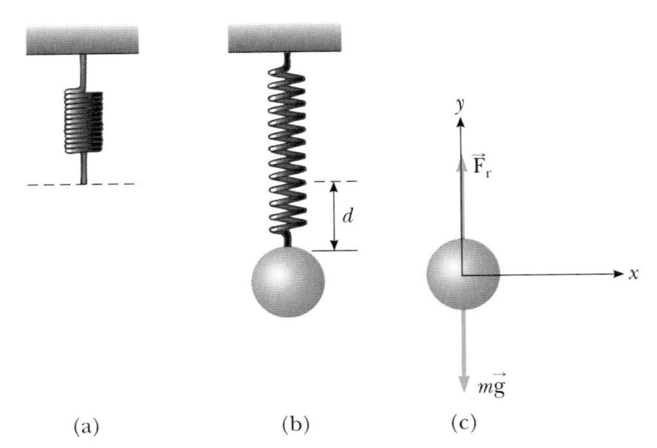

Figure 6.12
(Exemple 6.5) Détermination de la constante de rappel d'un ressort hélicoïdal. L'élongation d du ressort est due au poids mg. Comme la force de rappel du ressort compense le poids, il s'ensuit que $k = mg/d$.

D'après cette équation, on voit que le travail effectué est également nul pour tout mouvement qui revient à son point de départ ($x_i = x_f$).

Les équations 6.13 et 6.14 décrivent le travail effectué par le *ressort* sur la masse. Considérons maintenant le travail effectué sur le ressort par un *agent extérieur* qui allongerait le ressort *très lentement* de $x_i = 0$ à $x_f = x_m$, comme à la figure 6.11. Ce travail est facile à calculer lorsqu'on constate que la *force appliquée* $\vec{F}_{app}$ est égale et opposée à la force du ressort $\vec{F}_r$ pour toute valeur du déplacement, de sorte que $F_{app} = -(-kx) = kx$. Le travail effectué sur le ressort par cette force appliquée (agent extérieur) est donc :

$$W_{F_{app}} = \int_0^{x_m} F_{app}\, dx = \int_0^{x_m} kx\, dx = \tfrac{1}{2}kx_m^2$$

On remarque que ce travail est égal au travail effectué par la force du ressort, mais de signe contraire.

Exemple 6.5 Mesure de la constante k d'un ressort

Une technique couramment utilisée pour mesurer la constante de rappel d'un ressort est décrite à la figure 6.12. On suspend le ressort verticalement comme à la figure 6.12a, puis on attache une masse m à l'extrémité inférieure du ressort (voir figure 6.12b). Sous l'action du poids mg, le ressort s'allonge d'une distance d par rapport à sa position d'équilibre. Puisque le système est au repos, la force du ressort qui est dirigée vers le haut doit équilibrer le poids mg qui est dirigé vers le bas. On obtient : $|\vec{F}_r| = kd = mg$, ou

$$k = \frac{mg}{d}$$

En effectuant plusieurs allongements par l'ajout de masses, on peut tracer le graphique de la force de rappel en fonction de l'allongement du ressort. *La pente de ce graphique* correspond alors à la valeur de la constante k du ressort étudié.

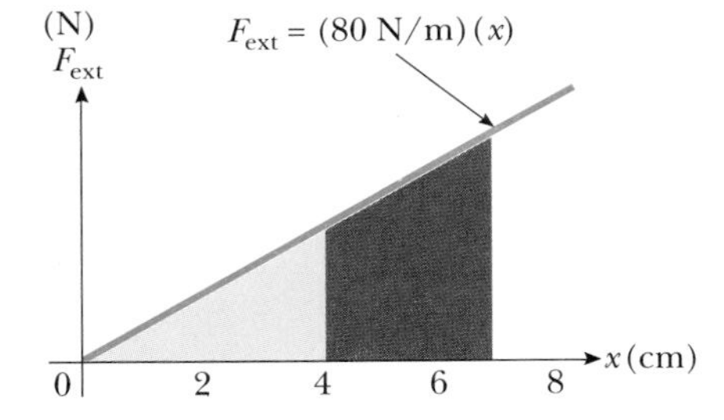

Figure 6.13
(Exemple 6.6) Force extérieure requise pour allonger un ressort obéissant à la loi de Hooke.

Exemple 6.6 Travail nécessaire pour allonger un ressort

Soit un ressort à l'horizontale obéissant à la loi de Hooke ($k = 80$ N/m). Une de ses extrémités est fixe et l'autre est soumise à l'action d'une force extérieure qui allonge le ressort de $x_0 = 0$ à $x_1 = 4$ cm.

(a) Déterminez le travail effectué par la force extérieure.

Solution Plaçons l'origine des axes de coordonnées à l'extrémité libre du ressort lorsque celui-ci est en équilibre. La force extérieure est $F_{ext} = (80\ \text{N/m})(x)$. Le travail effectué par F_{ext} est égal à l'aire du triangle entre 0 et 4 cm (figure 6.13) :

$$W = \frac{1}{2}kx_1^2 = \frac{1}{2}(80\ \text{N/m})(0{,}04\ \text{m})^2 = \boxed{64\ \text{mJ}}$$

(b) Déterminez le travail supplémentaire effectué pour allonger le ressort de $x_1 = 4$ cm à $x_2 = 7$ cm.

Solution Le travail effectué pour allonger le ressort d'une quantité supplémentaire de $x_1 = 0{,}04$ m à $x_2 = 0{,}07$ m est égal à l'aire colorée en noir entre ces limites. Le calcul géométrique permet d'obtenir :

$$W = \frac{1}{2}kx_2^2 - \frac{1}{2}kx_1^2 = \frac{1}{2}(80\ \text{N/m})[(0{,}07\ \text{m})^2 - (0{,}04\ \text{m})^2] = \boxed{132\ \text{mJ}}$$

HISTORIQUE

Encadré 6.1

Robert Hooke... le mal-aimé

Né en Angleterre en 1635, Robert Hooke fut un expérimentateur génial et un esprit fécond. Ses découvertes dans de nombreux domaines (instrumentation, mécanique céleste, horlogerie, microscopie, biologie, astronomie, chimie, architecture, etc.) auraient dû en faire un des scientifiques les plus honorés de l'histoire. Cependant, un caractère acariâtre et une fâcheuse querelle avec Newton au sujet de la paternité de la loi de l'attraction universelle vint ternir son apport à la science moderne.

Démontrant des aptitudes très précoces pour la mécanique, il fit ses études au Christ Church College d'Oxford, où il servit d'assistant à Robert Boyle. Il découvrit la loi reliant la pression au volume, actuellement connue sous le nom de loi de Boyle-Mariotte, publiée par Boyle qui en attribuait clairement la découverte à Hooke. Peu après, en 1662, il fut nommé directeur des expériences à la société royale de Londres où il devait démontrer à chaque réunion de cette assemblée de savants, une fois par semaine sauf l'été, trois ou quatre démonstrations différentes. Cette charge de travail énorme fit de Hooke un touche-à-tout et une figure centrale de tous les développements scientifiques de son temps, mais l'empêcha d'approfondir quoi que ce soit.

Cependant, comme nous l'avons déjà mentionné, il fit l'erreur de s'empoigner avec un scientifique universellement admiré et également affublé d'un mauvais caractère proverbial, Isaac Newton. Vers 1665, un peu avant le grand incendie de Londres (Hooke fut un des grands architectes de la reconstruction de la ville), Hooke avait démontré publiquement qu'une force inversement proportionnelle au carré de la distance produisait des orbites elliptiques. Newton, bien au courant, en vint à refuser de publier les résultats de ses travaux jusqu'en 1686 pour éviter toute confrontation avec Hooke. Il alla même jusqu'à ignorer totalement l'apport de ce dernier, pour finalement le mentionner du bout des lèvres sous l'insistance d'Edmund Halley (voir encadré sur Newton au chapitre 4). Après la mort de Hooke en 1703, Newton devint président de la société royale et fit détruire tout ce qui avait rapport avec Hooke : textes, dessins, schémas et instruments. C'est ainsi que la société royale possède un portrait de tous ses membres excepté Hooke et qu'un des meilleurs expérimentateurs de tout les temps fut relégué au second plan des livres d'histoire.

LECTURE SUGGÉRÉE

- Pierre Collinge, *L'œil vigilant de Robert Hooke*, McGraw Hill, Montréal, 1968, 28 pages.

6.4 Énergie cinétique et théorème de l'énergie cinétique

Dans le cas où les forces qui interviennent dans un problème sont complexes, on peut calculer le travail effectué par la force résultante qui agit sur un objet qui se déplace. La variation de vitesse de l'objet est alors facile à calculer.

La figure 6.14 représente un objet de masse m en mouvement vers la droite sous l'action d'une force résultante constante $\vec{F}$. La force étant constante, on sait, d'après la deuxième loi de Newton, que l'objet se déplacera avec une accélération constante $\vec{a}$. Si l'objet parcourt une distance s, le travail effectué par $\vec{F}$ est :

$$W = Fs = (ma)s \qquad [6.15]$$

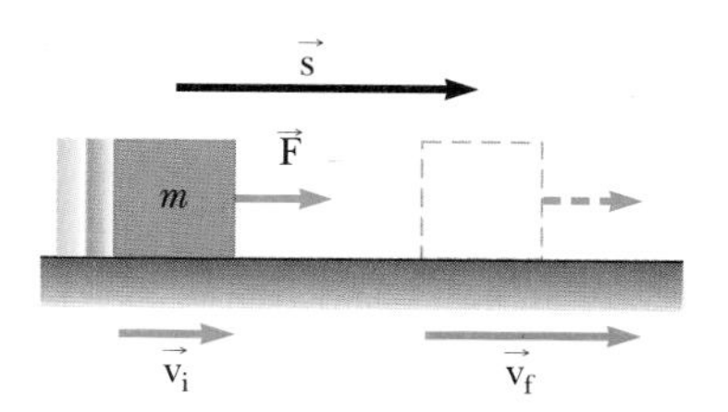

Figure 6.14
Sous l'action d'une force résultante constante $\vec{F}$, un objet subit un déplacement et une variation de vitesse.

Nous avons vu, au chapitre 2 (équations 2.4 et 2.9), que les relations suivantes sont valables lorsqu'un objet est soumis à une accélération constante :

$$s = \frac{1}{2}(v_i + v_f)\,t \qquad a_x = \frac{v_f - v_i}{t}$$

où v_i est la vitesse à $t = 0$ et v_f est la vitesse à l'instant t. En remplaçant ces expressions dans l'équation 6.15, on obtient :

$$W = m\left(\frac{v_f - v_i}{t}\right)\frac{1}{2}(v_i + v_f)\,t$$

$$W = \frac{1}{2}mv_f^2 - \frac{1}{2}mv_i^2 \qquad [6.16]$$

L'énergie cinétique est l'énergie associée à un corps en mouvement

La quantité $\frac{1}{2}mv^2$ représente l'énergie associée au mouvement et porte le nom d'**énergie cinétique**. Par définition, l'énergie cinétique K d'un objet de masse m et de vitesse v est égale à :

$$K \equiv \frac{1}{2}mv^2 \qquad [6.17]$$

L'énergie cinétique est une quantité scalaire et a les mêmes unités que le travail. Par exemple, une masse de 1 kg se déplaçant à une vitesse de 4 m/s a une énergie cinétique de 8 J. Il est souvent pratique d'écrire l'équation 6.16 sous la forme :

Selon le théorème de l'énergie cinétique, le travail accompli est égal à la variation d'énergie cinétique

$$W = K_f - K_i = \Delta K \qquad [6.18]$$

Autrement dit, le travail effectué par la force résultante constante $\vec{F}$ pour déplacer un objet est égale à la variation d'énergie cinétique de l'objet.

L'équation 6.18 est un résultat important qui porte le nom de **théorème de l'énergie cinétique**. Pour simplifier, nous avons supposé que la force résultante qui agit sur l'objet était constante, mais nous pouvons généraliser ce résultat en démontrant que ce théorème est aussi valable lorsque la force est variable.

Le théorème de l'énergie cinétique nous indique également que la vitesse de l'objet augmentera si le travail résultant effectué sur lui est positif parce que l'énergie cinétique finale sera supérieure à l'énergie cinétique initiale. Par contre, la vitesse diminuera si le travail résultant est négatif parce que l'énergie cinétique finale sera inférieure à l'énergie cinétique initiale. Notons que la vitesse et l'énergie cinétique d'un objet ne varient que si une force extérieure quelconque effectue un travail résultant sur l'objet.

Considérons la relation entre le travail effectué sur un objet et la variation de son énergie cinétique (équation 6.18). Cette équation indique que l'énergie cinétique d'un objet peut correspondre au travail disponible qu'il peut effectuer pour se mettre au repos. Par exemple, considérons le cas d'un marteau juste avant qu'il ne frappe un clou, comme à la figure 6.15. Le marteau en mouvement a une énergie cinétique et peut alors effectuer un travail sur le clou. Le travail effectué sur le clou apparaît dans le produit Fs, où F est la force moyenne exercée sur le clou par le marteau et s est la distance à laquelle le clou s'enfonce dans le mur. Cependant, comme le marteau et le clou ne sont pas des particules, une partie de l'énergie cinétique du marteau est dissipée en chaleur dans le marteau et dans le clou et la totalité du travail effectué sur le clou sert à élever la température du clou et du mur et à déformer localement le mur.

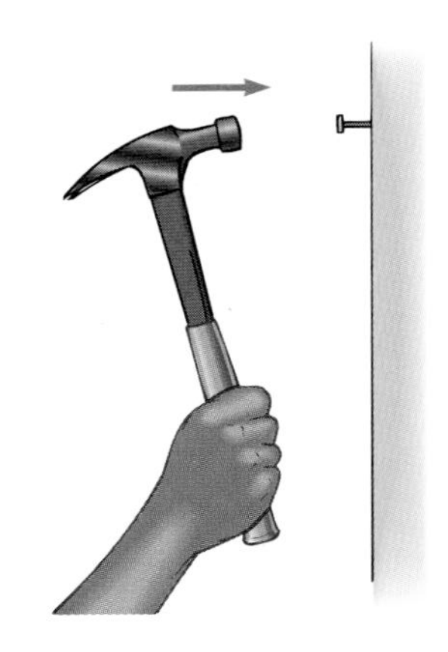

Figure 6.15
Le marteau en mouvement possède de l'énergie cinétique qui lui permet d'effectuer un travail sur le clou et de l'enfoncer dans le mur.

Exemple 6.7 Bloc tiré sur une surface lisse

On tire vers la droite, sur une surface horizontale lisse, un bloc de 6 kg initialement au repos en exerçant une force horizontale constante de 12 N, comme à la figure 6.16. Déterminez la vitesse du bloc lorsqu'il a parcouru une distance de 3 m.

Solution Le poids est équilibré par la force normale et aucune de ces deux forces n'effectue de travail puisque le déplacement est horizontal. La force extérieure résultante est la force de 12 N. Le travail effectué par cette force est :

$$W = Fs = (12\text{ N})(3\text{ m}) = 36\text{ N}\cdot\text{m} = 36\text{ J}$$

À l'aide du théorème de l'énergie cinétique et en utilisant le fait que l'énergie cinétique initiale est égale à zéro, on obtient :

$$W = K_f - K_i = \tfrac{1}{2}mv_f^2 - 0$$

$$v_f^2 = \frac{2W}{m} = \frac{2(36\text{ J})}{6\text{ kg}} = 12\text{ m}^2/\text{s}^2$$

$$v_f = \boxed{3{,}46\text{ m/s}}$$

Exercice Déterminez l'accélération du bloc puis, en utilisant l'équation de la cinématique $v_f^2 = v_i^2 + 2as$, trouvez sa vitesse finale.

Réponse $a = 2\text{ m/s}^2$, $v_f = 3{,}46\text{ m/s}$

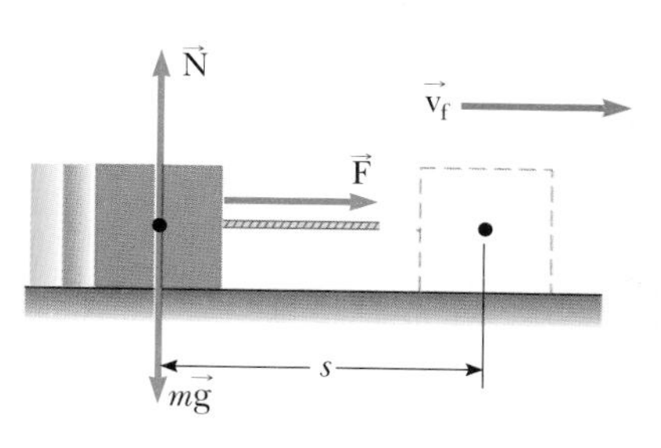

Figure 6.16
Exemple 6.7.

Exemple 6.8 Système constitué par un ressort et une masse

Un bloc d'une masse de 1,6 kg est attaché à un ressort dont la constante de rappel vaut 10^3 N/m, comme à la figure 6.11, page 126. On comprime le ressort sur une distance de 2 cm puis on lâche le bloc initialement au repos.

Si la surface est lisse, calculez la vitesse du bloc lorsqu'il passe par la position d'équilibre $x = 0$.

Solution On utilise l'équation 6.13 pour déterminer le travail effectué par le ressort avec $x_m = -2\text{ cm} = -2 \times 10^{-2}\text{ m}$:

$$W_r = \tfrac{1}{2}kx_m^{\ 2} = \tfrac{1}{2}(10^3\text{ N/m})(-2 \times 10^{-2}\text{ m})^2 = 0{,}20\text{ J}$$

Le théorème de l'énergie cinétique nous donne, pour $v_i = 0$,

$$W_r = \tfrac{1}{2}mv_f^2 - \tfrac{1}{2}mv_i^2$$

$$0{,}20\text{ J} = \tfrac{1}{2}(1{,}6\text{ kg})v_f^2 - 0$$

$$v_f^2 = \frac{0{,}4\text{ J}}{1{,}6\text{ kg}} = 0{,}25\text{ m}^2/\text{s}^2$$

$$v_f = \boxed{0{,}50\text{ m/s}}$$

6.5 Puissance

Sur le plan pratique, lors d'une course à pied, par exemple, il est intéressant de connaître non seulement le travail effectué sur un objet, mais également la rapidité avec laquelle ce travail est effectué. Cette variation du travail dans le temps est appelée **puissance**.

Si on exerce une force extérieure sur un objet et si cette force accomplit un travail W durant un intervalle de temps Δt, la **puissance moyenne** au cours de cet intervalle est égale, par définition, au rapport entre le travail effectué et la durée de l'intervalle de temps :

$$\overline{P} \equiv \frac{W}{\Delta t} \qquad [6.19]$$

Le travail effectué sur l'objet contribue à changer son énergie. D'une façon plus générale, la puissance est définie comme la *variation d'énergie dans le temps*. La

Puissance instantanée

puissance instantanée P est la limite de la puissance moyenne lorsque Δt tend vers zéro :

$$P = \lim_{\Delta t \to 0} \frac{W}{\Delta t} = \frac{dW}{dt} \quad \textbf{[6.20]}$$

dW représentant la valeur infinitésimale du travail. De plus, d'après l'équation 6.3, nous savons que $dW = \vec{F} \cdot d\vec{s}$. Par conséquent, la puissance instantanée peut s'écrire :

$$P = \frac{dW}{dt} = \vec{F} \cdot \frac{d\vec{s}}{dt} = \vec{F} \cdot \vec{v} \quad \textbf{[6.21]}$$

où nous avons utilisé le fait que $\vec{v} = d\vec{s}/dt$.

Dans le SI, l'unité de puissance est le joule par seconde (J/s), qu'on appelle également *watt* (W) (pour James Watt) :

Le watt

$$1 \text{ W} = 1 \text{ J/s}$$

Il ne faut pas confondre le symbole W du watt avec le symbole W qui représente le travail.

Nous pouvons maintenant définir une nouvelle unité d'énergie (ou de travail) à partir de l'unité de puissance : un kilowatt-heure (kWh) est la quantité d'énergie produite ou consommée en 1 h au taux constant de 1 kW = 1 000 J/s. Par conséquent,

$$1 \text{ kWh} = (10^3 \text{ W})(3\,600 \text{ s}) = (10^3 \text{ J/s})(3\,600 \text{ s}) = 3{,}6 \times 10^6 \text{ J}$$

Il est important de noter qu'*un kilowatt-heure est une unité d'énergie et non pas une unité de puissance.* Lorsque vous payez votre facture d'électricité, vous achetez de l'énergie et la quantité d'électricité consommée par un appareil électrique s'exprime en général en kilowatt-heures. Par exemple, une ampoule électrique de 100 W consomme une énergie de $3{,}6 \times 10^5$ J en une heure.

Exemple 6.9 Puissance fournie par le moteur d'un ascenseur

La cabine d'un ascenseur a une masse de 1 000 kg et sa charge maximale admissible est de 800 kg. Une force constante de frottement $f = 4\,000$ N retarde son mouvement vers le haut, comme à la figure 6.17.

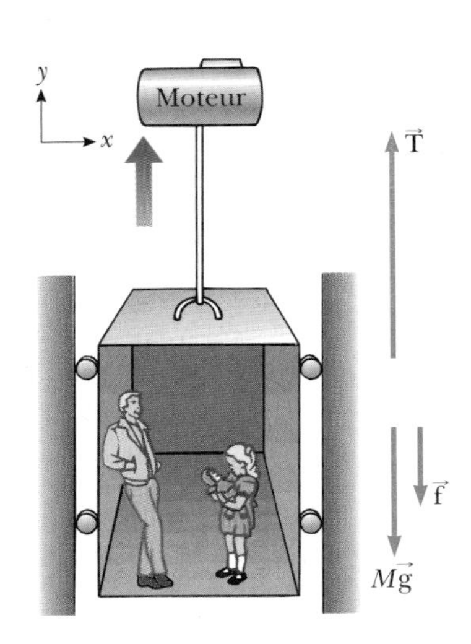

Figure 6.17
(Exemple 6.9) Le moteur exerce sur la cabine de l'ascenseur une force $\vec{T}$ dirigée vers le haut. La force de frottement f et le poids total Mg sont dirigés vers le bas.

(a) Quelle doit être la puissance minimale fournie par le moteur pour soulever l'ascenseur à une vitesse constante de 3 m/s ?

Solution Le moteur doit fournir la force $\vec{T}$ qui tire l'ascenseur vers le haut. D'après la deuxième loi de Newton, et tenant compte du fait que $a = 0$ lorsque v est constant, on obtient :

$$T - f - Mg = 0$$

où M est la masse *totale* (ascenseur plus charge), égale à 1 800 kg. En isolant T, on a :

$$\begin{aligned} T &= f + Mg \\ &= 4 \times 10^3 \text{ N} + (1{,}8 \times 10^3 \text{ kg})(9{,}8 \text{ m/s}^2) \\ &= 2{,}16 \times 10^4 \text{ N} \end{aligned}$$

Maintenant, utilisons l'équation 6.21 et le fait que $\vec{T}$ est de même sens que $\vec{v}$.

$$\begin{aligned} P &= \vec{T} \cdot \vec{v} = Tv \\ &= (2{,}16 \times 10^4 \text{ N})(3 \text{ m/s}) = 6{,}48 \times 10^4 \text{ W} \\ &= 64{,}8 \text{ kW} \end{aligned}$$

(b) Quelle puissance doit fournir le moteur à tout instant s'il est conçu pour donner une accélération de 1 m/s² vers le haut ?

APPLICATION

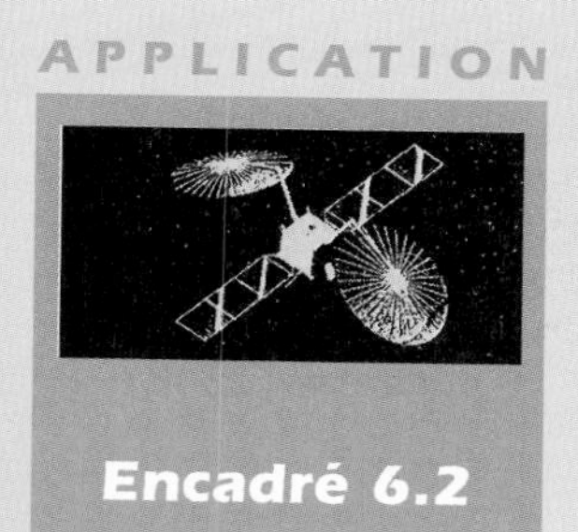

Encadré 6.2

La puissance musculaire

L'éducation physique a pour but de favoriser le développement harmonieux du corps d'une personne et ce, grâce à ses ressources bio-mécaniques. C'est par l'entremise de ces ressources qu'un mouvement est possible. Différentes disciplines, dont la physique mécanique, peuvent étudier le mouvement.

Une des qualités propre au mouvement sportif d'une personne est la puissance. Une connaissance scientifique de la puissance peut être utile pour favoriser le développement de cette qualité et, comme vous le savez maintenant, la puissance est, du point de vue scientifique, la quantité de travail effectué dans un certain laps de temps. Cependant, en se limitant à l'idée de « travail », on peut être tenté de planifier son entraînement physique en affirmant que, pour développer sa puissance, il faut « travailler » davantage. Mais quelles activités devrait-on choisir pour y arriver ?

En utilisant plutôt la forme scalaire de la puissance $P = \vec{F} \cdot \vec{v}$, on retire davantage d'information. Ainsi, la puissance d'une activité motrice correspond à une action qui est exécutée avec la force et la vitesse les plus grandes possibles. Le développement de la puissance doit donc se baser sur le développement de la force *et* de la vitesse, et non pas de la force *ou* de la vitesse. En effet, si on étudie la figure 6.18 qui est une représentation qualitative de la force en fonction de la vitesse lors d'une contraction maximale d'un muscle, on voit que la puissance maximale ne s'obtient pas en exerçant la force maximale ni en effectuant la contraction à la plus grande vitesse possible. Pour augmenter la puissance d'une action motrice, il faut chercher à obtenir un équilibre entre les paramètres force et vitesse.

À la suite de ces considérations, on comprend qu'il est plus profitable de développer la vitesse d'exécution des mouvements avant la puberté puis d'augmenter le développement de la force après la puberté, car alors le corps physique a achevé sa croissance. Un entraînement axé sur le développement de la puissance devrait comporter deux volets, l'un faisant intervenir des exercices intenses afin de développer la force et l'autre exigeant des vitesses d'exécution élevées afin de développer la vitesse des mouvements sportifs d'une personne.

Peut-être vous demandez-vous pourquoi la force et la vitesse n'agissent pas toujours de concert ? Eh bien, une augmentation de la vitesse d'exécution, en plus d'entraver certaines réactions biochimiques au niveau des petites fibres qui permettent la contraction musculaire, exerce une force de frottement qui diminue la force que peut produire une personne à cause de l'activation simultanée de muscles antagonistes (qui s'opposent dans leur action).

LECTURE SUGGÉRÉE

- M.-H. Brousse *et al.*, *Énergie et conduites motrices*, éd. Publications Insep, Paris, 1989.

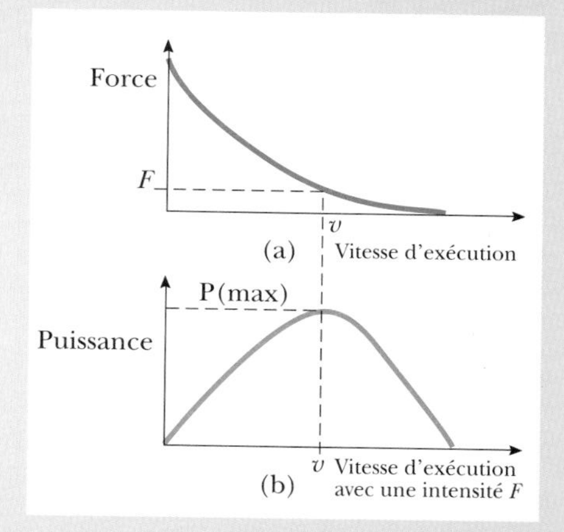

Figure 6.18
(a) Cette courbe représente la relation entre la force musculaire et la vitesse d'exécution d'une contraction. Plus le mouvement est exécuté rapidement, moins la personne peut exercer une force de grande intensité. (b) Relation entre la puissance fournie lors d'un mouvement et la vitesse d'exécution d'une contraction pour une certaine intensité F de la force musculaire. La puissance maximale s'obtient en optimisant l'interdépendance de la force avec la vitesse.

Solution La deuxième loi de Newton permet d'obtenir :

$$T - f - Mg = Ma$$

$$\begin{aligned} T &= M(a + g) + f \\ &= (1{,}8 \times 10^3 \text{ kg})(1 + 9{,}8) \text{ m/s}^2 + 4 \times 10^3 \text{ N} \\ &= 2{,}34 \times 10^4 \text{ N} \end{aligned}$$

Nous pouvons déterminer la puissance requise à l'aide de l'équation 6.21 :

$$P = Tv = (2{,}34 \times 10^4\, v) \text{ W}$$

où v est la vitesse instantanée de l'ascenseur en mètres par seconde. Nous voyons que la puissance requise augmente à mesure que la vitesse augmente.

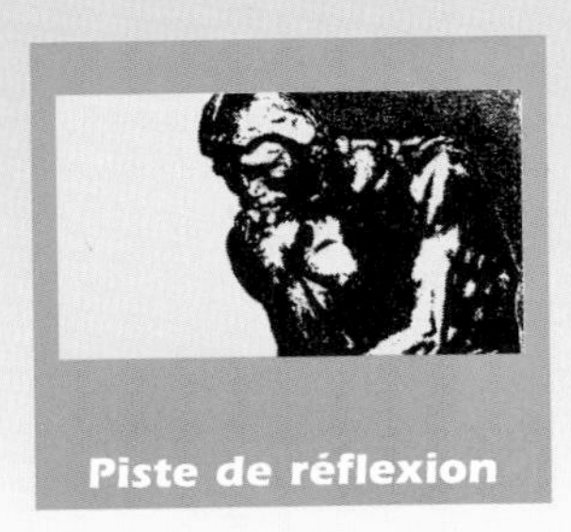

Piste de réflexion

Des scientifiques ont déjà soutenu que la femme était moins intelligente que l'homme parce que son volume crânien est plus petit. Cette théorie fut largement acceptée car elle cadrait bien avec les préjugés de l'époque. Pensez-vous que les tenants de cette théorie faisaient preuve d'objectivité ? Peut-on croire que les scientifiques actuels, ayant appris des erreurs du passé, sont désormais parfaitement objectifs et dénués de préjugés ?

LECTURE SUGGÉRÉE
Thomas Kuhn, *La structure des révolutions scientifiques*, Flammarion, Paris, 1987.

Résumé

- Le **travail** effectué par une force *constante* $\vec{F}$ agissant sur une particule est égal au produit de la composante de la force sur la direction du déplacement de la particule et de la grandeur du déplacement. Si la force fait un angle θ avec le déplacement $\vec{s}$, le travail effectué par $\vec{F}$ est :

$$W \equiv (F\cos\theta)s \qquad [6.1]$$

- Le **produit scalaire** de deux vecteurs quelconques $\vec{A}$ et $\vec{B}$ est :

$$\vec{A}\cdot\vec{B} \equiv AB\cos\theta \qquad [6.4]$$

dont le résultat est une quantité scalaire et où θ représente l'angle compris entre les deux vecteurs. Le produit scalaire obéit aux lois de commutativité et de distributivité.

- Le *travail* effectué par une force *variable* agissant sur un objet qui se déplace de x_i à x_f sur l'axe des x est donné par :

$$W = \int_{x_i}^{x_f} F_x\,dx \qquad [6.11]$$

où F_x est la composante de la force sur l'axe des x. Si plusieurs forces agissent sur un objet, le travail résultant est égal à la somme des travaux effectués par chacune des forces.

- L'**énergie cinétique** d'un objet de masse m se déplaçant à la vitesse v est :

$$K \equiv \tfrac{1}{2}mv^2 \qquad [6.17]$$

- Selon le **théorème de l'énergie cinétique**, le travail résultant effectué sur un objet par des forces extérieures est égal à la variation d'énergie cinétique de l'objet :

$$W = K_f - K_i = \tfrac{1}{2}mv_f^2 - \tfrac{1}{2}mv_i^2 \qquad [6.18]$$

- La **puissance moyenne** est égale au travail accompli pendant un intervalle de temps :

$$\overline{P} \equiv \frac{W}{\Delta t} \qquad [6.19]$$

- Si un agent extérieur exerce une force $\vec{F}$ sur un objet en mouvement à une vitesse $\vec{v}$, la **puissance instantanée** fournie par cet agent est :

$$P \equiv \frac{dW}{dt} = \vec{F}\cdot\vec{v} \qquad [6.21]$$

Questions et exercices conceptuels

1. Lorsqu'une particule décrit un cercle, elle est soumise à une *force centripète* dirigée vers le centre de rotation. Pourquoi cette force n'effectue-t-elle pas de travail sur la particule ?
2. Le produit scalaire de deux vecteurs est-il associé à une direction quelconque ?
3. Si le produit scalaire de deux vecteurs est positif, cela veut-il dire que les composantes cartésiennes des vecteurs doivent être positives ?
4. Lorsqu'on augmente la charge sur un ressort suspendu à la verticale, on ne s'attend pas à ce que le graphique représentant F_r en fonction de x soit toujours linéaire, comme à la figure 6.10d. Expliquez qualitativement le comportement auquel vous vous attendez pour ce graphique lorsque m augmente.
5. L'énergie cinétique d'un objet peut-elle avoir une valeur négative ?
6. Si la vitesse d'une particule double, que devient son énergie cinétique ?
7. Que peut-on dire de la vitesse d'une particule si le travail résultant effectué sur la particule est nul ?
8. Soit un satellite de la Terre en orbite circulaire à une altitude de 500 km. La force gravitationnelle agissant sur le satellite effectue-t-elle un travail ?
9. La puissance moyenne peut-elle devenir égale à la puissance instantanée ? Expliquez.

10. Dans l'exemple 6.9, la puissance requise augmente-t-elle ou diminue-t-elle lorsque la force de frottement diminue ?
11. Soit deux balles dont l'une a une masse égale au double de l'autre. Si les deux balles sont lancées à la même vitesse, laquelle des deux a la plus grande énergie cinétique ? Quel est le rapport entre les énergies cinétiques de ces deux balles ?
12. Au football, lorsqu'un joueur donne un coup de pied dans un ballon, effectue-t-il un travail sur le ballon lorsque celui-ci est en contact avec son pied ? Y a-t-il des forces qui effectuent un travail sur le ballon pendant sa trajectoire en l'air ?
13. Donnez deux exemples dans lesquels une force est exercée sur un objet sans pourtant effectuer de travail sur celui-ci.
14. Une équipe de déménageurs veut charger un camion à l'aide d'une rampe allant du sol à l'arrière du camion. Un des déménageurs prétend qu'il faudra fournir moins de travail pour charger le camion si on augmente la longueur de la rampe en réduisant l'angle que fait la rampe avec l'horizontale. A-t-il raison ? Expliquez.
15. Au cours de l'oscillation d'un pendule simple, les forces qui agissent sur la masse suspendue sont la force gravitationnelle, la tension du fil et la résistance de l'air. (a) Laquelle de ces forces, s'il y a lieu, n'effectue aucun travail sur le pendule ? (b) Laquelle de ces forces effectue un travail négatif à tout instant durant le mouvement du pendule ? (c) Décrivez le travail effectué par la force gravitationnelle pendant l'oscillation du pendule.
16. Calculez le travail effectué par un joueur de hockey après qu'il ait frappé une rondelle à 40 m/s. La masse d'une rondelle est voisine de 0,15 kg.
17. Le bâton du gardien de but recule avec la rondelle lorsqu'il intercepte une rondelle de 0,15 kg se déplaçant à la vitesse de 40 m/s. Si, lors de la réception, le bâton se déplace sur une distance de 2 cm, quelle est la force moyenne agissant sur le bâton ?
18. Calculez le temps qu'il vous faut pour monter un escalier. (Supposez que vous pouvez monter de 8 m en 6 s.) Calculez ensuite approximativement la puissance requise pour accomplir cette tâche.

Problèmes

Section 6.1 Travail effectué par une force constante

1. Si un homme effectue un travail de 6 kJ pour remonter d'un puits un seau de 20 kg, quelle est la profondeur du puits ? On suppose que le seau s'arrête au sommet.
2. Une femme de 65 kg monte un escalier de 20 marches, chaque marche ayant une hauteur de 23 cm. Quel est le travail effectué contre la force gravitationnelle ?
3. Un remorqueur exerce une force constante horizontale de 5 000 N sur un navire qui avance à vitesse constante dans un port. Quel travail effectue le remorqueur sur une distance de 3 km ?
4. Dans un supermarché, une cliente pousse un chariot avec une force de 35 N à 25° vers le bas par rapport à l'horizontale. Déterminez le travail effectué par la cliente lorsqu'elle parcourt une allée de 50 m.
5. Un cascadeur d'une masse de 80 kg tient l'extrémité libre d'une corde de 12 m. L'autre extrémité est attachée à la branche d'un arbre située au-dessus de lui. Il donne à la corde un mouvement d'oscillation qui lui permet d'atteindre le bord d'un toit lorsque la corde fait un angle de 60° avec la verticale orientée vers le bas. Quel est le travail effectué contre la force gravitationnelle au cours de cette manœuvre ?

Section 6.2 Produit scalaire de deux vecteurs

6. Le vecteur $\vec{A}$ a une grandeur de 5 unités et $\vec{B}$ a une grandeur de 9 unités. Les deux vecteurs forment un angle de 50°. Déterminez $\vec{A} \cdot \vec{B}$.
7. Une force $\vec{F} = (6\vec{i} - 2\vec{j})$ N agit sur une particule soumise à un déplacement $\vec{s} = (3\vec{i} + \vec{j})$ m. Déterminez (a) le travail effectué par la force sur la particule et (b) l'angle entre $\vec{F}$ et $\vec{s}$.
8. Le vecteur $\vec{A}$ a 2 unités de longueur et il est dirigé dans le sens positif de l'axe des y. Le vecteur $\vec{B}$ a une composante en x négative de 5 unités, une composante en y positive de 3 unités et aucune composante en z. Déterminez $\vec{A} \cdot \vec{B}$ et l'angle entre les vecteurs.
9. Partant de l'origine, une particule effectue le déplacement $(3\vec{i} - 4\vec{j})$ m sous l'action d'une force donnée par $(4\vec{i} - 5\vec{j})$ N. Calculez le travail effectué par la force au cours de ce déplacement.
10. En utilisant la définition du produit scalaire, déterminez les angles entre les paires suivantes de vecteurs : (a) $\vec{A} = 3\vec{i} - 2\vec{j}$ et $\vec{B} = 4\vec{i} - 4\vec{j}$, (b) $\vec{A} = \vec{i} - 2\vec{j} + 2\vec{k}$ et $\vec{B} = 3\vec{j} + 4\vec{k}$.

Section 6.3 Travail effectué par une force variable

11. Un objet se déplace de $x = 0$ à $x = 3$ m. Si la force résultante qui agit sur l'objet est dirigée selon l'axe des x et si sa variation est représentée par le graphique de la figure 6.19, déterminez le travail total effectué sur cet objet.

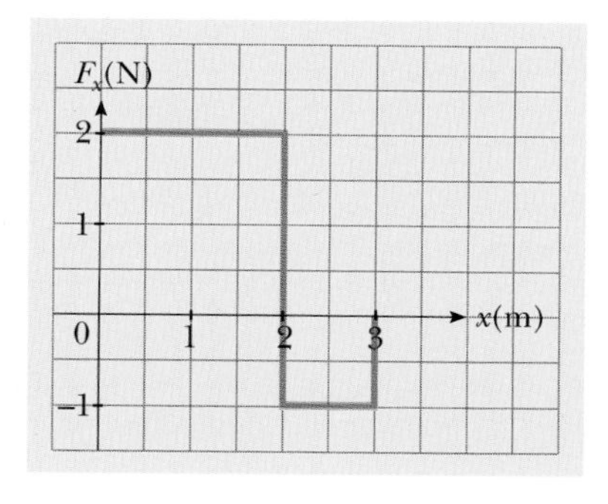

Figure 6.19 (Problème 11)

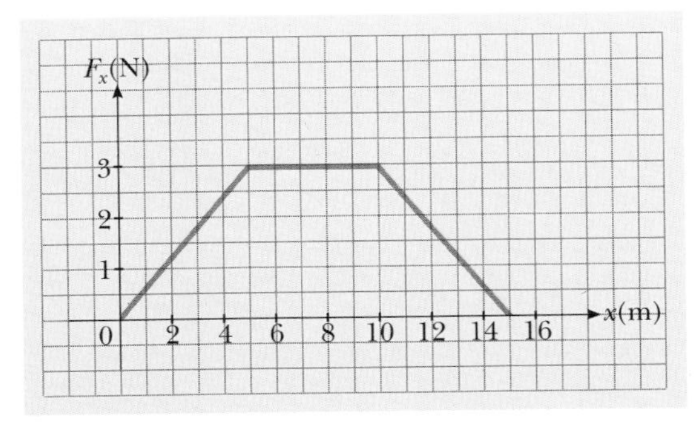

Figure 6.20 (Problème 12)

12. Un corps est soumis à une force $\vec{F}_x$ qui varie en fonction de la position, comme le montre la figure 6.20. Déterminez le travail effectué par la force sur le corps lorsque celui-ci se déplace (a) de $x = 0$ à $x = 5$ m, (b) de $x = 5$ m à $x = 10$ m, (c) de $x = 10$ m à $x = 15$ m. (d) Quel est le travail total effectué par la force sur la distance comprise entre $x = 0$ et $x = 15$ m ?
13. Lorsqu'on suspend verticalement une masse de 4 kg à l'extrémité d'un ressort de masse négligeable qui obéit à la loi de Hooke, le ressort s'allonge de 2,5 cm. On enlève la masse de 4 kg. (a) Quel est l'allongement du ressort si on suspend une masse de 1,5 kg à son extrémité ? (b) Quel travail doit effectuer un agent extérieur pour allonger le même ressort de 4 cm à partir de sa position d'équilibre ?
14. Lors d'une expédition dans la jungle, un touriste se trouve au milieu d'un marécage. Il estime que la force F_x qu'il doit exercer selon l'axe des x pour sortir du marécage est $F_x = (1\ 000 - 50x)$ N, où x est en mètres. (a) Tracez le graphique de F_x en fonction de x. (b) Quelle est la force moyenne exercée lorsqu'il se rend de zéro à x ? Quel travail doit-il effectuer pour se déplacer de 20 m ?
15. La force requise pour allonger un ressort obéissant à la loi de Hooke varie de zéro à 50 N lorsqu'une extrémité du ressort se déplace de 12 cm à partir de sa position d'équilibre. (a) Déterminez la constante de rappel k du ressort. (b) Déterminez le travail effectué pour allonger le ressort.
16. Un archer tend la corde de son arc de 0,4 m vers l'arrière en exerçant une force qui augmente uniformément de zéro à 230 N (voir figure 6.21). (a) Par analogie avec le ressort, quelle est la constante de rappel équivalente de l'arc ? (b) Quel est le travail effectué pour tendre la corde ?

Figure 6.21 (Problème 16) *(Gamma)*

17. Si un travail de 4 J est nécessaire pour allonger un ressort obéissant à la loi de Hooke de 10 cm au-delà de sa position d'équilibre, déterminez le travail supplémentaire requis pour l'allonger encore de 10 cm.

Section 6.4 Énergie cinétique et théorème de l'énergie cinétique

18. Une particule de 0,6 kg a une vitesse de 2 m/s au point A et une énergie cinétique de 7,5 J au point B. Déterminez (a) son énergie cinétique au point A, (b) sa vitesse au point B, (c) le travail total effectué sur la particule lorsqu'elle se rend de A à B. (d) Que devient l'énergie cinétique au point A si la vitesse y est réduite de moitié ?
19. Deux hommes poussent une voiture de 2 500 kg initialement au repos jusqu'à la vitesse v en effectuant un travail de 5 000 J (voir figure 6.22). Pendant ce temps, la voiture se déplace de 25 m. Si on néglige le frottement entre la voiture et la route ainsi que le frottement interne de la voiture, déterminez (a) la vitesse finale v de la voiture et (b) la force horizontale exercée sur la voiture.

Figure 6.22 (Problème 19)
(Renee Lynn/Photo Researchers, Inc.)

20. Une masse de 3 kg a une vitesse initiale $\vec{v}_0 = (6\vec{i} - 2\vec{j})$ m/s. (a) Quelle est son énergie cinétique à cet instant ? (b) Déterminez la *variation* d'énergie cinétique si sa vitesse devient $(8\vec{i} + 4\vec{j})$ m/s. (*Suggestion :* Utilisez le fait que $v^2 = \vec{v} \cdot \vec{v}$.)
21. Un attelage de chiens tire, sur une surface horizontale, un traîneau de 100 kg à vitesse constante sur une distance de 2 km (voir figure 6.23). Déterminez le travail effectué par l'attelage de chiens.
22. Une force horizontale de 150 N sert à pousser une caisse de 40 kg sur une distance de 6 m, sur une surface horizontale. Si la caisse se déplace à vitesse constante, déterminez le travail effectué par la force de 150 N.
23. Une charrette chargée de briques a une masse totale de 18 kg et on la tire à vitesse constante à l'aide d'une corde. La corde est inclinée de 20° sur l'horizontale et la charrette se déplace de 20 m sur une surface horizontale. (a) Quelle est la tension de la corde ? (b) Quel est le travail effectué sur la charrette par la corde ?
24. Un bloc d'une masse de 12 kg, initialement au repos, glisse vers le bas d'un plan lisse incliné de 35°, puis est

Figure 6.23 (Problème 21) *(Gamma)*

arrêté par un ressort de constante $k = 3 \times 10^4$ N/m. Le bloc glisse sur une distance totale $d = 3$ m entre le point où il est lâché et le point où il s'arrête contre le ressort. Quelle est la compression du ressort lorsque le bloc s'arrête ?

25. On tire le long d'un plan incliné une caisse d'une masse de 10 kg dont la grandeur de la vitesse initiale est 1,5 m/s. On tire avec une force de 100 N parallèle au plan incliné. Ce dernier fait un angle de 20° avec l'horizontale. La caisse est tirée sur une distance de 5 m. (a) Quel est le travail effectué par la force gravitationnelle ? (b) Quel est le travail effectué par la force de 100 N ? (c) Quelle est la variation d'énergie cinétique de la caisse ? (d) Quelle est la vitesse de la caisse lorsqu'elle a parcouru 5 m ?

Section 6.5 Puissance

26. Pendant l'entraînement, un cascadeur de 700 N grimpe, à vitesse uniforme, une corde verticale de 10 m en 8 s. Quelle est la puissance réelle fournie au cours du processus ?
27. Dans une partie des chutes du Niagara, l'eau coule avec un débit de $1,2 \times 10^6$ kg/s et tombe de 50 m. Combien d'ampoules de 60 W cette puissance permettrait-elle d'alimenter ?
28. Un haltérophile soulève 250 kg sur 2 m en 1,5 s. Quelle puissance produit-il ?
29. Une automobile de 1 500 kg accélère uniformément à partir du repos jusqu'à la vitesse de 10 m/s en 3 s. Si on néglige le frottement entre l'automobile et la route ainsi qu'à l'intérieur de l'automobile, déterminez (a) le travail effectué sur l'automobile durant ce laps de temps, (b) la puissance moyenne fournie par le moteur durant les trois premières secondes et (c) la puissance instantanée fournie par le moteur à $t = 2$ s.
30. Un skieur, d'une masse de 70 kg, se fait tirer vers le haut d'une pente par un câble entraîné par un moteur. (a) Quel est le travail requis pour le tirer sur une distance de 60 m si la pente est inclinée de 30° (on suppose qu'il n'y a pas de frottement) avec une vitesse constante de 2 m/s ? (b) Quelle doit être la puissance du moteur pour accomplir cette tâche ?
31. Une voiture pesant 2 500 N et produisant une puissance de 130 kW peut atteindre une vitesse maximale de 31 m/s sur une route horizontale nivelée. (a) Quelle est la vitesse maximale de la voiture sur un plan incliné si $\sin \theta = 0,05$? (b) Quelle est sa puissance produite sur un plan incliné de 57° si elle roule à 10 m/s ?

Problèmes supplémentaires

32. Au baseball, un joueur lance une balle de 0,15 kg à une vitesse de 40 m/s et avec un angle initial de 30°. Quelle est l'énergie cinétique de la balle au sommet de sa trajectoire ?
33. En courant, une personne dissipe environ 0,6 J d'énergie mécanique à chaque pas et pour chaque kilogramme de sa masse. Si un coureur de 60 kg dissipe une puissance de 70 W pendant une course, à quelle vitesse court-il ? On suppose que le coureur fait des pas de 1,5 m de longueur.
34. On monte une caisse de 15 kg à vitesse uniforme vers le haut d'un plan incliné de 8 m de longueur qui fait un angle de 15° avec l'horizontale. Quel est le travail effectué par (a) la force appliquée, (b) la force normale et (c) la force gravitationnelle ?
35. Le patron d'un bistro fait glisser une bouteille d'eau minérale sur un comptoir horizontal vers un client qui se trouve à l'autre extrémité du comptoir, à une distance de 7 m. Quelle est la vitesse de la bouteille lorsqu'il la lâche si la bouteille s'arrête en face du client ?
36. La direction d'un vecteur arbitraire $\vec{A}$ peut être complètement définie par les angles α, β et γ que fait le vecteur avec les axes des x, des y et des z (voir figure 6.24). Si $\vec{A} = A_x\vec{i} + A_y\vec{j} + A_z\vec{k}$, (a) déterminez les expressions des cosinus directeurs $\cos \alpha$, $\cos \beta$ et $\cos \gamma$, (b) démontrez que ces angles vérifient la relation $\cos^2 \alpha + \cos^2 \beta + \cos^2 \gamma = 1$. (*Suggestion :* Envisagez séparément les produits scalaires de $\vec{A}$ avec $\vec{i}$, $\vec{j}$ et $\vec{k}$.)

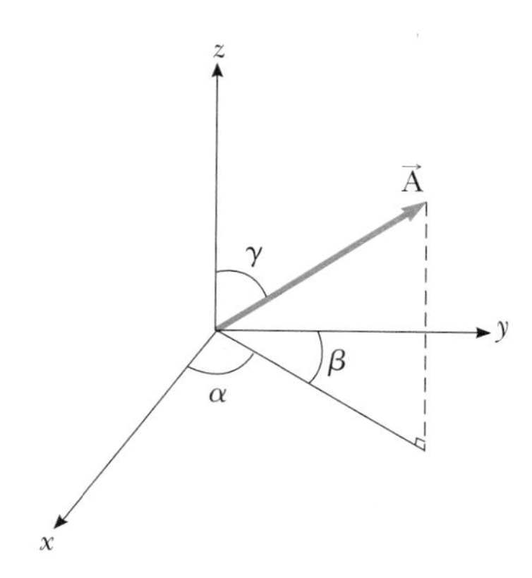

Figure 6.24 (Problème 36)

37. On utilise une machine d'une masse de 2 100 kg pour enfoncer dans le sol une poutre en acier. La masse initialement au repos tombe en chute libre d'une hauteur de 5 m avant d'entrer en contact avec la poutre puis elle l'enfonce de 12 cm dans le sol avant de s'arrêter. À l'aide du théorème de l'énergie cinétique, calculez la force moyenne exercée par la poutre sur la masse lorsqu'elle s'arrête.
38. Un remonte-pente qui tire des skieurs vers le haut d'une pente de 600 m de longueur et inclinée à 30°

avance à la vitesse de 3 m/s et transporte au plus 120 passagers à un instant donné. La masse moyenne de chaque passager est de 80 kg. En négligeant le frottement, déterminez la puissance que doit avoir un moteur pour faire fonctionner le remonte-pente dans les conditions de charge maximale.

39. On appuie un bloc de 200 g contre un ressort dont la constante de rappel est de 1 400 N/m jusqu'à ce que le bloc comprime le ressort de 10 cm. Le ressort est posé au bas d'une rampe inclinée de 60° par rapport à l'horizontale, comme à la figure 6.25. Déterminez la distance que parcourt le bloc sur le plan incliné avant de s'arrêter momentanément s'il n'y a pas de frottement entre le bloc et la rampe.

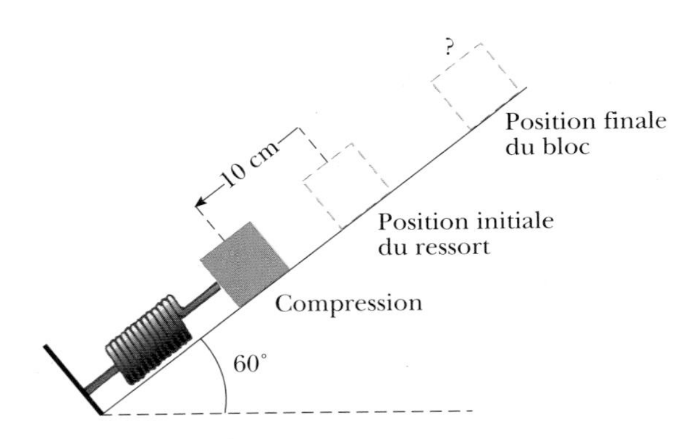

Figure 6.25 (Problème 39)

40. Dans un jeu de billard automatique, le piston qui lance la balle possède un ressort ayant une constante de rappel égale à 1,2 N/cm (voir figure 6.26). La surface sur laquelle se déplace la balle est inclinée de 10° par rapport à l'horizontale. Si le ressort est initialement comprimé de 5 cm, déterminez la vitesse de lancement d'une balle de 100 g lorsqu'on lâche le piston. Le frottement et la masse du piston sont négligeables.

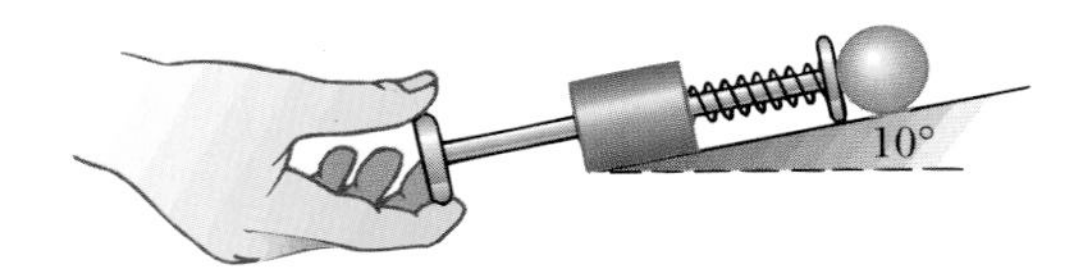

Figure 6.26 (Problème 40)

Problèmes à faire avec une calculatrice ou un ordinateur

41. Un objet de 5 kg, partant de l'origine, se déplace sur l'axe des x. On mesure la force résultante qui agit sur l'objet à intervalles de 1 m et on trouve : 27,0, 28,3, 36,9, 34,0, 34,5, 34,5, 46,9, 48,2, 50,0, 63,5, 13,6, 12,2, 32,7, 46,6, 27,9 (en newtons). Déterminez le travail total effectué sur l'objet au cours de cette période.

42. Un objet de 0,178 kg se déplace sur l'axe des x de $x = 12{,}8$ m à $x = 23{,}7$ m sous l'action d'une force donnée par

$$F = \frac{375}{x^3 + 3{,}75x}$$

où F est en newtons et x en mètres. Utilisez une méthode d'intégration numérique pour calculer le travail total effectué par cette force durant ce déplacement. Vos calculs doivent être effectués avec une marge d'erreur inférieure ou égale à 2 %. (*Suggestion :* Utilisez un tableau.)

Figure 7.1
Les chutes Montmorency, près de Québec. L'énergie potentielle de l'eau au sommet des chutes est convertie en énergie cinétique en bas. Dans bien des endroits, cette énergie sert à produire de l'électricité. *(D. Ouellette/ Publiphoto)*

Énergie potentielle et conservation de l'énergie

CHAPITRE 7

Nous avons étudié, au chapitre 6, la notion d'énergie cinétique qui est liée au mouvement d'un objet. Nous avons vu que l'énergie cinétique d'un objet ne varie que si un travail est effectué sur cet objet. Nous allons maintenant nous pencher sur une autre forme d'énergie mécanique, appelée *énergie potentielle,* et qui est liée à la position d'un objet ou à la configuration d'un système. On peut concevoir l'énergie potentielle d'un système comme étant la quantité d'énergie qu'il possède et qui peut se transformer en énergie cinétique pour effectuer un travail.

La notion d'énergie potentielle ne peut être utilisée que pour une catégorie particulière de forces qu'on appelle *forces conservatives.* Lorsqu'un système est soumis uniquement à des forces internes conservatives, comme la force gravitationnelle ou la force de rappel, l'énergie cinétique qu'il gagne (ou qu'il perd) lorsque ses éléments changent de position relative est compensée par une perte (ou une augmentation) équivalente d'énergie potentielle. Cette loi constitue le *principe de conservation de l'énergie mécanique.*

7.1 Énergie potentielle

Nous avons vu, au chapitre 6, qu'un objet qui possède de l'énergie cinétique peut effectuer un travail sur un autre objet, par exemple un marteau qui sert à planter un clou dans un mur. Nous allons maintenant voir qu'un objet peut également effectuer un travail en vertu de l'énergie qui est fonction de sa *position* dans l'espace.

Lors de la chute d'un objet dans un champ gravitationnel, le champ exerce une force sur l'objet dans la direction du mouvement et effectue sur lui un travail, ce qui augmente donc son énergie cinétique. Considérons une brique initialement au repos et qu'on lâche juste au-dessus d'un clou légèrement enfoncé dans une planche posée horizontalement sur le sol. Lorsqu'on lâche la brique, elle tombe vers le sol, prend de la vitesse et gagne donc de l'énergie cinétique. À cause de sa position dans l'espace, la brique a une énergie potentielle (elle a le *potentiel* d'effectuer un travail) qui se transforme en énergie cinétique pendant la chute. Lorsque la brique atteint le sol, elle effectue un travail sur le clou et l'enfonce dans la planche. L'énergie que possède un objet en fonction de sa position dans l'espace est appelée **énergie potentielle gravitationnelle**. C'est l'énergie que lui confère le champ gravitationnel.

Nous allons maintenant établir l'expression correspondant à l'énergie potentielle gravitationnelle d'un objet en un point donné de l'espace. Pour ce faire, considérons un bloc de masse m situé à une hauteur initiale y_i au-dessus du sol, comme à la figure 7.2. Si on néglige la résistance de l'air pendant la chute du bloc, la seule force qui effectue un travail sur le bloc est la force gravitationnelle, $m\vec{g}$. Le travail effectué par la force gravitationnelle au cours du déplacement $\vec{s}$ est égal au produit de la force $m\vec{g}$ orientée vers le bas et du déplacement, c'est-à-dire :

$$W_g = (m\vec{g}) \cdot \vec{s} = (-mg\vec{j}) \cdot (y_f - y_i)\vec{j} = mgy_i - mgy_f$$

Définissons maintenant l'énergie potentielle gravitationnelle U_g :

$$U_g \equiv mgy \qquad [7.1]$$

L'énergie potentielle gravitationnelle d'un objet en un point quelconque de l'espace est égale au produit du poids de l'objet par sa coordonnée verticale. L'origine du système de coordonnées peut être située à la surface de la Terre ou en tout autre point adéquat.

Si on tient compte de cette définition, l'expression de W_g devient :

$$W_g = U_i - U_f \qquad [7.2]$$

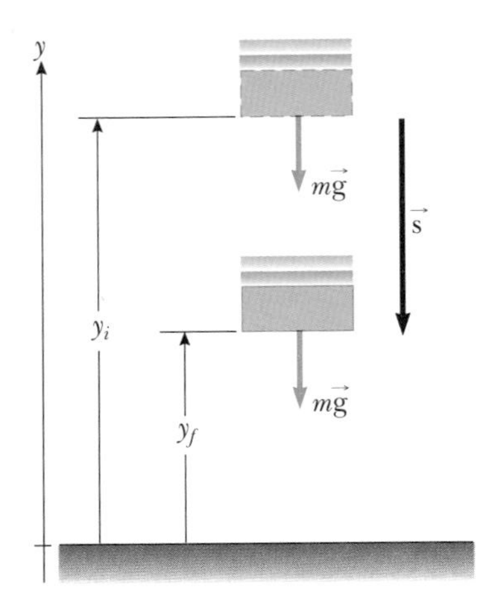

Figure 7.2
Le travail effectué par la force gravitationnelle lorsque le bloc tombe de y_i à y_f est égal à $mgy_i - mgy_f$.

Ce résultat indique que le travail effectué sur un objet quelconque par la force gravitationnelle, c'est-à-dire l'énergie de l'objet attribuable au champ gravitationnel, est égal à la valeur initiale moins la valeur finale de l'énergie potentielle.

Les unités d'énergie potentielle gravitationnelle sont les mêmes que pour le travail, c'est-à-dire le joule. Tout comme le travail et l'énergie cinétique, l'énergie potentielle est une grandeur scalaire.

Notons que l'énergie potentielle gravitationnelle dépend uniquement de la hauteur verticale de cet objet au-dessus de la surface de la Terre. Par conséquent, le travail effectué sur un objet est le même si l'objet tombe verticalement sur la Terre ou s'il part du même point et glisse le long d'un plan incliné sans frottement. Notons également que l'équation 7.1 est valable uniquement pour les objets proches de la surface de la Terre, où $\vec{g}$ est pratiquement constant.

Pour résoudre les problèmes faisant intervenir l'énergie potentielle gravitationnelle, il est toujours nécessaire de choisir l'endroit où l'énergie potentielle gravitationnelle est égale à zéro. Ce choix du niveau zéro est tout à fait arbitraire parce que la grandeur qui importe est la *différence* d'énergie potentielle et cette différence ne dépend pas du choix du niveau d'énergie zéro.

Il est souvent pratique de choisir la surface de la Terre comme position de référence pour l'énergie potentielle, mais ce n'est pas obligatoire. Souvent, l'énoncé du problème suggère en effet le niveau qui convient. Ce point important est illustré par l'exemple qui suit.

Exemple 7.1 Préparez vos skis

Un skieur débutant de masse égale à 60 kg se trouve en haut d'une pente, comme à la figure 7.3. Au point initial *A*, le skieur se trouve à une hauteur de 10 m par rapport au point *B*.

(a) En prenant l'origine de l'énergie potentielle gravitationnelle en *B*, déterminez d'abord l'énergie potentielle gravitationnelle du skieur en *A* et en *B* puis déterminez la différence d'énergie potentielle entre ces deux points.

Solution Par choix arbitraire, l'énergie potentielle gravitationnelle en *B* est égale à zéro. L'énergie potentielle au point initial est donc :

$$U_i = mgy_i = (60\text{ kg})(9{,}8\text{ m/s}^2)(10\text{ m}) = \boxed{5\,880\text{ J}}$$

Puisque $U_f = 0$, la différence d'énergie potentielle est :

$$U_i - U_f = 5\,880\text{ J} - 0\text{ J} = \boxed{5\,880\text{ J}}$$

(b) Refaites ce problème en prenant le niveau d'énergie nul au point *A*.

Solution Dans ce cas, l'énergie potentielle initiale est nulle à cause du niveau de référence choisi. L'énergie potentielle finale est donc :

$$U_f = mgy_f = (60\text{ kg})(9{,}8\text{ m/s}^2)(-10\text{ m}) = \boxed{-5\,880\text{ J}}$$

Notons que la distance y_f est égale à −10 m parce que le point final est à 10 m *en dessous* du niveau de référence zéro. La différence d'énergie potentielle est :

$$U_i - U_f = 0\text{ J} - (-5\,880\text{ J}) = \boxed{5\,880\text{ J}}$$

Ces calculs montrent que l'énergie potentielle du skieur en haut de la pente est supérieure de 5 880 J à l'énergie potentielle en bas de la pente, *quel que soit le niveau de référence choisi.*

Figure 7.3 (Exemple 7.1)

Exercice Si on choisit le niveau de référence à mi-pente, à une hauteur de 5 m, déterminez l'énergie potentielle initiale, l'énergie potentielle finale et la différence d'énergie potentielle entre les points A et B.

Réponse 2 940 J, −2 940 J, 5 880 J

7.2 Forces conservatives et forces non conservatives

Les forces observées dans la nature se répartissent en deux catégories : les forces conservatives et les forces non conservatives. Nous allons décrire les propriétés des forces appartenant à ces deux catégories.

Forces conservatives

Une force est conservative si le travail qu'elle accomplit sur un objet se déplaçant entre deux points est indépendant de la trajectoire de l'objet entre ces deux points. Le travail d'une force conservative dépend uniquement des positions initiale et finale de l'objet. On peut également définir une force conservative de la manière suivante : *une force est conservative si le travail qu'elle effectue sur un objet décrivant une trajectoire fermée est nul.*

La force gravitationnelle est conservative. Comme nous l'avons vu à la section précédente, le travail effectué par la force gravitationnelle sur un objet se déplaçant entre deux points proches de la surface de la Terre est :

$$W_g = mgy_i - mgy_f$$

On voit donc que W_g dépend uniquement des coordonnées initiale et finale de l'objet et ne dépend donc pas de la trajectoire. De plus, W_g est nul lorsque l'objet décrit une trajectoire fermée (avec $y_i = y_f$).

À toute force conservative, on peut faire correspondre une fonction énergie potentielle scalaire. Dans la section précédente, nous avons utilisé une fonction énergie potentielle correspondant à la force gravitationnelle telle que :

$$U_g = mgy$$

Des fonctions énergie potentielle ne peuvent être définies que pour les forces conservatives. En général, le travail W_c effectué sur un objet par une force conservative est donné par la valeur initiale de l'énergie potentielle de l'objet moins la valeur finale :

$$W_c = U_i - U_f = -\Delta U \qquad \textbf{[7.3]}$$

L'énergie potentielle gravitationnelle est l'énergie emmagasinée dans le champ gravitationnel lorsqu'on soulève l'objet contre le champ.

La force exercée par un ressort sur un objet attaché à son extrémité, $F_r = -kx$, est un autre exemple de force conservative. Nous avons vu au chapitre 6 que le travail effectué par la force du ressort est égal à :

$$W_r = \tfrac{1}{2}kx_i^2 - \tfrac{1}{2}kx_f^2$$

où les coordonnées initiale et finale de l'objet sont mesurées à partir de sa position d'équilibre, $x = 0$. Nous voyons là encore que W_r dépend uniquement des coordonnées initiale et finale de l'objet et qu'il est nul pour une trajectoire fermée. La force d'un ressort est donc conservative. Par définition, la fonction **énergie potentielle élastique** correspondant à la force du ressort est :

$$U_r = \tfrac{1}{2}kx^2 \qquad \textbf{[7.4]}$$

L'énergie potentielle élastique correspond à de l'énergie emmagasinée dans le ressort déformé (qu'il soit comprimé ou allongé par rapport à sa position

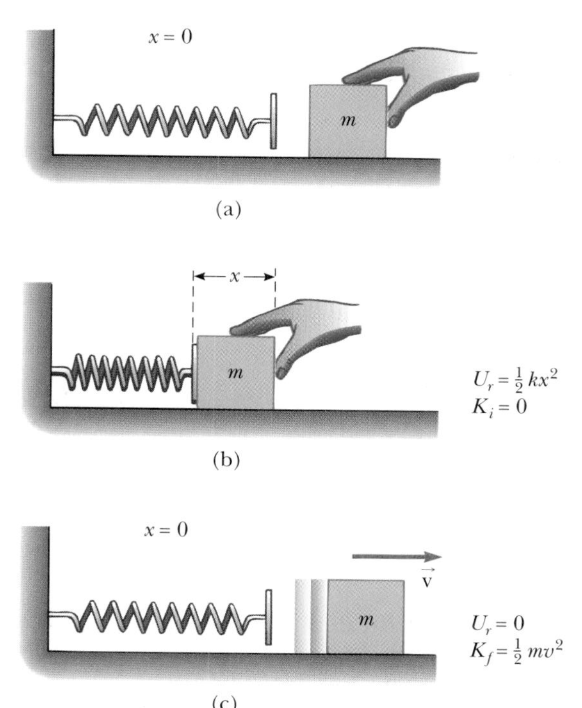

Figure 7.4
On pousse un bloc d'une masse m sur une surface horizontale contre un ressort, puis on le lâche. Si x est la compression du ressort comme à la figure (b), l'énergie potentielle élastique emmagasinée dans le ressort est de $\frac{1}{2}kx^2$. Cette énergie est transmise au bloc sous forme d'énergie cinétique comme à la figure (c).

d'équilibre). En effet, examinons la figure 7.4a qui représente un ressort non déformé sur une surface lisse et horizontale. Lorsqu'on pousse le bloc contre le ressort (voir figure 7.4b) en comprimant le ressort sur une distance x, l'énergie potentielle élastique emmagasinée dans le ressort vaut $kx^2/2$. Lorsqu'on lâche le bloc, le ressort revient à sa longueur initiale et l'énergie potentielle élastique emmagasinée est transformée en énergie cinétique du bloc (voir figure 7.4c). L'énergie potentielle élastique emmagasinée dans le ressort est nulle lorsque le ressort est à l'équilibre ($x = 0$). L'énergie est emmagasinée dans le ressort uniquement lorsque celui-ci est allongé ou comprimé. De plus, l'énergie potentielle élastique est maximale lorsque le ressort atteint sa limite de compression ou d'élongation maximale (c'est-à-dire lorsque $|x|$ est maximal). Enfin, puisque l'énergie potentielle élastique est proportionnelle à x^2, on voit que U_r est toujours positif dans un ressort déformé.

Forces non conservatives

Définition d'une force non conservative

On dit qu'une force est *non conservative* si elle donne lieu à une dissipation d'énergie mécanique. Par exemple, lorsqu'on lance un objet sur une surface horizontale et qu'il s'arrête au bout d'un moment freiné par le frottement, il faut bien que l'énergie transmise à l'objet se soit dissipée. Le frottement est une force dissipative, non conservative. Par contre, si on soulève l'objet, il est nécessaire d'effectuer un travail, mais cette énergie est récupérée lorsqu'on abaisse l'objet. La force gravitationnelle est une force non dissipative, ou conservative.

Supposons qu'on veuille déplacer un livre entre deux points sur une table. Si le déplacement s'effectue en ligne droite le long de la trajectoire bleue entre les points A et B de la figure 7.5, la perte d'énergie mécanique résultant du frottement est simplement égale à $-fd$, où d est la distance entre les deux points. Toutefois, si on déplace le livre en suivant n'importe quelle autre trajectoire entre les deux points, la perte d'énergie mécanique résultant du frottement est supérieure (en valeur absolue) à $-fd$. Par exemple, la perte d'énergie mécanique résultant du frottement le long du demi-cercle rouge de la figure 7.5 est égale à $-f(\pi d/2)$, où d est le diamètre du cercle.

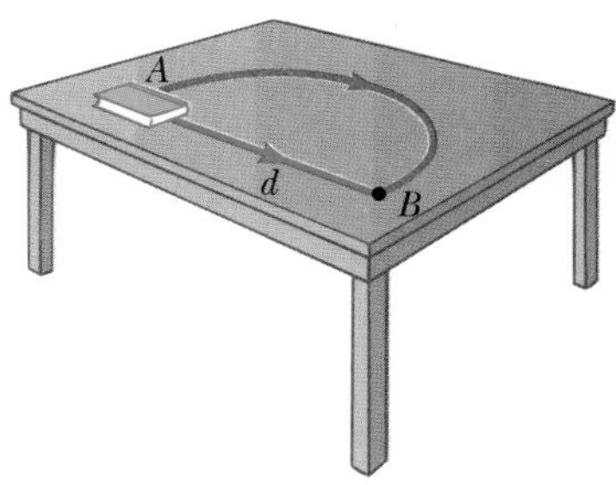

Figure 7.5
La perte d'énergie mécanique résultant de la force de frottement dépend du trajet suivi par le livre entre A et B et le frottement est donc une force non conservative. La perte d'énergie mécanique est plus grande sur le trajet rouge que sur le trajet bleu.

7.3 Forces conservatives et énergie potentielle

Nous avons vu à la section précédente que le travail effectué sur un objet par une force conservative ne dépend ni de la trajectoire suivie ni de la vitesse. Le travail accompli est uniquement fonction des positions initiale et finale de la particule. Par conséquent, nous pouvons définir une fonction, appelée énergie potentielle et désignée par le symbole U, telle que le travail effectué sur l'objet soit égal à la diminution d'énergie potentielle. Le travail accompli par une force conservative $\vec{F}$ lorsque l'objet se déplace sur l'axe des x peut s'écrire[1] :

$$W_c = \int_{x_i}^{x_f} F_x \, dx = -\Delta U = U_i - U_f \qquad [7.5]$$

Autrement dit, *le travail effectué par une force conservative est égal à la variation d'énergie potentielle attribuable à cette force.* On peut également écrire l'équation 7.5 sous la forme :

Variation d'énergie potentielle

$$\Delta U = U_f - U_i = -\int_{x_i}^{x_f} F_x \, dx \qquad [7.6]$$

où F_x est la composante de $\vec{F}$ dans la direction du déplacement : $\vec{F}$ est la force exercée par le champ sur l'objet. Par conséquent, ΔU est négatif lorsque F_x et dx sont de même sens, par exemple lorsqu'un objet perd de l'altitude dans le champ gravitationnel ou lorsqu'un ressort pousse un objet vers la position d'équilibre.

Il est souvent pratique de choisir un point particulier, x_i, comme point de référence et de mesurer toutes les différences d'énergie potentielle par rapport à ce point. On peut alors définir la fonction énergie potentielle par :

$$U_f = -\int_{x_i}^{x_f} F_x \, dx + U_i \qquad [7.7]$$

De plus, comme nous l'avons déjà vu précédemment, on choisit souvent U_i égal à zéro en un point de référence arbitraire. La valeur attribuée à U_i n'a pas vraiment d'importance, puisqu'elle revient à décaler U_f d'une constante, la seule grandeur importante étant la *variation* d'énergie potentielle. Si on sait que la force conservative est fonction de la position, on peut utiliser l'équation 7.7 pour calculer la variation d'énergie potentielle d'un corps qui se déplace de x_i à x_f.

On ne peut pas faire correspondre une *fonction* énergie potentielle à une force non conservative.

7.4 Conservation de l'énergie

Un objet qu'on tient à une certaine hauteur h au-dessus du sol n'a pas d'énergie cinétique, mais nous avons déjà vu qu'il possède une énergie potentielle gravitationnelle égale à mgh par rapport au sol. Si on lâche l'objet, il tombe par terre ; pendant sa chute, sa vitesse et donc son énergie cinétique augmentent, tandis que son énergie potentielle diminue. Si on néglige certains facteurs comme la résistance de l'air, quelle que soit l'énergie potentielle perdue par l'objet pendant sa chute, elle apparaît sous forme d'énergie cinétique. En d'autres termes, la somme de l'énergie cinétique et de l'énergie potentielle, appelée l'*énergie mécanique E*, reste toujours constante. C'est un exemple du **principe de conservation de l'énergie**. Dans le cas d'un objet en chute libre, ce principe nous dit que toute

[1] Dans le cas d'un déplacement à deux ou à trois dimensions, le travail effectué est aussi égal à $U_i - U_f$, où $U = U(x, y, z)$. On écrit alors : $W = \int_i^f \vec{F} \cdot \vec{ds} = U_i - U_f$.

augmentation (ou diminution) d'énergie potentielle est accompagnée par une diminution égale (ou augmentation) d'énergie cinétique.

Puisque l'énergie mécanique totale E est définie comme étant la somme de l'énergie cinétique et de l'énergie potentielle, on peut écrire :

$$E \equiv K + U \qquad [7.8]$$

Énergie mécanique totale

On peut donc appliquer le principe de conservation de l'énergie sous la forme $E_i = E_f$, ou

$$K_i + U_i = K_f + U_f \qquad [7.9]$$

Conservation de l'énergie

Plus formellement, *selon le principe de conservation de l'énergie, l'énergie mécanique totale d'un système reste constante dans un système isolé d'objets qui interagissent uniquement par des forces conservatives.* Il est important de noter que l'équation 7.9 est valable *à condition* qu'aucune quantité d'énergie ne soit ajoutée ou enlevée du système. De plus, aucune force non conservative ne doit agir dans le système.

Énoncé formel du principe de conservation de l'énergie

Puisque l'énergie mécanique E demeure constante dans le temps, $dE/dt = 0$. Si on prend la dérivée de l'équation 7.8 par rapport au temps,

$$\frac{dE}{dt} = 0 = \frac{dK}{dt} + \frac{dU}{dt} \qquad [7.10]$$

Comme $K = \frac{1}{2}mv^2$, on peut écrire :

$$\frac{dK}{dt} = \frac{d}{dt}(\tfrac{1}{2}mv^2) = mv\frac{dv}{dt} = mva = F_x v$$

En appliquant la règle de dérivation des fonctions composées à dU/dt, on obtient :

$$\frac{dU}{dt} = \frac{dU}{dx}\frac{dx}{dt} = \left(\frac{dU}{dx}\right)v$$

Si on remplace ces expressions de dK/dt et dU/dt dans l'équation 7.10, on trouve :

$$F_x v + \left(\frac{dU}{dx}\right)v = 0$$

ou

$$F_x = -\frac{dU}{dx} \qquad [7.11]$$

Relation entre une force conservative et l'énergie potentielle

Autrement dit, *la force interne conservative agissant sur une partie du système est égale à l'opposé de la dérivée de l'énergie potentielle du système.*

On peut facilement vérifier cette relation pour les deux cas déjà envisagés. Dans le cas du ressort déformé, $U_r = \frac{1}{2}kx^2$, et donc :

$$F_r = -\frac{dU_r}{dx} = -\frac{d}{dx}(\tfrac{1}{2}kx^2) = -kx$$

qui correspond à la force de rappel exercée par le ressort. Dans le cas d'un objet situé à une distance y au-dessus d'un point de référence, l'énergie potentielle gravitationnelle est une fonction donnée par $U_g = mgy$ et l'équation 7.11 nous permet de déduire que $F_g = -mg$.

Nous voyons maintenant que U est une fonction importante, car elle permet de déterminer la force conservative agissant dans un système quelconque. De plus, l'équation 7.11 montre clairement que le fait d'ajouter une constante à l'énergie potentielle n'a pas d'importance puisque l'emplacement du point de référence est arbitraire.

L'équation 7.11 peut également s'écrire sous la forme $dU = -F\,dx$, et lorsqu'on intègre entre les positions initiale et finale, on obtient :

$$U_f - U_i = -\int_{x_i}^{x_f} F\,dx \qquad [7.12]$$

Ce résultat, qui est identique à l'équation 7.6, nous indique que si la force conservative F agissant sur un objet à l'intérieur d'un système est une fonction de x, on peut calculer la *différence* d'énergie potentielle de l'objet entre les positions initiale et finale.

Si plusieurs forces conservatives agissent sur l'objet, *chaque* force correspond à une fonction énergie potentielle. Dans ce cas, on peut appliquer le principe de conservation de l'énergie pour le système sous la forme :

Conservation de l'énergie mécanique

$$K_i + \sum U_i = K_f + \sum U_f \qquad [7.13]$$

où le nombre de termes dans la somme est égal au nombre de forces conservatives en présence. Par exemple, si une masse attachée à un ressort oscille verticalement, deux forces conservatives agissent sur elle : la force du ressort et la force gravitationnelle. (Nous étudierons ce cas plus tard dans un exemple.)

Si la force gravitationnelle est *la seule* force agissant sur un corps, l'énergie mécanique totale du corps est constante. Par conséquent, le principe de conservation de l'énergie pour un corps en chute libre peut s'écrire :

Conservation de l'énergie mécanique d'un corps en chute libre

$$\tfrac{1}{2}mv_i^2 + mgy_i = \tfrac{1}{2}mv_f^2 + mgy_f \qquad [7.14]$$

Exemple 7.2 Une balle en chute libre

On lance une balle de masse m d'une hauteur h au-dessus du sol, à une vitesse initiale v_i dirigée vers le sol, comme à la figure 7.6.

En négligeant la résistance de l'air, déterminez la vitesse de la balle lorsqu'elle se trouve à une hauteur y au-dessus du sol.

Solution Puisque la balle est en chute libre, la seule force agissant sur elle est la force gravitationnelle. Nous pouvons donc utiliser le principe de conservation de l'énergie mécanique. La balle étant initialement au repos, lorsqu'on la lâche d'une hauteur h au-dessus du sol, son énergie cinétique est $K_i = \frac{1}{2}mv_i^2$ et son énergie potentielle est $U_i = mgh$, où la coordonnée y est mesurée à partir du niveau du sol. Lorsque la balle se trouve à une distance y du sol, son énergie cinétique est $K_f = \frac{1}{2}mv_f^2$ et son énergie potentielle par rapport au sol est $U_f = mgy$. Puisque l'énergie mécanique est constante, on obtient :

$$K_i + U_i = K_f + U_f$$

$$0 + mgh = \tfrac{1}{2}mv_f^2 + mgy$$

$$v_f^2 = 2g(h - y)$$

$$v_f = \sqrt{2g(h - y)}$$

Ce résultat concorde avec l'expression de la cinématique $v_y^2 = v_{y0}^2 - 2g(y - y_0)$ dans laquelle $y_0 = h$. De plus, le résultat est valable même si la vitesse initiale forme un angle avec l'horizontale (cas d'un projectile).

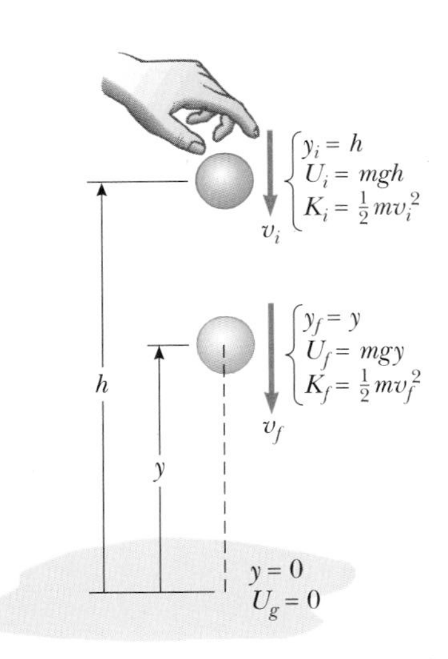

Figure 7.6
(Exemple 7.2) On lance une balle d'une hauteur h au-dessus du sol. Si on néglige la résistance de l'air, on peut trouver sa vitesse à une hauteur y à l'aide du principe de conservation de l'énergie mécanique.

7.5 Variation de l'énergie mécanique en présence de forces non conservatives

Les systèmes physiques réels font souvent intervenir des forces non conservatives, comme le frottement, et leur énergie mécanique totale n'est donc pas constante puisque ces forces font perdre au système une certaine quantité d'énergie mécanique. En général, on ne peut pas calculer le travail effectué par des forces non conservatives, mais on peut déterminer la variation d'énergie cinétique du système soumis à une force nette, en utilisant l'équation :

$$\mathrm{W}_{\text{net}} = \int \vec{\mathrm{F}}_{\text{nette}} \cdot d\vec{\mathrm{x}} = \Delta K \qquad [7.15]$$

Comme la variation d'énergie cinétique peut être attribuable à de nombreux types de forces, il convient de séparer ΔK en trois parties :

1. La variation d'énergie cinétique causée par des forces conservatives internes, $\Delta K_{\text{int-c}}$.
2. La variation d'énergie cinétique causée par des forces non conservatives internes, $\Delta K_{\text{int-nc}}$.
3. La variation d'énergie cinétique causée par des forces extérieures (conservatives ou non), ΔK_{ext}.

Le premier terme est $\Delta K_{\text{int-c}} = W_c = -\Delta U$. Il correspond simplement à la transformation d'une quantité d'énergie potentielle en énergie cinétique dans le système. Le second terme, $\Delta K_{\text{int-nc}}$, peut être positif ou négatif; s'il représente un frottement interne, il est négatif, mais il peut aussi être positif (comme dans le cas d'un muscle utilisant de l'énergie biochimique pour effectuer un travail). Le dernier terme correspond au travail effectué si les forces extérieures sont conservatives, mais plus généralement, il s'agit de ΔK_{ext}, la variation d'énergie cinétique du système causée par les forces extérieures. Nous avons donc :

$$\Delta K = \Delta K_{\text{int-c}} + \Delta K_{\text{int-nc}} + \Delta K_{\text{ext}}$$

ou

$$\Delta K + \Delta U = \Delta K_{\text{int-nc}} + \Delta K_{\text{ext}}$$

soit

$$E_f - E_i = \Delta K_{\text{int-nc}} + \Delta K_{\text{ext}} = \text{W}_{\text{int-nc}} + \text{W}_{\text{ext}} \qquad [7.16]$$

Nous voyons donc qu'en l'absence de forces non conservatives internes et de forces extérieures agissant sur le système, le membre de droite de l'équation 7.16 est nul et la somme $K + U$ est constante, ce qui est conforme à l'équation 7.9. En présence de forces non conservatives internes, celles-ci peuvent augmenter ou diminuer l'énergie cinétique. De même, des forces extérieures peuvent augmenter ou diminuer l'énergie cinétique du système.

▼▼▼

Stratégie de résolution des problèmes : conservation de l'énergie

Nous avons vu que de nombreux problèmes de physique peuvent être résolus à l'aide du principe de conservation de l'énergie. Nous vous suggérons d'adopter la démarche qui suit pour appliquer ce principe :

1. Définissez le système, qui peut être constitué de plusieurs objets et qui peut inclure ou non des champs, des ressorts ou autres sources d'énergie potentielle.
2. Choisissez la position de référence pour l'énergie potentielle (gravitationnelle et du ressort) et gardez-la tout au long de l'analyse. S'il y a plusieurs forces conservatives, écrivez une expression donnant l'énergie potentielle attribuable à chaque force.
3. Déterminez si des forces non conservatives sont présentes. N'oubliez pas qu'en présence de frottement ou de résistance de l'air, l'énergie mécanique *n'est pas constante.*
4. Si l'énergie mécanique est *constante,* on peut écrire l'énergie initiale totale E_i en un point quelconque comme la somme de l'énergie cinétique et de l'énergie potentielle en ce point. Écrivez ensuite l'expression donnant l'énergie finale totale, $E_f = K_f + U_f$ au point final. Puisque l'énergie mécanique est *constante,* vous pouvez écrire que les deux énergies totales sont équivalentes et résoudre l'équation obtenue pour trouver la grandeur inconnue.

5. En présence de forces extérieures ou de forces de frottement (donc, si l'énergie mécanique *n'est pas constante*), écrivez d'abord les expressions donnant l'énergie initiale totale et l'énergie finale totale. Dans ce cas, cependant, l'énergie finale totale est différente de l'énergie initiale totale, la différence étant égale à la quantité d'énergie dissipée par les forces non conservatives. On doit alors appliquer l'équation 7.16.

Exemple 7.3 Une caisse glissant sur une rampe

Soit une caisse de 3 kg glissant vers le bas d'une rampe de chargement. La rampe, de 1 m de longueur, est inclinée de 30°, comme à la figure 7.7. La caisse, initialement au repos en haut de la rampe, est soumise à une force de frottement constante de 5 N et, une fois arrivée en bas de la rampe, continue de se déplacer sur une courte distance, sur le sol horizontal. En utilisant les notions d'énergie, déterminez la vitesse de la caisse juste avant qu'elle n'atteigne le bas de la rampe.

Solution Puisque $v_i = 0$, l'énergie cinétique initiale est nulle. Si on mesure la coordonnée y à partir du bas de la rampe, $y_i = 0{,}5$ m. Par conséquent, l'énergie mécanique totale de la caisse au sommet est uniquement potentielle et elle est donnée par :

$$U_i = mgy_i = (3 \text{ kg})\ (9{,}8 \text{ m/s}^2)(0{,}5 \text{ m}) = 14{,}7 \text{ J}$$

Lorsque la caisse atteint le bas de la rampe, son énergie potentielle est nulle si on pose $y_f = 0$. L'énergie mécanique totale en bas de la rampe est donc uniquement cinétique :

$$K_f = \tfrac{1}{2}mv_f^2$$

Cependant, on ne peut pas dire que $U_i = K_f$ dans ce cas, parce que la caisse est soumise à une force non conservative, la force de frottement, qui prend une partie de son énergie mécanique. Nous avons donc $\Delta K_{\text{ext}} = -fs$, où s est le déplacement le long de la rampe. (Rappelons que les forces normales par rapport à la rampe n'effectuent aucun travail sur la caisse puisqu'elles sont perpendiculaires au déplacement.) Avec $f = 5$ N et $s = 1$ m, on obtient :

$$\Delta K_{\text{ext}} = -fs = (-5 \text{ N})(1 \text{ m}) = -5 \text{ J}$$

Une certaine quantité d'énergie mécanique est donc perdue à cause de la force de frottement qui ralentit le mouvement. L'équation 7.16 donne :

$$\tfrac{1}{2}mv_f^2 - mgy_i = -fs$$

$$\tfrac{1}{2}mv_f^2 = 14{,}7 \text{ J} - 5 \text{ J} = 9{,}7 \text{ J}$$

$$v_f^2 = \frac{19{,}4 \text{ J}}{3 \text{ kg}} = 6{,}47 \text{ m}^2/\text{s}^2$$

$$v_f = \boxed{2{,}54 \text{ m/s}}$$

Exercice Utilisez la deuxième loi de Newton pour déterminer l'accélération de la caisse le long de la rampe et les équations de la cinématique pour déterminer la vitesse finale de la caisse.

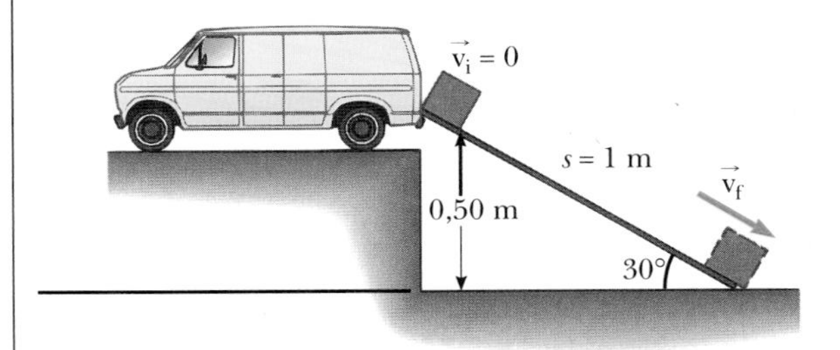

Figure 7.7 (Exemple 7.3) Une caisse glisse vers le bas d'un plan incliné sous l'influence de la gravité. Son énergie potentielle diminue tandis que son énergie cinétique augmente.

Réponse 3,23 m/s², 2,54 m/s

Exercice En supposant que la rampe est lisse, déterminez la vitesse finale de la caisse et son accélération le long de la rampe.

Réponse 3,13 m/s, 4,90 m/s²

Exemple 7.4 Une descente à skis

Un skieur, initialement au repos, part du sommet d'une pente lisse d'une hauteur de 20 m, comme à la figure 7.8. En bas de la pente, le skieur arrive sur une surface horizontale où le coefficient de frottement cinétique entre les skis et la neige est égal à 0,21. Quelle distance va parcourir le skieur sur la surface horizontale avant de s'arrêter ?

Solution Calculons d'abord la vitesse du skieur en bas de la pente. Puisque la pente est lisse, on peut appliquer le principe de conservation de l'énergie :

$$v = \sqrt{2gh} = \sqrt{2(9{,}8 \text{ m/s}^2)(20 \text{ m})} = 19{,}8 \text{ m/s}$$

Appliquons maintenant l'équation de la force nette au cours du mouvement sur la surface horizontale rugueuse. La variation d'énergie cinétique sur l'horizontale est $\Delta K_{\text{ext}} = -fs$, où s correspond au déplacement horizontal. Par conséquent,

$$\Delta K_{\text{ext}} = -fs = K_f - K_i$$

Pour déterminer la distance que parcourt le skieur avant de s'arrêter, on pose $K_f = 0$. Puisque $v_i = 19{,}8$ m/s, et la force de frottement étant donnée par $f = \mu N = \mu mg$, on obtient :

$$-\mu mgs = -\tfrac{1}{2}mv_i^2$$

ou

$$s = \frac{v_i^2}{2\mu g} = \frac{(19{,}8 \text{ m/s})^2}{2(0{,}21)(9{,}8 \text{ m/s}^2)} = \boxed{95{,}2 \text{ m}}$$

Exercice Déterminez la distance horizontale que parcourt le skieur avant de s'arrêter si la pente a un coefficient de frottement cinétique égal à 0,21.

Réponse 40,3 m

Figure 7.8 (Exemple 7.4)

Exemple 7.5 Le pistolet à bouchon

Le mécanisme d'un pistolet à bouchon est constitué d'un ressort de constante de rappel inconnue (voir figure 7.9a, page 148). Lorsque le ressort est comprimé de 0,12 m, le pistolet peut lancer un projectile de 20 g à une hauteur maximale de 20 m si le projectile, initialement au repos, est propulsé à la verticale. On néglige toutes les forces de résistance.

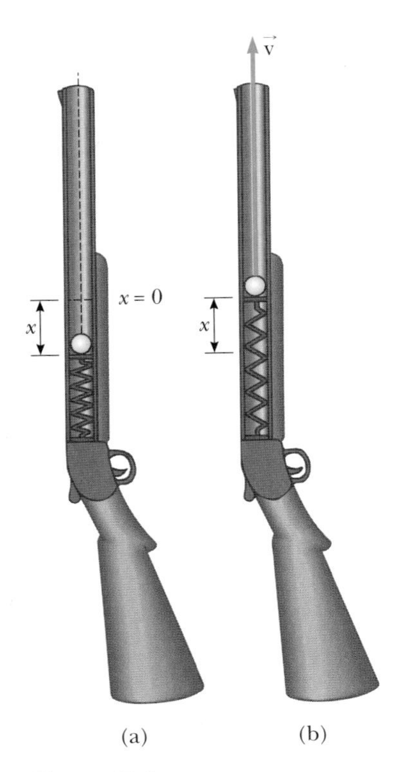

Figure 7.9
(Exemple 7.5)

(a) Déterminez la valeur de la constante du ressort.

Solution Puisque le projectile est initialement au repos, l'énergie cinétique initiale du système est nulle. Si on fait coïncider la référence d'énergie potentielle gravitationnelle avec la position initiale du projectile, l'énergie potentielle gravitationnelle initiale du projectile est également nulle. Par conséquent, l'énergie initiale totale du système est égale à l'énergie potentielle élastique emmagasinée dans le ressort, c'est-à-dire $kx^2/2$, avec $x = 0{,}12$ m. Puisque le projectile atteint une hauteur maximale $h = 20$ m, son énergie potentielle gravitationnelle finale est égale à mgh, son énergie cinétique finale est nulle et l'énergie potentielle élastique finale est nulle. Comme il n'y a pas de force extérieure ni de force non conservative, on peut appliquer le principe de conservation de l'énergie, qui donne :

$$\tfrac{1}{2}kx^2 = mgh$$

$$\tfrac{1}{2}k(0{,}12\ \text{m})^2 = (0{,}02\ \text{kg})(9{,}8\ \text{m/s}^2)(20\ \text{m})$$

$$k = \boxed{544\ \text{N/m}}$$

(b) Déterminez la vitesse du projectile lorsqu'il passe à la position d'équilibre du ressort (où $x = 0$), illustrée à la figure 7.9b.

Solution En prenant le même niveau de référence pour l'énergie potentielle gravitationnelle qu'à la question (a), on voit que l'énergie initiale du système est encore l'énergie potentielle élastique $kx^2/2$. L'énergie finale du système lorsque le projectile passe par la position d'équilibre du ressort comprend l'énergie cinétique du projectile, $mv^2/2$, et l'énergie potentielle gravitationnelle du projectile, mgx. Dans ce cas, le principe de conservation de l'énergie donne donc :

$$\tfrac{1}{2}kx^2 = \tfrac{1}{2}mv^2 + mgx$$

En résolvant en v, on obtient :

$$v = \sqrt{\frac{kx^2}{m} - 2gx}$$

$$= \sqrt{\frac{(544\ \text{N/m})(0{,}12\ \text{m})^2}{(0{,}02\ \text{kg})} - 2(9{,}8\ \text{m/s}^2)(0{,}12\ \text{m})}$$

$$= \boxed{19{,}7\ \text{m/s}}$$

Exercice Quelle est la vitesse du projectile lorsqu'il se trouve à une hauteur de 10 m ?

Réponse 14 m/s

Figure 7.10
L'escalade d'une paroi montagneuse est un sport qui demande de l'entraînement et de la prudence. Tandis que l'alpiniste escalade la paroi, son énergie interne (biochimique) se transforme en énergie potentielle gravitationnelle. Pouvez-vous identifier d'autres formes de transformations d'énergie lorsqu'il descend la montagne à l'aide de cordes de rappel ? *(Greg Epperson)*

7.6 Conservation de l'énergie en général

Nous avons vu que l'énergie mécanique totale d'un système est constante si le système est soumis uniquement à des forces internes conservatives. De plus, nous avons vu qu'il est possible d'associer une fonction énergie potentielle à chaque force conservative. D'autre part, en présence de forces non conservatives, comme le frottement, une certaine quantité d'énergie mécanique est perdue.

Nous allons maintenant généraliser le principe de conservation de l'énergie. Par exemple, lorsqu'un bloc glisse sur une surface rugueuse, l'énergie mécanique perdue se transforme en énergie interne qui est temporairement emmagasinée dans le bloc et dans la surface, et qui se manifeste par une élévation mesurable de la température du bloc. À l'échelle microscopique, cette énergie interne correspond aux vibrations des atomes autour de leur position d'équilibre. Un tel mouvement atomique interne fait intervenir de l'énergie cinétique et de l'énergie potentielle. Si nous incluons cette augmentation d'énergie interne du système dans l'expression donnant l'énergie, l'énergie totale est conservée.

APPLICATION

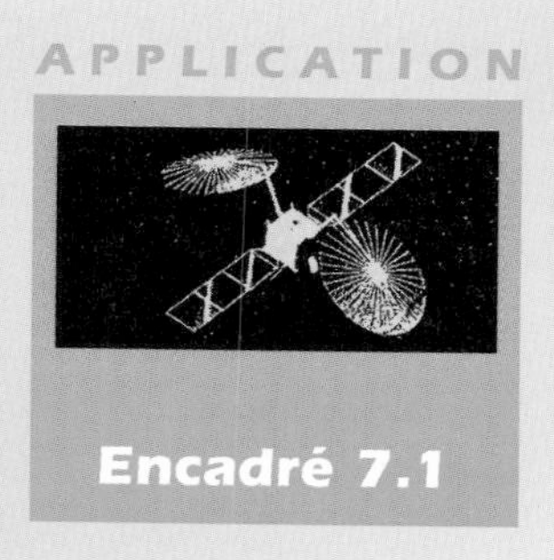

Encadré 7.1

L'énergie, moteur de la vie

Vous avez sûrement entendu parler des menaces liées à la déforestation : détérioration de terres arables par l'érosion, diminution de la biodiversité, perte d'une source vitale d'oxygénation et de filtration de l'atmosphère. Mais la déforestation prive également l'environnement d'une de ses principales usines de production d'énergie. En effet, les plantes et les arbres sont à la base de la chaîne alimentaire en captant l'**énergie radiative** du rayonnement solaire puis en stockant une partie sous une forme d'**énergie potentielle chimique**, contenue dans les molécules de glucides, CH_2O, par la réaction chimique illustrée ci-dessous :

$$CO_2 + H_2O + \textit{lumière} \rightarrow CH_2O + O_2$$

Cette réaction, ici très schématisée, se nomme photosynthèse. Les molécules de glucides peuvent, par la suite, libérer leur énergie lors de la réaction inverse (dite de respiration cellulaire). Par leur alimentation, les animaux acquièrent les glucides des plantes et les transforment en molécules plus complexes qui sont de véritables concentrés d'énergie (entre autres, les molécules ADP et ATP). Ces molécules constituent le carburant de notre métabolisme. Elles sont sollicitées pour la croissance de l'organisme, sa reproduction ou son mouvement. Par exemple, les muscles utilisent la réserve énergétique de l'ATP pour permettre leur contraction. L'énergie potentielle chimique devient alors de l'**énergie cinétique**.

Le pétrole illustre bien, lui aussi, comment l'énergie peut changer de forme. Saviez-vous que la majorité des véhicules automobiles d'aujourd'hui fonctionnent à l'énergie solaire ? L'énergie cinétique des voitures provient de l'énergie potentielle chimique des molécules de pétrole qui sont des résidus de réactions photosynthétiques effectuées par des plantes, il y a plusieurs millions d'années. En effet, ces plantes ont tiré leur énergie de la lumière du Soleil. (Et puisque l'énergie solaire provient de réactions thermonucléaires au cœur du Soleil, serait-il vrai d'affirmer que nous roulons au nucléaire... ?) Les plantes et les arbres nous sont très utiles et ce, à bien des points de vue. Qui sait quelles autres surprises et mystères le règne végétal nous réserve.

LECTURE SUGGÉRÉE

- J. Bittel et G. Savourey, *L'homme et le froid*, Pour la science, n° 207, janvier 1995.

Figure 7.11
Les arbres et les plantes vertes sont de véritables usines à conversion d'énergie. *(Danielle Pratte)*

Ceci n'est qu'un exemple de la façon dont on peut analyser un système isolé et toujours trouver que l'énergie totale ne varie pas, à condition de tenir compte de toutes les formes d'énergie. Autrement dit, *l'énergie ne peut jamais être créée ni perdue. L'énergie peut changer de forme, mais l'énergie totale d'un système isolé est toujours constante.* D'un point de vue universel, on peut dire que *l'énergie totale de l'univers est constante* : si une partie de l'univers gagne de l'énergie sous une forme quelconque, une autre partie doit perdre une quantité d'énergie égale. Il ne semble pas exister d'exception à ce principe.

L'énergie totale est toujours conservée

7.7 Nouvelle approche concernant l'énergie potentielle gravitationnelle

Au début de ce chapitre, nous avons introduit la notion d'énergie potentielle gravitationnelle, qui dépend de la position d'une particule. Nous avons insisté sur le fait que la fonction énergie potentielle gravitationnelle, $U = mgy$, est valable uniquement lorsqu'une particule se trouve près de la surface de la Terre. Puisque la force gravitationnelle entre deux particules varie en $1/r^2$, il s'ensuit que la fonction énergie potentielle correcte du système dépend de la distance séparant les particules.

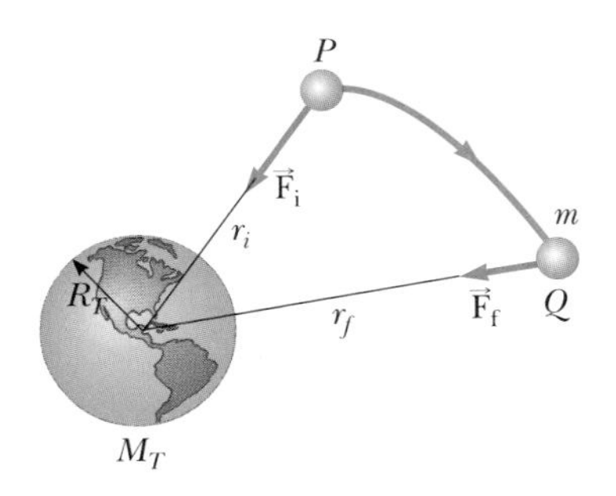

Figure 7.12
Lorsqu'une particule de masse m se déplace de P à Q au-dessus de la surface de la Terre, l'énergie potentielle varie conformément à l'équation 7.18.

Considérons une particule de masse m en mouvement entre deux points P et Q au-dessus de la surface de la Terre, comme à la figure 7.12. La force gravitationnelle agissant sur m est :

$$\vec{F}_g = -\frac{GM_T m}{r^2}\,\vec{u}_r \qquad [7.17]$$

où $\vec{u}_r$ est un vecteur unitaire orienté de la Terre vers la particule et le signe moins indique que la force est une attraction. Cette expression montre que la force gravitationnelle est une *force centrale*, c'est-à-dire une force qui dépend uniquement de la coordonnée polaire r. De plus, la force gravitationnelle est conservative. Puisque la variation d'énergie potentielle correspondant à un déplacement donné de la particule est, par définition, égale à l'opposé du travail effectué par la force gravitationnelle conservative au cours de ce déplacement, l'équation 7.12 permet d'obtenir :

$$U_f - U_i = -\int_{r_i}^{r_f} F(r)\; dr = GM_T m \int_{r_i}^{r_f} \frac{dr}{r^2} = GM_T m \left[-\frac{1}{r}\right]_{r_i}^{r_f}$$

ou

$$U_f - U_i = -GM_T m\left(\frac{1}{r_f} - \frac{1}{r_i}\right) \qquad [7.18]$$

Comme toujours, le choix du point de référence pour l'énergie potentielle est tout à fait arbitraire. Prenons $U_i = 0$ à $r_i = \infty$, on obtient le résultat important :

Énergie potentielle gravitationnelle $\mathbf{r > R_T}$

$$U(r) = -\frac{GM_T m}{r} \qquad [7.19]$$

Cette équation s'applique au système formé par la Terre et la particule, qui sont distantes de r, à condition que $r > R_T$. Le résultat n'est pas valable pour des particules qui se déplacent à l'intérieur du globe, où $r < R_T$. Compte tenu du choix qui a été fait pour U_i, la fonction $U(r)$ est toujours négative (voir figure 7.13).

Bien qu'elle ait été établie pour le système particule-Terre, l'équation 7.19 peut s'appliquer à deux particules *quelconques*. Autrement dit, l'énergie potentielle gravitationnelle correspondant à *une paire quelconque* de particules de masse m_1 et m_2 distantes de r est donnée par :

$$U_g = -\frac{Gm_1 m_2}{r} \qquad [7.20]$$

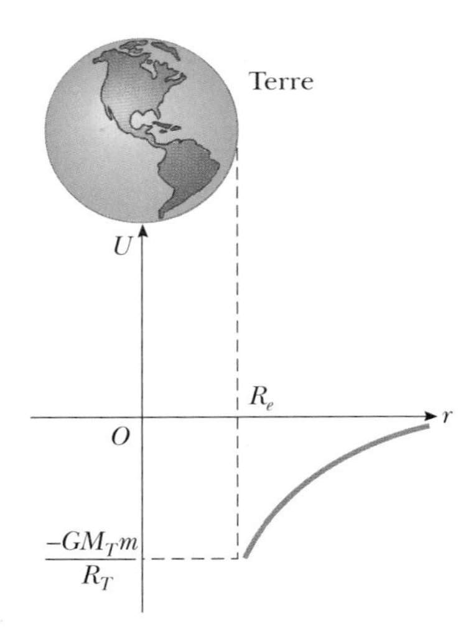

Figure 7.13
Graphique représentant l'énergie potentielle gravitationnelle U_g en fonction de r pour une particule au-dessus de la surface de la Terre. L'énergie potentielle tend vers zéro lorsque r tend vers ∞.

Cette expression s'applique également à des objets de dimensions plus grandes *s'ils sont de symétrie sphérique*, comme l'a démontré Newton à l'aide du calcul intégral. L'équation 7.20 montre que l'énergie potentielle gravitationnelle pour une paire de particules quelconque varie en $1/r$ (alors que la force entre les particules varie en $1/r^2$). De plus, l'énergie potentielle est *négative*, puisque la force est attractive et puisque nous avons pris l'énergie potentielle égale à zéro lorsque la séparation entre les particules est infinie. Comme la force entre les particules est attractive, nous savons qu'un agent extérieur doit effectuer un travail positif pour augmenter la distance séparant les deux particules. Le travail effectué par l'agent extérieur produit une augmentation d'énergie potentielle à mesure que les particules s'éloignent l'une de l'autre. Autrement dit, U_g devient moins négatif à mesure que r augmente. (Notons qu'une partie du travail effectué peut également produire une variation d'énergie cinétique du système. En effet, si le travail effectué pour éloigner les particules l'une de l'autre est supérieur à l'augmentation de l'énergie potentielle, l'excès d'énergie correspond à l'augmentation d'énergie cinétique du système.) Si les deux particules sont distantes de r, un agent extérieur devrait fournir une énergie *au moins* égale à $+Gm_1m_2/r$ pour rendre infinie la distance séparant les particules.

Il est plus facile de se représenter la valeur absolue de l'énergie potentielle comme étant l'*énergie de liaison* du système. Si l'agent extérieur fournit une énergie *supérieure à* l'énergie de liaison, Gm_1m_2/r, l'énergie supplémentaire du système est sous la forme d'énergie cinétique lorsque les particules sont à une distance infinie l'une de l'autre.

On peut étendre ce concept à trois particules ou plus. Dans ce cas, l'énergie potentielle totale du système est la somme de toutes les *paires* de particules[2]. La contribution de chaque paire est un terme dont la forme est donnée par l'équation 7.20. Par exemple, si le système contient trois particules, comme à la figure 7.14, on obtient :

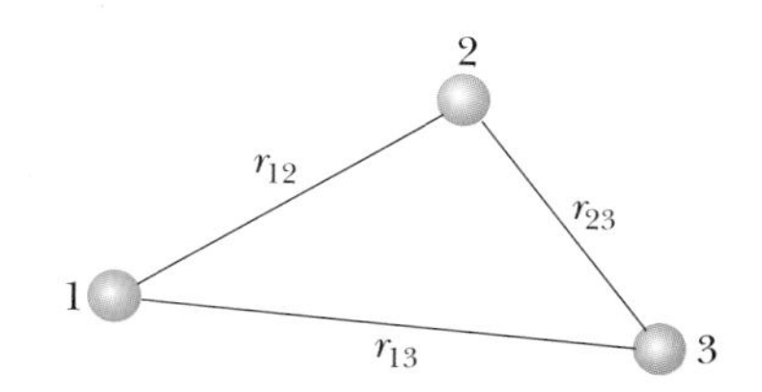

Figure 7.14
Diagramme de trois particules en interaction.

$$U_{\text{total}} = U_{12} + U_{13} + U_{23} = -G\left(\frac{m_1m_2}{r_{12}} + \frac{m_1m_3}{r_{13}} + \frac{m_2m_3}{r_{23}}\right) \quad \textbf{[7.21]}$$

La valeur absolue de U_{total} représente le travail nécessaire pour séparer les particules d'une distance infinie. Si ce système comporte quatre particules, la somme contient six termes correspondant aux six termes distincts des forces d'interaction.

Exemple 7.6 Variation d'énergie potentielle près de la Terre

Soit une particule de masse m soumise à un petit déplacement vertical Δy près de la surface de la Terre. Nous allons démontrer que l'expression générale donnant la variation d'énergie potentielle gravitationnelle et correspondant à l'équation 7.18 se réduit à la relation $\Delta U_g = mg\Delta y$.

Solution L'équation 7.18 peut s'écrire sous la forme :

$$\Delta U_g = -GM_Tm\left(\frac{1}{r_f} - \frac{1}{r_i}\right) = GM_Tm\left(\frac{r_f - r_i}{r_ir_f}\right)$$

Si la position initiale et la position finale de la particule sont toutes deux proches de la surface de la Terre, alors $r_f - r_i = \Delta y$ et $r_ir_f \approx R_T^2$. (Rappelons que r est mesuré à partir du centre de la Terre.) Par conséquent, la *variation* d'énergie potentielle devient :

$$\Delta U_g \approx \frac{GM_Tm}{R_T^2}\,\Delta y = mg\,\Delta y$$

où nous avons utilisé le fait que $g = GM_T/R_T^2$. N'oublions pas que le point de référence est arbitraire puisque c'est la *variation* d'énergie potentielle qui a de l'importance.

*7.8 Diagrammes d'énergie et stabilité de l'état d'équilibre

La courbe de l'énergie potentielle d'un système donne souvent une idée qualitative du mouvement d'un système. Considérons, par exemple, la fonction énergie potentielle d'un système masse-ressort, donnée par $U_r = \frac{1}{2}kx^2$. Le graphique de cette fonction est représenté à la figure 7.15. D'après l'équation 7.11, la force du ressort est liée à U :

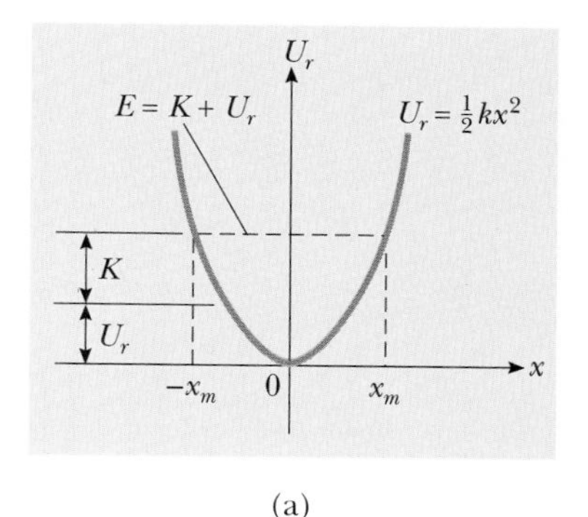

(a)

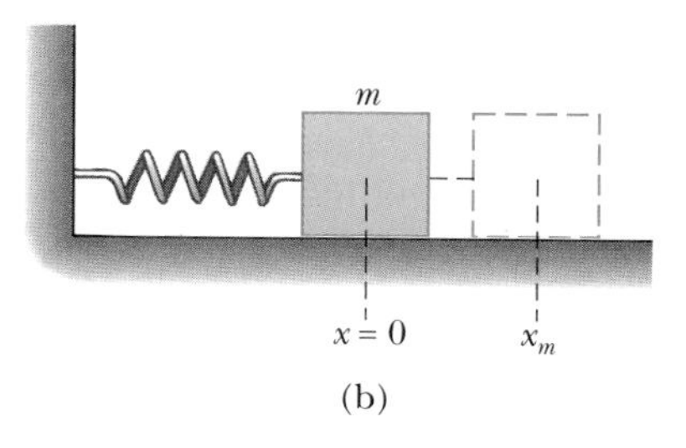

(b)

Figure 7.15
(a) L'énergie potentielle en fonction de x pour un système masse-ressort représenté en (b). La masse oscille entre les points extrêmes qui ont pour coordonnées $x = \pm x_m$. Notez que la force de rappel du ressort est toujours dirigée vers $x = 0$, position d'équilibre stable.

$$F_r = -\frac{dU_r}{dx} = -kx$$

Autrement dit, la force est égale et opposée à la *pente* de la courbe donnant U en fonction de x. Lorsque la masse est au repos à la position d'équilibre ($x = 0$) où $F = 0$, elle y reste si aucune force extérieure n'agit sur elle. Si on allonge le

[2] Le fait qu'on puisse additionner les termes d'énergie potentielle pour toutes les paires de particules découle du principe de superposition des forces gravitationnelles. Autrement dit, si $\Sigma\vec{F} = \vec{F}_{12} + \vec{F}_{13} + \vec{F}_{23} + \cdots$, il existe un terme d'énergie potentielle pour chaque interaction $\vec{F}_{ij}$.

ressort à partir de sa position d'équilibre, x est positif et la pente dU/dx est positive ; par conséquent, F_r est négatif et la masse subit une accélération qui la ramène vers $x = 0$. D'autre part, si on comprime le ressort, x est négatif et la pente est négative ; par conséquent, F_r est positif et la masse subit à nouveau une accélération qui la ramène vers $x = 0$.

Équilibre stable

D'après cette analyse, nous pouvons conclure que la position $x = 0$ est une position d'**équilibre stable**, c'est-à-dire que tout mouvement d'éloignement par rapport à cette position entraîne une force de rappel vers $x = 0$. En général, *les positions d'équilibre stable correspondent aux points où $U(x)$ a une valeur minimale.*

D'après la figure 7.15, page 151, on voit que si la masse subit un déplacement initial x_m et si elle est lâchée à partir du repos, son énergie totale initiale correspond à l'énergie potentielle emmagasinée dans le ressort, qui est donnée par $\frac{1}{2}kx_m^2$. Au début du mouvement, le système commence à acquérir de l'énergie cinétique en perdant une quantité égale d'énergie potentielle. Puisque l'énergie totale doit rester constante, la masse oscille entre les deux points $x = \pm x_m$, qui sont les *bornes*. En fait, puisqu'il n'y a pas de perte d'énergie (absence de frottement), la masse oscille entre $-x_m$ et $+x_m$ indéfiniment. Du point de vue énergétique, l'énergie du système ne peut pas être supérieure à $\frac{1}{2}kx_m^2$, donc la masse doit s'arrêter en ces points et, à cause de la force du ressort, elle subit une accélération qui la ramène à $x = 0$.

Le mouvement d'une balle qui roule au fond d'un bol sphérique est un autre exemple de système mécanique simple ayant une position d'équilibre stable. Si on écarte la balle de sa position la plus basse, elle aura toujours tendance à revenir à sa position initiale.

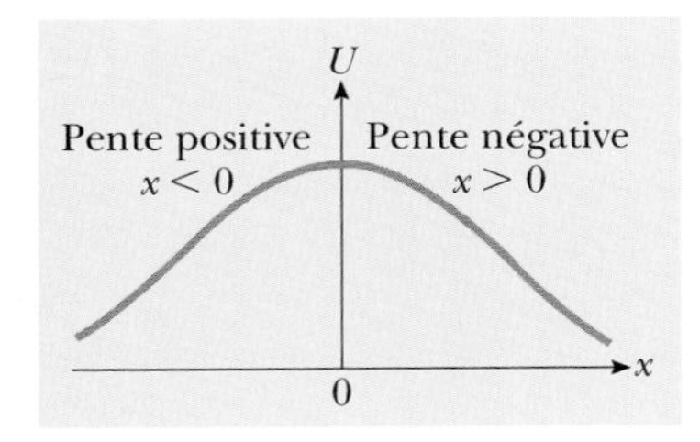

Figure 7.16
Représentation graphique de U en fonction de x pour un système ayant une position d'équilibre instable située en $x = 0$. Dans ce cas, la force agissant sur le système pour des déplacements finis est toujours dirigée à partir de $x = 0$.

Nous allons maintenant étudier un exemple dans lequel la courbe donnant U en fonction de x est représentée à la figure 7.16. Dans ce cas, $F_x = 0$ en $x = 0$ et la particule est donc en équilibre en ce point. Toutefois, c'est une position d'**équilibre instable** et ce, pour la raison suivante : supposons qu'on déplace la particule vers la *droite* ($x > 0$) ; comme la pente est négative pour $x > 0$, $F_x = -dU/dx$ est positif et la particule va accélérer en s'éloignant de $x = 0$. Supposons maintenant qu'on déplace la particule vers la gauche ($x < 0$). Dans ce cas, la force est *négative*, puisque la pente est positive pour $x < 0$, et la particule accélère à nouveau en s'éloignant de la position d'équilibre. La position $x = 0$ dans ce cas est appelée position d'*équilibre instable* parce que tout déplacement qui éloigne la particule de sa position d'équilibre fait intervenir une force qui l'éloigne encore plus de l'équilibre. En fait, la force pousse la particule vers une position d'énergie potentielle inférieure. Par exemple, une balle placée au sommet d'un bol sphérique posé à l'envers se trouve en position d'équilibre instable. En effet, si on éloigne légèrement la balle du sommet et qu'on la relâche, il est évident qu'elle va rouler vers le bas. En général, *les positions d'équilibre instable correspondent aux points où $U(x)$ atteint une valeur maximale*[3].

Équilibre indifférent

Enfin, dans certains cas, U peut être constant dans une région donnée et donc $F = 0$. C'est ce qu'on appelle une position d'**équilibre indifférent**. Dans ce cas, de petits déplacements par rapport à cette position n'entraînent pas de force de rappel ni de force ayant tendance à éloigner l'objet. Une balle posée sur une surface horizontale plane est un exemple d'objet en équilibre indifférent.

Exemple 7.7 Vibrations d'une molécule diatomique

La fonction énergie potentielle correspondant à la force agissant entre deux atomes dans une particule diatomique peut s'écrire de la manière suivante :

$$U(x) = \frac{c}{x^9} - \frac{d}{x}$$

[3] On peut vérifier mathématiquement si une valeur extrême de U est stable en examinant le signe de d^2U/dx^2.

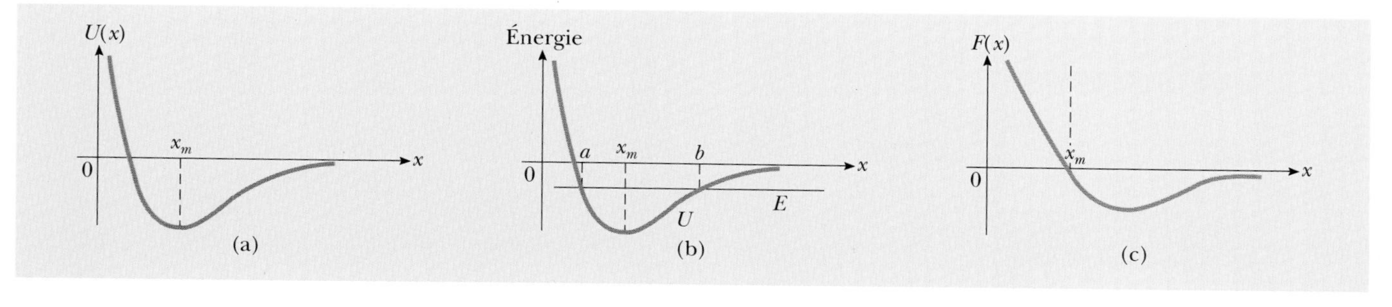

Figure 7.17 (Exemple 7.7)

où c et d sont des constantes positives (avec leurs unités) et x est la distance entre les atomes. La figure 7.17a représente un schéma qualitatif de la courbe représentant $U(x)$ en fonction de x. Selon la physique classique, aux températures supérieures au zéro absolu, la molécule subit des vibrations le long de la droite joignant les deux atomes. Pour une énergie totale donnée E, ce mouvement passe d'une séparation atomique minimale a à une séparation atomique maximale b, comme le montre la figure 7.17b. Si la température baisse, l'amplitude des vibrations diminue et la séparation atomique s'approche de la distance x_m, pour laquelle l'énergie potentielle U est minimale.

Déterminez la force $F(x)$ entre les atomes et tracez la courbe représentant $F(x)$ en fonction de x.

Solution Puisque la force est conservative, on a :

$$F(x) = -\frac{dU}{dx} = -\frac{d}{dx}\left[\frac{c}{x^9} - \frac{d}{x}\right]$$

Le calcul de la dérivée donne :

$$F(x) = \frac{9c}{x^{10}} - \frac{d}{x^2}$$

La courbe représentant cette force est donnée à la figure 7.17c. Lorsqu'on trace de tels graphiques, il est utile de se souvenir que la force est proportionnelle à l'*opposé de la pente* de la courbe représentant $U(x)$ en fonction de x.

7.9 Quantification de l'énergie

Vous avez peut-être vu, en chimie, que la matière est constituée d'atomes et que chaque atome est composé d'un noyau et d'un ensemble d'électrons. Ainsi, à l'échelle atomique, la masse est constituée de quantités discrètes correspondant aux masses atomiques. Dans le langage de la physique moderne, on dit que la masse est *quantifiée.* Nous verrons plus tard que de nombreuses autres grandeurs physiques, y compris l'énergie, sont également quantifiées. La nature quantifiée de l'énergie est particulièrement mise en évidence aux échelles atomique et subatomique.

Prenons l'exemple de l'atome d'hydrogène (constitué d'un électron en orbite autour d'un proton). L'atome ne peut occuper que certains niveaux d'énergie, appelés *états quantiques* qui sont représentés à la figure 7.18a, page 154. Les niveaux d'énergie situés entre ces états quantiques lui sont interdits. Le niveau d'énergie le plus bas, appelé E_0, correspond à *l'état fondamental* de l'atome. C'est l'état dans lequel serait normalement l'atome s'il était isolé. L'atome peut passer à des états d'énergie supérieurs s'il absorbe de l'énergie provenant d'une source extérieure ou s'il entre en collision avec d'autres atomes. Le niveau d'énergie le plus élevé, qui est représenté à la figure 7.18a, E_∞, est l'énergie de l'atome lorsque l'électron est complètement séparé du proton et correspond à l'*énergie d'ionisation.* Notons que les niveaux d'énergie sont de moins en moins espacés à mesure qu'on s'approche du haut de l'échelle.

HISTORIQUE

Encadré 7.2

L'énergie et l'humanité

Si pour survivre un organisme doit pouvoir disposer d'une quantité suffisante d'énergie, il en va de même pour toute société humaine. À ce titre, l'évolution de l'humanité est intimement liée à sa capacité de récupérer l'énergie qui l'environne. (Rappelons que, d'après le principe de la conservation, étudié dans ce chapitre, l'énergie ne peut être créée ou détruite ; elle est disponible ou ne l'est pas.) Tous les bouleversements et les avancées de l'histoire de l'espèce humaine sont reliés à l'accès à une forme d'énergie auparavant inaccessible et à l'invention d'outils permettant de l'utiliser avec une plus grande efficacité.

La domestication du feu libre (il y a quelque 300 000 ans) fut probablement la première révolution énergétique de l'humanité. La chaleur et la lumière des flammes, disponibles au besoin, libéraient les humains des contingences de leur environnement. La seconde révolution, qui date d'environ 50 000 ans, vit l'apparition de l'agriculture et la domestication des animaux. Ces deux événements permirent d'harnacher les capacités de production des usines solaires et chimiques que sont les plantes et les animaux. Disposant ainsi d'un approvisionnement suffisant en énergie, l'espèce humaine prit véritablement son essor et se dissémina sur la surface du globe. Vint ensuite l'urbanisation, une révolution en soi, car elle permit l'optimisation des ressources. Après cette période, les révolutions se succédèrent à un rythme croissant. Le Moyen Âge « découvrit » les explosifs (la poudre à canon), puis vint l'avènement de la vapeur et du charbon au XVIIe siècle. L'électricité fit son apparition peu après. Plus récemment, deux nouvelles sources d'énergie sont venues modifier le rapport de l'Homme avec la nature : le pétrole et le nucléaire. Grâce à ces nouveaux apports d'énergie, l'humanité a vu ses frontières repoussées au-delà du visible, au-delà du système solaire.

LECTURE SUGGÉRÉE

- G. Norel, *Histoire de la matière et de la vie*, éd. Maloine, Paris, 1984.

Considérons ensuite un satellite autour de la Terre. Si on voulait décrire les énergies possibles du satellite, il serait raisonnable (mais incorrect) de dire que le satellite pourrait prendre n'importe quelle énergie arbitraire. Tout comme l'énergie de l'atome d'hydrogène, *l'énergie du satellite est quantifiée.* Si on devait construire un diagramme des niveaux d'énergie pour le satellite représentant toutes les énergies permises, les différents niveaux seraient si proches, comme à la figure 7.18b, qu'il serait impossible de les distinguer. Autrement dit, nous n'avons aucun moyen d'observer la quantification de l'énergie à l'échelle macroscopique ; on peut donc la négliger lorsqu'on étudie des phénomènes de la vie quotidienne.

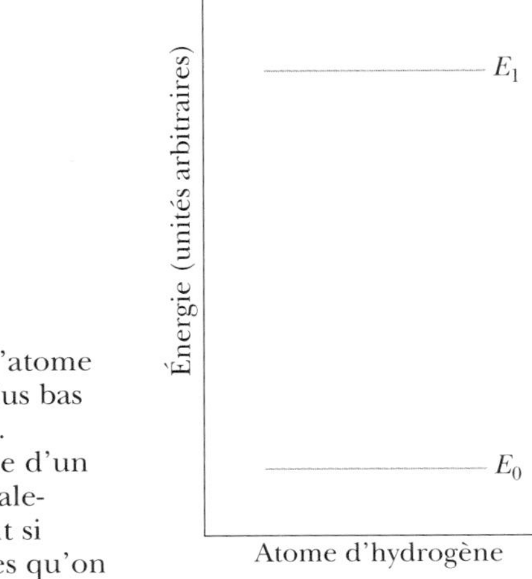

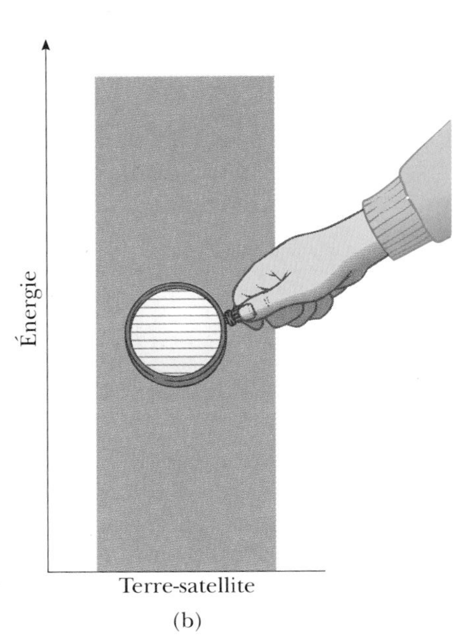

Figure 7.18
(a) États quantiques de l'atome d'hydrogène. L'état le plus bas E_0 est l'état fondamental.
(b) Les niveaux d'énergie d'un satellite terrestre sont également quantifiés mais sont si proches les uns des autres qu'on ne peut pas les distinguer.

La domestication de sources nouvelles d'énergie, par exemple le pétrole ou le nucléaire, a apporté des bienfaits indéniables : meilleur équipement médical, déplacements facilités, confort accru. Cependant, les formes de pollution qu'elles engendrent posent un problème à notre bien-être et à l'environnement. D'après vous, est-ce que l'accès à ces formes d'énergie comporte plus d'avantages que d'inconvénients, ou bien l'inverse ?

LECTURE SUGGÉRÉE

La Commission mondiale sur l'environnement et le développement, *Notre avenir à tous*, éd. du Fleuve, Les publications du Québec, 1988.

Résumé

- L'énergie potentielle gravitationnelle d'une particule de masse m située à une altitude y près de la surface de la Terre est donnée par :

$$U_g \equiv mgy \qquad [7.1]$$

- L'énergie potentielle élastique emmagasinée dans un ressort de constante de rappel k est donnée par :

$$U_r \equiv \tfrac{1}{2}kx^2 \qquad [7.4]$$

- Une force est conservative si le travail qu'elle effectue sur une particule est indépendant du trajet suivi par la particule entre deux points donnés. De même, une force est conservative si le travail qu'elle effectue est nul lorsque la particule décrit une trajectoire fermée arbitraire et revient à sa position initiale. Une force qui ne vérifie pas ces critères est dite non conservative.

- On ne peut faire correspondre une fonction énergie potentielle U à une force que si la force est conservative. Si une force conservative $\vec{F}$ agit sur une particule en mouvement sur l'axe des x, entre x_i et x_f, *la variation d'énergie potentielle est égale et opposée au travail effectué par cette force* :

$$U_f - U_i = -\int_{x_i}^{x_f} F_x\, dx \qquad [7.6]$$

- L'énergie mécanique totale d'un système est égale, par définition, à la somme de l'énergie cinétique et de l'énergie potentielle :

$$E \equiv K + U \qquad [7.8]$$

- Selon le principe de conservation de l'énergie mécanique, si aucune force extérieure n'agit sur le système, et en l'absence de forces non conservatives, l'énergie mécanique totale est constante :

$$K_i + U_i = K_f + U_f \qquad [7.9]$$

- La variation d'énergie mécanique totale d'un système est égale à la variation d'énergie cinétique résultant des forces conservatives internes, $\Delta K_{\text{int-nc}}$, plus la variation d'énergie cinétique résultant de toutes les forces extérieures, ΔK_{ext} :

$$E_f - E_i = \Delta K_{\text{int-c}} + \Delta K_{\text{ext}} = W_{\text{int-nc}} + W_{\text{ext}} \qquad [7.16]$$

- La force gravitationnelle est conservative et on peut donc définir une fonction énergie potentielle. L'énergie potentielle gravitationnelle correspondant à deux particules distantes de r est :

$$U_g = -\frac{Gm_1m_2}{r} \qquad [7.20]$$

où on pose U_g égal à zéro en $r = \infty$. L'énergie potentielle gravitationnelle totale d'un système de particules est égale à la somme des énergies de toutes les paires de particules, chaque paire étant représentée par un terme dont la forme est donnée à l'équation 7.20.

Questions et exercices conceptuels

1. Une publicité pour les balles « superélastiques » déclarait que la balle pouvait rebondir à une hauteur supérieure à la hauteur d'où on l'avait lâchée. Est-ce possible ?
2. Une personne située sur le toit d'un immeuble laisse tomber une balle tandis qu'une autre personne située au pied de l'immeuble observe le mouvement. Ces deux personnes seront-elles toujours d'accord sur la valeur de l'énergie potentielle de la balle ? Sur la variation d'énergie potentielle de la balle ? Sur l'énergie cinétique de la balle ?
3. Décrivez la production et la dissipation d'énergie mécanique (a) lorsqu'on soulève un poids, (b) lorsqu'on tient le

poids en l'air et (c) lorsqu'on abaisse le poids lentement. Faites intervenir les muscles dans votre description.

4. Décrivez les transformations d'énergie intervenant lors d'une épreuve de saut à la perche. Faites abstraction du mouvement de rotation.
5. Décrivez les rôles de l'énergie cinétique et de l'énergie potentielle dans les sports suivants : (a) baseball, (b) football, (c) tennis, (d) basketball, (e) course à pied.
6. Les routes de montagne sont généralement construites en spirale autour de la montagne plutôt que tout droit dans le sens de la pente. Analysez ce mode de construction du point de vue de l'énergie et de la puissance.
7. Une boule de quilles est suspendue par une corde solide au plafond d'une salle de conférence. On écarte la boule de sa position d'équilibre puis on la lâche alors qu'elle est au repos sur le nez du démonstrateur; le démonstrateur reste immobile. Expliquez pourquoi il n'est pas frappé par la boule lorsqu'elle revient après avoir effectué une oscillation. Serait-il risqué de donner une légère poussée à la boule au point où on la lâche ?
8. L'énergie potentielle gravitationnelle d'un objet peut-elle avoir une valeur négative ? Expliquez.
9. Un bélier est un dispositif qui fait tomber une grosse masse sur un pieu pour l'enfoncer dans la terre. De combien augmente l'énergie du bélier lorsqu'on double la masse qu'il laisse tomber ? (On suppose que la masse part chaque fois de la même hauteur.)
10. Nos muscles exercent des forces pour soulever, pousser, courir, sauter et ainsi de suite. Ces forces sont-elles conservatives ?
11. Lorsque des forces non conservatives agissent sur un système, l'énergie mécanique totale reste-t-elle constante ?
12. Un bloc est attaché à un ressort qui est suspendu au plafond. Si on met le bloc en mouvement et si on néglige la résistance de l'air, décrivez les transformations d'énergie qui interviennent dans le système composé du bloc et du ressort.
13. Une balle roule sur une surface horizontale. Est-elle en équilibre stable, instable ou indifférent ?
14. À quoi ressemblerait la courbe représentant U en fonction de x si une particule était dans une région d'équilibre indifférent ?
15. Décrivez les transformations d'énergie qui interviennent durant le fonctionnement d'une automobile.
16. On lance une balle vers le haut à la verticale. En quel point son énergie cinétique est-elle maximale ? En quel point son énergie potentielle gravitationnelle est-elle maximale ?
17. Trois balles identiques sont jetées du haut d'un immeuble, avec la même vitesse initiale. Une balle est jetée horizontalement, l'autre avec un angle au-dessus de l'horizontale et la troisième avec un angle sous l'horizontale. En négligeant la résistance de l'air, comparez les vitesses des balles lorsqu'elles arrivent au sol.
18. Est-ce qu'une partie de l'énergie cinétique d'un athlète qui court pour effectuer un saut en hauteur est convertie en énergie potentielle durant le saut ?
19. Au saut à la perche ou au saut en hauteur, pourquoi l'athlète essaie-t-il de maintenir son centre de masse le plus bas possible près de la barre ?
20. Aux Jeux Olympiques, un athlète qui mesure 2 m fait un saut en hauteur de 2,3 m. Estimez la vitesse avec laquelle il doit quitter le sol pour réaliser cette performance. (*Suggestion :* Estimez la position de son centre de masse avant le saut, en supposant qu'il est dans une position horizontale lorsqu'il atteint le sommet.)
21. Estimez l'énergie cinétique d'un avion de 80 000 kg volant à une vitesse de 600 km/h.

Problèmes

Section 7.1 Énergie potentielle
Section 7.2 Forces conservatives et forces non conservatives

1. Quelle est l'énergie potentielle gravitationnelle par rapport au sol d'une balle de baseball de 0,15 kg en haut d'un immeuble de 100 m de hauteur ?
2. Une balle de 2 kg est attachée à l'extrémité inférieure d'un ressort de 1 m de longueur suspendu au plafond d'une pièce. Le plafond a une hauteur de 3 m. Quelle est l'énergie potentielle gravitationnelle par rapport : (a) au plafond ? (b) Au sol ? (c) À un point situé à la même hauteur que la balle ?
3. Sur une montagne russe, une cabine de 1 000 kg est initialement en un point A au sommet d'une pente. Elle parcourt ensuite 41,1 m avec un angle de 40° sous l'horizontale jusqu'en un point B situé à une hauteur inférieure. (a) On choisit le point B comme niveau zéro pour l'énergie potentielle gravitationnelle; déterminez l'énergie potentielle de la cabine aux points A et B et la différence d'énergie potentielle entre ces points. (b) Reprenez la question (a) en choisissant le niveau de référence au point A.
4. Un enfant de 40 N est sur une balançoire attachée à deux cordes de 2 m de long. Déterminez l'énergie potentielle gravitationnelle de l'enfant par rapport à sa position la plus basse lorsque (a) les cordes sont horizontales, (b) les cordes font un angle de 30° avec la verticale et (c) l'enfant est au point le plus bas de l'arc circulaire.
5. Une particule de 3 kg partant de l'origine se déplace jusqu'à la position de coordonnées $x = 5$ m et $y = 5$ m sous l'action de la gravité agissant dans le sens négatif de l'axe des y (voir figure 7.19). À l'aide de l'équation 7.1, calculez le travail effectué par la force gravitationnelle lorsque la particule se rend de O à C par les trajets suivants : (a) OAC, (b) OBC, (c) OC. Tous vos résultats devraient être identiques. Pourquoi ?

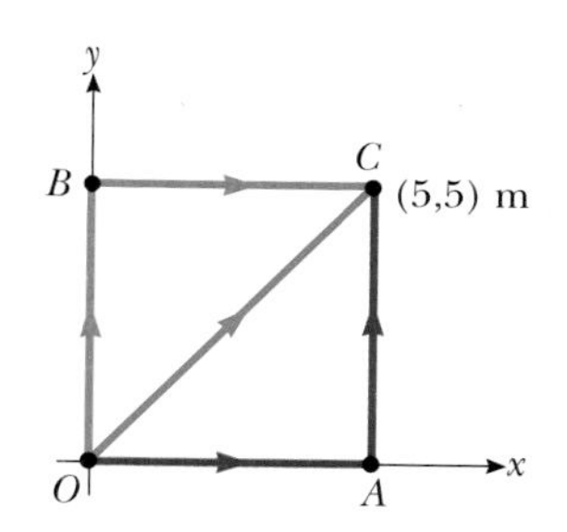

Figure 7.19 (Problème 5)

Section 7.3 Forces conservatives et énergie potentielle
Section 7.4 Conservation de l'énergie

6. Une particule de 4 kg se déplace sur l'axe des x sous l'action d'une seule force conservative. Si le travail effectué sur la particule est égal à 80 J lorsque la particule se déplace de $x = 2$ m à $x = 5$ m, déterminez (a) la variation d'énergie cinétique de la particule, (b) la variation d'énergie potentielle et (c) la grandeur de sa vitesse à $x = 5$ m si elle part du repos à $x = 2$ m.
7. Une force conservative unique, $F_x = (2x + 4)$ N, agit sur un objet de 5 kg, x étant en mètres. Lorsque l'objet se déplace sur l'axe des x de $x = 1$ m à $x = 5$ m, calculez (a) le travail effectué par cette force, (b) la variation d'énergie potentielle et (c) l'énergie cinétique de la particule à $x = 5$ m si sa vitesse à $x = 1$ m est égale à 3 m/s.
8. Une force constante unique $\vec{F} = (3\vec{i} + 5\vec{j})$ N agit sur un objet de 4 kg. (a) Calculez le travail effectué par cette force si l'objet se déplace de l'origine au point de vecteur position $\vec{r} = (2\vec{i} - 3\vec{j})$ m. Ce résultat dépend-il du trajet suivi ? Expliquez. (b) Quelle est la vitesse de l'objet en $\vec{r}$ si sa vitesse à l'origine est de 4 m/s ? (c) Quelle est la variation d'énergie potentielle ?
9. Utilisez le principe de conservation de l'énergie pour déterminer la vitesse finale d'une masse de 5 kg attachée à l'extrémité d'une corde de masse négligeable passant sur une poulie sans frottement et de masse négligeable, alors qu'à l'autre extrémité de la corde est attachée une masse de 3,5 kg, la masse de 5 kg étant tombée (à partir du repos) d'une distance de 2,5 m (voir figure 7.20).

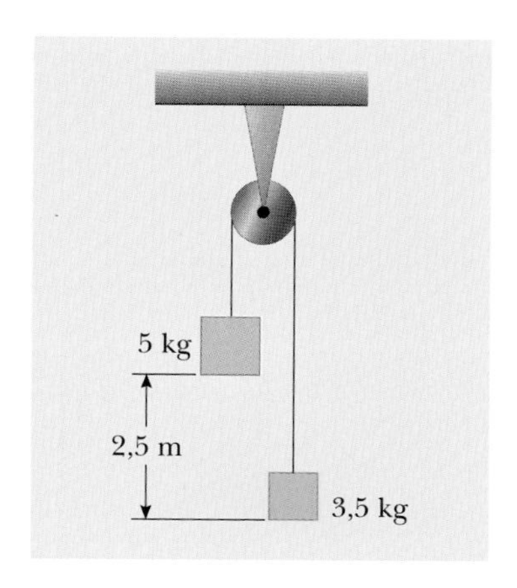

Figure 7.20 (Problème 9)

10. Une perle glisse sans frottement sur une piste en forme de looping (voir figure 7.21). Si on lâche la perle d'une hauteur $h = 3{,}5\ R$, quelle est sa vitesse au point A ? Quelle est la valeur de la force normale agissant sur la perle au point A si sa masse est de 5 g ?

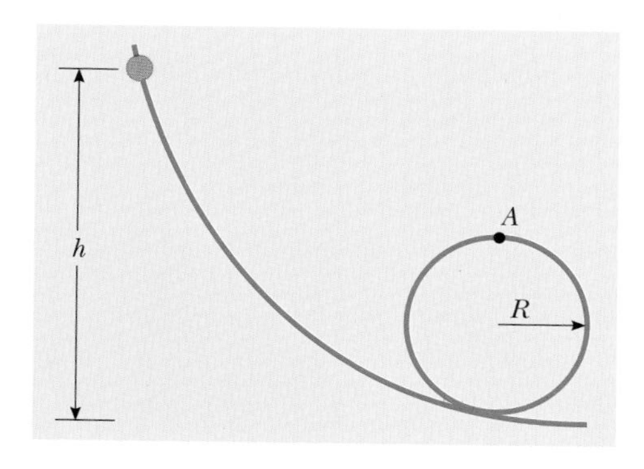

Figure 7.21 (Problème 10)

11. Un objet d'une masse de 0,5 kg est lancé à partir du point P, comme le montre la figure 7.22, avec une vitesse initiale $\vec{v}_0$ dont la composante horizontale est égale à 30 m/s. L'objet s'élève jusqu'à une hauteur maximale de 20 m au-dessus de P. En utilisant le principe de conservation de l'énergie, déterminez (a) la composante verticale de $\vec{v}_0$, (b) le travail effectué par la force gravitationnelle sur l'objet durant son mouvement de P à B et (c) les composantes horizontale et verticale du vecteur vitesse lorsque l'objet atteint le point B.

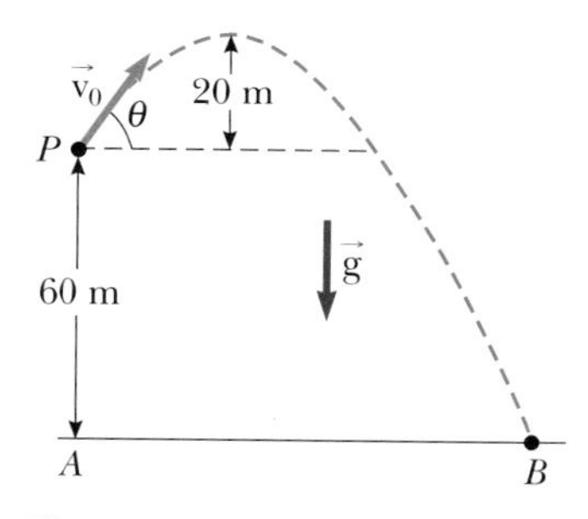

Figure 7.22 (Problème 11)

12. À l'instant t_i, l'énergie cinétique d'une particule est 30 J et l'énergie potentielle est 10 J. À un instant ultérieur t_f, son énergie cinétique vaut 18 J. (a) Si les forces agissant sur la particule sont uniquement des forces conservatives, quelle est l'énergie potentielle à l'instant t_f ? Quelle est son énergie totale ? (b) Si l'énergie potentielle à l'instant t_f est égale à 5 J, la particule est-elle soumise à des forces non conservatives ou à des forces extérieures ? Expliquez.
13. Un projectile est lancé avec un angle de 53° avec l'horizontale à partir d'une altitude h et à la vitesse v_0. (a) Utilisez les méthodes faisant intervenir l'énergie pour déterminer la vitesse du projectile lorsque son altitude vaut $h/2$. (b) Déterminez les composantes x et y de la vitesse lorsque l'altitude du projectile est $h/2$, en utilisant le fait que $v_x = v_{x0}$ est constant (puisque $a_x = 0$) et le résultat de la question (a).

14. Un pendule simple de 2 m de longueur initialement au repos est lâché lorsque le fil fait un angle de 25° avec la verticale. Quelle est la vitesse de la masse suspendue au point le plus bas de la trajectoire ?
15. Un athlète quitte le sol à une vitesse verticale de 6 m/s pour effectuer un saut en hauteur. En supposant qu'il mesure 2,3 m, à quelle hauteur peut-il sauter ?
16. Une balle de 0,4 kg est lancée en l'air et atteint une altitude maximale de 20 m. En prenant sa position initiale comme référence pour l'énergie potentielle et en utilisant les méthodes faisant intervenir l'énergie, déterminez (a) sa vitesse initiale, (b) son énergie mécanique totale et (c) le rapport entre son énergie cinétique et son énergie potentielle lorsque son altitude est égale à 10 m.
17. Deux masses sont reliées par une ficelle de masse négligeable qui passe sur une poulie légère et sans frottement, comme à la figure 7.23. La masse de 5 kg est lâchée à partir du repos. En utilisant le principe de conservation de l'énergie, déterminez (a) la vitesse de la masse de 3 kg à l'instant où la masse de 5 kg touche le sol et (b) la hauteur maximale à laquelle s'élève la masse de 3 kg.

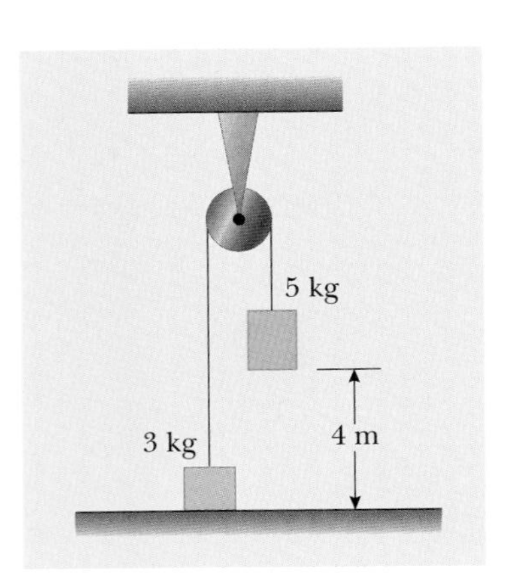

Figure 7.23 (Problème 17)

18. Un enfant glisse sur un toboggan lisse (voir figure 7.24). En fonction de R et H, à quelle hauteur h va-t-il perdre contact avec la section de rayon R ?

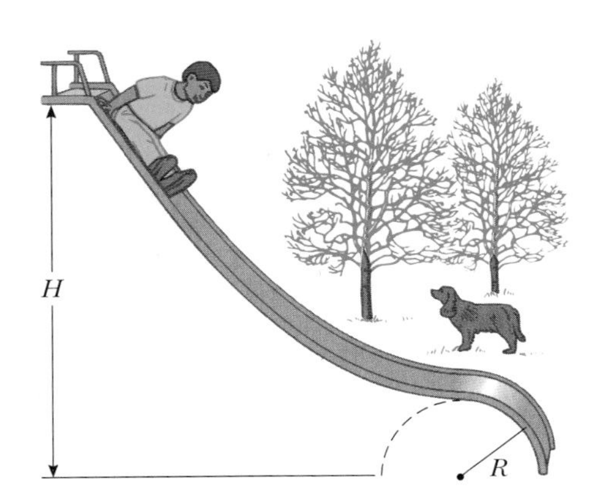

Figure 7.24 (Problème 18)

Section 7.5 Variation d'énergie mécanique en présence de forces non conservatives

19. Un bloc de 5 kg est mis en mouvement vers le haut d'un plan incliné comme à la figure 7.25 à une vitesse initiale de 8 m/s. Le bloc s'arrête après avoir parcouru 3 m sur le plan, comme le montre le schéma. Le plan est incliné de 30° sur l'horizontale. (a) Déterminez la variation d'énergie cinétique. (b) Déterminez la variation d'énergie potentielle. (c) Déterminez la force de frottement sur le bloc (qu'on suppose constante). (d) Quel est le coefficient de frottement cinétique ?

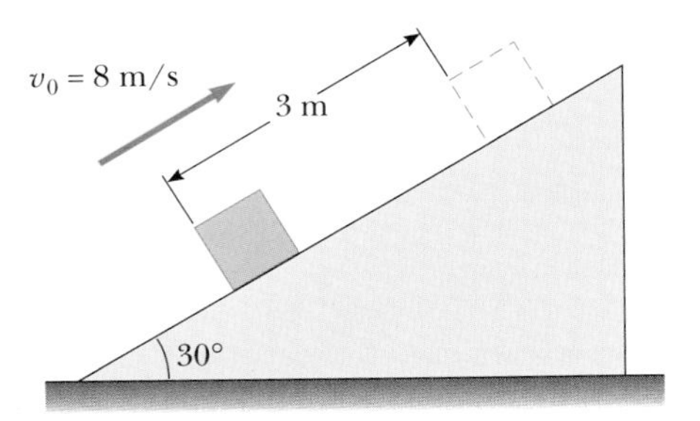

Figure 7.25 (Problème 19)

20. Un bloc de masse égale à 3 kg part d'une hauteur h = 60 cm sur un plan dont l'angle d'inclinaison vaut 30°, comme à la figure 7.26. Lorsqu'il atteint la base du plan incliné, le bloc glisse sur une surface horizontale. Si le coefficient de frottement des deux surfaces est μ_k = 0,20, sur quelle distance glisse le bloc sur la surface horizontale avant de s'arrêter ? (*Suggestion :* Divisez le trajet en deux segments rectilignes.)

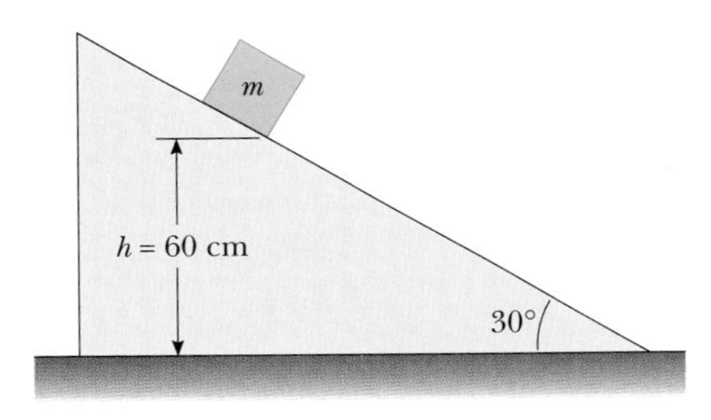

Figure 7.26 (Problème 20)

21. Une parachutiste d'une masse égale à 50 kg saute d'un avion situé à une hauteur de 1 000 m. Le parachute s'ouvre et elle atterrit au sol à une vitesse de 5 m/s. Quelle est la perte d'énergie causée par la résistance de l'air pendant le saut ?
22. Une fillette initialement au repos commence à glisser du haut d'une pente de 4 m de hauteur. (a) Quelle est sa vitesse en bas si la pente est lisse ? (b) Si elle atteint le bas de la pente à une vitesse de 6 m/s, quel pourcentage de son énergie totale au sommet a été perdu par frottement ?
23. Une automobile de 2 000 kg est initialement au repos au sommet d'une allée de 5 m de longueur inclinée de 20° sur l'horizontale. Si le mouvement de l'automobile est ralenti par une force de frottement moyenne de

4 000 N, déterminez la vitesse de l'automobile en bas de l'allée.

24. Pour prendre de l'élan, un lanceur de balle molle fait décrire à une balle d'une masse de 0,25 kg une trajectoire circulaire verticale de 60 cm de rayon avant de la lâcher. Le lanceur exerce sur la balle une force constante d'une intensité de 30 N dans la direction du mouvement sur toute la trajectoire. La vitesse de la balle au sommet du cercle est de 15 m/s. S'il lâche la balle en bas du cercle, quelle est sa vitesse ?
25. Un plongeur de 70 kg saute d'une tour de 10 m et tombe verticalement dans l'eau. S'il s'arrête à 5 m sous la surface de l'eau, déterminez la force de résistance moyenne exercée par l'eau sur le plongeur.
26. Une masse de 5 kg est soumise à l'action d'une force F_x, représentée en fonction de la distance à la figure 7.27. Si l'objet part du repos à $x = 0$ m, déterminez sa vitesse à $x = 2$, 4 et 6 m.

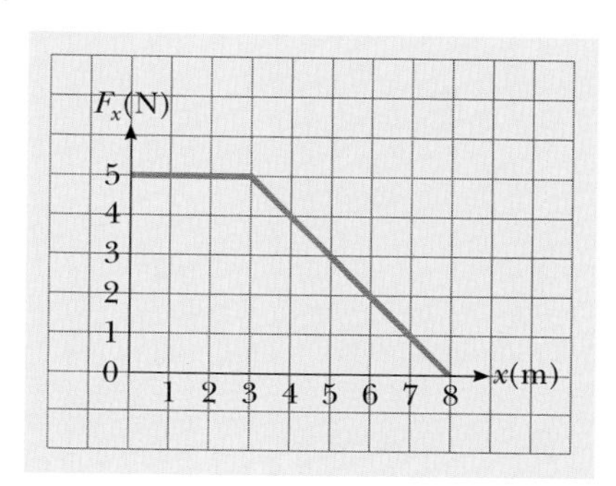

Figure 7.27 (Problème 26)

27. Le coefficient de frottement cinétique entre l'objet de 3 kg et la surface à la figure 7.28 est égal à 0,40. Les masses sont initialement au repos. Quelle est la vitesse de la masse de 5 kg lorsqu'elle est tombée d'une distance verticale de 1,5 m ?

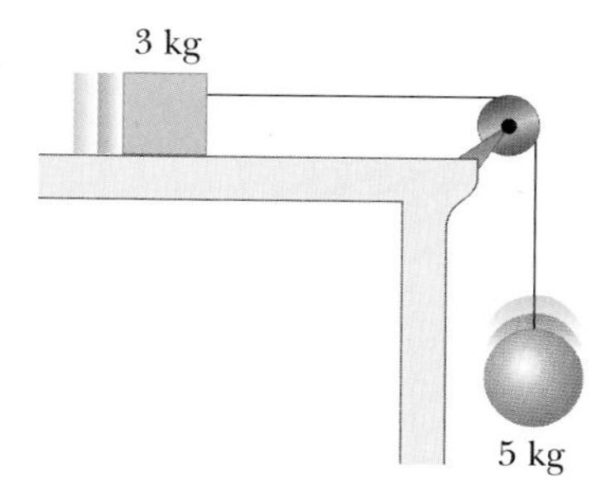

Figure 7.28 (Problème 27)

28. Un pistolet à bouchon utilise un ressort pour projeter une sphère en caoutchouc de 5,3 g. La constante du ressort vaut 8 N/m. Le canon du pistolet a une longueur de 15 cm et il existe une force de frottement constante de 0,032 N entre le canon et le projectile. À quelle vitesse le projectile est-il lancé à la sortie du canon si le ressort est comprimé de 5 cm ?
29. Un skieur est initialement au repos au sommet d'une pente inclinée d'un angle de 10,5° sur l'horizontale. La pente a 200 m de longueur et le coefficient de frottement entre la neige et les skis vaut 0,075. En bas de la pente, la neige est nivelée et le coefficient de frottement reste identique. Quelle distance parcourt le skieur sur la partie horizontale avant de s'arrêter ?

Section 7.7 Nouvelle approche concernant l'énergie potentielle gravitationnelle

On suppose $U = 0$ pour $r = \infty$.

30. Un satellite de la Terre a une masse de 100 kg et se trouve à une altitude de 2×10^6 m. (a) Quelle est l'énergie potentielle du système satellite-Terre ? (b) Quelle est l'intensité de la force exercée sur le satellite ?
31. Un système est composé de trois particules ayant chacune une masse de 5 g et situées aux sommets d'un triangle équilatéral de 30 cm de côté. (a) Calculez l'énergie potentielle du système. (b) Si on lâche les particules simultanément, où vont-elles entrer en collision ?
32. Quelle est la quantité d'énergie requise pour déplacer une masse de 1 000 kg de la surface de la Terre jusqu'à une altitude égale à deux fois le rayon de la Terre ?
33. Lorsque notre Soleil aura épuisé son combustible nucléaire, il se transformera probablement en une *naine blanche* ayant approximativement la masse du Soleil et le rayon de la Terre. Calculez (a) la densité moyenne de la naine blanche, (b) l'accélération gravitationnelle à sa surface et (c) l'énergie potentielle gravitationnelle d'un objet de 1 kg à sa surface. (On prendra $U_g = 0$ à l'infini.)
34. À la surface de la Terre, un projectile est lancé à la verticale à une vitesse de 10 km/s. Quelle hauteur va-t-il atteindre ? Négligez la résistance de l'air.

*Section 7.8 Diagrammes d'énergie et stabilité de l'état d'équilibre

35. Soit la courbe d'énergie potentielle $U(x)$ en fonction de x représentée à la figure 7.29. (a) Déterminez si la force F_x est positive, négative ou nulle aux points indiqués. (b) Indiquez les points d'équilibre stable, instable ou indifférent. (c) En vous référant à la courbe d'énergie potentielle de la figure 7.29, faites un croquis rapide de la courbe représentant F_x en fonction de x, de $x = 0$ à $x = 8$ m.

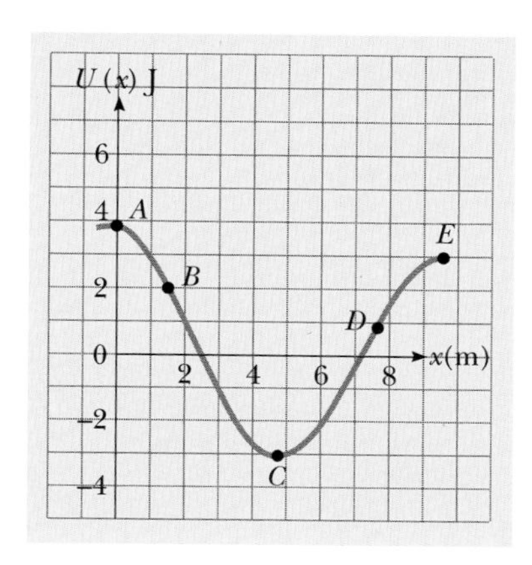

Figure 7.29 (Problème 35)

36. Un cône circulaire droit peut être mis en équilibre sur une surface horizontale de trois manières différentes. Dessinez ces trois configurations d'équilibre et indiquez s'il s'agit d'un équilibre stable, instable ou indifférent.
37. Une particule initialement au repos d'une masse $m = 5$ kg est lâchée au point A sur la trajectoire lisse représentée à la figure 7.30. Déterminez (a) la vitesse de la masse m aux points B et C, et (b) le travail net effectué par la force gravitationnelle lors du déplacement de la particule de A à C.

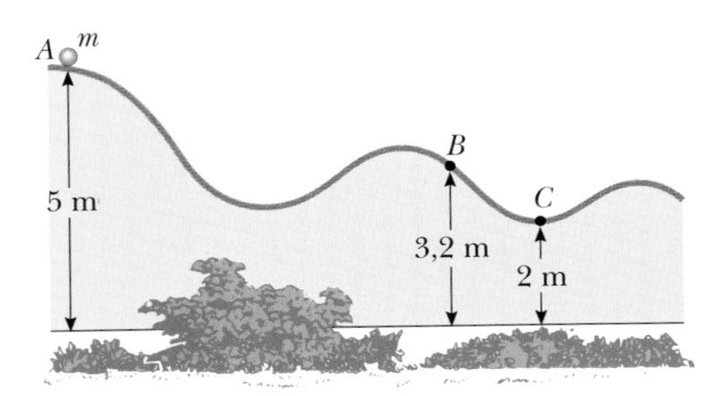

Figure 7.30 (Problème 37)

38. Un tuyau creux a un ou deux poids fixés sur sa paroi intérieure, comme à la figure 7.31. Expliquez pourquoi l'une des configurations correspond à un équilibre instable, une autre à un équilibre indifférent et la troisième à un équilibre stable. (Dans chaque diagramme, O est le centre de courbure et c.m. désigne le centre de masse.)

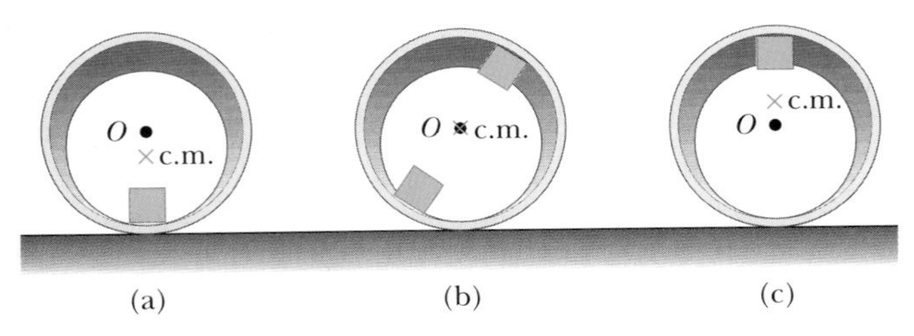

Figure 7.31 (Problème 38)

39. L'énergie potentielle d'un système constitué de deux particules séparées d'une distance r est donné par $U(r) = A/r$, où A est une constante. Déterminez la force radiale $\vec{F}_r$.
40. La fonction énergie potentielle d'un système est donnée par $U = ax^2 - bx$, où a et b sont des constantes. (a) Déterminez la force F_x correspondant à cette fonction énergie potentielle. (b) Pour quelle valeur de x la force est-elle nulle ?

Problèmes supplémentaires

41. Une particule de 200 g initialement au repos est lâchée au point A sur la paroi intérieure d'un bol hémisphérique lisse d'un rayon $R = 30$ cm (voir figure 7.32). Calculez (a) son énergie potentielle gravitationnelle au point A par rapport au point B, (b) son énergie cinétique au point B, (c) sa vitesse au point B et (d) son énergie cinétique et son énergie potentielle au point C.
42. La particule décrite au problème 41 (voir figure 7.32), initialement au repos, est lâchée au point A et on suppose que la surface du bol est rugueuse. La vitesse de la particule au point B vaut 1,5 m/s. (a) Quelle est son énergie cinétique en B ? (b) Quelle est la perte d'énergie par frottement lorsque la particule se rend de A à B ? (c) Est-il possible de déterminer μ de façon simple à partir de ces résultats ? Expliquez.

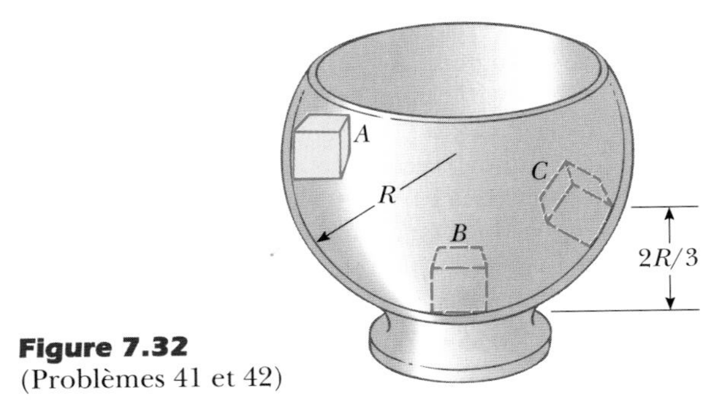

Figure 7.32
(Problèmes 41 et 42)

43. Une démonstration spectaculaire consiste à faire tomber un œuf d'une fenêtre du troisième étage de sorte qu'il atterrisse sur un tapis de mousse de 5 cm d'épaisseur sans se casser. Si un œuf de 56 g tombe de 12 m en chute libre et si le tapis de mousse se comporte comme un ressort de constante de rappel 5 760 N/m, sur quelle distance se comprime le tapis ?
44. Un adolescent glisse sans frottement d'une hauteur h sur un toboggan aquatique incurvé (voir figure 7.33). Il est projeté d'une hauteur $h/5$. Déterminez la hauteur maximale qu'il atteint en fonction de h et θ.

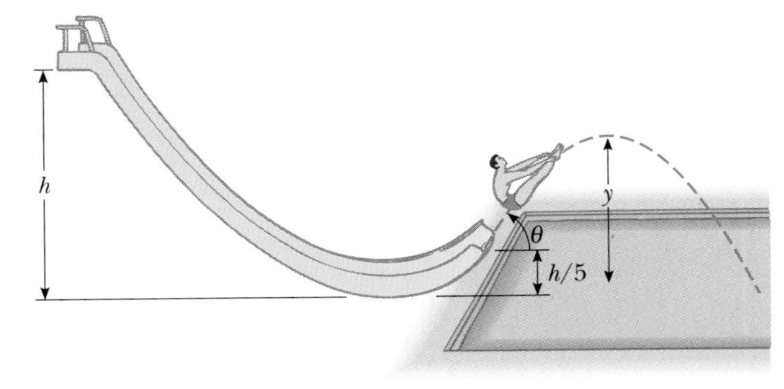

Figure 7.33 (Problème 44)

45. Les masses du javelot, du disque et du poids sont respectivement égales à 0,8 kg, 2 kg et 7,2 kg et les records de lancer enregistrés dans les épreuves d'athlétisme qui utilisent ces objets sont respectivement de 89 m, 69 m et 21 m environ. En négligeant la résistance de l'air, (a) calculez les énergies cinétiques initiales minimales qui produiraient ces lancers et (b) estimez la force moyenne exercée sur chaque objet durant le lancer en supposant que la force agit sur une distance de 2 m. (c) Vos résultats suggèrent-ils que la résistance de l'air est un facteur important ?
46. Un jouet d'enfant comme celui qui est représenté à la figure 7.34 emmagasine l'énergie dans un ressort

($k = 2{,}5 \times 10^4$ N/m). Au point A ($x_1 = -0{,}1$ m), la compression du ressort est maximale et l'enfant est momentanément au repos. Au point B ($x = 0$), le ressort se détend et l'enfant se déplace vers le haut. Au point C, l'enfant est à nouveau momentanément au repos au point le plus haut de sa trajectoire. On suppose que la masse combinée de l'enfant et du jouet est de 25 kg. (a) Calculez l'énergie totale du système si les deux énergies potentielles sont nulles en $x = 0$. (b) Déterminez x_2. (c) Calculez la vitesse de l'enfant en $x = 0$. (d) Déterminez la valeur de x pour laquelle l'énergie cinétique du système est maximale. (e) Calculez la vitesse maximale de l'enfant vers le haut.

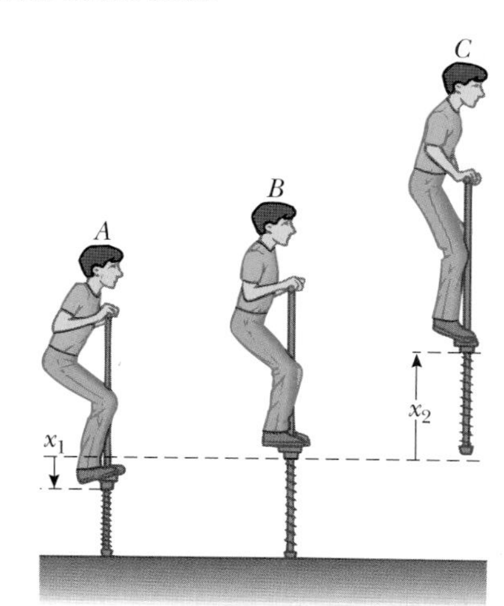

Figure 7.34
(Problème 46)

47. On lâche du point A un bloc de 10 kg sur la trajectoire $ABCD$ (voir figure 7.35). La trajectoire est lisse, sauf sur la partie BC, qui a une longueur de 6 m. Le bloc descend la pente, frappe un ressort de constante de rappel $k = 2\,250$ N/m et le comprime sur une distance de 0,3 m à partir de sa position d'équilibre avant de s'arrêter momentanément. Déterminez le coefficient de frottement cinétique entre la partie BC de la trajectoire et le bloc.

48. On attache une masse de 10 g à l'extrémité d'un ressort vertical de masse négligeable, non tendu ($k = 49$ N/m) puis on la lâche. (a) Quelle est la vitesse maximale de la masse pendant sa chute ? (b) Quelle distance verticale parcourt la masse avant de s'arrêter momentanément ?

49. Un bloc de 2 kg situé sur un plan incliné rugueux est attaché à un ressort de masse négligeable dont la constante de rappel est de 100 N/m (voir figure 7.36). Le bloc initialement au repos est lâché lorsque le ressort est dans sa position d'équilibre et la poulie est sans frottement. Le bloc se déplace de 20 cm vers le bas du plan incliné avant de s'arrêter. Déterminez le coefficient de frottement cinétique entre le bloc et le plan incliné.

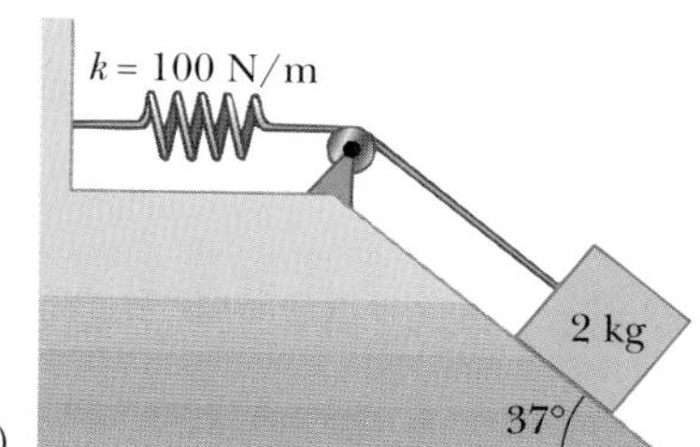

Figure 7.36
(Problèmes 49 et 50)

50. Reprenons le système décrit au problème 49 (voir figure 7.36) et supposons que le plan incliné soit lisse. Lorsqu'on lâche le bloc, il est initialement au repos et le ressort est initialement en équilibre. (a) Quelle distance parcourt le bloc vers le bas du plan incliné avant de s'arrêter ? (b) Quelle est l'accélération du bloc lorsqu'il atteint son point le plus bas ? L'accélération est-elle constante ? (c) Décrivez les transformations d'énergie qui interviennent durant la descente du bloc.

51. Un bloc de 20 kg est relié à un bloc de 30 kg par une ficelle passant sur une poulie sans frottement. Le bloc de 30 kg est attaché à un ressort de masse négligeable et de constante de rappel égale à 250 N/m, comme à la figure 7.37. Le ressort est à l'équilibre lorsque le système est dans l'état représenté sur la figure et le plan incliné est lisse. On tire le bloc de 20 kg sur une distance de 20 cm vers le bas du plan incliné (de sorte que le bloc de 30 kg se retrouve à 40 cm au-dessus du sol) où on le lâche à partir du repos. Déterminez la vitesse de chaque bloc lorsque le bloc de 30 kg est à 20 cm au-dessus du sol (c'est-à-dire lorsque le ressort est en équilibre).

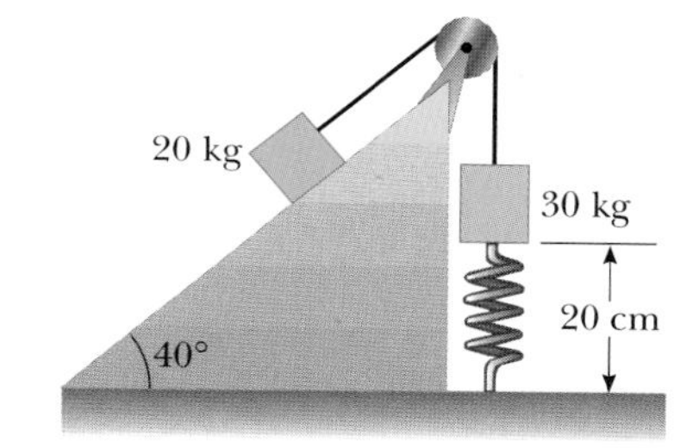

Figure 7.37
(Problème 51)

52. La fonction énergie potentielle d'un système est donnée par $U(x) = -x^3 + 2x^2 + 3x$. (a) Déterminez la force F_x en fonction de x. (b) Pour quelles valeurs de x la force est-elle égale à zéro ? (c) Tracez le graphique de $U(x)$ en fonction de x et celui de F_x en fonction de x, et indiquez les points d'équilibre stable et d'équilibre instable.

53. Un bloc de masse égale à 0,5 kg est poussé contre un ressort horizontal de masse négligeable et comprime le ressort sur une distance Δx (voir figure 7.38, page 162).

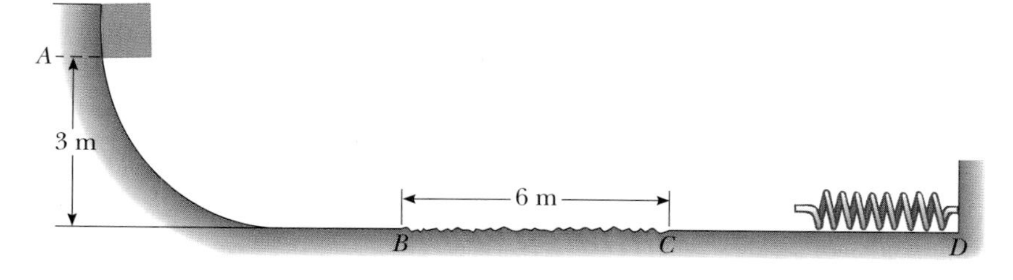

Figure 7.35 (Problème 47)

La constante du ressort vaut 450 N/m. Lorsqu'on lâche le bloc, il se déplace sur une surface horizontale lisse jusqu'au point B, qui est le point le plus bas d'une trajectoire circulaire verticale d'un rayon R = 1 m, et il continue sa route sur cette trajectoire. La trajectoire circulaire n'est pas lisse. La vitesse du bloc en bas de la trajectoire circulaire verticale est v_B = 12 m/s et le bloc est soumis à une force de frottement moyenne de 7,0 N lorsqu'il glisse vers le haut de la courbe. (a) Quelle était la compression initiale du ressort ? (b) Quelle est la vitesse du bloc au sommet de la trajectoire circulaire ? (c) Le bloc va-t-il atteindre le sommet de la trajectoire ou va-t-il tomber avant d'y arriver ?

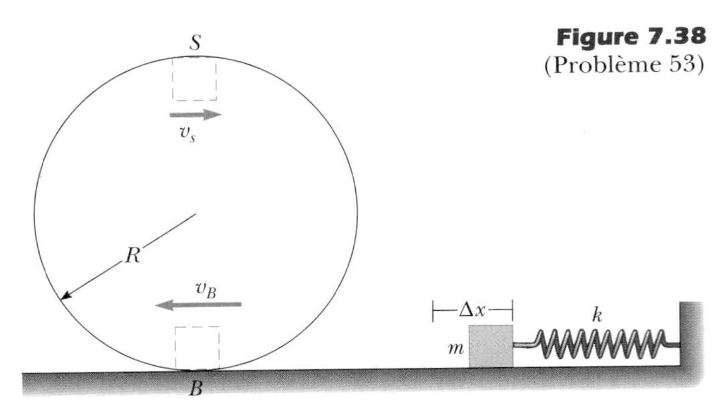

Figure 7.38 (Problème 53)

54. Deux blocs, A ou B (dont les masses sont respectivement égales à 50 kg et 100 kg), sont reliés par un ressort, comme à la figure 7.39. La poulie sans frottement est de masse négligeable. Le coefficient de frottement cinétique entre le bloc A et le plan incliné est μ_k = 0,25. Déterminez la variation d'énergie cinétique du bloc A lorsqu'il se déplace de C à D, sur une distance de 20 m vers le haut du plan incliné.

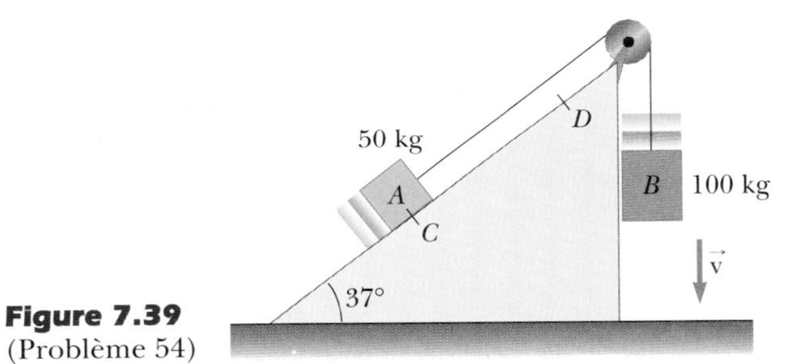

Figure 7.39 (Problème 54)

55. Dans un billard électrique, une balle de 100 g est lancée par un piston à ressort (voir figure 7.40). Le plan du billard est incliné de 8° sur l'horizontale. Déterminez la constante de rappel k du ressort qui va donner à la balle une vitesse de 80 cm/s lorsqu'on relâche le piston initialement au repos, le ressort étant comprimé de 5 cm à partir de sa position d'équilibre. On néglige la masse du piston ou les effets de frottement sur le piston.

56. Une masse de 1 kg glisse vers la droite sur une surface dont le coefficient de frottement est μ = 0,25 (voir figure 7.41). Sa vitesse est v_i = 3 m/s lorsqu'elle entre en contact avec un ressort de constante de rappel k = 50 N/m. La masse s'arrête une fois que le ressort a été comprimé

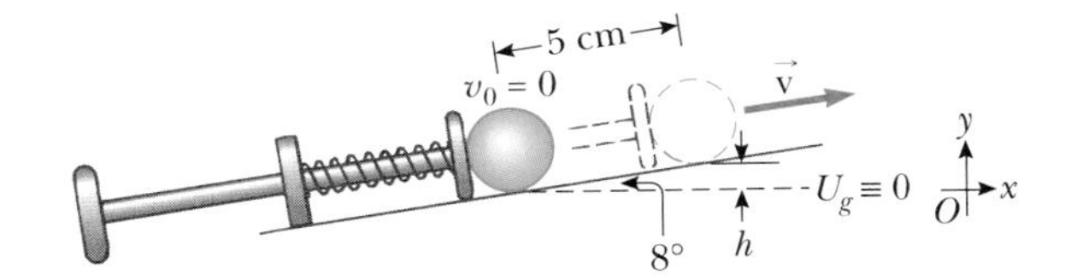

Figure 7.40 (Problème 55)

d'une distance d. La masse est ensuite renvoyée vers la gauche par le ressort et elle continue de se déplacer dans cette direction au-delà de la position d'équilibre du ressort. Enfin, elle s'arrête à une distance D à gauche de la position d'équilibre du ressort. Déterminez (a) la distance de compression d, (b) la vitesse v à la position d'équilibre et (c) la distance D à gauche de la position d'équilibre du ressort, à laquelle s'arrête la masse.

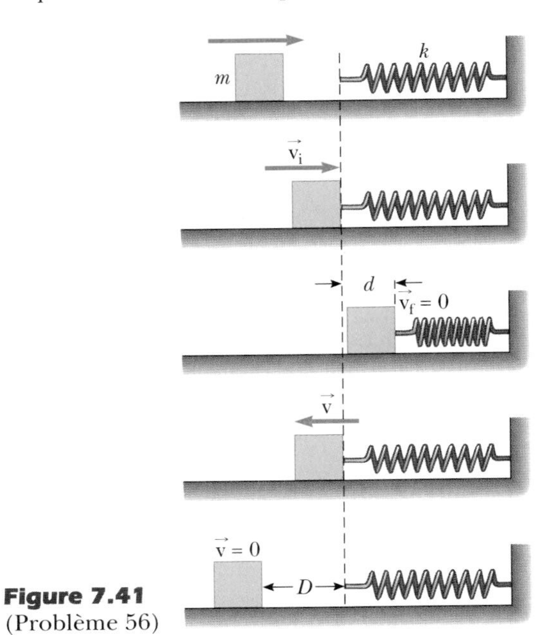

Figure 7.41 (Problème 56)

57. Un étudiant téméraire saute d'un ballon avec une corde élastique spécialement conçue attachée à ses chevilles, comme à la figure 7.42. La corde a une longueur à l'équilibre de 25 m, l'étudiant pèse 700 N et le ballon est à 36 m au-dessus de la surface d'une rivière. Calculez la constante de rappel que doit avoir la corde pour que l'étudiant s'arrête sans risque à 4 m au-dessus de la rivière.

Figure 7.42 (Problème 57) *(Gamma)*

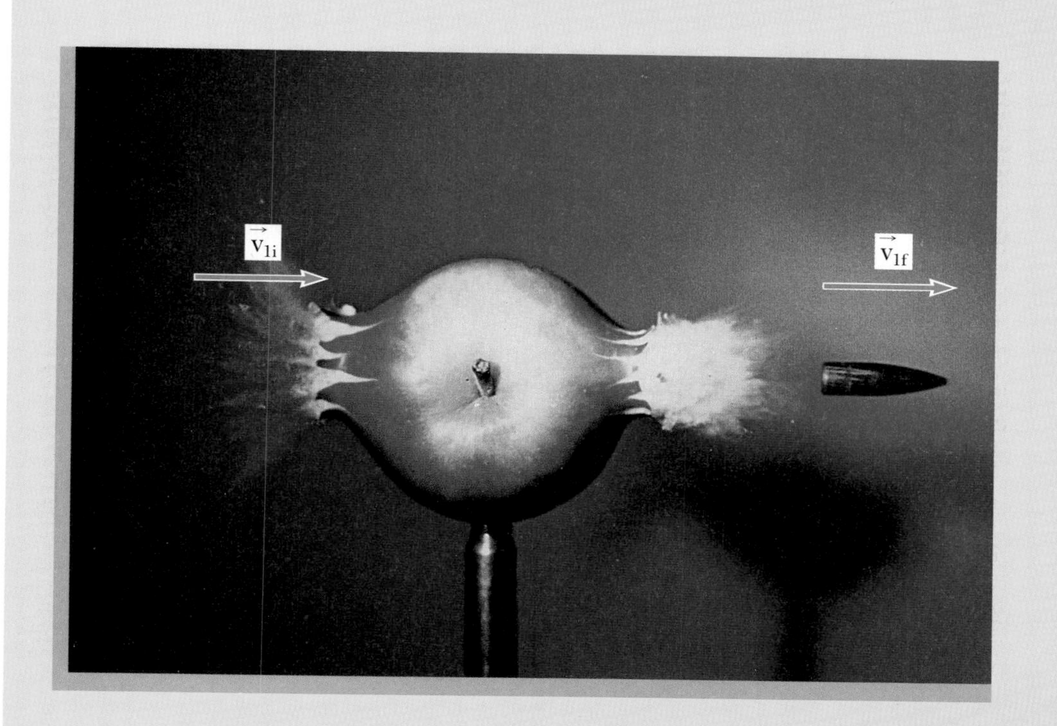

Figure 8.1
Qu'en penserait Guillaume Tell ? Nous voyons ici une balle de calibre 30 traversant une pomme à la vitesse supersonique de 900 m/s. Cette collision a été photographiée à l'aide d'un stroboscope microflash avec une durée d'exposition de 0,33 μs. La vitesse de la balle diminue de $\vec{v}_{1i}$ à $\vec{v}_{1f}$ à cause de la collision ; elle perd donc de l'énergie cinétique. Cette perte d'énergie apparaît dans la pomme qui se désintègre complètement après la collision. On remarque que les points d'entrée et de sortie de la balle sont visuellement explosifs. *(Shooting the Apple, 1964. Harold Edgerton, avec l'autorisation de Palm Press)*

Quantité de mouvement et collisions

CHAPITRE 8

L'un des principaux objectifs de ce chapitre est de vous permettre de comprendre et d'analyser, à l'aide de la notion de *quantité de mouvement*, certaines situations où des corps subissent des variations de vitesse, comme dans le cas des collisions. Cette nouvelle notion vous permettra de décrire certains mouvements d'objets. Ainsi, lors de votre prochaine partie de golf, vous serez en mesure de décrire, du point de vue de la physique, ce qui se produit lorsque la balle de golf est frappée par le bâton. Vous pourrez établir le lien entre, d'un côté, la masse de la balle, sa variation de vitesse, la force moyenne qui agit sur elle pendant le contact avec le bâton et, de l'autre côté, la masse du bâton, son accélération et la force moyenne qui agit sur lui.

Nous verrons aussi un deuxième principe de conservation : le principe de conservation de la quantité de mouvement. Ce principe est particulièrement utile pour résoudre les problèmes de collision entre objets.

8.1 Quantité de mouvement et principe de conservation

La **quantité de mouvement** d'une particule de masse m se déplaçant à la vitesse $\vec{v}$ est égale, par définition, au produit de la masse par la vitesse[1] :

Définition de la quantité de mouvement d'une particule

$$\vec{p} \equiv m\vec{v} \quad [8.1]$$

La quantité de mouvement est une quantité vectorielle puisqu'elle est égale au produit d'un scalaire m par un vecteur $\vec{v}$. Elle a la même orientation que $\vec{v}$ et a pour dimensions ML/T. Dans le SI, la quantité de mouvement s'exprime en kg·m/s.

Si le mouvement d'une particule a une orientation quelconque dans l'espace, $\vec{p}$ a trois composantes et l'équation 8.1 est équivalente aux équations scalaires suivantes :

$$p_x = mv_x \qquad p_y = mv_y \qquad p_z = mv_z \quad [8.2]$$

La deuxième loi de Newton (voir chapitre 4) peut s'exprimer en fonction de la quantité de mouvement. En effet, comme $\vec{a} = d\vec{v}/dt$ et que $\vec{p} = m\vec{v}$, on peut écrire la deuxième loi de Newton de la façon suivante :

Deuxième loi de Newton appliquée au cas d'une particule

$$\sum \vec{F} = m\vec{a} = \frac{m d\vec{v}}{dt} = \frac{d(m\vec{v})}{dt} = \frac{d\vec{p}}{dt} \quad [8.3]$$

Cette équation indique que *la dérivée, par rapport au temps de la quantité de mouvement d'une particule, est égale à la force résultante qui agit sur cette particule.*

D'après l'équation 8.3, on voit que si la force résultante est nulle, la dérivée par rapport au temps de la quantité de mouvement est nulle; autrement dit, lorsque $\Sigma\vec{F} = \vec{0}$, la quantité de mouvement de tout objet doit alors être *constante.* Il va de soi que si la particule est isolée, $\Sigma\vec{F} = \vec{0}$ et $\vec{p}$ ne varie pas. Un bon exemple est le cas d'une fusée dont les moteurs sont éteints et qui voyage dans l'espace loin de toute planète.

Conservation de la quantité de mouvement dans un système composé de deux particules

Pour en arriver au principe de *conservation de la quantité de mouvement,* considérons un système composé de deux particules pouvant interagir entre elles mais qui sont isolées de leur milieu environnant (voir figure 8.2). Ces particules peuvent exercer une force l'une sur l'autre, mais il n'y a pas de force *extérieure.* Selon l'énoncé de la troisième loi de Newton, les forces qui agissent sur ces deux particules sont toujours égales en grandeur et opposées en direction. Ainsi, si une force *interne* (par exemple, une force gravitationnelle) agit sur la particule 1, il doit alors y avoir une deuxième force *interne,* égale et opposée, qui agit sur la particule 2.

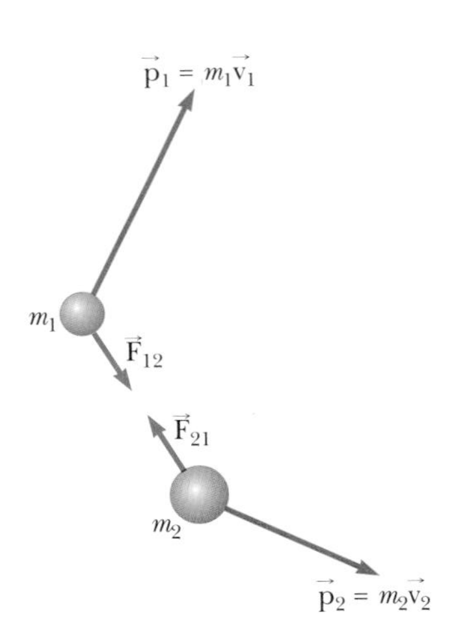

Figure 8.2
À un instant donné, la quantité de mouvement de m_1 est $\vec{p}_1 = m_1\vec{v}_1$ et la quantité de mouvement de m_2 est $\vec{p}_2 = m_2\vec{v}_2$. On remarque que $\vec{F}_{12} = -\vec{F}_{21}$.

Supposons qu'à un instant donné, la quantité de mouvement de la particule 1 soit $\vec{p}_1$ et la quantité de mouvement de la particule 2 soit $\vec{p}_2$. L'application de la deuxième loi de Newton à chacune des particules nous permet d'écrire :

$$\vec{F}_{12} = \frac{d\vec{p}_1}{dt} \qquad \text{et} \qquad \vec{F}_{21} = \frac{d\vec{p}_2}{dt}$$

où $\vec{F}_{12}$ est la force exercée par la particule 2 sur la particule 1 et $\vec{F}_{21}$ est la force exercée par la particule 1 sur la particule 2. (Ces forces peuvent être des forces gravitationnelles ou peuvent avoir une autre origine. La source des forces n'a pas d'importance pour le sujet qui nous intéresse.) D'après la troisième loi de Newton,

[1] Cette expression n'est pas relativiste et n'est valable que lorsque $v \ll c$, c étant la vitesse de la lumière.

$\vec{F}_{12}$ et $\vec{F}_{21}$ forment une paire action-réaction et $\vec{F}_{12} = -\vec{F}_{21}$. Nous pouvons également exprimer cette condition sous la forme :

$$\vec{F}_{12} + \vec{F}_{21} = \vec{0}$$

ou

$$\frac{d\vec{p}_1}{dt} + \frac{d\vec{p}_2}{dt} = \frac{d}{dt}(\vec{p}_1 + \vec{p}_2) = \vec{0}$$

Puisque la dérivée par rapport au temps de la quantité de mouvement totale $\vec{P} = \vec{p}_1 + \vec{p}_2$ est *nulle*, nous en concluons que la quantité de mouvement *totale* $\vec{P}$ doit rester constante, c'est-à-dire :

$$\vec{P} = \vec{p}_1 + \vec{p}_2 = \text{constant en grandeur et en direction} \qquad [8.4]$$

ce qui revient à écrire :

$$\vec{p}_{1i} + \vec{p}_{2i} = \vec{p}_{1f} + \vec{p}_{2f} \qquad [8.5]$$

où $\vec{p}_{1i}$ et $\vec{p}_{2i}$ sont les valeurs initiales et $\vec{p}_{1f}$ et $\vec{p}_{2f}$ sont les valeurs finales de la quantité de mouvement durant l'intervalle de temps *dt* pendant lequel a lieu l'interaction. En écrivant l'équation 8.5 sous forme scalaire, on constate que les quantités de mouvement totales sur les axes des *x*, des *y* et des *z* sont toutes *conservées séparément*, c'est-à-dire :

$$\vec{P}_{ix} = \vec{P}_{fx} \qquad \vec{P}_{iy} = \vec{P}_{fy} \qquad \vec{P}_{iz} = \vec{P}_{fz} \qquad [8.6]$$

Ce résultat exprime le **principe de conservation de la quantité de mouvement**. C'est l'un des principes les plus importants de la mécanique. On peut l'énoncer de la manière suivante :

Conservation de la quantité de mouvement

Si deux particules isolées non chargées interagissent l'une avec l'autre, leur quantité de mouvement totale reste constante (en grandeur et en direction).

Autrement dit, *la quantité de mouvement totale d'un système isolé est égale à tout instant à sa quantité de mouvement initiale.*

La conservation de la quantité de mouvement constitue un autre énoncé plus général de la troisième loi de Newton.

Notons que nous n'avons fait aucune hypothèse concernant la nature des forces qui agissent sur les systèmes. La seule condition imposée est que les forces doivent être *internes* au système. Ainsi, la quantité de mouvement est constante pour un système composé de deux particules *quelle que soit* la nature des forces internes.

Exemple 8.1 Le recul d'un canon

Soit un canon de 3 000 kg au repos sur un étang gelé, comme à la figure 8.3. On charge le canon d'un boulet de 30 kg qu'on tire à l'horizontale. Si le canon recule à une vitesse de $1{,}8\,\vec{i}$ m/s, quelle est la vitesse du boulet à la sortie du canon ?

Solution Le système est ici composé du boulet et du canon. À cause de la force gravitationnelle et de la force normale, le système n'est pas réellement isolé. Toutefois, les deux forces sont dirigées perpendiculairement au mouvement du système et s'annulent mutuellement. Par conséquent, la quantité de mouvement est constante sur l'axe des *x* puisqu'il n'y a pas de force extérieure dans cette direction (en supposant que la surface est lisse).

Comme le canon et le boulet sont au repos avant le tir, la quantité de mouvement totale du système est nulle ($m_1\vec{v}_{1i} + m_2\vec{v}_{2i} = \vec{0}$). Par conséquent, la quantité de mouvement totale après le tir doit également être nulle, c'est-à-dire :

$$m_1\vec{v}_{1f} + m_2\vec{v}_{2f} = \vec{0}$$

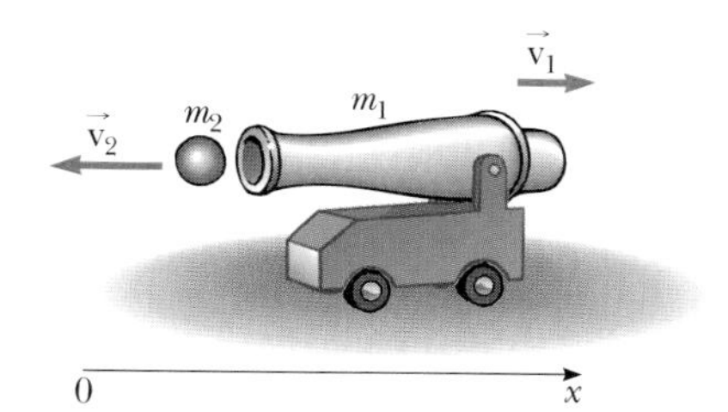

Figure 8.3
(Exemple 8.1) Lorsque le boulet de canon est tiré vers la gauche, le canon recule vers la droite.

avec $m_1 = 3\ 000$ kg, $\vec{v}_{1f} = 1{,}8\vec{i}$ m/s, $m_2 = 30$ kg et $\vec{v}_{2f}$ inconnue. En isolant la vitesse du boulet $\vec{v}_{2f}$ dans l'équation, on obtient :

$$\vec{v}_{2f} = -\frac{m_1}{m_2}\vec{v}_{1f} = -\left(\frac{3\ 000\text{ kg}}{30\text{ kg}}\right)(1{,}8\vec{i}\text{ m/s}) = \boxed{-180\vec{i}\text{ m/s}}$$

Le signe négatif indique que le boulet se déplace vers la gauche après le tir, c'est-à-dire dans la direction opposée au mouvement du canon.

Comme le canon est beaucoup plus massif que le boulet, l'accélération et par conséquent la vitesse du canon sont beaucoup plus petites que l'accélération et la vitesse du boulet.

Exemple 8.2 Désintégration du kaon au repos

Un méson est une particule nucléaire dont la masse est supérieure à celle d'un électron, mais inférieure à celle d'un proton ou d'un neutron. Un type de méson, appelé kaon neutre (K^0), se désintègre en une paire de pions chargés (π^+ et π^-), de masses identiques mais de charges opposées, comme à la figure 8.4. Le pion est une particule qui intervient dans le processus qui maintient ensemble les protons et les neutrons du noyau. En supposant que le kaon soit initialement au repos, nous allons démontrer qu'après la désintégration, les deux pions doivent avoir des quantités de mouvement de grandeur égale, mais de directions opposées.

Solution La désintégration du kaon, représentée à la figure 8.4, peut s'écrire :

$$K^0 \rightarrow \pi^+ + \pi^-$$

Si on désigne par $\vec{p}^+$ la quantité de mouvement du pion positif et par $\vec{p}^-$ celle du pion négatif après la désintégration, la quantité de mouvement finale du système peut s'écrire :

$$\vec{P}_f = \vec{p}^+ + \vec{p}^-$$

Comme le kaon est au repos avant la désintégration, on sait que $\vec{P}_i = \vec{0}$. De plus, puisque la quantité de mouvement est conservée, $\vec{P}_i = \vec{P}_f = \vec{0}$ de sorte que :

$$\vec{p}^+ + \vec{p}^- = \vec{0}$$

ou

$$\vec{p}^+ = -\vec{p}^-$$

On conclut que les deux quantités de mouvement des pions sont des vecteurs de même grandeur mais opposés.

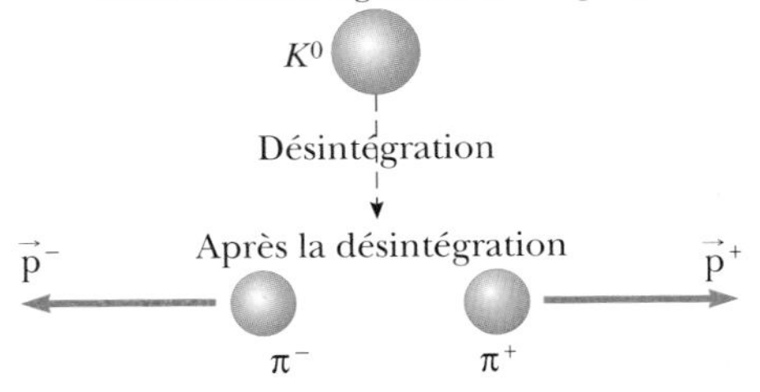

Figure 8.4 (Exemple 8.2) Un kaon au repos se désintègre spontanément pour donner une paire de pions portant des charges opposées. Les pions s'éloignent l'un de l'autre avec des quantités de mouvement égales et opposées.

8.2 Impulsion et quantité de mouvement

Supposons qu'une force unique $\vec{F}$ agisse sur une particule et que cette force soit variable dans le temps. Selon la deuxième loi de Newton, $\vec{F} = d\vec{p}/dt$ ou :

$$d\vec{p} = \vec{F}\,dt \qquad [8.7]$$

Si la quantité de mouvement de la particule passe de $\vec{p}_i$ à l'instant t_i à $\vec{p}_f$ à l'instant t_f, on obtient, en intégrant l'équation 8.7 :

$$\Delta\vec{p} = \vec{p}_f - \vec{p}_i = \int_{t_i}^{t_f} \vec{F}\, dt \qquad [8.8]$$

Impulsion d'une force

Le membre à droite de l'équation 8.8 est appelé *impulsion* de la force $\vec{F}$ pour l'intervalle de temps $\Delta t = t_f - t_i$. L'impulsion est un vecteur défini par :

$$\vec{I} \equiv \int_{t_i}^{t_f} \vec{F}\, dt = \Delta\vec{p} \qquad [8.9]$$

Théorème reliant l'impulsion et la quantité de mouvement

Par conséquent, l'**impulsion** de la force $\vec{F}$ est égale à la variation de la quantité de mouvement d'un objet quelconque. Ce théorème qui **relie l'impulsion et la quantité de mouvement** est équivalent à la deuxième loi de Newton. L'impulsion est une quantité vectorielle dont la grandeur est égale à l'aire sous la courbe représentant la force en fonction du temps, comme à la figure 8.5. Dans cette figure, on suppose que la force varie en fonction du temps selon la forme générale indiquée et qu'elle n'est pas nulle dans l'intervalle de temps $\Delta t = t_f - t_i$. La direction du vecteur impulsion est la même que celle de la variation de la quantité de mouvement. L'impulsion a les dimensions d'une quantité de mouvement, ML/T. Notons que l'impulsion *n'est pas* une propriété inhérente à la particule, mais qu'elle indique dans quelle mesure une force extérieure peut faire varier la quantité de mouvement de la particule. Par conséquent, lorsqu'on dit qu'une particule reçoit une impulsion, on sous-entend qu'une variation de quantité de mouvement est transmise à cette particule par un agent extérieur.

Puisque la force varie généralement en fonction du temps, comme à la figure 8.5a, il convient de définir une force moyenne $\overline{\vec{F}}$:

$$\overline{\vec{F}} \equiv \frac{1}{\Delta t} \int_{t_i}^{t_f} \vec{F}\, dt \qquad [8.10]$$

où $\Delta t = t_f - t_i$. On peut donc exprimer l'équation 8.9 sous la forme :

$$\vec{I} = \Delta\vec{p} = \overline{\vec{F}}\Delta t \qquad [8.11]$$

Cette force moyenne, décrite à la figure 8.5b, peut être considérée comme la force constante qui, durant l'intervalle Δt, communiquerait à la particule la même impulsion que le ferait la force réelle variable.

Si la force qui agit sur la particule est constante, on a $\overline{\vec{F}} = \vec{F}$ et l'équation 8.11 devient :

$$\vec{I} = \Delta\vec{p} = \vec{F}\Delta t \qquad [8.12]$$

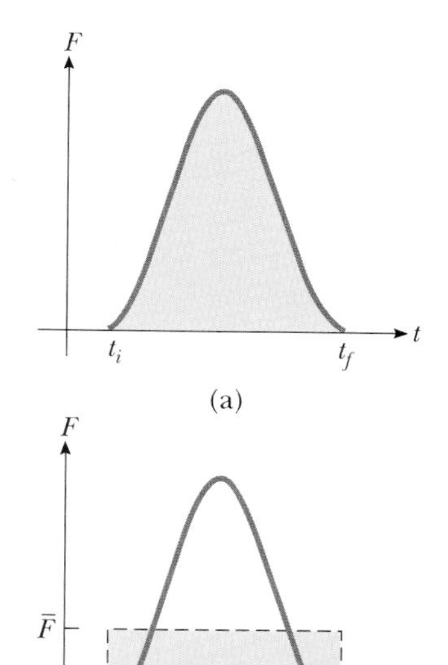

Figure 8.5
(a) Une force qui agit sur une particule peut varier en fonction du temps. L'impulsion est égale à l'aire sous la courbe représentant la force en fonction du temps. (b) La force moyenne $\overline{\vec{F}}$ (droite horizontale pointillée) donnerait la même impulsion à la particule dans l'intervalle de temps Δt que la force réelle variable qui est décrite en (a).

Dans de nombreuses situations physiques, nous aurons recours à l'**approximation relative à l'impulsion** : *nous supposerons que l'une des forces qui agit sur une particule a une durée d'action très courte, mais qu'elle est beaucoup plus importante que toutes les autres forces présentes.* Cette approximation est particulièrement utile dans l'étude des collisions où la durée d'action des forces est très courte. Lorsqu'on fait cette approximation, la force est appelée *force d'impulsion*. Par exemple, lorsqu'on frappe une balle de baseball avec un bâton, la durée de la collision est de 0,01 s environ et la force moyenne exercée par le bâton sur la balle durant cet intervalle de temps est en général de plusieurs milliers de newtons. Cette force est très supérieure à la force gravitationnelle, de sorte que l'approximation relative à l'impulsion est justifiée. Il est important de se rappeler que $\vec{p}_i$ et $\vec{p}_f$ représentent, respectivement, les quantités de mouvement *immédiatement* avant et après la collision. Par conséquent, dans l'approximation relative à l'impulsion, le déplacement de la particule est très court durant la collision.

Figure 8.6
Photographie d'un test de collision inélastique montrant qu'une grande partie de l'énergie cinétique initiale de la voiture est transformée en énergie servant à détruire le véhicule. Pourquoi les ceintures de sécurité et les sacs gonflables permettent-ils d'éviter des blessures graves dans de telles collisions ? *(Avec l'autorisation de General Motors)*

Exemple 8.3 À quoi servent les pare-chocs ?

Lors d'un test de collision, une automobile d'une masse égale à 1 500 kg entre en collision avec un mur, comme à la figure 8.7. Les vitesses de l'automobile sont $\vec{v}_i = -15{,}0\,\vec{i}$ m/s et $\vec{v}_f = 2{,}6\,\vec{i}$ m/s. Si la collision dure 0,150 s, déterminez l'impulsion créée et la force moyenne exercée sur l'automobile.

Solution Les quantités de mouvement initiale et finale de l'automobile sont données par :

$$\vec{p}_i = m\vec{v}_i$$
$$= (1\,500 \text{ kg})(-15{,}0\,\vec{i}\text{ m/s}) = -2{,}25 \times 10^4\,\vec{i}\text{ kg}\cdot\text{m/s}$$
$$\vec{p}_f = m\vec{v}_f = (1\,500 \text{ kg})(2{,}6\,\vec{i}\text{ m/s}) = 0{,}39 \times 10^4\,\vec{i}\text{ kg}\cdot\text{m/s}$$

L'impulsion est alors égale à :

$$\vec{I} = \Delta\vec{p} = \vec{p}_f - \vec{p}_i$$
$$= 0{,}39 \times 10^4\,\vec{i}\text{ kg}\cdot\text{m/s} - (-2{,}25 \times 10^4\,\vec{i}\text{ kg}\cdot\text{m/s})$$
$$\vec{I} = 2{,}64 \times 10^4\,\vec{i}\text{ kg}\cdot\text{m/s}$$

La force moyenne exercée sur l'automobile est :

$$\vec{F} = \frac{\Delta\vec{p}}{\Delta t} = \frac{2{,}64 \times 10^4\,\vec{i}\text{ kg}\cdot\text{m/s}}{0{,}150\text{ s}} = 1{,}76 \times 10^5\,\vec{i}\text{ N}$$

8.3 Collisions

Dans cette section, nous nous servirons du principe de conservation de la quantité de mouvement pour décrire ce qui se produit lors d'une collision entre deux objets. *Au cours d'une collision, on suppose que les forces d'interaction sont beaucoup plus grandes que les forces extérieures.*

Une collision peut être due au contact physique entre deux objets, comme à la figure 8.8a. Il s'agit d'une observation courante lorsque deux objets macroscopiques, comme deux boules de billard, entrent en collision. Nous devons toutefois généraliser la notion de *collision,* car, à l'échelle microscopique, la notion de contact n'a pas la même signification qu'au niveau macroscopique. Il serait plus exact de dire que les forces entre deux corps proviennent de l'interaction électrostatique des électrons à la surface des atomes de ces corps.

Pour bien comprendre cette distinction entre les collisions macroscopiques et les collisions microscopiques, considérons la collision d'un proton avec une particule alpha (noyau de l'atome d'hélium), comme à la figure 8.8b. Les deux particules étant positivement chargées, elles se repoussent mutuellement.

Lorsque deux particules de masse m_1 et m_2 entrent en collision, les forces de collision peuvent varier en fonction du temps d'une façon complexe (voir figure 8.9). Si $\vec{F}_{12}$ est la force exercée par m_2 sur m_1, alors la variation de quantité de mouvement sur m_1 à cause de la collision est donnée par l'équation 8.8 :

$$\Delta\vec{p}_1 = \int_{t_i}^{t_f} \vec{F}_{12}\,dt$$

De même, si $\vec{F}_{21}$ est la force exercée par m_1 sur m_2, la variation de quantité de mouvement sur m_2 est :

$$\Delta\vec{p}_2 = \int_{t_i}^{t_f} \vec{F}_{21}\,dt$$

Toutefois, selon la troisième loi de Newton, $\vec{F}_{12} = -\vec{F}_{21}$ (voir figure 8.9). Nous pouvons donc conclure que :

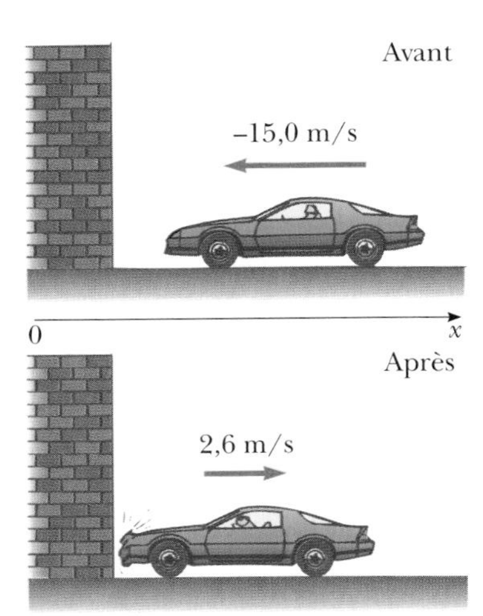

Figure 8.7
(Exemple 8.3)

$$\Delta\vec{p}_1 = -\Delta\vec{p}_2$$

$$\Delta\vec{p}_1 + \Delta\vec{p}_2 = \vec{0}$$

Puisque la quantité de mouvement totale du système est $\vec{P} = \vec{p}_1 + \vec{p}_2$, nous concluons que la *variation* de quantité de mouvement du système lors de la collision est nulle, c'est-à-dire que :

$$\vec{P} = \vec{p}_1 + \vec{p}_2 = \text{constant en grandeur et en direction}$$

C'est précisément le résultat auquel on peut s'attendre si aucune force extérieure n'agit sur le système (section 8.2). Cependant, le résultat est également valable si on considère le mouvement juste avant et juste après la collision. Puisque les forces durant la collision sont des forces internes au système, elles n'influent pas sur la quantité de mouvement totale du système. Par conséquent, quel que soit le type de collision, la quantité de mouvement totale du système juste avant la collision est égale à la quantité de mouvement totale du système juste après la collision.

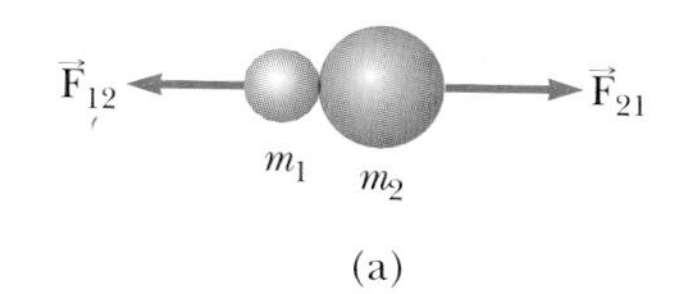

(a)

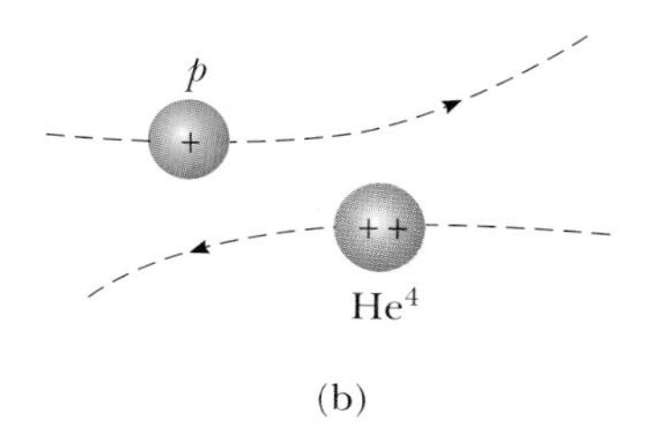

(b)

Figure 8.8
(a) Collision entre deux objets découlant d'un contact direct. (b) Collision entre deux particules chargées.

Exemple 8.4 Cadillac contre « Coccinelle »

Alors qu'elle est arrêtée à un feu rouge ($\vec{v}_{1i}$), une grosse voiture de luxe d'une masse m_1 de 1 800 kg est heurtée par une petite voiture de 900 kg (m_2). Après la collision, les deux voitures demeurent accrochées l'une à l'autre. Si la petite voiture avait une vitesse $\vec{v}_{2i} = (20 \text{ m/s})\,\vec{i}$ avant la collision, quelle est la vitesse du bloc formé après la collision ?

Solution La quantité de mouvement avant la collision est égale à la quantité de mouvement de la petite voiture, car la grosse voiture est initialement au repos. Par conséquent,

$$\vec{p}_i = \vec{0} + m_2\vec{v}_{2i} = (900 \text{ kg})(20 \text{ m/s})\,\vec{i} = (1{,}8 \times 10^4 \text{ kg·m/s})\,\vec{i}$$

Après la collision, la masse en mouvement est la somme des masses des deux voitures. La quantité de mouvement de l'ensemble est :

$$\vec{p}_f = (m_1 + m_2)\vec{v}_f = (2\,700 \text{ kg})(\vec{v}_f)$$

En égalant la quantité de mouvement avant la collision et la quantité de mouvement après la collision et en isolant $\vec{v}_f$, la vitesse du bloc formé par les deux véhicules, on obtient :

$$\vec{v}_f = \frac{\vec{p}_i}{m_1 + m_2} = \frac{(1{,}8 \times 10^4 \text{ kg·m/s})\,\vec{i}}{2\,700 \text{ kg}} = \boxed{(6{,}67 \text{ m/s})\,\vec{i}}$$

Exemple 8.5 Une situation explosive

Un objet initialement au repos explose en donnant deux fragments de masse m_1 et m_2. Quelle est la relation entre les vitesses de ces deux fragments ?

Solution Comme dans le cas d'une collision, la quantité de mouvement ne varie pas lorsqu'un objet explose parce que toutes les forces explosives sont des forces internes. Par conséquent,

$$\vec{p}_i = \vec{p}_f$$

La quantité de mouvement initiale du système étant nulle (l'objet était au repos), la quantité de mouvement reste nulle après l'explosion. Par conséquent, cette quantité de mouvement nulle est répartie entre les deux fragments qui s'éloignent du point de l'explosion avec des quantités de mouvement égales et opposées. En effet :

$$\vec{0} = m_1\vec{v}_{1f} + m_2\vec{v}_{2f}$$

ou

$$\vec{v}_{1f} = -\left(\frac{m_2}{m_1}\right)\vec{v}_{2f}$$

Le signe moins indique que les fragments se déplacent dans des directions opposées.

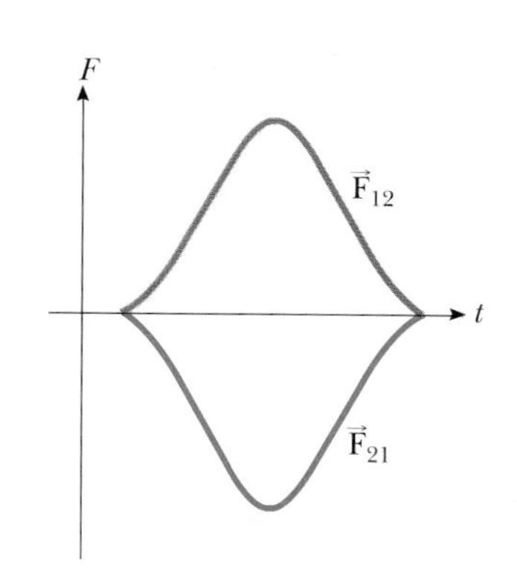

Figure 8.9
La force en fonction du temps dans le cas de la collision entre les deux objets décrits à la figure 8.8a. On remarque que $\vec{F}_{12} = -\vec{F}_{21}$.

8.4 Collisions élastiques et collisions inélastiques le long d'un axe

Nous avons vu que la quantité de mouvement se conserve dans tous les types de collisions. Toutefois, l'énergie cinétique *n*'est généralement *pas* conservée dans une collision, une partie étant convertie en énergie thermique et en énergie potentielle élastique interne si les corps se déforment et en énergie de rotation.

Collision inélastique

Par définition, une **collision inélastique** est une collision dans laquelle *l'énergie cinétique totale n'est pas conservée (même si la quantité de mouvement est conservée).* La collision d'une balle en caoutchouc avec une surface dure est une collision inélastique parce qu'une partie de l'énergie cinétique de la balle est perdue lorsque la balle se déforme au contact de la surface. Lorsque deux objets entrent en collision et restent collés ensemble après la collision, une partie de l'énergie cinétique est perdue et la collision est dite **parfaitement inélastique**, comme c'était le cas à l'exemple 8.4. Si une météorite entre en collision avec la Terre, elle reste enterrée après la collision, et il s'agit encore d'une collision parfaitement inélastique.

Collision élastique

Une **collision élastique** est définie comme une collision dans laquelle *l'énergie cinétique totale est conservée (de même que la quantité de mouvement).* Les collisions entre des boules de billard ainsi que les collisions entre les molécules d'air et les parois d'un récipient aux températures normales peuvent être considérées comme des collisions élastiques. Des collisions réellement élastiques ont toutefois lieu entre des particules atomiques et subatomiques. Les collisions élastiques et parfaitement inélastiques constituent des cas limites, la plupart des collisions se situant entre ces deux extrêmes.

La distinction importante entre les collisions parfaitement inélastiques et les collisions élastiques réside dans le fait que *la quantité de mouvement est conservée dans tous les cas, mais que l'énergie cinétique n'est conservée que dans le cas des collisions élastiques.*

Collisions parfaitement inélastiques

Soit deux objets de masses m_1 et m_2 en mouvement rectiligne avec les vitesses initiales $\vec{v}_{1i}$ et $\vec{v}_{2i}$, comme à la figure 8.10. Si la collision entre les deux objets est frontale, qu'ils restent collés ensemble après le choc et qu'ils se déplacent ensuite à une vitesse commune $\vec{v}_f$, alors il s'agit d'une collision parfaitement inélastique. Puisque la quantité de mouvement totale avant la collision est égale à la quantité de mouvement totale du système formé après la collision, nous avons :

$$m_1\vec{v}_{1i} + m_2\vec{v}_{2i} = (m_1 + m_2)\vec{v}_f \qquad [8.13]$$

$$\vec{v}_f = \frac{m_1\vec{v}_{1i} + m_2\vec{v}_{2i}}{m_1 + m_2} \qquad [8.14]$$

Collisions élastiques

Considérons maintenant deux particules qui entrent en collision élastique frontale (voir figure 8.11). Dans ce cas, la quantité de mouvement et l'énergie cinétique sont toutes deux constantes et on peut écrire ces conditions de la manière suivante :

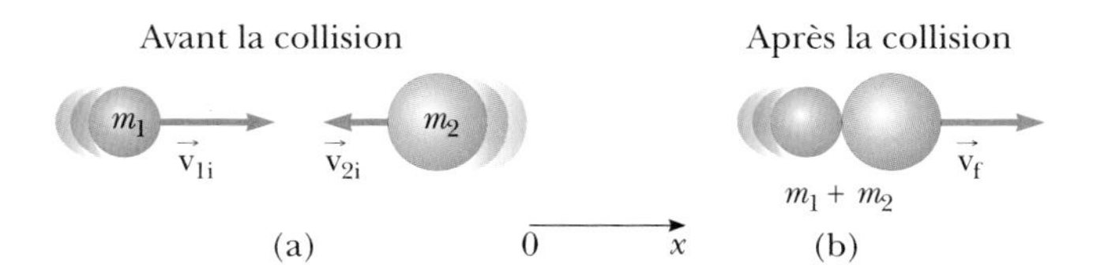

Figure 8.10
Collision frontale parfaitement inélastique entre deux particules.

$$m_1 v_{1i} + m_2 v_{2i} = m_1 v_{1f} + m_2 v_{2f} \quad [8.15]$$

$$\tfrac{1}{2} m_1 v_{1i}^2 + \tfrac{1}{2} m_2 v_{2i}^2 = \tfrac{1}{2} m_1 v_{1f}^2 + \tfrac{1}{2} m_2 v_{2f}^2 \quad [8.16]$$

où v est positif si l'une des particules se déplace vers la droite et négatif si elle se déplace vers la gauche.

Généralement, dans les problèmes faisant intervenir des collisions élastiques, il y a deux inconnues à résoudre et les équations 8.15 et 8.16 permettent de les résoudre simultanément, car on a deux équations, deux inconnues. On peut aussi adopter **une autre approche** qui consiste à faire subir une légère manipulation mathématique à l'équation 8.16. Pour ce faire, on supprime le facteur $\frac{1}{2}$ dans l'équation 8.16 qu'on réécrit sous la forme :

$$m_1(v_{1i}^2 - v_{1f}^2) = m_2(v_{2f}^2 - v_{2i}^2)$$

Nous avons regroupé dans le premier membre les termes en m_1 et dans le deuxième les termes en m_2. Nous factorisons maintenant les deux membres :

$$m_1(v_{1i} - v_{1f})(v_{1i} + v_{1f}) = m_2(v_{2f} - v_{2i})(v_{2f} + v_{2i}) \quad [8.17]$$

Ensuite, nous regroupons les termes contenant m_1 et m_2 dans l'équation de conservation de la quantité de mouvement (équation 8.15), ce qui donne :

$$m_1(v_{1i} - v_{1f}) = m_2(v_{2f} - v_{2i}) \quad [8.18]$$

Pour obtenir le résultat final, divisons l'équation 8.17 par l'équation 8.18 et nous obtenons :

$$v_{1i} + v_{1f} = v_{2f} + v_{2i}$$

ou

$$v_{1i} - v_{2i} = -(v_{1f} - v_{2f}) \quad [8.19]$$

Selon l'équation 8.19, la vitesse relative des deux objets avant la collision, $v_{1i} - v_{2i}$, est égale à l'opposé de la vitesse relative des deux objets après la collision, $-(v_{1f} - v_{2f})$.

Supposons que les masses et les vitesses initiales des deux particules soient connues. On peut résoudre les équations 8.15 et 8.16 pour déterminer les vitesses finales en fonction des vitesses initiales puisqu'on dispose de deux équations et de deux inconnues. On obtient alors pour v_{1f} et v_{2f} :

Collision élastique : relations entre les vitesses finales et initiales

$$v_{1f} = \left(\frac{m_1 - m_2}{m_1 + m_2}\right) v_{1i} + \left(\frac{2m_2}{m_1 + m_2}\right) v_{2i} \quad [8.20]$$

$$v_{2f} = \left(\frac{2m_1}{m_1 + m_2}\right) v_{1i} + \left(\frac{m_2 - m_1}{m_1 + m_2}\right) v_{2i} \quad [8.21]$$

Il ne faut pas oublier de *faire figurer v_{1i} et v_{2i} avec leurs signes appropriés* dans les équations 8.20 et 8.21 puisque les vitesses sont des quantités vectorielles. Par exemple, si m_2 se déplace vers la gauche initialement, comme à la figure 8.11, v_{2i} est précédé d'un signe négatif.

Examinons quelques cas particuliers. Si $m_1 = m_2$, nous voyons alors que $v_{1f} = v_{2i}$ et que $v_{2f} = v_{1i}$. Autrement dit, si les particules ont des masses identiques, il y a permutation de leurs vitesses. C'est ce qui se produit dans les collisions entre les boules de billard.

Si m_2 est initialement au repos, $v_{2i} = 0$ et les équations 8.20 et 8.21 s'écrivent :

$$v_{1f} = \left(\frac{m_1 - m_2}{m_1 + m_2}\right) v_{1i} \quad [8.22]$$

$$v_{2f} = \left(\frac{2m_1}{m_1 + m_2}\right) v_{1i} \quad [8.23]$$

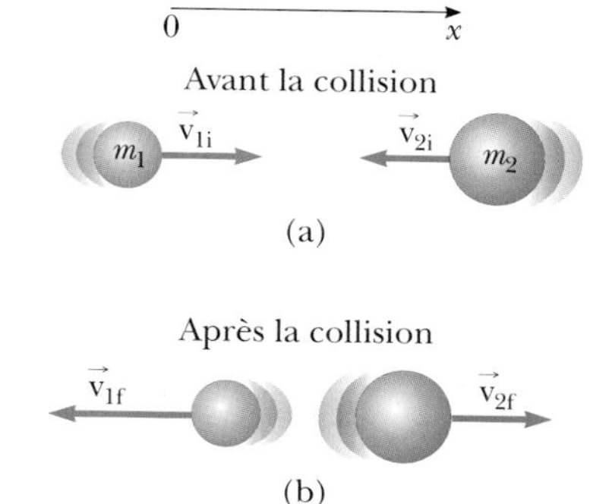

Figure 8.11
Collision frontale élastique entre deux particules.

Si m_1 est très grand par rapport à m_2, nous constatons d'après les équations 8.22 et 8.23 que $v_{1f} \approx v_{1i}$ et $v_{2f} \approx 2v_{1i}$. Cela signifie que lorsqu'une particule très lourde heurte de front une particule très légère qui est initialement au repos, la particule lourde n'a pas son mouvement modifié par la collision tandis que la particule légère rebondit à une vitesse à peu près égale au double de la vitesse initiale de la particule lourde. On observe ce phénomène lors de la collision d'un atome lourd en mouvement, comme un atome d'uranium, avec un atome léger, comme l'atome d'hydrogène.

Si m_2 est très supérieur à m_1 et si m_2 est initialement au repos, on trouve d'après les équations 8.22 et 8.23 que $v_{1f} \approx -v_{1i}$ et $v_{2f} \approx 0$. Autrement dit, lorsqu'une particule très légère heurte de front une particule très lourde initialement au repos, la vitesse de la particule légère s'inverse après le choc alors que la particule lourde reste pratiquement immobile. Par exemple, on peut imaginer ce qui se produit lorsqu'on lance une bille contre une boule de quilles immobile.

Exemple 8.6 Ralentissement des neutrons par collisions

Dans un réacteur nucléaire, la fission des noyaux $^{235}_{92}U$ donne lieu à une émission de neutrons rapides, dont la vitesse est de l'ordre de 10^7 m/s, et qui doivent être ralentis jusqu'à 10^3 m/s environ. Une fois ralentis, ces neutrons ont une probabilité élevée de provoquer une autre fission et donc d'entraîner une réaction en chaîne entretenue. Pour ralentir les neutrons rapides, on les fait passer dans un matériau solide ou liquide appelé *modérateur*. Le processus de ralentissement implique des collisions élastiques.

Démontrons qu'un neutron peut perdre presque toute son énergie cinétique s'il entre en collision élastique avec un modérateur contenant des noyaux légers, comme le deutérium ou le carbone. C'est d'ailleurs pourquoi le modérateur est généralement constitué d'eau lourde (D_2O) ou de graphite (qui contient des noyaux de carbone).

Solution Supposons que le noyau modérateur de masse m_2 soit initialement au repos et que le neutron de masse m_1 et de vitesse initiale v_{1i} entre en collision frontale avec le noyau modérateur. Puisqu'il y a conservation de la quantité de mouvement et de l'énergie, nous pouvons utiliser les équations 8.22 et 8.23. L'énergie cinétique initiale du neutron est :

$$K_{1i} = \frac{1}{2}m_1 v_{1i}^2$$

Après la collision, le neutron a une énergie cinétique égale à $\frac{1}{2}m_1 v_{1f}^2$, où v_{1f} s'obtient à partir de l'équation 8.22. Nous pouvons écrire cette énergie sous la forme :

$$K_{1f} = \frac{1}{2}m_1 v_{1f}^2 = \frac{m_1}{2}\left(\frac{m_1 - m_2}{m_1 + m_2}\right)^2 v_{1i}^2$$

Par conséquent, la *fraction* f_1 de l'énergie cinétique totale du neutron *après* la collision est donnée par :

$$(1) \qquad f_1 = \frac{K_{1f}}{K_{1i}} = \left(\frac{m_1 - m_2}{m_1 + m_2}\right)^2$$

Ce résultat nous montre que l'énergie cinétique finale du neutron est petite si m_2 est proche de m_1 et qu'elle est nulle si $m_1 = m_2$.

Nous pouvons utiliser l'équation 8.23 pour calculer l'énergie cinétique du noyau modérateur après la collision :

$$K_{2f} = \frac{1}{2}m_2 v_{2f}^2 = \frac{2m_1^2 m_2}{(m_1 + m_2)^2}\, v_{1i}^2$$

La fraction f_2 de l'énergie cinétique totale communiquée au noyau modérateur est donc donnée par :

$$(2) \qquad f_2 = \frac{K_{2f}}{K_{1i}} = \frac{4m_1 m_2}{(m_1 + m_2)^2}$$

Puisque l'énergie totale est conservée, l'équation (2) peut également être obtenue à partir de l'équation (1) avec la condition que $f_1 + f_2 = 1$, de sorte que $f_2 = 1 - f_1$.

Supposons qu'on utilise de l'eau lourde comme modérateur. Les collisions entre les neutrons et les noyaux de deutérium contenus dans D_2O ($m_2 = 2m_1$) nous permettent de prédire que $f_1 = 1/9$ et $f_2 = 8/9$. Autrement dit, 89 % de l'énergie cinétique des neutrons est communiquée aux noyaux de deutérium. Dans la pratique, le rendement du modérateur n'est pas aussi élevé, car les collisions frontales sont peu probables. En quoi ce résultat serait-il différent si on utilisait du graphite comme modérateur ?

Exemple 8.7 Collision de deux corps avec un ressort

Un bloc d'une masse m_1 = 1,6 kg se déplace vers la droite à la vitesse de 4 m/s sur une surface horizontale lisse et entre en collision avec un ressort fixé à un deuxième bloc d'une masse m_2 = 2,1 kg. Ce second bloc se déplace vers la gauche à la vitesse de 2,5 m/s (voir figure 8.12a). La constante de rappel du ressort vaut 600 N/m. À l'instant où m_1 se déplace vers la droite à la vitesse de 3 m/s, déterminez (a) la vitesse de m_2 et (b) la distance x sur laquelle le ressort est comprimé.

Solution (a) Comme la quantité de mouvement totale du système est constante, nous avons :

$$m_1 \vec{v}_{1i} + m_2 \vec{v}_{2i} = m_1 \vec{v}_{1f} + m_2 \vec{v}_{2f}$$

$$(1{,}6\ \text{kg})(4\ \text{m/s})\,\vec{i} + (2{,}1\ \text{kg})(-2{,}5\ \text{m/s})\,\vec{i}$$

$$= (1{,}6\ \text{kg})(3\ \text{m/s})\,\vec{i} + (2{,}1\ \text{kg})\,\vec{v}_{2f}$$

$$\vec{v}_{2f} = \boxed{(-1{,}74\ \text{m/s})\,\vec{i}}$$

Le signe négatif indique que la masse m_2 est encore en mouvement vers la gauche à cet instant.

(b) Pour déterminer la compression x du ressort (voir figure 8.12b), nous pouvons utiliser le principe de conservation de l'énergie, car aucune force de frottement n'agit sur le système. Nous avons donc :

$$\tfrac{1}{2}m_1 v_{1i}^2 + \tfrac{1}{2}m_2 v_{2i}^2 = \tfrac{1}{2}m_1 v_{1f}^2 + \tfrac{1}{2}m_2 v_{2f}^2 + \tfrac{1}{2}kx^2$$

En substituant les valeurs données et le résultat de la question (a) dans cette expression, on trouve que la compression est de :

$$x = \boxed{0{,}173\ \text{m}}$$

Exercice Déterminez la vitesse de la masse m_1 et la compression du ressort à l'instant où m_2 est au repos.

Réponse $(0{,}719\ \text{m/s})\,\vec{i}$, 0,251 m

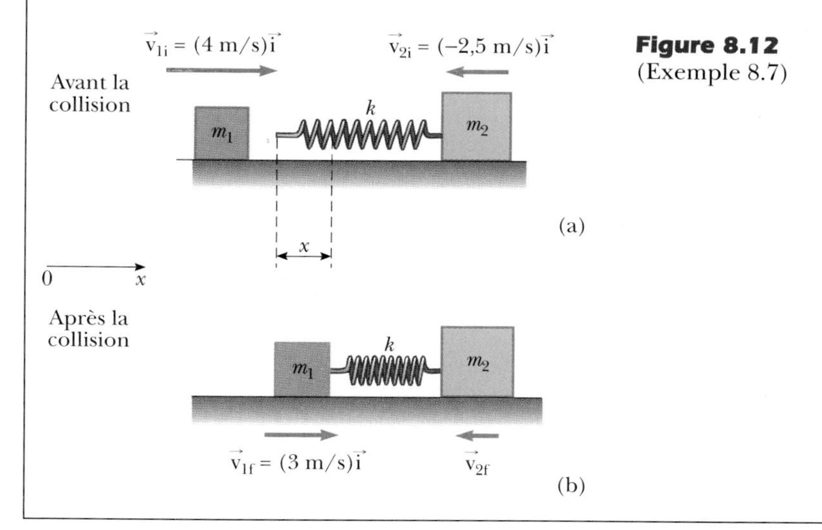

Figure 8.12 (Exemple 8.7)

8.5 Collisions dans un plan

Comme de nombreuses collisions ont lieu dans un plan, nous étudierons le principe de conservation de la quantité de mouvement lorsqu'il y a plus d'une dimension spatiale en jeu. Dans le cas général d'une collision entre deux particules dans l'espace, le principe de conservation de la quantité de mouvement implique que la quantité de mouvement totale dans chaque direction est constante. Le billard est un bon exemple faisant intervenir des collisions multiples entre objets se déplaçant sur un plan. Pour ces collisions, le principe de conservation de la quantité de mouvement donne deux équations faisant intervenir les composantes vectorielles :

$$m_1 \vec{v}_{1ix} + m_2 \vec{v}_{2ix} = m_1 \vec{v}_{1fx} + m_2 \vec{v}_{2fx}$$

$$m_1 \vec{v}_{1iy} + m_2 \vec{v}_{2iy} = m_1 \vec{v}_{1fy} + m_2 \vec{v}_{2fy}$$

Considérons la collision élastique dans le plan entre une particule de masse m_1 et une particule de masse m_2 initialement au repos, comme à la figure 8.13. Après la collision, m_1 suit une trajectoire faisant un angle θ avec l'horizontale et m_2 suit une trajectoire faisant un angle ϕ avec l'horizontale. Nous sommes en présence d'une collision *non frontale.* En appliquant le principe de conservation de la quantité de mouvement sous la forme des composantes, et en notant que la composante totale en y de la quantité de mouvement est nulle, nous obtenons :

Composante en x : $$m_1 v_{1i} + 0 = m_1 v_{1f} \cos\theta + m_2 v_{2f} \cos\phi \quad [8.24]$$

Composante en y : $$0 + 0 = m_1 v_{1f} \sin\theta - m_2 v_{2f} \sin\theta \quad [8.25]$$

Nous disposons maintenant de deux équations indépendantes. Nous pouvons alors résoudre complètement le problème à condition que seulement deux des grandeurs précédentes soient inconnues.

Comme la collision est élastique, nous pouvons écrire une troisième équation pour l'énergie cinétique :

Conservation de l'énergie

$$\tfrac{1}{2} m_1 v_{1i}^2 = \tfrac{1}{2} m_1 v_{1f}^2 + \tfrac{1}{2} m_2 v_{2f}^2 \quad [8.26]$$

Si nous connaissons la vitesse initiale v_{1i} et les masses, nous avons quatre inconnues. Puisque nous disposons de trois équations seulement, l'une des quatre inconnues (v_{1f}, v_{2f}, θ, ϕ) doit être donnée pour nous permettre de déterminer le mouvement après la collision en utilisant uniquement les principes de conservation.

Si la collision est inélastique, l'énergie cinétique *n'est pas* conservée et on *ne* peut *pas* appliquer l'équation 8.26.

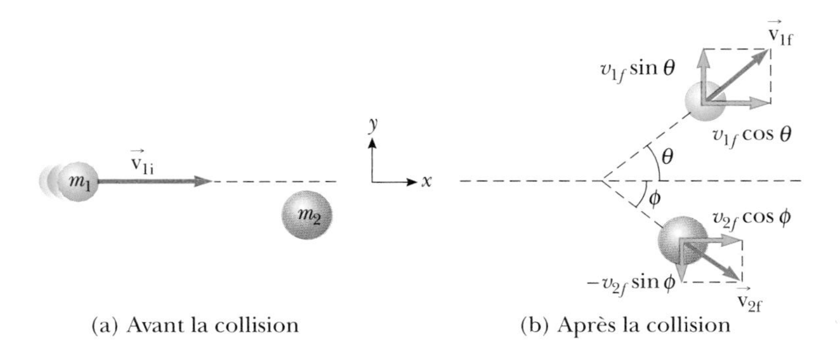

Figure 8.13 Collision élastique non frontale entre deux particules.

Stratégie de résolution des problèmes : collisions

Voici la marche à suivre recommandée pour résoudre les problèmes qui font intervenir des collisions entre deux objets :

1. Choisissez un système de coordonnées et définissez les vitesses par rapport à ce système. Il est parfois pratique de faire coïncider l'axe des x avec l'une des vitesses initiales.
2. Sur le schéma représentant le système de coordonnées, dessinez tous les vecteurs vitesse en les identifiant et en faisant figurer tous les renseignements donnés dans l'énoncé du problème.
3. Écrivez les expressions des composantes en x et en y de la quantité de mouvement de chaque objet avant et après la collision. N'oubliez pas de faire figurer les signes appropriés des composantes des vecteurs vitesse. Par exemple, si un objet se déplace dans le sens négatif de l'axe des x, la composante en x de sa vitesse doit être négative.
4. Écrivez maintenant les expressions des quantités de mouvement *totales* sur l'axe des x *avant* et *après* la collision et écrivez qu'elles sont égales. Répétez cette opération pour les quantités de mouvement totales sur l'axe des y. Ces étapes découlent du fait que la quantité de mouvement totale dans chaque direction doit être constante parce que la quantité de mouvement *du système* est conservée dans une collision.
5. Si la collision est inélastique, l'énergie cinétique *n'est pas* conservée et des renseignements supplémentaires sont probablement nécessaires. Si la collision est parfaitement inélastique, les vitesses finales des deux objets sont égales. Poursuivez en résolvant les équations des quantités de mouvement pour déterminer les inconnues.
6. Si la collision est élastique, l'énergie cinétique est également conservée et vous pouvez écrire que l'énergie cinétique totale avant la collision est égale à l'énergie cinétique totale après la collision. Ceci vous donne une relation supplémentaire entre les vitesses.

Exemple 8.8 Collision entre deux protons

Soit un proton qui entre en collision parfaitement élastique avec un autre proton initialement au repos. Le proton incident a une vitesse initiale de $3{,}5 \times 10^5$ m/s et la collision est non frontale, comme le montre la figure 8.13. (À faible distance, les protons exercent l'un sur l'autre une force de répulsion électrostatique.) Après la collision, un proton suit une trajectoire faisant un angle de 37° par rapport à la direction initiale du mouvement et l'autre proton dévie d'un angle ϕ par rapport à ce même axe. Déterminez les vitesses finales des deux protons et l'angle ϕ.

Solution Cette collision non frontale étant élastique, la quantité de mouvement et l'énergie cinétique sont toutes deux conservées. Puisque $m_1 = m_2$, $\theta = 37°$ et $v_{1i} = 3{,}5 \times 10^5$ m/s, les équations 8.24, 8.25 et 8.26 deviennent :

$$3{,}5 \times 10^5 = v_{1f} \cos 37° + v_{2f} \cos \phi$$

$$0 = v_{1f} \sin 37° - v_{2f} \sin \phi$$

$$(3{,}5 \times 10^5)^2 = v_{1f}^2 + v_{2f}^2$$

La résolution de ce système de trois équations à trois inconnues permet d'obtenir :

$$v_{1f} = 2{,}8 \times 10^5 \text{ m/s} \qquad v_{2f} = 2{,}11 \times 10^5 \text{ m/s}$$

$$\phi = 53°$$

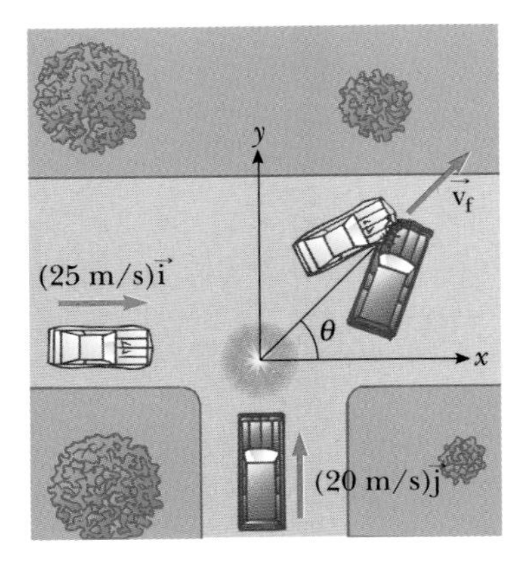

Figure 8.14
(Exemple 8.9) Collision entre une voiture et une camionnette, vue de dessus.

Il est intéressant de noter que $\theta + \phi = 90°$. Ce résultat *n'est pas* accidentel. *Lorsque deux masses égales entrent en collision élastique non frontale, l'une d'elles étant initialement au repos, leurs vitesses finales sont* toujours *perpendiculaires entre elles.*

Exemple 8.9 Collision à un carrefour

Une automobile de 1 500 kg roulant vers les x positifs à la vitesse de 25 m/s entre en collision à un carrefour avec une camionnette de 2 500 kg qui roule vers les y positifs à la vitesse de 20 m/s (voir figure 8.14). Déterminez la direction et la grandeur de la vitesse du bloc formé par les deux véhicules après la collision, en supposant la collision parfaitement inélastique (les deux véhicules restent accrochés l'un à l'autre).

Solution Avant la collision, le seul objet ayant une quantité de mouvement selon l'axe des x est l'automobile. La quantité de mouvement initiale totale du système (automobile plus camionnette) selon l'axe des x est donc :

$$\sum \vec{p}_{xi} = (1\,500 \text{ kg})(25 \text{ m/s})\,\vec{i} = (37\,500 \text{ kg}\cdot\text{m/s})\,\vec{i}$$

Supposons maintenant qu'après la collision, l'ensemble formé par les deux véhicules se déplace avec un angle θ à une vitesse v_f, comme à la figure 8.14. La quantité de mouvement totale sur l'axe des x après la collision est :

$$\sum \vec{p}_{xf} = (4\,000 \text{ kg})(v_f \cos\theta)\,\vec{i}$$

La quantité de mouvement étant constante sur l'axe des x, nous pouvons écrire que ces deux expressions sont égales, ce qui donne :

$$(1) \qquad 37\,500 \text{ kg}\cdot\text{m/s} = (4\,000 \text{ kg})(v_f \cos\theta)$$

De même, la quantité de mouvement initiale totale du système sur l'axe des y et de la camionnette est $(2\,500 \text{ kg})(20 \text{ m/s})\,\vec{j}$. En appliquant le principe de conservation de la quantité de mouvement sur l'axe des y, nous obtenons :

$$\sum \vec{p}_{yi} = \sum \vec{p}_{yf}$$

$$(2\,500 \text{ kg})(20 \text{ m/s})\,\vec{j} = (4\,000 \text{ kg})(v_f \sin\theta)\,\vec{j}$$

$$(2) \qquad 50\,000 \text{ kg}\cdot\text{m/s} = (4\,000 \text{ kg})(v_f \sin\theta)$$

En divisant l'équation (2) par l'équation (1), on obtient :

$$\text{tg}\,\theta = \frac{50\,000}{37\,500} = 1{,}33$$

$$\theta = \boxed{53{,}1°}$$

En substituant la valeur de cet angle dans l'équation (2), ou dans l'équation (1), on obtient la valeur de v_f :

$$v_f = \frac{50\,000 \text{ kg}\cdot\text{m/s}}{(4\,000 \text{ kg})(\sin 53°)} = \boxed{15{,}7 \text{ m/s}}$$

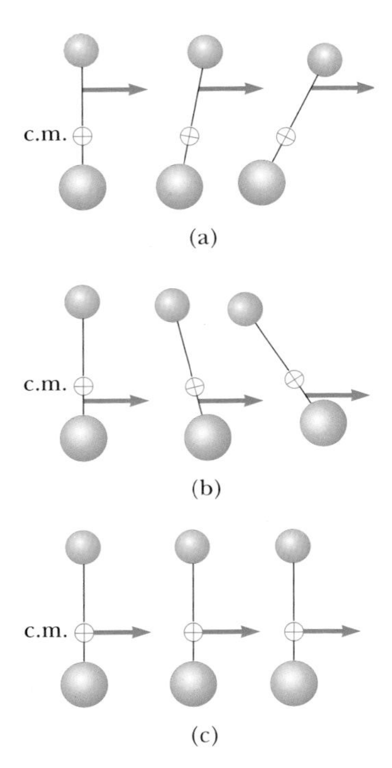

Figure 8.15
Deux masses inégales sont reliées par une tige rigide légère. (a) Le système tourne dans le sens horaire lorsqu'une force est appliquée au-dessus du centre de masse. (b) Le système tourne dans le sens antihoraire lorsqu'une force est appliquée sous le centre de masse.
(c) Lorsque la force est appliquée au centre de masse, le système se déplace dans la direction de la force appliquée, sans tourner.

8.6 Le centre de masse

Dans cette section, nous allons décrire le mouvement global d'un système mécanique en faisant intervenir un concept qu'on appelle *centre de masse* du système et qu'on représente par un point bien particulier. Un système mécanique peut être constitué de plusieurs particules ou d'objets étendus. Nous verrons que le système se déplace comme si toute sa masse était concentrée en son centre de masse. Dans les chapitres précédents, nous avons tenu ce résultat pour acquis puisque la plupart des exemples portaient sur le mouvement d'objets étendus.

APPLICATION

Encadré 8.1

Le centre de masse et le corps humain

Dès sa plus tendre enfance, l'être humain doit apprendre à apprivoiser l'équilibre de son corps. C'est ainsi que nous développons une connaissance intuitive du centre de masse (ou dans ce cas-ci, du centre de gravité). Comme l'humain est un objet (la physique n'a pas postulé l'existence d'un esprit dans la construction de ses théories), toute l'action des forces gravitationnelles qui agissent sur chaque partie du corps peut se réduire à une seule force qui est le poids total $M\vec{g}$ et qui semble n'agir qu'en un seul point, le centre de gravité.

En général, ce point se situe à l'intérieur du bassin. La position du centre de gravité varie d'une personne à l'autre selon le sexe et l'âge. Ainsi, le centre de gravité chez la femme est légèrement plus bas que chez l'homme (celui-ci a généralement son centre de gravité quelques centimètres au-dessous du nombril, entre l'abdomen et le dos) à cause de la partie supérieure du corps féminin qui est comparativement plus légère que le bassin et les cuisses. Aussi, le centre de gravité des enfants est situé plus haut que celui d'un homme, car la partie supérieure de leur corps est relativement plus lourde que le reste du corps.

Des connaissances concernant le centre de gravité peuvent être particulièrement utiles pour le ou la physiothérapeute lors de la rééducation d'un patient à la marche ou pour ajuster tout mouvement exigeant un contrôle du bassin. Certains ingénieurs peuvent aussi y trouver leur compte lors de la conception d'un chaise pour un handicapé physique, par exemple. En effet, la stabilité de l'appareil est fonction du centre de masse de la personne. Si celle-ci n'a plus ses membres inférieurs, le centre de gravité se trouve alors plus haut et la stabilité de la personne donc plus précaire. De là la nécessité d'adapter le fauteuil à la condition de la personne.

L'étude du centre de masse du corps humain a également de l'importance en athlétisme et dans certains sports. Des joueurs de volleyball et des lutteurs tirent avantage des positions basses, en abaissant leur centre de gravité, car elles assurent un bon équilibre lors de la réception du ballon et permettent d'offrir une meilleure résistance à l'adversaire. Peut-être n'avez-vous jamais remarqué tous les mouvements qu'effectuent les athlètes spécialisés dans les sauts en hauteur et en longueur ? Peut-être pensiez-vous qu'ils étaient exécutés par souci d'esthétisme ? Bien sûr, tous les mouvements qu'effectuent ces athlètes *pendant* leur saut ne peuvent pas modifier la trajectoire de leur centre de gravité, ils ne peuvent pas s'en servir comme moyen de propulsion. En fait, les mouvements de bras, de jambes, de hanches, d'épaules, de pieds permettent des déplacements corporels par rapport au centre de masse. Ils ont leur importance, car ils assurent l'équilibre du corps, l'efficacité du mouvement sportif et réduisent les risques de blessures. Par exemple, en saut en hauteur les pas d'appel donnent une vitesse verticale au centre de gravité et sont calculés de façon à ce que le sommet de la trajectoire soit au-dessus de la barre. Certains athlètes pourront projeter une partie de leur corps par-dessus la barre avant que leur centre de gravité n'atteigne son sommet. En jumelant leurs qualités morphologiques à des connaissances physiques, ces athlètes augmentent leurs capacités à franchir des barres plus hautes. Autre exemple : dans le saut en longueur, l'athlète cherche à maximiser l'efficacité de sa chute en allongeant, juste avant la reprise de contact avec le sol, la distance entre ses talons et son centre de gravité. Pour cela, il place ses bras vers l'arrière. D'ailleurs, les Grecs, dans leurs fameuses olympiades, utilisaient des haltères qu'ils projetaient vers l'arrière avant de retomber au sol. Sauriez-vous dire pourquoi ?

LECTURES SUGGÉRÉES

- Williams, Lissner, LeVeau, *Biomécanique du mouvement humain*, Décarie éditeur inc., Montréal, 1986.
- G.H.G. Dyson, *Principes de mécanique en athlétisme*, éd. Vigot Frères, 1970.
- K. Hainaut, *Introduction à la biomécanique*, Presses universitaires de Bruxelles, Bruxelles, 1971.

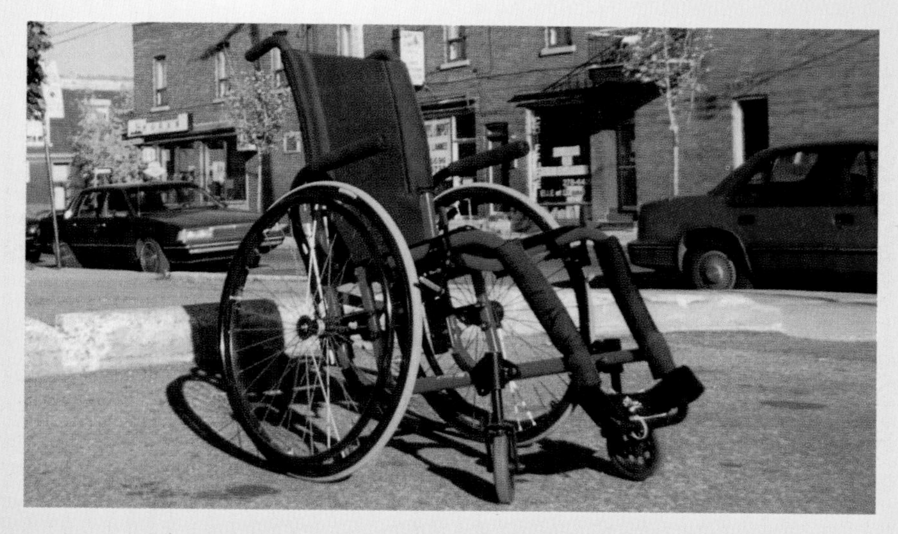

Figure 8.16
Les fauteuils roulants pour personnes handicapées physiquement, comme celui-ci provenant de chez André Viger à Montréal, doivent être adaptés, dans certains cas, en fonction du centre de masse de la personne qui l'utilise. La stabilité de l'appareil et de son occupant en dépend !

Figure 8.17
Lorsque cette gymnaste est en position d'équilibre sur la poutre (première image), son centre de masse doit se trouver juste au-dessus du milieu de la droite reliant ses pieds. Décrivez le mouvement de son centre de masse lorsqu'elle effectue l'exercice représenté dans les deux images suivantes. *(Jerry Wachter, Photo Researchers, Inc.)*

On peut décrire la position du centre de masse d'un système comme étant la *position moyenne* de la masse du système. Par exemple, le centre de masse de la paire de particules représentée à la figure 8.15, page 176, est situé sur l'axe des x, quelque part entre les deux particules. La coordonnée en x du centre de masse dans ce cas est, par définition :

$$x_c \equiv \frac{m_1 x_1 + m_2 x_2}{m_1 + m_2} \qquad [8.27]$$

Par exemple, si $x_1 = 0$, $x_2 = d$ et $m_2 = 2m_1$, nous obtenons $x_c = \frac{2}{3}d$. Le centre de masse est alors plus proche de la particule qui a la masse la plus grande (voir figure 8.18). Si les deux masses sont égales, le centre de masse est situé à mi-chemin entre les particules.

Nous pouvons étendre la notion de centre de masse à un système à trois dimensions constitué de plusieurs particules. La coordonnée en x du centre de masse de n particules est, par définition :

$$x_c \equiv \frac{m_1 x_1 + m_2 x_2 + m_3 x_3 + \ldots + m_n x_n}{m_1 + m_2 + m_3 + \ldots + m_n} = \frac{\Sigma m_i x_i}{\Sigma m_i} \qquad [8.28]$$

où x_i est la coordonnée en x de la i^e particule et Σm_i est la *masse totale* du système. Pour simplifier, nous exprimerons la masse totale sous la forme $M = \Sigma m_i$, la sommation étant faite sur les n particules. Les coordonnées en y et en z du centre de masse sont définies par des équations similaires :

$$y_c \equiv \frac{m_i y_i}{M} \quad \text{et} \quad z_c \equiv \frac{m_i z_i}{M} \qquad [8.29]$$

Vecteur position du centre de masse d'un système de particules

On peut également localiser le centre de masse par son vecteur position $\vec{r}_c$. Les coordonnées rectangulaires de ce vecteur sont x_c, y_c et z_c qui ont été définies par les équations 8.28 et 8.29. Par conséquent :

$$\vec{r} = x_c\vec{i} + y_c\vec{j} + x_c\vec{k} = \frac{\Sigma m_i x_i \vec{i} + \Sigma m_i y_i \vec{j} + \Sigma m_i z_i \vec{k}}{M}$$

$$\vec{r}_c \equiv \frac{\Sigma m_i \vec{r}_i}{M} \qquad [8.30]$$

où $\vec{r}_i$ est le vecteur position de la i^e particule, défini par :

$$\vec{r}_i \equiv x_i\vec{i} + y_i\vec{j} + z_i\vec{k}$$

Le centre de masse d'un corps symétrique et homogène doit se situer sur un axe de symétrie. Par exemple, le centre de masse d'une tige homogène est situé au milieu de la tige. Le centre de masse d'une sphère homogène ou d'un cube homogène est situé en leur centre géométrique. On peut déterminer expérimentalement le centre de masse d'un objet de forme irrégulière en le suspendant successivement par deux points différents (avec trois points ce serait plus précis), comme le montre la figure 8.19 pour une clé à molette. On suspend d'abord la clé au point A et, lorsque la clé est en équilibre, on trace une droite verticale AB (qu'on peut déterminer à l'aide d'un fil à plomb). On suspend ensuite la clé au point C et, après un nouvel équilibre, on trace une deuxième verticale CD. Le centre de masse correspond à l'intersection de ces deux droites. En fait, quel que soit le point par lequel on suspend la clé, la verticale passant par ce point doit passer également par le centre de masse.

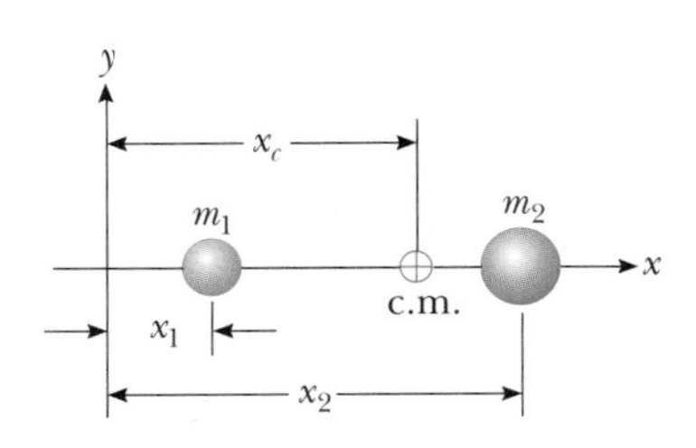

Figure 8.18
Le centre de masse de deux particules situées sur l'axe des x se trouve en x_c, point situé entre les particules, plus proche de la masse la plus grande.

Puisqu'un corps solide est une distribution continue de masse, chaque portion du corps est soumise à la force gravitationnelle. L'effet résultant de toutes ces forces est équivalent à l'effet d'une force unique $M\vec{g}$ agissant en un point particulier appelé **centre de gravité**. Si $\vec{g}$ est constant sur l'ensemble de la distribution de masse, le centre de gravité coïncide avec le centre de masse.

Exemple 8.10 Détermination du centre de masse

Trois particules sont situées dans un système de coordonnées, comme à la figure 8.20. Déterminez la position du centre de masse.

Solution La coordonnée en y du centre de masse est égale à zéro parce que toutes les particules sont sur l'axe des x. Pour déterminer la coordonnée en x du centre de masse, nous utilisons l'équation 8.28 :

$$x_c = \frac{\Sigma m_i x_i}{\Sigma m_i}$$

Pour le numérateur, nous obtenons :

$$\sum m_i x_i = m_1 x_1 + m_2 x_2 + m_3 x_3$$
$$= (5\text{ kg})(-0{,}5\text{ m}) + (2\text{ kg})(0\text{ m}) + (4\text{ kg})(1\text{ m})$$
$$= 1{,}5\text{ kg}\cdot\text{m}$$

Le dénominateur est $\Sigma m_i = 11$ kg; par conséquent :

$$x_c = \frac{1{,}5\text{ kg}\cdot\text{m}}{11\text{ kg}} = 0{,}136\text{ m}$$

Exercice Si une quatrième particule de masse égale à 2 kg est placée à la position $x = 0$ et $y = 0{,}25$ m, déterminez les coordonnées du centre de masse de ce nouveau système.

Réponse $x_c = 0{,}225$ m, $y_c = 0{,}038$ m

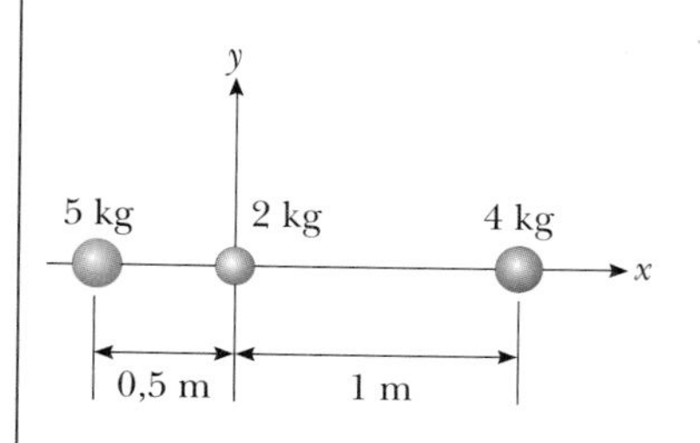

Figure 8.20
Détermination de la position du centre de masse d'un système composé de trois particules.

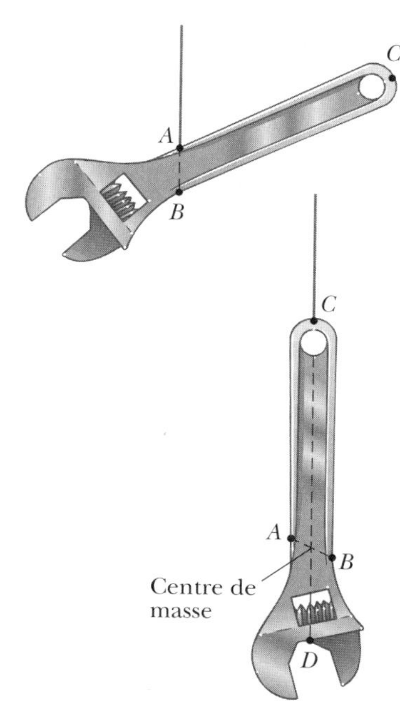

Figure 8.19
Méthode expérimentale pour déterminer le centre de masse d'une clé à molette. On suspend la clé en deux points différents, A et C. Le centre de masse est le point d'intersection des deux droites verticales AB et CD obtenues lorsque la clé est en équilibre.

8.7 Mouvement d'un système de particules

En supposant que M reste constant, c'est-à-dire qu'aucune particule n'entre ou ne sort du système, et en effectuant la dérivée par rapport au temps du vecteur position du centre de masse, nous obtenons l'expression suivante pour la **vitesse du centre de masse** :

Vitesse du centre de masse

$$\vec{v}_c = \frac{d\vec{r}_c}{dt} = \frac{1}{M}\sum m_i \frac{d\vec{r}_i}{dt} = \frac{\Sigma m_i \vec{v}_i}{M} \qquad [8.31]$$

où $\vec{v}_i$ est la vitesse de la i^e particule. L'équation 8.31 peut aussi s'écrire sous la forme :

Quantité de mouvement totale d'un système de particules

$$M\vec{v}_c = \sum m_i \vec{v}_i = \sum \vec{p}_i = \vec{P} \qquad [8.32]$$

Ce résultat nous indique que *la quantité de mouvement totale du système est égale à la masse totale multipliée par la vitesse du centre de masse*, c'est-à-dire que la quantité de mouvement totale peut être attribuée à une seule particule imaginaire de masse M se déplaçant à la vitesse $\vec{v}_c$.

En dérivant l'équation 8.32 par rapport au temps, nous obtenons l'**accélération du centre de masse** :

Accélération du centre de masse d'un système de particules

$$\vec{a}_c = \frac{d\vec{v}_c}{dt} = \frac{1}{M}\sum m_i \frac{d\vec{v}_i}{dt} = \frac{1}{M}\sum m_i \vec{a}_i \qquad [8.33]$$

En modifiant cette expression et en utilisant la deuxième loi de Newton, nous obtenons :

$$M\vec{a}_c = \sum m_i\vec{a}_i = \sum \vec{F}_i \qquad [8.34]$$

où $\vec{F}_i$ est la force qui agit sur la particule *i*.

Toute particule du système peut être soumise à des forces extérieures et à des forces internes. Toutefois, à cause de la troisième loi de Newton, lorsqu'on additionne toutes les forces internes dans l'équation 8.34, elles s'annulent toutes deux à deux et la force résultante qui agit sur le système est alors due *uniquement* aux forces extérieures. Nous pouvons donc écrire l'équation 8.34 sous la forme :

Deuxième loi de Newton appliquée à un système de particules

$$\sum \vec{F}_{ext} = M\vec{a}_c = \frac{d\vec{P}}{dt} \qquad [8.35]$$

Autrement dit, la force résultante extérieure qui agit sur le système de particules est égale à la masse totale du système multipliée par l'accélération du centre de masse. Si on compare ce résultat à la deuxième loi de Newton appliquée à une seule particule, on comprend que le centre de masse se déplace comme une particule imaginaire de masse *M* sous l'action de la force extérieure résultante qui agit sur le système. En l'absence de forces extérieures, le centre de masse se déplace à une vitesse uniforme, comme dans le cas de la rotation de la clé à la figure 8.21. Si la direction de la force résultante passe par le centre de masse d'un corps étendu comme la clé à molette, le corps subit une accélération sans rotation et son énergie cinétique est due uniquement à son mouvement de translation (voir figure 8.15, page 176). Si la force résultante ne passe pas par le centre de masse, le corps sera soumis à une accélération de rotation et il acquerra alors une énergie cinétique de rotation en plus de son énergie cinétique de translation.

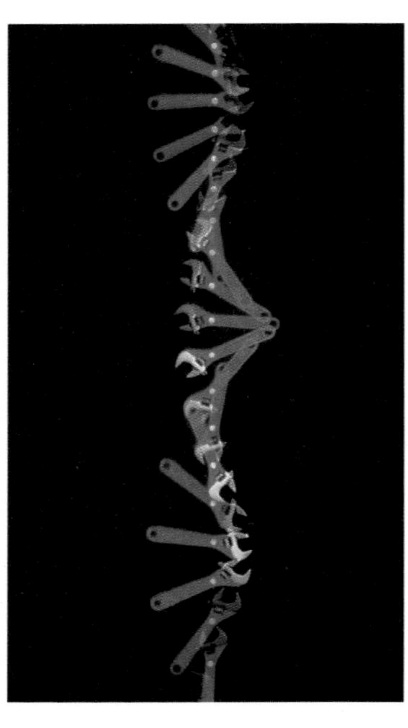

Figure 8.21
Photographie multiséquentielle d'une clé à molette en mouvement sur une surface horizontale. Le centre de masse de la clé à molette se déplace en ligne droite tandis que la clé décrit une rotation autour de ce point représenté en blanc. *(Richard Megna, Fundamental Photographs)*

Enfin, nous voyons que si la force résultante extérieure est nulle, l'équation 8.35 donne :

$$\frac{d\vec{P}}{dt} = M\vec{a}_c = \vec{0}$$

de sorte que :

$$\vec{P} = M\vec{v}_c = \text{constante} \qquad (\text{lorsque } \Sigma\vec{F}_{ext} = \vec{0}) \qquad [8.36]$$

Ainsi, la quantité de mouvement totale d'un système de particules est conservée si aucune force extérieure n'agit sur le système. Il s'ensuit donc, dans le cas d'un système *isolé*, que la quantité de mouvement totale et la vitesse du centre de masse sont toutes deux constantes dans le temps. La loi de conservation de la quantité de mouvement qui avait été établie à la section 8.1 pour un système composé de deux particules peut donc se généraliser au cas d'un système constitué de plusieurs particules.

Supposons qu'un système isolé composé de deux éléments ou plus soit au repos. Le centre de masse d'un tel système restera au repos jusqu'à ce qu'il soit soumis à l'action d'une force extérieure. Par exemple, considérons un système initialement au repos constitué d'un nageur et d'un radeau. Lorsque le nageur plonge à partir du radeau, le centre de masse du système reste au repos (si on néglige le frottement entre le radeau et l'eau). De plus, la quantité de mouvement du plongeur est égale et opposée à la quantité de mouvement du radeau.

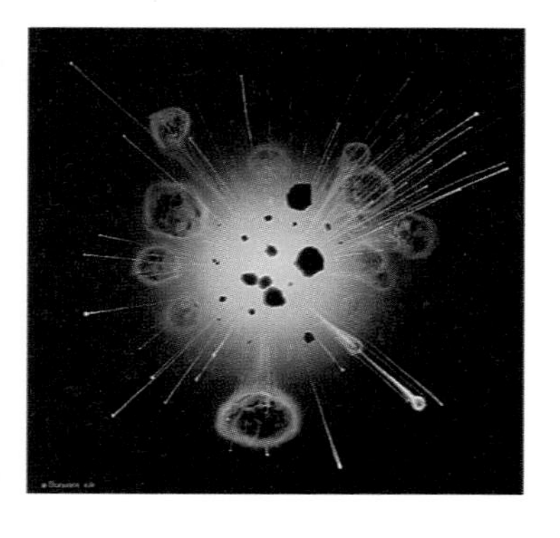

Figure 8.22
Lorsqu'un objet explose en plusieurs fragments, le centre de masse des fragments suit la même trajectoire qu'aurait suivi l'objet s'il n'y avait pas eu d'explosion. Si l'objet est au repos avant l'explosion, le centre de masse des fragments après l'explosion doit également être au repos. *(Sally Bensusen, Science Photo Library)*

HISTORIQUE

Encadré 8.2

Les collisions : phénomènes historiques

Il y a quelque chose de fascinant dans les collisions... enfin quand il s'agit d'objets plus gros que des boules de billard ! En juillet 1994, la collision d'objets cosmiques a polarisé l'attention des astrophysiciens de tout acabit.

Pour la première fois dans l'histoire des sciences, des scientifiques ont pu prévoir longtemps à l'avance (environ un an) une collision d'objets extraterrestres : la fameuse collision de la comète Shoemaker-Levy 9 avec Jupiter. C'est aussi la première fois qu'un événement physique d'une telle ampleur a pu être observé en direct. En fait, il y a eu plusieurs collisions car la comète Shoemaker-Levy 9 était divisée en morceaux (conséquence de son passage près de Jupiter en juillet 1992). Vingt-deux impacts ont été « observés » dans la calotte polaire sud de Jupiter. Le premier morceau de la comète a frappé la planète avec une vitesse d'un peu moins de 60 km/s. Les plus gros fragments possédaient un diamètre d'environ 4 km.

Les collisions n'ont pas été observées en tant que telles car elles ont eu lieu du côté nuit de Jupiter (par rapport à la Terre). Ce sont plutôt les effets secondaires des impacts qui ont été l'objet d'observations scientifiques. Du moins, la rotation rapide de Jupiter sur elle-même a vite fait d'amener les sites des impacts du côté jour.

La probabilité que la Terre soit la scène d'un cataclysme similaire est beaucoup plus faible que celle de Jupiter. Cela est dû au fait que la Terre est bien moins massive et très petite en comparaison de Jupiter. Par conséquent, elle risque moins de capturer dans son champ gravitationnel un corps céleste et elle offre une moins grande surface.

Cependant, il y a 65 millions d'années, notre Terre a été le siège d'une remarquable collision avec une météorite d'environ 10 km de diamètre. Celle-ci se serait écrasée au Mexique, dans la presqu'île du Yucatan (cratère du Chixculub). L'étude a porté sur des minéraux qui ont subi un fort échauffement suite à la collision (zircons choqués). On retrouve ces minéraux particuliers dans les sédiments du passage crétacé-tertiaire dans des sites séparés par des milliers de kilomètres... et tous proviendraient du cratère de Chixculub !

C'était un sérieux impact qui a certainement contribué à l'extinction massive des espèces vivantes de l'époque (dont les irréductibles dinosaures). Dans l'éventualité fort peu probable que la Terre soit menacée à nouveau par une météorite semblable, des scientifiques croient que l'explosion de bombes nucléaires sur la météorite pourrait modifier sa trajectoire.

LECTURES SUGGÉRÉES

- M. Jolin, *Comète contre Jupiter*, dans « Québec Science », juin 1994, p. 79-82.
- R. Rocchia, *Une collision cosmique trahie par des zircons*, dans « La Recherche », juin 1994, vol. 25, p. 684-685.
- C.R. Chapman, *Jupiter : un cataclysme prochain ?*, dans « Astronomie-Québec », nº 5, sept.-oct. 1993, p. 13, 33.
- M. De Pracontal, *Jupiter en tremble encore*, dans « Le Nouvel Observateur », nº 1551, 28 juillet 1994, p. 42-43.

Piste de réflexion

Le siècle qui se termine a connu une véritable explosion technologique. Il est clair que la maîtrise des nouvelles technologies entraîne de profonds bouleversements et remises en question. Pensez-vous que nous sommes en mesure de faire face aux nouvelles réalités qui surgissent à un rythme effréné : clonage humain, médicaments neurologiques, chômage provoqué par l'informatisation et ainsi de suite ? La recherche doit-elle se poursuivre à tout prix ou devrait-on faire une pause pour évaluer les conséquences de nos découvertes ?

LECTURE SUGGÉRÉE

Albert Jacquard, *Voici le temps du monde fini*, éd. du Seuil, Paris, 1991.

Résumé

- La **quantité de mouvement** d'un objet de masse m se déplaçant à une vitesse $\vec{v}$ est définie par :

$$\vec{p} \equiv m\vec{v} \quad [8.1]$$

- Selon le principe de **conservation de la quantité de mouvement**, lorsque deux objets en interaction forment un système isolé, leur quantité de mouvement totale est constante quelle que soit la nature de la force qui s'exerce entre eux. Par conséquent, la quantité de mouvement totale du système est égale à tout instant à sa quantité de mouvement totale initiale :

$$\vec{p}_{1i} + \vec{p}_{2i} = \vec{p}_{1f} + \vec{p}_{2f} \quad [8.5]$$

- L'impulsion d'une force $\vec{F}$ sur un objet est égale à la variation de la quantité de mouvement de l'objet. Elle est donnée par :

$$\vec{I} \equiv \int_{t_i}^{t_f} \vec{F}\, dt = \Delta\vec{p} \quad [8.9]$$

Cette expression constitue le théorème reliant l'impulsion et la quantité de mouvement.

- Les forces d'impulsion sont des forces très intenses par rapport aux autres forces qui agissent sur le système. Leur action est en général de très courte durée, comme dans le cas des collisions.

- Une collision inélastique est une collision dans laquelle l'énergie cinétique n'est pas conservée alors que la quantité de mouvement l'est. Une collision parfaitement inélastique est une collision dans laquelle les corps restent en contact après le choc. Une collision élastique est une collision dans laquelle la quantité de mouvement et l'énergie cinétique sont toutes deux conservées.

- Dans le cas d'une collision à deux ou à trois dimensions, les composantes du vecteur quantité de mouvement, dans chaque direction, sont conservées indépendamment l'une de l'autre.

- Le vecteur position du centre de masse d'un système de particules est défini par :

$$\vec{r}_c \equiv \frac{\Sigma m_i \vec{r}_i}{M} \quad [8.30]$$

où $M = \Sigma m_i$ est la masse totale du système et $\vec{r}_i$ est le vecteur position de la i^e particule.

- La vitesse du centre de masse d'un système de particules est donnée par :

$$\vec{v}_c = \frac{\Sigma m_i \vec{v}_i}{M} \quad [8.31]$$

- La quantité de mouvement totale d'un système de particules est $\vec{P} = M\vec{v}_c$.

- La deuxième loi de Newton appliquée à un système de particules permet d'obtenir :

$$\sum \vec{F}_{ext} = M\vec{a}_c = \frac{d\vec{P}}{dt} \quad [8.35]$$

où $\vec{a}_c$ est l'accélération du centre de masse et où la somme inclut toutes les forces extérieures. Par conséquent, le centre de masse se déplace comme une particule imaginaire de masse M soumise à l'action de la force résultante extérieure au système. D'après l'équation 8.35, il s'ensuit que la quantité de mouvement totale du système est conservée si aucune force extérieure n'agit sur le système.

Questions et exercices conceptuels

1. Si deux particules ont la même énergie cinétique, leurs quantités de mouvement sont-elles forcément égales ? Expliquez.
2. Une force de grande intensité produit-elle toujours une impulsion plus grande sur un corps qu'une force de faible intensité ? Expliquez.
3. Si deux objets entrent en collision, l'un d'entre eux étant initialement au repos, est-il possible qu'ils soient tous les deux au repos après la collision ? Expliquez.
4. Expliquez comment la quantité de mouvement est conservée lorsqu'une balle rebondit sur le sol.
5. Lorsqu'une balle roule vers le bas d'un plan incliné, sa quantité de mouvement augmente. Cela signifie-t-il que la quantité de mouvement n'est pas conservée ? Expliquez.
6. Soit une collision parfaitement inélastique entre une automobile et un gros camion. Lequel des deux véhicules perd le plus d'énergie cinétique dans la collision ?
7. Le centre de masse d'un corps peut-il être situé en dehors du corps ? Si oui, donnez des exemples.
8. Un jeune garçon se tient debout à une des extrémités d'un canot immobile par rapport à la berge. Il marche ensuite jusqu'à l'extrémité opposée du canot en s'éloignant de la berge. Que devient le centre de masse du système (garçon + canot) ? Le canot se déplace-t-il ? Expliquez.
9. Un mètre à mesurer est en équilibre à l'horizontale, posé sur l'index de la main droite et l'index de la main gauche. Si on rapproche les deux doigts, le mètre reste en équilibre et les deux doigts se rencontrent toujours à la graduation 50 cm, quelle que soit leur position initiale (faites-en l'expérience !). Expliquez cette observation.
10. Dans le cadre d'une étude, une biologiste a endormi un ours polaire sur un glacier sans frottement. Connaissant son propre poids, comment la biologiste peut-elle *estimer* le poids de l'ours polaire en utilisant une corde et un ruban à mesurer ?
11. Un chasseur se tient debout, la crosse du fusil contre son épaule. Si la quantité de mouvement de la balle est égale à la quantité de mouvement du fusil, mais de direction opposée, pourquoi est-il moins dangereux d'être heurté par la crosse du fusil que par la balle ?
12. Lorsqu'une balle tombe vers la Terre, sa quantité de mouvement augmente. Comment peut-on concilier cette observation avec le principe de conservation de la quantité de mouvement ?
13. Le centre de masse d'une fusée dans l'espace vide est-il en accélération ? Expliquez.
14. Une patineuse se tient debout sur une patinoire lisse. Son ami lui lance un Frisbee. Dans lequel des cas suivants la quantité de mouvement transmise à la patineuse est-elle la plus grande ? (a) Elle attrape le Frisbee et le garde. (b) Elle l'attrape momentanément mais le laisse tomber à la verticale. (c) Elle attrape le Frisbee momentanément puis le relance à son ami.
15. Vue de la Terre, la Lune tourne autour de la Terre. La quantité de mouvement de la Lune est-elle constante ? Son énergie cinétique est-elle constante ? On suppose, pour simplifier, que l'orbite lunaire est parfaitement circulaire.

16. Deux étudiants tiennent un grand drap de manière à former un « filet » pratiquement vertical pour attraper un objet. Un troisième étudiant lance un œuf dans le drap. Expliquez pourquoi l'œuf ne se casse pas, quelle que soit sa vitesse initiale. (Si vous essayez de faire cette expérience, l'œuf doit frapper la cible près de son centre et il faut veiller à ne pas le laisser tomber une fois qu'il a atteint la cible.)
17. Déterminez le centre de gravité de chacun des objets uniformes suivants : (a) une sphère, (b) un cube, (c) un cylindre, (d) un tore.
18. Un magicien pose quelques plats et des couverts en argent sur une table recouverte d'une nappe. Son tour de magie consiste ensuite à enlever rapidement la nappe en donnant l'impression de ne pas faire bouger les objets qui sont dessus. Expliquez comment ce tour est possible à l'aide de ce que vous avez appris dans ce chapitre.
19. Certaines automobiles sont équipées de sacs qui se gonflent d'air en cas de collision pour protéger le passager (un mannequin dans le cas présent) contre des blessures graves, comme le montre la figure 8.23. Pourquoi le sac gonflable peut-il amortir le choc ? Discutez les principes physiques intervenant dans cette photographie.

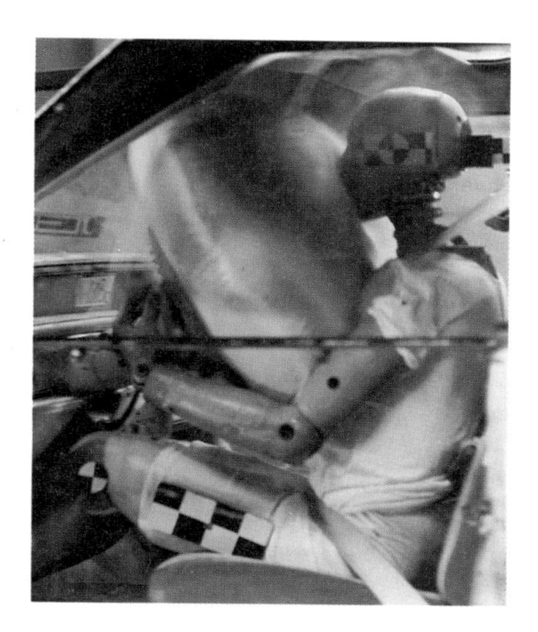

Figure 8.23
(Question 19) *(Avec l'autorisation de General Motors)*

Problèmes

Section 8.1 Quantité de mouvement et principe de conservation

1. On lance à la verticale une balle de 0,1 kg à une vitesse initiale de 15 m/s. Déterminez la quantité de mouvement de la balle (a) lorsqu'elle atteint sa hauteur maximale et (b) lorsqu'elle atteint la moitié de sa hauteur maximale.
2. Une voiture de 1 500 kg roulant à la vitesse de 15 m/s entre en collision avec un poteau électrique et s'arrête en 0,3 s. Déterminez la force moyenne exercée sur la voiture durant la collision.
3. Un enfant de 40 kg se tenant debout sur un étang gelé lance une pierre de 0,5 kg vers les x positifs à une vitesse de 5 m/s. En négligeant le frottement entre l'enfant et la glace, déterminez la vitesse de recul de l'enfant.

M 3M
Avant
(a)
$\vec{v}$ 2 m/s
M 3M
Après
(b)

Figure 8.24 (Problème 5)

4. Un fusil dont le poids vaut 30 N tire une balle de 5 g à une vitesse de 300 m/s. (a) Déterminez la vitesse de recul du fusil. (b) Un homme de 700 N tient le fusil fermement contre son épaule. Déterminez la vitesse de recul de l'homme et du fusil.
5. Deux blocs de masse M et $3M$ sont placés sur une surface horizontale lisse. Un ressort de masse négligeable est attaché à l'un des blocs et on pousse les blocs l'un contre l'autre, le ressort étant entre les deux (voir figure 8.24). La ficelle qui les relie est brûlée, après quoi le bloc de masse $3M$ se déplace vers la droite à une vitesse de 2 m/s. Quelle est la vitesse du bloc de masse M ? (On suppose que les blocs sont initialement au repos.)
6. Soit deux véhicules identiques sur coussin d'air (m = 200 g) munis de ressorts identiques (k = 3 000 N/m), comme à la figure 8.25. Ils se déplacent l'un vers l'autre sur une piste à coussin d'air horizontale avec des vitesses

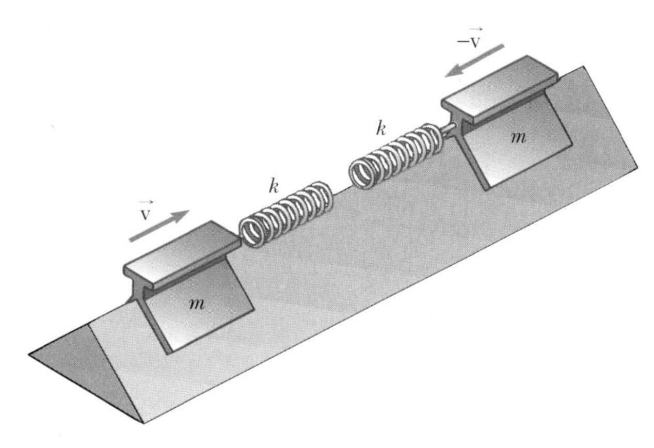

Figure 8.25 (Problème 6)

de 3 m/s et entrent en collision, ce qui comprime les ressorts. Déterminez la compression maximale d'un ressort.

Section 8.2 Impulsion et quantité de mouvement

7. La force F_x agissant sur une particule de 2 kg varie en fonction du temps, comme le montre la figure 8.26. Déterminez (a) l'impulsion de la force, (b) la vitesse finale de la particule si elle est initialement au repos et (c) la vitesse finale de la particule si elle se déplace initialement sur l'axe des x à une vitesse de −2 m/s.

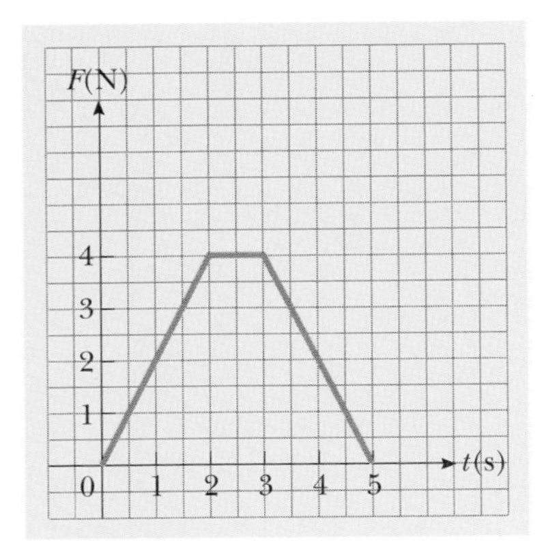

Figure 8.26 (Problème 7)

8. Une automobile est arrêtée à un feu rouge. Lorsque le feu passe au vert, l'automobile accélère et sa vitesse passe de 0 à 5,2 m/s sur un intervalle de temps de 0,832 s. À quelle impulsion et à quelle force moyenne est soumis un passager de 70 kg dans l'automobile ?
9. On lance une balle de baseball de 0,15 kg à une vitesse de 40 m/s. Elle est frappée directement vers le lanceur à une vitesse de 50 m/s. (a) Quelle est l'impulsion fournie à la balle de baseball ? (b) Déterminez la force moyenne exercée par le bâton sur la balle si les deux objets sont en contact pendant 2×10^{-3} s. Comparez ce résultat avec le poids de la balle et déterminez si l'approximation relative à l'impulsion est valable dans ce cas.
10. Une balle d'acier de 3 kg heurte un mur massif à une vitesse de 10 m/s avec un angle de 60° par rapport à la surface. Elle rebondit avec la même vitesse et le même angle (voir figure 8.27). Si la balle reste en contact avec le mur pendant 0,2 s, quelle est la force moyenne exercée sur la balle par le mur ?
11. Un enfant fait rebondir une balle superélastique de 50 g sur le trottoir. La vitesse de la balle juste avant de frapper le trottoir est de 21 m/s (vers le bas) et sa vitesse est de 19 m/s (vers le haut) juste après le rebond.

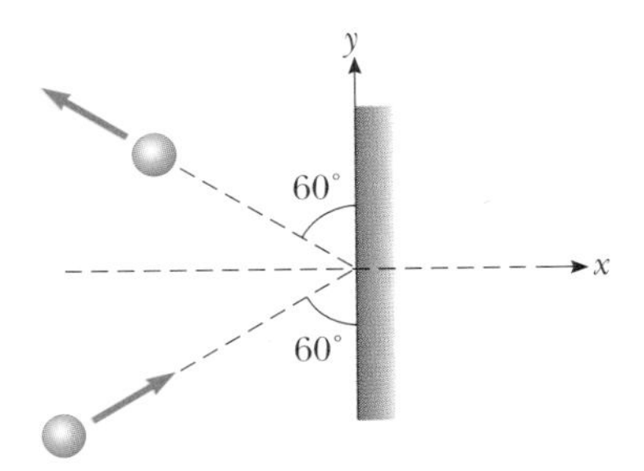

Figure 8.27 (Problème 10)

Si la balle reste en contact avec le trottoir pendant (1/800) s, quelle est la force moyenne exercée sur la balle par le trottoir ?

Section 8.3 Collisions
Section 8.4 Collisions élastiques et collisions inélastiques le long d'un axe

12. Une masse de 2,5 kg se déplaçant initialement à la vitesse de 10 m/s entre en collision frontale parfaitement inélastique avec une masse de 5 kg initialement au repos. (a) Déterminez la vitesse finale de l'ensemble formé par les deux masses. (b) Quelle est la quantité d'énergie cinétique perdue dans la collision ?
13. Une balle de fusil de 10 g est arrêtée par un bloc de bois de 5 kg. La vitesse de l'ensemble balle-bloc de bois immédiatement après la collision est de 0,6 m/s. Quelle était la vitesse initiale de la balle ?
14. Un joueur de 90 kg, courant droit devant lui à la vitesse de 10 m/s, est plaqué par un adversaire de 120 kg courant vers lui à la vitesse de 4 m/s. En supposant que la collision soit parfaitement inélastique et frontale, (a) calculez la vitesse des deux joueurs juste après la collision et (b) déterminez l'énergie perdue dans la collision. Qu'est devenue cette énergie ?
15. Une voiture de 1 200 kg roulant initialement à la vitesse de 25 m/s vers les x positifs heurte l'arrière d'un camion de 9 000 kg qui roule dans la même direction à 20 m/s (voir figure 8.28). La vitesse de la voiture immédiatement après le choc est de 18 m/s vers les x positifs. (a) Quelle est la vitesse du camion immédiatement après le choc ? (b) Quelle est la quantité d'énergie mécanique perdue dans la collision ? Qu'est-devenue l'énergie perdue ?
16. Un wagon de chemin de fer d'une masse de $2{,}5 \times 10^4$ kg se déplaçant à la vitesse de 4 m/s entre en collision avec trois autres wagons attachés auxquels il reste collé. Chacun de ces wagons a la même masse que le premier et se déplacent initialement dans la même direction à une vitesse de 2 m/s. (a) Quelle est la vitesse de l'ensemble des quatre wagons après la collision ? (b) Quelle est la quantité d'énergie cinétique perdue dans la collision ?

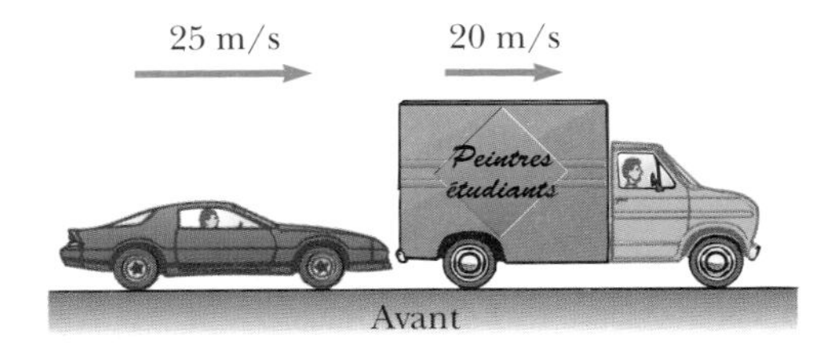

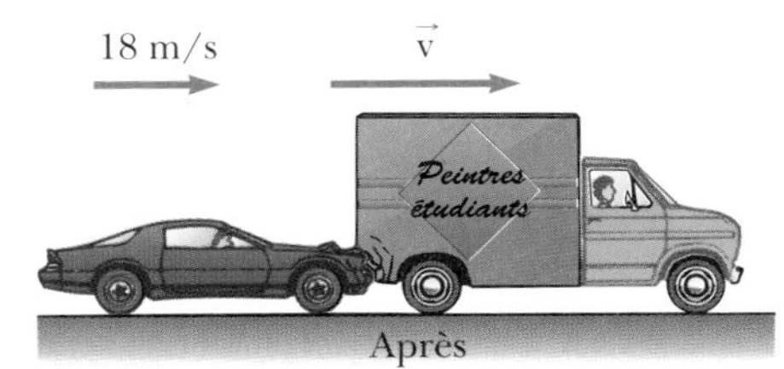

Figure 8.28 (Problème 15)

17. Dans un réacteur nucléaire, un neutron entre en collision frontale élastique avec le noyau d'un atome de carbone initialement au repos. (a) Quelle fraction de l'énergie cinétique du neutron est transmise au noyau de carbone ? (b) Si l'énergie cinétique initiale du neutron est 1 MeV = $1{,}6 \times 10^{-13}$ J, déterminez son énergie cinétique finale et l'énergie cinétique du noyau de carbone après la collision. (La masse du noyau de carbone est à peu près égale à 12 fois la masse du neutron.)
18. Un patineur de 75 kg se déplaçant à la vitesse de 10 m/s heurte un patineur immobile de même masse. Après la collision, les deux patineurs glissent ensemble à la vitesse de 5 m/s. La force moyenne que peut subir un patineur sans subir de fracture est de 4 500 N. Si la durée de l'impact vaut 0,1 s, y a-t-il eu fracture ?
19. Deux boules de billard ont des vitesses de +2 m/s et −0,5 m/s avant d'entrer en collision frontale élastique. Quelles sont leurs vitesses finales ?
20. Comme le montre la figure 8.29, une balle de masse m et de vitesse v traverse complètement la masse M d'un pendule. La balle en ressort à une vitesse de $v/2$. La masse du pendule est suspendue au bout d'une tige rigide de longueur l et de masse négligeable. Quelle est la valeur minimale de v pour que la masse du pendule décrive tout juste un cercle vertical complet ?

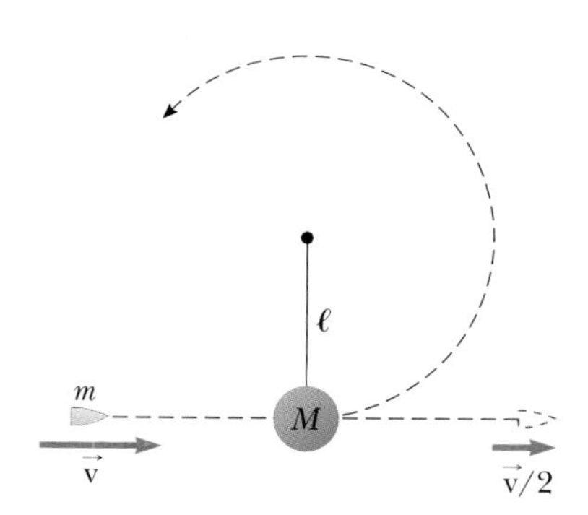

Figure 8.29 (Problème 20)

21. Soit une piste sans frottement ABC, comme celle qui est représentée à la figure 8.30. Un bloc d'une masse m_1 = 5 kg est lâché au point A. Il entre en collision frontale élastique en B avec un bloc d'une masse m_2 = 10 kg initialement au repos. Calculez la hauteur maximale à laquelle m_1 s'élève après la collision.

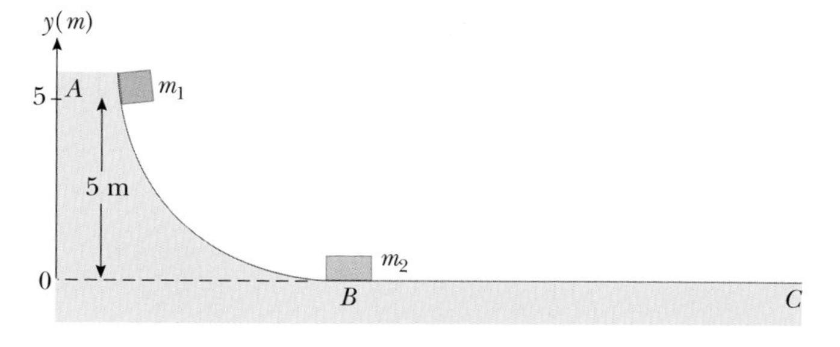

Figure 8.30 (Problème 21)

Section 8.5 Collisions dans un plan

22. Un oiseau et une abeille se dirigent l'un vers l'autre à angle droit. L'oiseau a une masse de 0,125 kg et une vitesse de 0,6 m/s et l'abeille a une masse de 5×10^{-3} kg et une vitesse de 15,0 m/s. Si l'oiseau attrape l'abeille, quelle est la nouvelle vitesse de l'oiseau ?
23. La masse de la rondelle bleue (voir figure 8.31) est supérieure de 20 % à la masse de la rondelle verte. Avant d'entrer en collision, les rondelles s'approchent l'une de l'autre avec des quantités de mouvement égales et opposées. La rondelle verte a une vitesse initiale de 10 m/s. Déterminez les vitesses des rondelles après la collision si la moitié de l'énergie cinétique est perdue durant la collision.

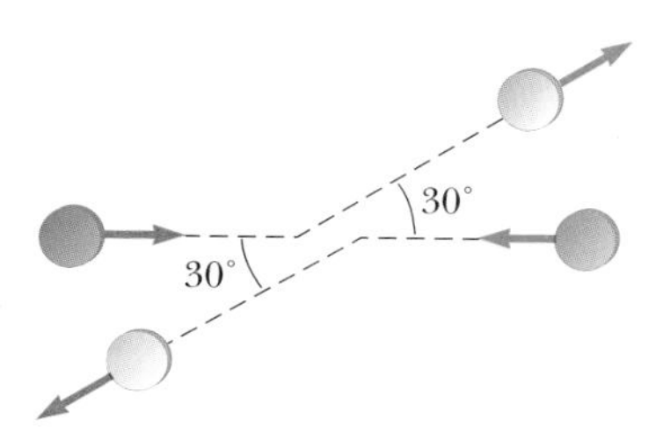

Figure 8.31 (Problème 23)

24. Un proton qui se déplace à la vitesse de $v_0\vec{i}$ entre en collision élastique avec un autre proton initialement au repos. Si les deux protons ont la même vitesse après la collision, déterminez (a) la vitesse de chaque proton après la collision en fonction de v_0 et (b) la direction des vecteurs vitesse après la collision.
25. Une boule de billard se déplaçant à la vitesse de 5 m/s heurte une boule immobile de même masse. Après la collision, la première boule se déplace à 4,33 m/s avec un angle de 30° par rapport à sa trajectoire initiale. En supposant la collision élastique (et en négligeant le frottement et le mouvement de rotation), déterminez la valeur et la direction de la vitesse de la boule heurtée.
26. Une rondelle de 0,3 kg, initialement au repos sur une surface lisse horizontale, est frappée par une rondelle de 0,2 kg qui se déplace initialement sur l'axe des x à une vitesse de +2 m/s. Après la collision, la rondelle de 0,2 kg a une vitesse de 1 m/s avec un angle θ = 53° par rapport au sens positif de l'axe des x (voir figure 8.13, page 174). (a) Déterminez la vitesse de la rondelle de 0,3 kg après la collision. (b) Déterminez la fraction d'énergie cinétique perdue dans la collision.
27. Une masse de 10 kg, initialement au repos, explose en trois fragments. Un fragment de 4,5 kg se dirige vers les y positifs à 20 m/s et un fragment de 2 kg se dirige vers les x positifs à 60 m/s. (a) Déterminez la grandeur et la direction de la vitesse du troisième fragment. (b) Déterminez l'énergie de l'explosion.
28. Un noyau instable d'une masse de 17×10^{-27} kg, initialement au repos, se désintègre en trois particules. L'une des particules, d'une masse de 5×10^{-27} kg, se déplace sur l'axe des y à la vitesse de $+6 \times 10^6$ m/s. Une autre particule, d'une masse de $8{,}4 \times 10^{-27}$ kg, se déplace sur l'axe des x à la vitesse de $+4 \times 10^6$ m/s. Déterminez

(a) la vitesse de la troisième particule et (b) l'énergie totale libérée dans le processus.

29. À un carrefour, une voiture de 1 500 kg roulant vers les x positifs à la vitesse de 20 m/s entre en collision avec une camionnette de 2 500 kg roulant vers les y négatifs à la vitesse de 15 m/s. La collision est parfaitement inélastique et l'ensemble formé par les deux véhicules après l'accident glisse sur 6 m avant de s'arrêter. Déterminez la grandeur et la direction de la force constante qui a ralenti leur mouvement.

Section 8.6 Le centre de masse

30. Quatre objets sont situés sur l'axe des y de la manière suivante : un objet de 2 kg se trouve à +3 m, un objet de 3 kg se trouve à +2,5 m, un objet de 2,5 kg se trouve à l'origine et un objet de 4 kg se trouve à −0,5 m. Quel est le centre de masse de ces objets ?

31. Un té uniforme de dessinateur a les dimensions indiquées à la figure 8.32. Déterminez la position du centre de masse par rapport au point O. (*Suggestion :* Notez que la masse de chaque partie rectangulaire est proportionnelle à son aire.)

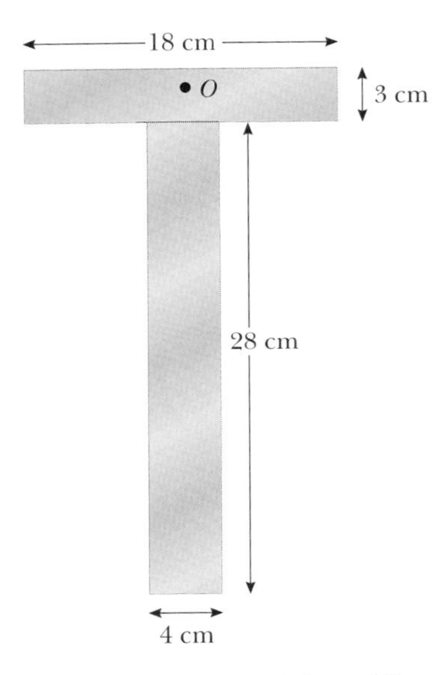

Figure 8.32 (Problème 31)

32. La masse du Soleil est égale à 329 390 fois la masse de la Terre et la distance moyenne du centre du Soleil au centre de la Terre est de $1{,}496 \times 10^8$ km. En assimilant la Terre et le Soleil à des particules, dont les masses sont concentrées dans leur centre géométrique respectif, à quelle distance du centre du Soleil se trouve le centre de masse du système Terre-Soleil ? Comparez cette distance avec le rayon moyen du Soleil ($6{,}960 \times 10^5$ km).

33. La distance entre les atomes d'hydrogène et de chlore dans la molécule HCl est d'environ $1{,}3 \times 10^{-10}$ m. Déterminez la position du centre de masse de la molécule, mesurée à partir de l'atome d'hydrogène. (La masse du chlore est 35 fois plus élevée que celle de l'hydrogène.)

34. Un morceau uniforme de feuille d'acier est coupé comme à la figure 8.33. Calculez les coordonnées x et y du centre de masse de ce morceau.

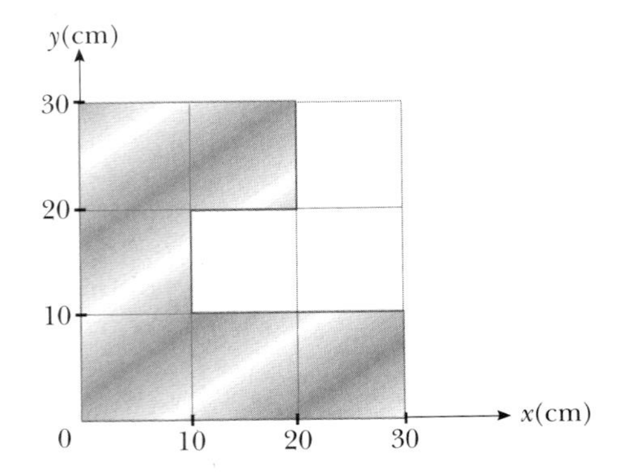

Figure 8.33 (Problème 34)

Section 8.7 Mouvement d'un système de particules

35. Une particule de 2 kg a une vitesse de $(2\vec{i} - 3\vec{j})$ m/s et une particule de 3 kg a une vitesse de $(\vec{i} + 6\vec{j})$ m/s. Déterminez (a) la vitesse du centre de masse et (b) la quantité de mouvement totale du système.

36. (a) Une particule de 3 g se déplace vers une particule de 7 g à une vitesse de 3 m/s. À quelle vitesse chaque particule s'approche-t-elle du centre de masse ? (b) Quelle est la quantité de mouvement de chaque particule par rapport au centre de masse ?

37. Se tenant à l'arrière de leur barque qui flotte sur un plan d'eau calme, Roméo joue une sérénade à Juliette. Lorsqu'il a terminé, Juliette marche avec précaution vers l'arrière de la barque (en s'éloignant de la rive) pour lui donner un baiser sur la joue. Si la barque de 80 kg fait face à la rive et si Juliette (55 kg) se déplace de 2,7 m vers Roméo (77 kg), de quelle distance se déplace la barque vers la rive ?

Problèmes supplémentaires

38. On tire une balle de fusil de 8 g dans un bloc de 2,5 kg initialement au repos au bord d'une table lisse de 1 m de hauteur (voir figure 8.34). La balle reste encastrée dans le bloc et, après l'impact, le bloc tombe à 2 m du pied de la table. Déterminez la vitesse initiale de la balle.

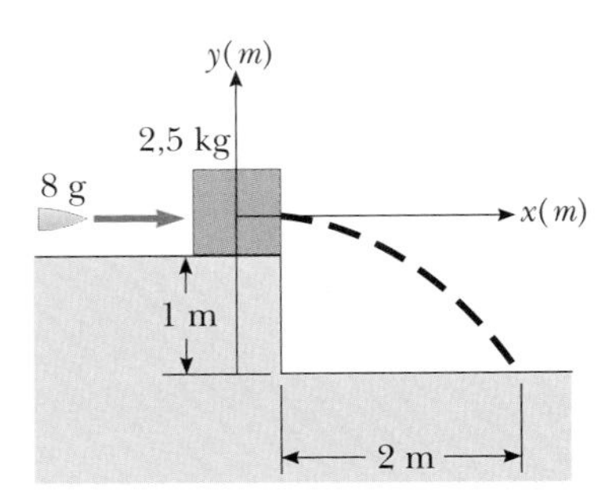

Figure 8.34 (Problème 38)

39. Un noyau d'uranium 238 (masse = 238 unités) initialement au repos se désintègre pour donner une particule alpha (masse = 4 unités) et un noyau de thorium résiduel (masse = 234 unités). Si la particule alpha a une vitesse de $1{,}5 \times 10^7$ m/s, déterminez la vitesse de recul du noyau de thorium.

40. Un pompier de 75 kg se laisse glisser le long d'un poteau, son mouvement étant freiné par une force de frottement constante de 300 N (voir figure 8.35). Pour amortir la chute, une plate-forme horizontale de 20 kg soutenue par un ressort se trouve en bas du poteau. Le pompier initialement au repos part à 4 m au-dessus de la plate-forme et la constante du ressort vaut 4 000 N/m. Déterminez (a) la vitesse du pompier juste avant qu'il ne touche la plate-forme et (b) la distance maximale de compression du ressort. (On suppose que la force de frottement agit durant la totalité du mouvement.)

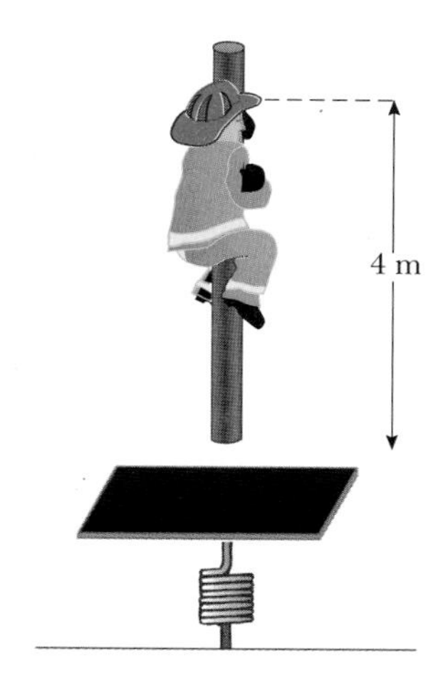

Figure 8.35 (Problème 40)

41. Une astronaute de 70 kg travaille sur les moteurs de son véhicule spatial qui dérive dans l'espace à vitesse constante. Pour avoir une meilleure vue de l'univers, elle exerce une poussée contre le véhicule et se retrouve bientôt à 30 m derrière. Sans moyen de propulsion, la seule façon avec laquelle l'astronaute peut revenir au vaisseau consiste à lancer sa clé à molette de 0,5 kg dans la direction opposée au vaisseau. Si elle lance sa clé à une vitesse de 20 m/s, quel temps lui faudra-t-il pour atteindre le véhicule ?
42. Tarzan, dont la masse vaut 80 kg, se balance au bout d'une liane de 3 m qui est horizontale au départ. Au point le plus bas de sa trajectoire, il attrape Jane (masse = 60 kg) lors d'une collision inélastique. Quelle est la hauteur de la plus haute branche qu'ils peuvent atteindre en remontant ?
43. On tire verticalement une balle de fusil de 0,03 kg à la vitesse de 200 m/s dans une balle de baseball de 0,15 kg, initialement au repos. Quelle hauteur atteint l'ensemble après la collision en supposant que la balle de fusil reste encastrée dans la balle de baseball ?
44. Un enfant de 40 kg est assis à une extrémité d'une barque de 70 kg et de 4 m de longueur (voir figure 8.36). La barque est initialement à 3 m de la jetée. L'enfant remarque une tortue sur un rocher à l'autre extrémité de la barque. Il se lève et marche jusque-là pour attraper la tortue. (a) En négligeant le frottement entre la barque et l'eau, décrivez le mouvement subséquent du système (enfant + barque). (b) Où se trouvera l'enfant *par rapport à la jetée* lorsqu'il aura atteint l'autre extrémité de la barque ? (c) Va-t-il attraper la tortue ? (On

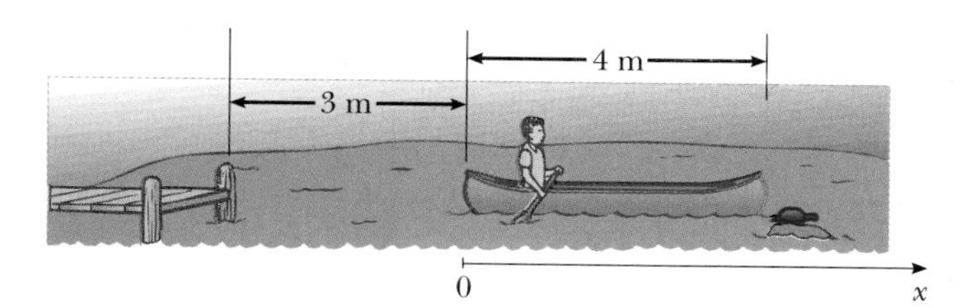

Figure 8.36 (Problème 44)

suppose qu'il peut étendre le bras jusqu'à 1 m de l'extrémité du bateau.)

45. Une balle de 5 g se déplaçant à une vitesse initiale de 400 m/s est tirée dans un bloc de 1 kg qu'elle traverse, comme à la figure 8.37. Le bloc, initialement au repos sur une surface lisse horizontale, est relié à un ressort ayant une constante de rappel de 900 N/m. Si le bloc se déplace de 5 cm vers la droite après l'impact avant de s'arrêter, déterminez (a) la vitesse à laquelle la balle sort du bloc et (b) l'énergie mécanique perdue dans la collision.

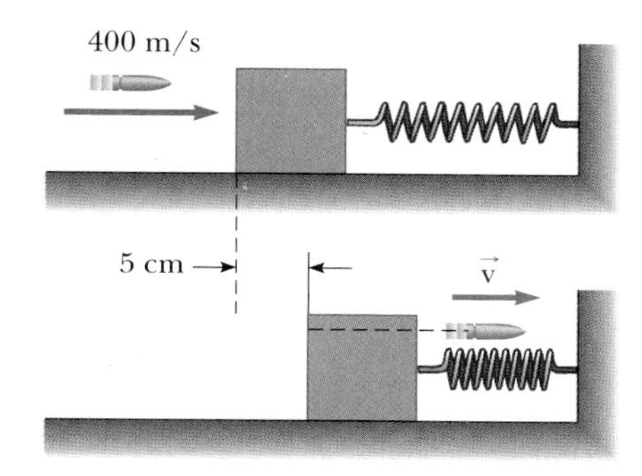

Figure 8.37 (Problème 45)

Problème à effectuer à l'aide d'une calculatrice ou d'un ordinateur

46. Soit une collision élastique frontale entre une particule mobile de masse m_1 et une particule initialement immobile de masse m_2 (voir l'exemple 8.6). (a) Tracez f_2, la fraction de l'énergie transmise à m_2 en fonction du rapport m_2/m_1 et démontrez que f_2 atteint un maximum lorsque $m_2/m_1 = 1$. (b) Effectuez un calcul analytique pour vérifier que f_2 est maximal lorsque $m_1 = m_2$.

Figure 9.1
En pleine action, les Foubrac illustrent le principe de conservation du moment cinétique. Un objet en rotation, dans le cas présent il s'agit d'une pataugeuse, tend à garder son axe de rotation dans une direction fixe. Il est donc plus facile d'en maintenir l'équilibre.
(Les Foubrac)

Le mouvement de rotation

CHAPITRE 9

Dans ce chapitre, nous allons étudier le mouvement de particules qui décrivent une trajectoire circulaire autour d'un axe fixe. Nous aurons l'occasion de rencontrer des termes nouveaux (déplacement angulaire, vitesse angulaire, accélération angulaire, moment de force et moment cinétique) et nous verrons que les grandeurs qu'ils représentent sont utiles pour décrire le mouvement de rotation. Nous définirons ensuite le produit vectoriel, qui est un outil mathématique pratique pour exprimer certaines grandeurs physiques, comme le moment de force et le moment cinétique.

La notion de moment cinétique d'un système de particules est l'un des points les plus importants de ce chapitre. Par analogie avec la conservation de la quantité de mouvement (chapitre 8), nous verrons que le moment cinétique d'un système isolé est toujours constant. Les résultats que nous allons établir ici nous permettront d'étudier les mouvements de rotation d'objets divers, depuis l'électron en orbite autour d'un noyau jusqu'aux amas de galaxies en orbite autour d'un centre commun. Bien que ce chapitre porte essentiellement sur le mouvement circulaire des particules, il est logique de généraliser l'analyse à d'autres objets et cette étude fait l'objet d'une section facultative.

9.1 Vitesse angulaire et accélération angulaire

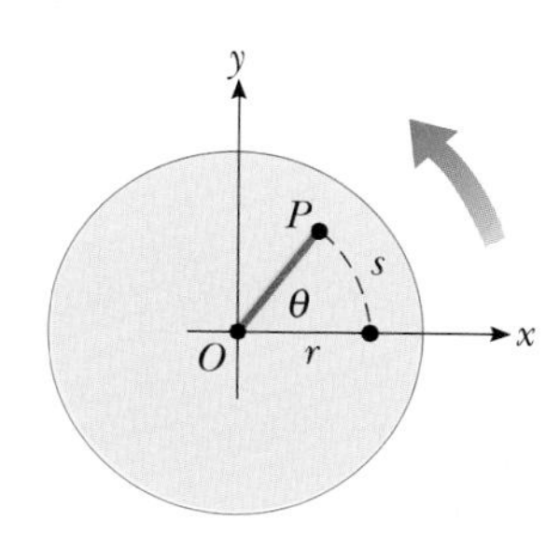

Figure 9.2
Rotation d'un disque autour d'un axe fixe passant par O et perpendiculaire au plan de la figure (axe des z). Notez qu'une particule en P décrit une trajectoire circulaire de rayon r centrée en O.

Avant de commencer l'étude du mouvement linéaire, nous avons défini les termes « déplacement », « vitesse » et « accélération linéaire ». Nous allons procéder de la même manière pour l'étude du mouvement de rotation. Considérons d'abord un disque circulaire qui tourne autour d'un axe fixe perpendiculaire au disque et passant par le point O (voir figure 9.2). Soit un point P situé sur le disque, à une distance fixe r de l'origine ; ce point décrit autour du point O un cercle de rayon r. En fait, *tout point du disque effectue un mouvement circulaire autour de O.*

On peut représenter la position du point P par ses coordonnées polaires : (r, θ). Dans cette représentation, la seule coordonnée qui varie dans le temps est l'angle θ ; la coordonnée r reste constante. En décrivant le cercle de rayon r entre l'axe des x positifs ($\theta = 0$) et le point P, un point du disque parcourt un arc de longueur s, qui est lié à la position angulaire θ par la relation $s = r\theta$, où

$$\theta = \frac{s}{r} \qquad [9.1]$$

Il est important de faire une remarque concernant les unités de θ dans l'équation 9.1. L'angle θ est le rapport entre une longueur d'arc et le rayon du cercle et il s'agit donc d'un nombre sans dimension. Par convention, on choisit souvent d'exprimer θ en radians (rad). Un **radian** est l'angle au centre qui intercepte un arc de longueur égale au rayon du cercle correspondant. Puisque la circonférence d'un cercle est égale à $2\pi r$, il s'ensuit que 360° correspondent à un angle de $2\pi r/r$ rad ou 2π rad (un tour complet). Par conséquent, 1 rad = $360°/2\pi \approx 57{,}3°$. Pour convertir en radians un angle exprimé en degrés, on peut utiliser le fait que 2π radians = 360°, ce qui donne :

$$\theta\ (\text{rad}) = \frac{\pi}{180°}\ \theta\ (\text{deg})$$

Par exemple, un angle de 60° vaut $\pi/3$ rad et un angle de 45° vaut $\pi/4$ rad.

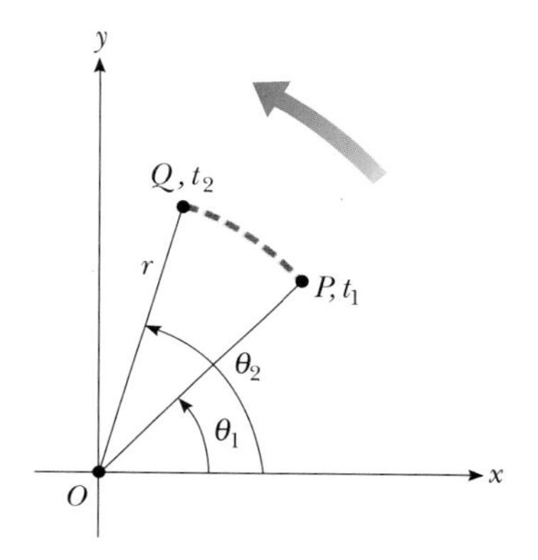

Figure 9.3
Une particule sur un disque en rotation se déplace de P à Q le long d'un arc de cercle. Dans l'intervalle de temps $\Delta t = t_2 - t_1$, le rayon vecteur r balaie un angle donné par $\Delta\theta = \theta_2 - \theta_1$.

À la figure 9.3, la particule se déplace de P à Q en un temps Δt et le rayon-vecteur balaie un angle $\Delta\theta = \theta_2 - \theta_1$, qui est égal au **déplacement angulaire** durant l'intervalle de temps Δt. Par définition, la **vitesse angulaire moyenne,** $\overline{\omega}$ (omega), est égale au rapport entre le déplacement angulaire et l'intervalle de temps Δt :

$$\overline{\omega} \equiv \frac{\theta_2 - \theta_1}{t_2 - t_1} = \frac{\Delta\theta}{\Delta t} \qquad [9.2]$$

Par analogie avec la vitesse linéaire, la **vitesse angulaire instantanée** ω est définie comme la limite du rapport figurant à l'équation 9.2 lorsque Δt tend vers zéro :

Vitesse angulaire instantanée

$$\omega \equiv \lim_{\Delta t \to 0} \frac{\Delta\theta}{\Delta t} = \frac{d\theta}{dt} \qquad [9.3]$$

La vitesse angulaire s'exprime en rad/s (ou en s^{-1} puisque le radian n'a pas de dimension). Par convention, nous prendrons l'axe des z comme axe fixe de rotation du disque, comme à la figure 9.2. Dans ce cas, ω est positif lorsque θ augmente (rotation dans le sens antihoraire) et il est négatif lorsque θ diminue (rotation dans le sens horaire).

Si la vitesse angulaire instantanée d'une particule varie de ω_1 à ω_2 dans l'intervalle de temps Δt, la particule est soumise à une accélération angulaire. Par définition, l'**accélération angulaire moyenne,** $\overline{\alpha}$ (alpha), d'un corps en rotation est égale au rapport entre la variation de la vitesse angulaire et l'intervalle de temps Δt :

Accélération angulaire moyenne

$$\overline{\alpha} \equiv \frac{\omega_2 - \omega_1}{t_2 - t_1} = \frac{\Delta\omega}{\Delta t} \qquad [9.4]$$

Par analogie avec l'accélération linéaire, l'**accélération angulaire instantanée** est définie comme la limite du rapport $\Delta\omega/\Delta t$ lorsque Δt tend vers zéro :

Accélération angulaire instantanée

$$\alpha \equiv \lim_{\Delta t \to 0} \frac{\Delta \omega}{\Delta t} = \frac{d\omega}{dt} \qquad [9.5]$$

L'accélération angulaire s'exprime en rad/s^2 ou en s^{-2}. Notons que α est positif lorsque ω augmente en fonction du temps et négatif lorsque ω diminue en fonction du temps.

Pour généraliser notre propos, nous allons passer du disque circulaire à un solide quelconque. Un solide, ou corps rigide, est un objet dont les éléments restent fixes les uns par rapport aux autres. **Lorsqu'un corps rigide, comme un disque circulaire, tourne autour d'un axe fixe, tous ses points ont la même vitesse angulaire et la même accélération angulaire.** Ainsi, les grandeurs ω et α caractérisent le mouvement de rotation du corps rigide *dans son ensemble*. L'utilisation de ces grandeurs permet de simplifier grandement l'étude de la rotation d'un corps rigide.

Le déplacement angulaire $\vec{\theta}$, la vitesse angulaire $\vec{\omega}$ et l'accélération angulaire $\vec{\alpha}$ sont les homologues respectifs du déplacement linéaire $\vec{x}$, de la vitesse linéaire $\vec{v}$ et de l'accélération linéaire $\vec{a}$ définis au chapitre 2 pour le mouvement rectiligne[1]. Les dimensions des variables θ, ω et α ne diffèrent que d'un facteur de longueur de celles des variables x, v et a.

Nous avons indiqué comment déterminer les signes de $\vec{\omega}$ et $\vec{\alpha}$, mais nous n'avons précisé aucune direction dans l'espace correspondant à ces grandeurs vectorielles. Dans le cas de la rotation autour d'un axe fixe, la seule direction dans l'espace qui détermine de façon unique le mouvement de rotation est la direction de l'axe de rotation. Toutefois, nous devons également spécifier le sens de ces grandeurs vectorielles, c'est-à-dire préciser si les vecteurs pointent vers l'arrière ou vers l'avant par rapport au plan de la figure 9.2, page 189.

Le vecteur $\vec{\omega}$ est dirigé selon l'axe de rotation qui est l'axe des z de la figure 9.2. Par convention, on dit que $\vec{\omega}$ est dirigé vers *l'avant* du plan de la figure lorsque la rotation est de sens antihoraire et vers *l'arrière* du plan lorsque la rotation est de sens horaire. Pour illustrer cette convention, nous pouvons utiliser la *règle de la main droite* représentée à la figure 9.4a. Les quatre doigts de la main droite s'enroulent autour de l'axe dans le sens de la rotation. Le pouce tendu pointe dans la direction de $\vec{\omega}$. La figure 9.4b indique que $\vec{\omega}$ pointe également dans le sens de progression d'une vis filetée à droite.

Par définition, le sens de $\vec{\alpha}$ est donné par $d\vec{\omega}/dt$. Le vecteur $\vec{\alpha}$ est de même sens que $\vec{\omega}$ si la vitesse angulaire (grandeur de $\vec{\omega}$) augmente en fonction du temps et il est de sens contraire à $\vec{\omega}$ si la vitesse angulaire diminue en fonction du temps.

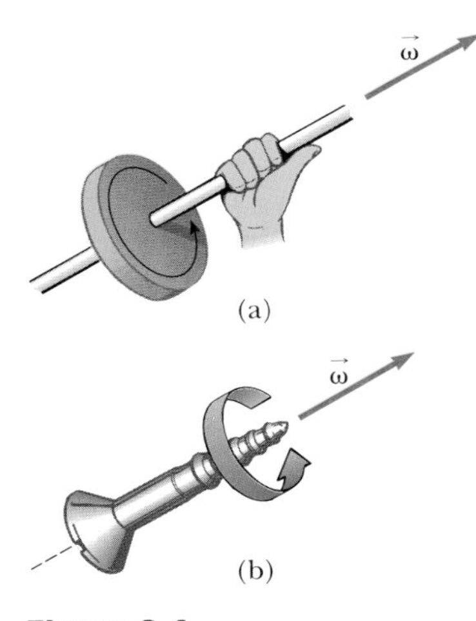

Figure 9.4
(a) Règle de la main droite servant à déterminer le sens de la vitesse angulaire. (b) Le sens de $\vec{\omega}$ est donné par le sens de progression d'une vis filetée à droite.

9.2 Cinématique de la rotation

Lorsque nous avons étudié le mouvement rectiligne, nous avons vu que le mouvement accéléré le plus simple à analyser est le mouvement rectiligne à accélération linéaire constante (chapitre 2). Pour le mouvement de rotation autour d'un axe fixe, le mouvement accéléré le plus simple à analyser est le mouvement à accélération angulaire constante. Nous allons donc établir les équations de la cinématique pour le mouvement de rotation à accélération angulaire constante.

Si nous écrivons l'équation 9.5 sous la forme $d\omega = \alpha\, dt$ en posant $\omega = \omega_0$ à $t_0 = 0$, nous pouvons intégrer directement cette expression :

$$\omega = \omega_0 + \alpha t \qquad (\alpha = \text{constante}) \qquad [9.6]$$

[1] Bien que la démonstration ne soit pas donnée ici, la vitesse angulaire instantanée et l'accélération angulaire instantanée sont des grandeurs vectorielles, mais leurs valeurs moyennes ne le sont pas. Cela vient du fait que le déplacement angulaire n'est pas une grandeur vectorielle dans le cas des rotations finies.

De même, en introduisant l'équation 9.6 dans l'équation 9.3 et en intégrant de nouveau (avec $\theta = \theta_0$ à $t_0 = 0$), nous obtenons :

$$\theta = \theta_0 + \omega_0 t + \tfrac{1}{2}\alpha t^2 \qquad [9.7]$$

Équations cinématiques de la rotation (α = constante)

En éliminant t dans les équations 9.6 et 9.7, nous obtenons :

$$\omega^2 = \omega_0^2 + 2\alpha(\theta - \theta_0) \qquad [9.8]$$

Puis, en éliminant α, nous obtenons :

$$\theta = \theta_0 + \tfrac{1}{2}(\omega_0 + \omega)\,t \qquad [9.9]$$

Notons que ces expressions de la cinématique du mouvement de rotation uniformément accéléré ont la *même forme* que les expressions de la cinématique du mouvement rectiligne uniformément accéléré ; il suffit de remplacer x par θ, v par ω et a par α (voir tableau 9.1). Ces expressions sont valables pour la rotation d'un corps rigide autour d'un axe *fixe* et pour la rotation d'une particule autour d'un axe *fixe*.

Tableau 9.1
Comparaison des équations de la cinématique relatives au mouvement de rotation et au mouvement linéaire uniformément accéléré

Mouvement de rotation autour d'un axe fixe avec α = constante, θ et ω variables	Mouvement linéaire avec a = constante, x et v variables
$\omega = \omega_0 + \alpha t$	$v = v_0 + at$
$\theta = \theta_0 + \omega_0 t + \tfrac{1}{2}\alpha t^2$	$x = x_0 + v_0 t + \tfrac{1}{2}at^2$
$\theta = \theta_0 + \tfrac{1}{2}(\omega_0 + \omega)\,t$	$x = x_0 + \tfrac{1}{2}(v_0 + v)\,t$
$\omega^2 = \omega_0^2 + 2\alpha(\theta - \theta_0)$	$v^2 = v_0^2 + 2a(x - x_0)$

Exemple 9.1 Rotation d'une roue

Soit une roue qui tourne avec une accélération angulaire constante de 3,5 rad/s².

(a) Si la vitesse angulaire de la roue est de 2 rad/s à $t_0 = 0$, quel est l'angle balayé par la roue en 2 s ?

Solution

$$\theta - \theta_0 = \omega_0 t + \tfrac{1}{2}\alpha t^2$$

$$= \left(2\ \frac{\text{rad}}{\text{s}}\right)(2\ \text{s}) + \tfrac{1}{2}\left(3{,}5\ \frac{\text{rad}}{\text{s}^2}\right)(2\ \text{s})^2$$

$$= \boxed{11\ \text{rad} = 630° = 1{,}75\ \text{tr}}$$

(b) Quelle est la vitesse angulaire à $t = 2$ s ?

Solution

$$\omega = \omega_0 + \alpha t = 2\ \text{rad/s} + \left(3{,}5\ \frac{\text{rad}}{\text{s}^2}\right)(2\ \text{s})$$

$$= \boxed{9\ \text{rad/s}}$$

Essayez maintenant d'obtenir ce résultat à partir de l'équation 9.8 et des résultats obtenus à la question (a).

Exercice Déterminez l'angle balayé par la roue entre $t = 2$ s et $t = 3$ s.

Réponse 10,8 rad

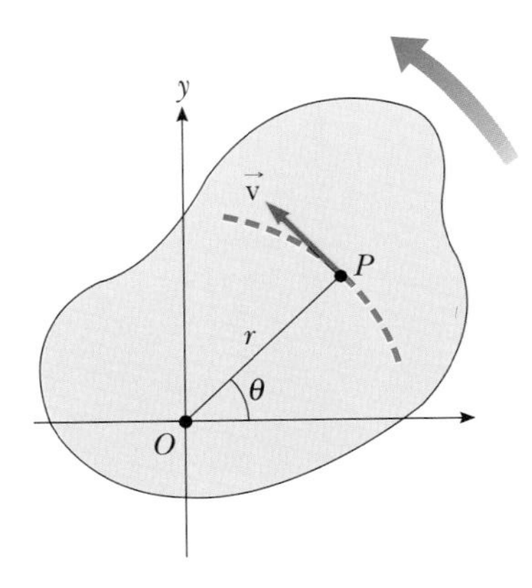

Figure 9.5
Au cours de sa rotation autour de l'axe fixe passant par *O*, la particule a une vitesse linéaire $\vec{v}$ qui est toujours tangente à la trajectoire circulaire de rayon *r*.

9.3 Relations entre les grandeurs angulaires et les grandeurs linéaires

Dans cette section, nous allons établir quelques relations très utiles entre d'une part, la vitesse et l'accélération angulaires d'un corps en rotation et, d'autre part, sa vitesse et son accélération linéaires. À cet égard, rappelons que lorsqu'un corps rigide tourne autour d'un axe fixe, *chaque* point du corps décrit un cercle centré sur l'axe de rotation.

Considérons un corps en rotation qui décrit un cercle de rayon r autour de l'axe z, comme à la figure 9.5. Puisque le corps décrit une trajectoire circulaire, sa vitesse linéaire $\vec{v}$ est toujours tangente à la trajectoire, et nous l'appellerons donc *vitesse tangentielle*. La valeur de la vitesse tangentielle d'un point est, par définition, égale à ds/dt, où s est la distance parcourue par le point sur la trajectoire circulaire. Sachant d'après l'équation 9.1 que $s = r\theta$, et que r est constant, nous obtenons :

$$v = \frac{ds}{dt} = r\,\frac{d\theta}{dt}$$

Relation entre la vitesse linéaire et la vitesse angulaire

$$v = r\omega \qquad [9.10]$$

Autrement dit, la valeur de la vitesse tangentielle du point est égale à la distance du point à l'axe de rotation multipliée par la vitesse angulaire.

Nous pouvons établir un lien entre l'accélération angulaire d'un point et son accélération tangentielle a_θ, qui est la composante de son accélération tangente à la trajectoire, en dérivant v par rapport au temps :

$$a_\theta = \frac{dv}{dt} = r\,\frac{d\omega}{dt}$$

Relation entre l'accélération tangentielle et l'accélération angulaire

$$a_\theta = r\alpha \qquad [9.11]$$

La composante tangentielle de l'accélération linéaire d'un point en mouvement circulaire est donc égale à la distance qui sépare ce point du centre de rotation multipliée par l'accélération angulaire.

Nous avons vu, au chapitre 3, qu'un point qui décrit une trajectoire circulaire subit une accélération centripète, ou radiale, de valeur v^2/r, dirigée vers le centre de rotation (voir figure 9.6). Comme $v = r\theta$, on peut exprimer l'accélération centripète sous la forme :

$$a_r = \frac{v^2}{r} = r\omega^2 \qquad [9.12]$$

L'*accélération linéaire totale* du point est $\vec{a} = \vec{a}_\theta + \vec{a}_r$. La valeur de l'accélération linéaire totale est donc :

$$a = a_\theta^2 + a_r^2 = \sqrt{r^2\alpha^2 + r^2\omega^4} = r\sqrt{\alpha^2 + \omega^4} \qquad [9.13]$$

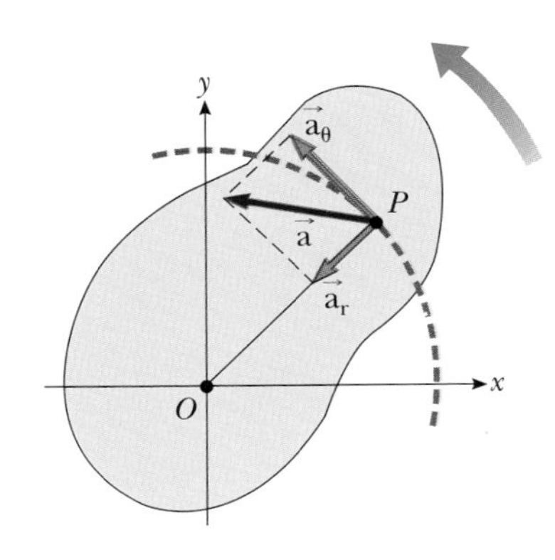

Figure 9.6
Au cours de la rotation d'une particule autour d'un axe fixe passant par *O*, la particule est soumise à une accélération tangentielle $\vec{a}_\theta$ et à une accélération centripète $\vec{a}_r$. L'accélération totale de la particule est donnée par $\vec{a} = \vec{a}_\theta + \vec{a}_r$.

9.4 Énergie cinétique de rotation

Considérons un corps rigide constitué d'un ensemble de particules et supposons qu'il tourne autour de l'axe fixe des z à une vitesse angulaire ω (voir figure 9.7). Chaque particule du corps possède une énergie cinétique déterminée par sa masse et sa vitesse. Si la masse de la i^e particule est m_i et sa vitesse v_i, l'énergie cinétique de cette particule est :

$$K_i = \frac{1}{2}m_i v_i^2$$

En outre, rappelons que même si toutes les particules du corps rigide ont la même vitesse angulaire ω, leurs vitesses linéaires dépendent de la distance r_i qui les sépare de l'axe de rotation, suivant l'expression $v_i = r_i\omega$ (équation 9.10). L'énergie cinétique *totale* du corps rigide en rotation est égale à la somme des énergies cinétiques de toutes ses particules :

$$K = \sum K_i = \sum \frac{1}{2}m_i v_i^2 = \frac{1}{2}\sum m_i r_i^2 \omega^2$$

$$K = \frac{1}{2}\left(\sum m_i r_i^2\right)\omega^2$$

où nous avons placé le terme ω^2 en facteur à l'extérieur de la somme parce qu'il est commun à toutes les particules. La quantité entre parenthèses est appelée **moment d'inertie** (I) :

$$I = \sum m_i r_i^2 \qquad [9.14]$$

On peut donc exprimer l'énergie cinétique du corps rigide en rotation (équation 9.13) sous la forme :

$$K = \frac{1}{2}I\omega^2 \qquad [9.15]$$

D'après la définition du moment d'inertie, on voit que ses dimensions sont ML^2 ($kg \cdot m^2$ en unités SI). Le moment d'inertie joue le rôle d'une masse dans *toutes* les équations de rotation. Bien que nous utilisions l'expression **énergie cinétique de rotation** pour désigner la quantité $\frac{1}{2}I\omega^2$, il faut souligner qu'il ne s'agit pas d'une nouvelle forme d'énergie, mais d'une énergie cinétique ordinaire, car elle correspond à la somme des énergies cinétiques de toutes les particules contenues dans le corps rigide. Cependant, l'expression de l'énergie cinétique donnée à l'équation 9.15 est une façon pratique d'étudier le mouvement de rotation, à condition de savoir comment calculer I. Il est important de souligner l'analogie entre l'énergie cinétique associée au mouvement linéaire, $\frac{1}{2}mv^2$, et l'énergie cinétique de rotation, $\frac{1}{2}I\omega^2$. Les grandeurs I et ω du mouvement de rotation sont les homologues respectifs de m et v intervenant dans le mouvement linéaire.

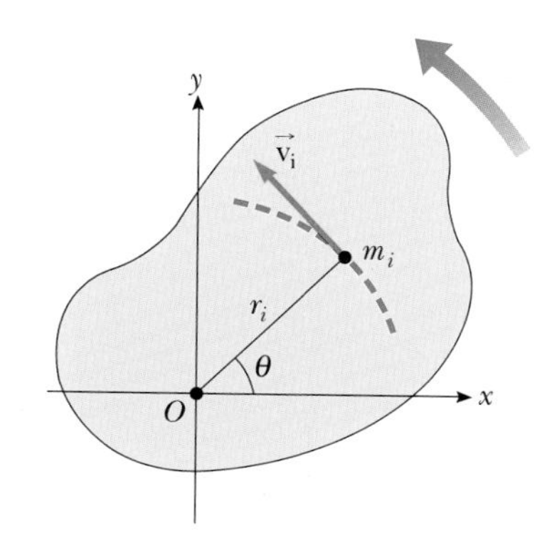

Figure 9.7
Un corps en rotation à la vitesse angulaire ω autour de l'axe des z. L'énergie cinétique de la particule de masse m_i est $\frac{1}{2}m_i v_i^2$. L'énergie cinétique totale du corps en rotation est $\frac{1}{2}I\omega^2$.

Exemple 9.2 Quatre particules en rotation

Soit quatre particules fixées aux quatre coins d'un cadre de masse négligeable situé dans le plan xy (voir figure 9.8).

(a) Si le système est en rotation autour de l'axe des y à une vitesse angulaire ω, déterminez le moment d'inertie par rapport à l'axe des y et l'énergie cinétique de rotation autour de cet axe.

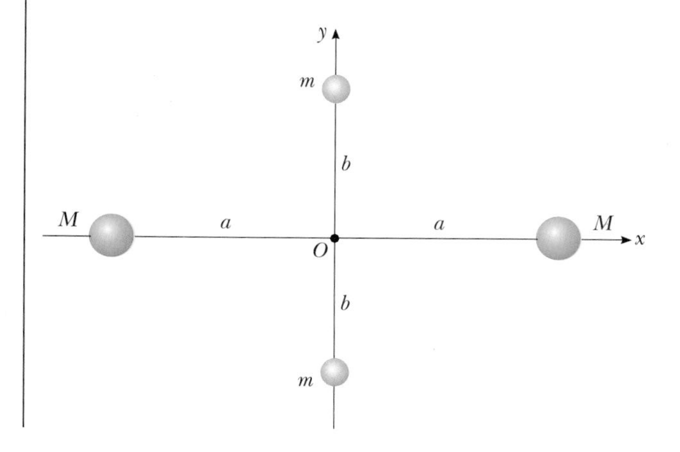

Figure 9.8
(Exemple 9.2) Toutes les particules sont situées à des distances fixes les unes des autres. Le moment d'inertie dépend de l'axe par rapport auquel on le calcule.

Solution Notons tout d'abord que les particules de masse m situées sur l'axe des y ne contribuent pas à I_y (puisque pour ces particules, $r_i = 0$). L'équation 9.14 nous donne :

$$I_y = \sum m_i r_i^2 = Ma^2 + Ma^2 = 2Ma^2$$

Par conséquent, l'énergie cinétique de rotation autour de l'axe des y s'écrit :

$$K = \tfrac{1}{2} I_y \omega^2 = \tfrac{1}{2}(2Ma^2)\,\omega^2 = \boxed{Ma^2\omega^2}$$

Il est logique que les masses m n'interviennent pas dans ce résultat parce que ces particules ne sont pas en mouvement par rapport à l'axe de rotation choisi et n'ont donc pas d'énergie cinétique.

(b) Supposons maintenant que le système tourne dans le plan xy autour d'un axe passant par O (l'axe des z). Calculez le moment d'inertie par rapport à l'axe des z et l'énergie cinétique de rotation autour de cet axe.

Solution Dans l'équation 9.14, puisque r_i représente la distance *perpendiculaire* à l'axe de rotation, on obtient :

$$I_z = \sum m_i r_i^2 = Ma^2 + Ma^2 + mb^2 + mb^2$$

$$= \boxed{2Ma^2 + 2mb^2}$$

$$K = \tfrac{1}{2} I_z \omega^2 = \tfrac{1}{2}(2Ma^2 + 2mb^2)\,\omega^2 = \boxed{(Ma^2 + mb^2)\,\omega^2}$$

En comparant les résultats obtenus en (a) et en (b), on peut conclure que le moment d'inertie et l'énergie cinétique de rotation du système dépendent tous deux de l'axe de rotation. En (b), on s'attend à ce que le résultat fasse intervenir toutes les masses et distances puisque toutes les particules sont en mouvement de rotation dans le plan xy. De plus, le fait que l'énergie cinétique soit moins grande en (a) qu'en (b) indique qu'il faudrait fournir un effort (travail) moins grand pour mettre le système en rotation autour de l'axe des x qu'autour de l'axe des z.

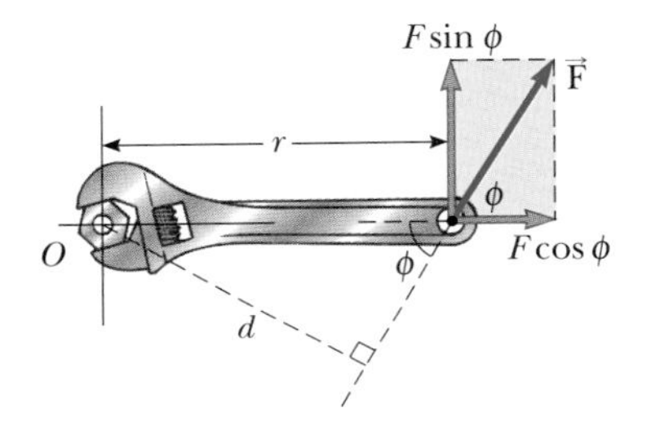

Figure 9.9
La force $\vec{F}$ a davantage tendance à faire tourner la clé autour de O à mesure que F augmente et que le bras de levier d diminue. C'est la composante $F \sin \phi$ qui a tendance à faire tourner le système autour de O.

9.5 Moment de force et produit vectoriel

Lorsqu'on exerce une force sur un corps rigide pouvant pivoter autour d'un axe, le corps a tendance à tourner autour de son pivot. La tendance d'une force à faire tourner un corps autour d'un axe se mesure à l'aide d'une grandeur vectorielle appelée **moment de force** ($\vec{\tau}$) (lettre grecque tau). Considérons la clé pivotant autour de l'axe passant par O à la figure 9.9. La force appliquée $\vec{F}$ peut en général faire un angle ϕ par rapport à l'horizontale. Par définition, la grandeur du moment de force τ attribuable à la force $\vec{F}$ s'écrit :

Définition du moment de force

$$\tau \equiv rF \sin \phi = Fd \qquad [9.16]$$

Bras de levier

Il est très important de se rendre compte que *le moment de force n'est défini que lorsqu'un axe de référence est précisé.* La quantité $d = r \sin \phi$, appelée **bras de levier** de la force $\vec{F}$, représente la distance perpendiculaire entre l'axe de rotation et la direction de la force $\vec{F}$. Notons que la seule composante de $\vec{F}$ qui provoque le mouvement de rotation est $F \sin \phi$, qui est la composante perpendiculaire à r. La composante horizontale, $F \cos \phi$, passe par O et ne peut donc produire de rotation.

Si deux forces ou plus agissent sur un corps rigide, comme à la figure 9.10, chacune d'elles a alors tendance à produire une rotation autour du pivot en O. Par exemple, $\vec{F}_2$ a tendance à faire tourner le corps dans le sens horaire et $\vec{F}_1$ a tendance à le faire tourner dans le sens antihoraire. Par convention, nous admettrons que le signe du moment de force est positif s'il correspond à une rotation dans le sens antihoraire et négatif s'il correspond à une rotation dans le sens horaire. Par exemple, à la figure 9.10, le moment de force attribuable à $\vec{F}_1$, qui a un bras de levier égal à d_1, est *positif* et égal à $+F_1 d_1$; le moment de force attribuable à $\vec{F}_2$ est *négatif* et égal à $-F_2 d_2$. Par conséquent, le moment *net* des forces agissant sur le corps rigide autour de O est :

$$\tau_{\text{net}} = \tau_1 + \tau_2 = F_1 d_1 - F_2 d_2$$

D'après la définition du moment de force, nous voyons que son action de rotation augmente lorsque F augmente et lorsque d augmente. Par exemple, il est plus facile de fermer une porte en poussant sur la poignée plutôt que près des pentures. *Il ne faut pas confondre le moment de force avec la force.* Le moment de force s'exprime en unités de forces multipliées par une longueur, c'est-à-dire en N·m dans les unités SI.

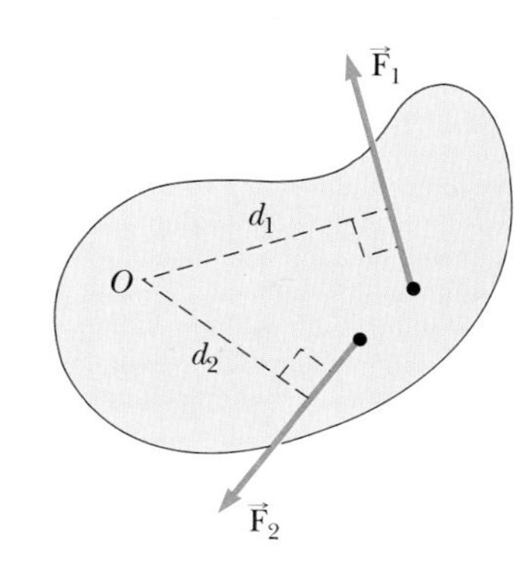

Figure 9.10
La force $\vec{F}_1$ a tendance à faire tourner le corps dans le sens antihoraire autour de O et la force $\vec{F}_2$ a tendance à le faire tourner dans le sens horaire.

Considérons maintenant une force $\vec{F}$ agissant sur une particule de vecteur position $\vec{r}$ (voir figure 9.11). *On suppose que l'origine O est dans un référentiel inertiel, de sorte que la deuxième loi de Newton est vérifiée.* La *grandeur* du moment de force attribuable à cette force par rapport à l'origine est, par définition, égale à $rF \sin \phi$, où ϕ est l'angle entre $\vec{r}$ et $\vec{F}$. L'axe autour duquel $\vec{F}$ a tendance à faire tourner la particule est perpendiculaire au plan formé par $\vec{r}$ et $\vec{F}$. Si la force est située dans le plan xy, comme à la figure 9.11, le moment de force est alors représenté par un vecteur parallèle à l'axe des z. La force représentée à la figure 9.11 crée un moment de force qui a tendance à faire tourner le corps dans le sens antihoraire lorsqu'on regarde vers le bas de l'axe des z et le vecteur $\vec{\tau}$ est donc dirigé dans le sens positif de l'axe des z. Si on inverse le sens de $\vec{F}$ à la figure 9.11, $\vec{\tau}$ est alors dirigé dans le sens négatif de l'axe des z. Le moment de force fait intervenir deux vecteurs, $\vec{r}$ et $\vec{F}$, et il est en fait défini comme étant égal au *produit vectoriel* de $\vec{r}$ et $\vec{F}$:

$$\vec{\tau} \equiv \vec{r} \times \vec{F} \qquad [9.17]$$

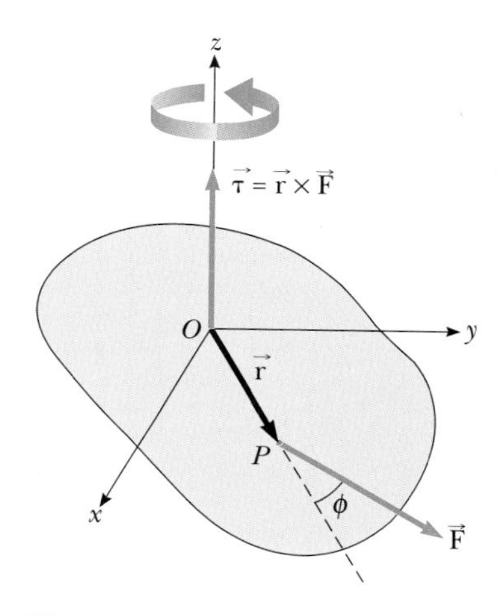

Figure 9.11
Le vecteur moment de force $\vec{\tau}$ est perpendiculaire au plan formé par le vecteur position $\vec{r}$ et la force appliquée $\vec{F}$.

Nous allons maintenant donner une définition formelle du produit vectoriel. Étant donné deux vecteurs $\vec{A}$ et $\vec{B}$, le produit vectoriel $\vec{A} \times \vec{B}$ est, par définition, égal à un troisième vecteur $\vec{C}$, de *grandeur* égale à $AB \sin \theta$, où θ est l'angle compris entre $\vec{A}$ et $\vec{B}$:

$$\vec{C} = \vec{A} \times \vec{B} \qquad [9.18]$$

$$C \equiv |C| = |AB \sin \theta| \qquad [9.19]$$

Notons que la quantité $AB \sin \theta$ est égale à l'aire du parallélogramme construit à partir de $\vec{A}$ et $\vec{B}$ (voir figure 9.12). La *direction* de $\vec{A} \times \vec{B}$ est perpendiculaire au plan formé par $\vec{A}$ et $\vec{B}$ et son sens est déterminé par la progression d'une vis filetée à droite lorsqu'on la tourne de $\vec{A}$ vers $\vec{B}$ en balayant l'angle θ. Pour déterminer le sens de $\vec{A} \times \vec{B}$, on peut utiliser la règle de la main droite illustrée à la figure 9.12. On place les quatre doigts de la main droite le long de $\vec{A}$ puis on les enroule de l'angle θ en allant vers $\vec{B}$. La direction du pouce tendu donne le sens de $\vec{A} \times \vec{B}$.

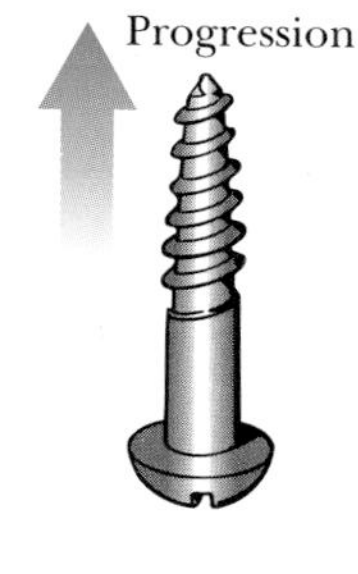

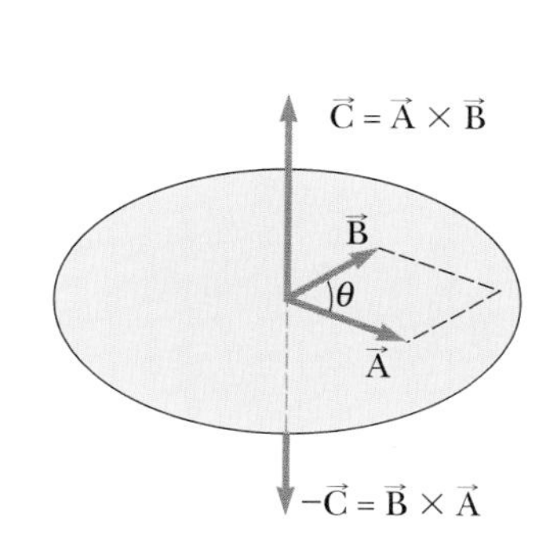

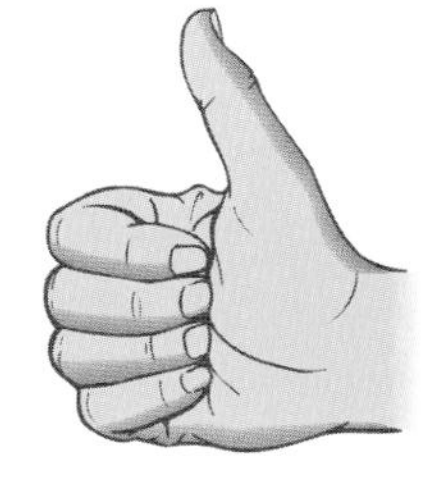

Figure 9.12
Le produit vectoriel $\vec{A} \times \vec{B}$ est un troisième vecteur $\vec{C}$ dont la grandeur $AB \sin \theta$ est égale à l'aire du parallélogramme représenté sur la figure. La direction de $\vec{C}$ est perpendiculaire au plan formé par A et B et son sens est déterminé par la règle de la main droite.

Certaines propriétés du produit vectoriel découlent de sa définition :

Propriétés du produit vectoriel

1. Contrairement au produit scalaire, l'ordre dans lequel on multiplie les deux vecteurs dans un produit vectoriel a de l'importance ;

$$\vec{A} \times \vec{B} = -(\vec{B} \times \vec{A}) \qquad [9.20]$$

   Par conséquent, si on change l'ordre du produit vectoriel, on doit changer le signe. On peut facilement vérifier cette relation à l'aide de la règle de la main droite (voir figure 9.12, page 195).
2. Si $\vec{A}$ est parallèle à $\vec{B}$ ($\theta = 0°$ ou $180°$), alors $\vec{A} \times \vec{B} = 0$; par conséquent, $\vec{A} \times \vec{A} = 0$.
3. Si $\vec{A}$ est perpendiculaire à $\vec{B}$, alors $|\vec{A} \times \vec{B}| = AB$.

Dans un exercice en fin de chapitre, vous aurez à démonter, à partir des équations 9.18 et 9.19 et de la définition des vecteurs unitaires, que les produits vectoriels des vecteurs unitaires $\vec{i}$, $\vec{j}$ et $\vec{k}$ vérifient les expressions suivantes :

Produits vectoriels des vecteurs unitaires

$$\begin{aligned} \vec{i} \times \vec{i} &= \vec{j} \times \vec{j} = \vec{k} \times \vec{k} = 0 \\ \vec{i} \times \vec{j} &= -\vec{j} \times \vec{i} = \vec{k} \\ \vec{j} \times \vec{k} &= -\vec{k} \times \vec{j} = \vec{i} \\ \vec{k} \times \vec{i} &= -\vec{i} \times \vec{k} = \vec{j} \end{aligned} \qquad [9.21]$$

Les signes sont interchangeables. Par exemple, $\vec{i} \times (-\vec{j}) = -\vec{i} \times \vec{j} = -\vec{k}$.

Figure 9.13
Le moment de force exercé sur le clou par le marteau augmente dans la même proportion que s'accroît la longueur effective de la poignée (bras de levier). *(Richard Megna, 1991, Fundamentals Photographs)*

Exemple 9.3 Moment net des forces agissant sur un cylindre

Un cylindre plein pivote autour d'un axe sans frottement, comme à la figure 9.14. Une corde enroulée autour de la circonférence extérieure de rayon R_1 exerce une force $\vec{F}_1$ vers la droite du cylindre. Une deuxième corde enroulée autour d'une autre circonférence de rayon R_2 exerce une force $\vec{F}_2$ vers le bas du cylindre. Quel est le moment de force net par rapport à l'axe z passant par O ?

Solution Le moment de force attribuable à $\vec{F}_1$ est $R_1F_1\,(-\vec{k})$; il est donc dirigé dans le sens négatif de l'axe des z, ce qui signifie qu'il a tendance à produire une rotation dans le sens horaire. Le moment de force attribuable à $\vec{F}_2$ est $R_2F_2\,(+\vec{k})$; il est donc dirigé dans le sens positif de l'axe des z parce qu'il a tendance à produire une rotation dans le sens antihoraire. Le moment de force net s'écrit donc :

$$\vec{\tau}_{net} = \vec{\tau}_1 + \vec{\tau}_2 = R_1F_1(-\vec{k}) + R_2F_2(+\vec{k}) = (R_2F_2 - R_1F_1)\,\vec{k}$$

Exercice On suppose $F_1 = 5$ N, $R_1 = 1$ m, $F_2 = 6$ N et $R_2 = 0{,}5$ m. Quel est le moment de force net et dans quel sens va tourner le cylindre ?

Réponse $(-2\vec{k})$ N·m, dans le sens horaire.

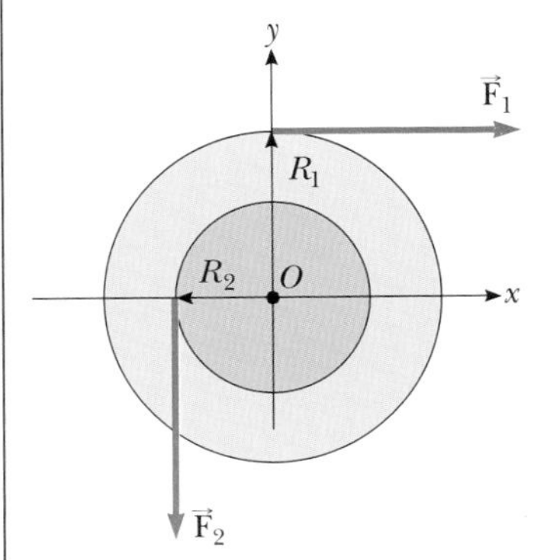

Figure 9.14
(Exemple 9.3) Un cylindre plein pivotant autour de l'axe des z passant par O. Le bras de levier de $\vec{F}_1$ est R_1. Le bras de levier de $\vec{F}_2$ est R_2.

APPLICATION

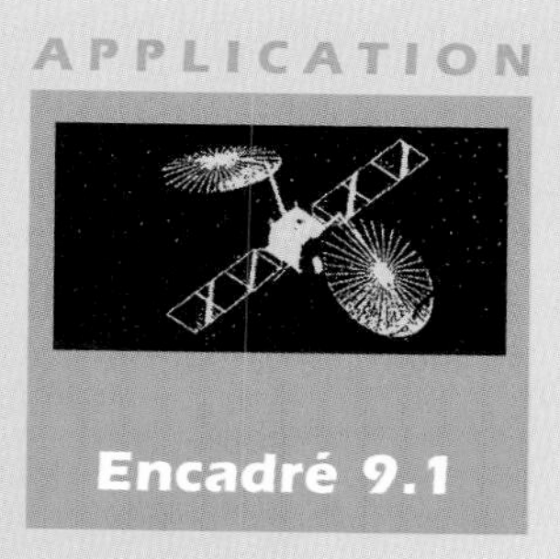

Encadré 9.1

À la guerre comme à la guerre

Peut-être l'avez-vous déjà remarqué, mais une bonne partie des phénomènes étudiés dans ce chapitre trouvent des applications concrètes : en chimie (molécule d'oxygène), en astronomie (nébuleuse du Crabe), en météorologie (ouragan), en sport (patinage artistique) et en construction (clés et marteau). La liste pourrait s'allonger indéfiniment tellement les leviers et la rotation jouent un rôle important dans la vie de tous les jours. Marcher, courir, nager, écrire, manger, se balancer, ouvrir une cannette, faire de la bicyclette, lancer sa gomme au panier, conduire son automobile, toutes ces activités impliquent, de près où de loin, le moment de force et/ou la cinématique de rotation. La connaissance empirique de ces notions a également joué un rôle primordial dans l'évolution de l'humanité, qu'il suffise de penser à l'invention de la roue ou à l'utilisation de leviers. Voici, par exemple, une invention qui remonte à quelques milliers d'années et qui a allégé le fardeau de la recherche de nourriture pour les premiers humains : l'atlatl. Ce terme imprononçable, d'origine Nahuatl, un des peuples qui peuplaient le Mexique 7000 ans av. J.-C., est le nom scientifique d'un propulseur (qu'on pourrait également surnommer un lance-lance.) Il s'agit d'une arme-levier, dont le principe s'apparente à celui d'une catapulte ou un bâton de baseball et qui augmente la longueur effective du bras du chasseur lorsqu'il propulse sa lance. De la taille approximative d'un avant-bras, l'atlatl est généralement fabriqué en os ou en bois. Son utilisation est fort simple : tenant l'atlatl par le manche à la façon d'un gourdin, le chasseur place la saillie de sa lance à l'autre extrémité qui comporte un réceptacle dans lequel vient s'appuyer la lance (voir figure 9.15). L'atlatl agit alors comme un prolongement du bras. Lors du jet, le chasseur imprime une rotation vive à l'atlatl qui entraîne la lance, d'une manière similaire à une fronde. Le chasseur dispose ainsi d'une arme plus efficace, car la vitesse de la lance est nettement supérieure à celle obtenue sans atlatl (et de plus, la précision est meilleure). Ce résultat est fondamental, car le rayon d'action s'agrandit et il y a plus de chance que l'impact soit mortel (la quantité de mouvement et l'énergie cinétique sont augmentées). L'atlatl a été utilisé par des populations humaines dispersées à la surface du globe : de l'Amérique précolombienne à l'Australie, en passant par l'Europe et l'Arctique. Cependant, il a été supplanté par l'arc dans plusieurs régions, notamment en Europe où son usage n'a plus cours depuis plus de 10 000 ans. Évidemment, l'atlatl n'est qu'une illustration parmi tant d'autres des multiples usages du bras de levier dans l'histoire. Vous pourriez, par exemple, faire une recherche sur une invention astucieuse des premiers Égyptiens, le puits à balancier ou « chadouf », servant à puiser l'eau du Nil pour alimenter les systèmes d'irrigation.

LECTURE SUGGÉRÉE
- *L'aube des civilisations*, Découvertes Gallimard-Larousse, 1991.

Figure 9.15
Illustration schématique de la propulsion d'une lance à l'aide d'un atlatl.

9.6 Relation entre le moment de force et l'accélération angulaire

Nous allons maintenant démontrer que l'accélération angulaire d'une particule en rotation autour d'un axe fixe est proportionnelle au moment de force net par rapport à cet axe. Les notions qui interviennent dans cette situation peuvent facilement être transposées au cas d'un corps rigide en rotation autour d'un axe fixe.

Considérons une particule de masse m en rotation sur un cercle de rayon r sous l'action d'une force tangentielle $\vec{F}_\theta$ et d'une force centripète $\vec{F}_r$, comme à la

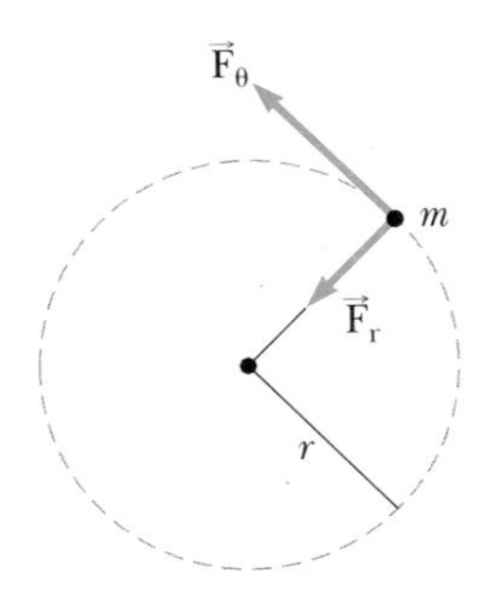

Figure 9.16
Une particule de masse m en rotation sur un cercle sous l'action d'une force tangentielle $\vec{F}_\theta$. Une force centripète $\vec{F}_r$ doit également être présente pour maintenir la particule sur sa trajectoire circulaire.

figure 9.16. (La force centripète, dont nous n'avons pas encore précisé la nature, *doit* être présente pour maintenir la particule sur sa trajectoire circulaire.) Selon la deuxième loi de Newton, $\vec{F}_\theta = m\vec{a}_\theta$ et $\vec{F}_r = m\vec{a}_r$, où $\vec{a}_\theta$ est l'accélération tangentielle de la particule et $\vec{a}_r$ est son accélération centripète. Le moment de force attribuable à la force centripète par rapport à l'origine est nul puisque $\vec{F}_r$ est parallèle et de sens contraire à $\vec{r}$; par conséquent, $\vec{r} \times \vec{F}_r = 0$. Le moment de force par rapport à l'origine attribuable à la force tangentielle est donné par $\vec{r} \times \vec{F}_\theta$, mais comme $\vec{r}$ est perpendiculaire à $\vec{F}_\theta$, le moment de force est simplement égal à $F_\theta r$. La valeur du moment net des forces agissant sur la particule est donc :

$$\tau = F_\theta r = (ma_\theta) r$$

Puisque l'accélération tangentielle est liée à l'accélération angulaire par l'équation 9.11, $a_\theta = r\alpha$, le moment de force peut s'écrire :

$$\tau = (mr\alpha) r = (mr^2)\alpha$$

Rappelons, d'après l'équation 9.14, que la quantité mr^2 correspond au moment d'inertie de la masse en rotation autour de l'axe des z passant par l'origine, de sorte que :

Relation entre le moment de force net et l'accélération angulaire

$$\sum \tau = I\alpha \qquad [9.22]$$

Autrement dit, *le moment net des forces agissant sur la particule est proportionnel à son accélération angulaire* et la constante de proportionnalité est égale au moment d'inertie. Il est important de noter que $\Sigma\tau = I\alpha$ est l'homologue pour la rotation de la deuxième loi de Newton $\Sigma F = ma$.

9.7 Moment cinétique

Reprenons l'exemple d'une particule de masse m, de vecteur position $\vec{r}$ et de quantité de mouvement $\vec{p}$ (voir figure 9.17). Le **moment cinétique instantané** $\vec{L}$ de la particule par rapport à l'origine O est égal, par définition, au produit vectoriel de son vecteur position instantané et de la quantité de mouvement instantané $\vec{p}$:

$$\vec{L} = \vec{r} \times \vec{p} \qquad [9.23]$$

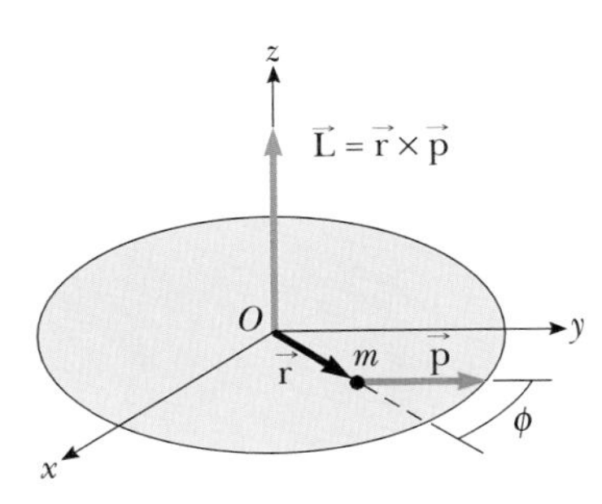

Figure 9.17
Le moment cinétique $\vec{L}$ d'une particule de masse m et de quantité de mouvement $\vec{p}$ à la position $\vec{r}$ est un vecteur donné par $\vec{L} = \vec{r} \times \vec{p}$. La valeur de $\vec{L}$ dépend de l'origine choisie et sa direction est perpendiculaire à $\vec{r}$ et $\vec{p}$.

Dans les unités SI, le moment cinétique s'exprime en $kg \cdot m^2 s^{-1}$. Il est important de noter que $\vec{L}$ dépend, en grandeur et en direction, de l'origine choisie. La direction de $\vec{L}$ est perpendiculaire au plan formé par $\vec{r}$ et $\vec{p}$ et le sens de $\vec{L}$ est déterminé par la règle de la main droite. À la figure 9.17, par exemple, on suppose que $\vec{r}$ et $\vec{p}$ sont dans le plan xy et que $\vec{L}$ pointe dans le sens positif de l'axe des z. Comme $\vec{p} = m\vec{v}$, $\vec{L}$ a pour grandeur :

$$L = mvr \sin \phi \qquad [9.24]$$

où ϕ est l'angle compris entre $\vec{r}$ et $\vec{p}$. Il s'ensuit que $\vec{L}$ est nul lorsque $\vec{r}$ est parallèle à $\vec{p}$ ($\phi = 0°$ ou $180°$). Ainsi, lorsque la particule se déplace selon une ligne qui passe par l'origine, son moment cinétique est nul par rapport à l'origine. Ceci revient à dire qu'elle n'a pas tendance à tourner autour de l'origine. Par contre, si $\vec{r}$ est perpendiculaire à $\vec{p}$ ($\phi = 90°$), $\vec{L}$ prend une valeur maximale égale à mrv. Dans ce cas, la tendance de la particule à tourner autour de l'origine est maximale. En fait, à cet instant, la particule se déplace exactement comme si elle se trouvait sur la jante d'une roue en rotation autour de l'origine dans un plan défini par $\vec{r}$ et $\vec{p}$. Le moment cinétique d'une particule, par rapport à un point quelconque, est différent de zéro si le vecteur position de la particule, mesuré à partir de ce point, est en rotation autour du point.

Dans le cas du mouvement linéaire, nous avons vu que la force résultante agissant sur la particule est égale à la dérivée par rapport au temps de sa quantité de mouvement (équation 8.3). Nous allons montrer à présent que, d'après la deuxième loi de Newton, le moment de force résultant agissant sur une particule est égal à la dérivée par rapport au temps de son moment cinétique. Écrivons d'abord le moment de force sous la forme :

$$\vec{\tau} = \vec{r} \times \vec{F} = \vec{r} \times \frac{d\vec{p}}{dt} \qquad [9.25]$$

où nous avons utilisé le fait que $\vec{F} = d\vec{p}/dt$. Dérivons maintenant l'équation 9.23 par rapport au temps en utilisant la règle de dérivation des fonctions composées.

$$\frac{d\vec{L}}{dt} = \frac{d}{dt}(\vec{r} \times \vec{p}) = \vec{r} \times \frac{d\vec{p}}{dt} + \frac{d\vec{r}}{dt} \times \vec{p}$$

Il est important de respecter l'ordre des termes puisque $\vec{A} \times \vec{B} = -\vec{B} \times \vec{A}$.

Dans l'équation précédente, le dernier terme à droite est nul parce que $\vec{v} = d\vec{r}/dt$ est parallèle à $\vec{p}$. Par conséquent,

$$\frac{d\vec{L}}{dt} = \vec{r} \times \frac{d\vec{p}}{dt} \qquad [9.26]$$

En comparant les équations 9.25 et 9.26, on constate que :

$$\vec{\tau} = \frac{d\vec{L}}{dt} \qquad [9.27]$$

Le moment de force est égal à la dérivée par rapport au temps du moment cinétique

Ce résultat équivaut, pour le mouvement de rotation, à la deuxième loi de Newton, $\vec{F} = d\vec{p}/dt$. Selon l'équation 9.27, le **moment de force** agissant sur une particule est égal à la dérivée par rapport au temps du moment cinétique de la particule. Il est important de noter que l'équation 9.27 n'est valable que si $\vec{\tau}$ et $\vec{L}$ ont la *même* origine. L'équation 9.27 est également valable lorsque la particule est soumise à l'action de plusieurs forces, $\vec{\tau}$ étant alors le moment *net* des forces agissant sur la particule. *En outre, l'expression est valable pour toute origine fixe dans un système inertiel.* De toute évidence, il faut utiliser la même origine pour calculer tous les moments de force ainsi que le moment cinétique.

Système de particules

Le moment cinétique total $\vec{L}$ d'un système de particules par rapport à un point quelconque est défini comme étant la somme vectorielle des moments cinétiques des différentes particules :

$$\vec{L} = \vec{L}_1 + \vec{L}_2 + \ldots + \vec{L}_n = \sum \vec{L}_i$$

où la somme vectorielle est calculée sur la totalité des n particules du système.

Puisque les moments cinétiques des différentes particules peuvent varier en fonction du temps, le moment cinétique total peut varier lui aussi en fonction du temps. En fait, nous constatons, d'après les équations 9.25 et 9.26, que la dérivée par rapport au temps du moment cinétique total est égale à la somme vectorielle de *tous* les moments de force, c'est-à-dire les moments attribuables aux forces internes entre les particules et les moments attribuables aux forces extérieures. Toutefois, le moment de force net attribuable aux forces internes est nul. Rappelons en effet que, d'après la troisième loi de Newton, les forces internes s'exercent toujours par paires de forces égales et opposées portées par la ligne qui sépare les particules de chaque paire. Ainsi, le moment de force attribuable à chaque paire de forces action-réaction est nul. Lorsqu'on effectue la somme, on s'aperçoit que *le moment net des forces internes disparaît.* Enfin, nous concluons que le moment cinétique total peut varier en fonction du temps *seulement* si un moment net de forces *extérieures* agit sur le système, de sorte que :

Figure 9.18
Cette remarquable photographie de l'ouragan Gladys à 240 km environ au sud-ouest de Tampa, en Floride, fut prise à partir du vaisseau spatial Apollo 7 à une altitude de 155 km. La masse d'air en forme de spirale est en rotation et a un moment cinétique. *(Avec l'autorisation de la NASA)*

$$\sum \vec{\tau}_{\text{ext}} = \sum \frac{d\vec{L}_i}{dt} = \frac{d}{dt}\sum \vec{L}_i = \frac{d\vec{L}}{dt} \qquad [9.28]$$

Par conséquent, la dérivée par rapport au temps du moment cinétique total du système dans un système inertiel est égale au moment net des forces extérieures agissant sur le système par rapport à cette origine. Notons que l'équation 9.28 est l'homologue pour la rotation de l'équation $\vec{F}_{\text{ext}} = d\vec{p}/dt$ pour un système de particules.

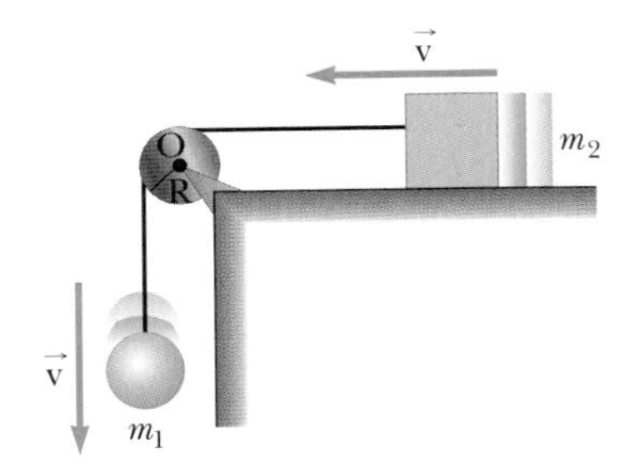

Figure 9.19
(Exemple 9.4)

Exemple 9.4 Deux masses reliées entre elles

Cet exemple illustre que le moment net des forces agissant sur un système est égal à la dérivée par rapport au temps du mouvement cinétique du système calculé à partir d'une origine quelconque. Soit deux masses m_1 et m_2 reliées entre elles par une corde légère passant sur une poulie de rayon R et de masse négligeable (voir figure 9.19). La masse m_2 glisse sur une surface horizontale lisse. Nous allons déterminer l'accélération linéaire des deux masses en utilisant les notions de moment cinétique et de moment de force.

Solution Calculons tout d'abord le moment cinétique du système composé des deux masses. (Notons que si la masse de la poulie n'était pas négligeable, la poulie aurait elle aussi un moment cinétique et ferait partie du système.) Nous allons calculer le moment cinétique par rapport à un axe orienté selon l'arbre de la poulie et passant par O. À l'instant où les deux masses ont une vitesse v, le moment cinétique de m_1 a pour valeur m_1vR et le moment cinétique de m_2 a pour valeur m_2vR. La valeur du moment cinétique total du système est donc :

$$L = m_1vR + m_2vR = (m_1 + m_2)vR$$

Nous allons maintenant déterminer la valeur du moment total des forces extérieures agissant sur le système par rapport à l'axe. Comme la force de l'axe sur la poulie a un bras de levier nul, elle ne contribue pas au moment de force. De plus, la force normale agissant sur m_2 est compensée par le poids $m_2\vec{g}$ et ces forces ne contribuent pas au moment de force. La force extérieure $m_1\vec{g}$ produit un moment de force égal à m_1gR, où R est le bras de levier de la force par rapport à l'axe. Ce moment de force correspond au moment *total* des forces extérieures par rapport à O; autrement dit, $\tau_{\text{ext}} = m_1gR$. Ce résultat, ainsi que le résultat précédent et la relation

$$\tau_{\text{ext}} = \frac{dL}{dt}$$

permettent d'obtenir :

$$m_1gR = \frac{d}{dt}\left[(m_1 + m_2)Rv\right] = (m_1 + m_2)R\frac{dv}{dt}$$

Puisque $dv/dt = a$, nous pouvons tirer la valeur de a :

$$a = \frac{m_1g}{m_1 + m_2}$$

Nous n'avons pas fait intervenir la force de tension dans le calcul du moment de force net par rapport à l'axe parce que cette force est *interne* pour le système étudié. Seuls les moments de forces *extérieures* contribuent à la variation de moment cinétique du système.

9.8 Conservation du moment cinétique

Nous avons vu au chapitre 8 que la quantité de mouvement totale d'un système de particules est conservée lorsque la force extérieure nette agissant sur le système est nulle. Dans le mouvement de rotation, il existe un principe de conservation analogue selon lequel *le moment cinétique total d'un système est constant si le moment net des forces extérieures agissant sur le système est nul.*

Puisque le moment net des forces agissant sur le système est égal à la dérivée par rapport au temps du moment cinétique du système, on voit que si

$$\sum \vec{\tau}_{\text{ext}} = \frac{d\vec{L}}{dt} = 0 \qquad [9.29]$$

alors

$$\vec{L} = \text{constante} \qquad [9.30]$$

Dans le cas d'un système de particules, ce principe de conservation s'écrit $\Sigma\vec{L}_i$ = constante, $\vec{L}_i$ étant le moment cinétique de la i^e particule du système, donné par $\vec{L}_i = \vec{r}_i \times \vec{p}_i$. On peut donc exprimer la conservation du moment cinétique d'un système de particules sous la forme :

$$\sum \vec{L}_i = \sum \vec{r}_i \times \vec{p}_i = \text{constante} \qquad [9.31]$$

L'équation 9.31 nous permet donc d'établir un troisième principe de conservation qui vient s'ajouter à la liste des grandeurs conservées. Nous pouvons donc dire que *l'énergie totale, la quantité de mouvement et le moment cinétique d'un système isolé sont conservés.*

Si le système de particules en question est un corps rigide tournant autour d'un axe fixe, alors le moment cinétique du corps par rapport à cet axe a pour valeur $L = \Sigma m v_i r_i$, ou $v_i = r_i\omega$, et alors $L = \Sigma m r_i^2 \omega$, par conséquent $L = I\omega$, où I est le moment d'inertie par rapport à l'axe. Dans ce cas, si le moment net des forces extérieures agissant sur le corps est nul, on peut exprimer la conservation du mouvement cinétique sous la forme $I\omega$ = constante.

Nous allons maintenant énoncer, sans le démontrer, un théorème important concernant le moment cinétique d'un système de particules et le centre de masse du système : **le moment net des forces agissant sur un système de particules par rapport au centre de masse est égal à la dérivée par rapport au temps du moment cinétique, quel que soit le mouvement du centre de masse.** Ce théorème est valable, même si le centre de masse est en accélération, à condition que τ et $\vec{L}$ soient tous deux calculés par rapport au centre de masse.

De nombreux exemples illustrent la conservation du moment cinétique et certains d'entre eux vous sont sans doute familiers. Peut-être avez-vous déjà observé une patineuse artistique en train d'effectuer une pirouette. Pour augmenter sa vitesse angulaire, la patineuse ramène ses mains et ses pieds près du corps, comme à la figure 9.20. Si on néglige le frottement entre les lames des patins et la glace, on constate que le moment des forces extérieures agissant sur la patineuse est nul. Son moment d'inertie diminue lorsqu'elle ramène les bras et les pieds près du corps et la variation de vitesse angulaire s'explique alors de la manière suivante : puisque le moment cinétique doit être conservé, le produit $I\omega$ reste constant et une diminution de I entraîne une augmentation de ω.

Il existe en astrophysique un exemple intéressant de conservation du moment cinétique : à la fin de sa durée de vie, une étoile massive consomme toutes ses réserves de combustible et s'effondre sous l'action des forces gravitationnelles en libérant une énorme quantité d'énergie lors d'une explosion de supernova. L'exemple le mieux connu des restes d'une explosion de supernova est celui de la nébuleuse du Crabe, une masse chaotique de gaz en expansion (voir figure 9.21). Une partie de la masse de l'étoile est libérée dans l'espace où elle se condense pour donner de nouvelles étoiles et planètes. La plus grande partie de ce qui reste forme une **étoile à neutrons**, une sphère de matière extrêmement dense et d'un diamètre de 10 km environ, donc très inférieur au diamètre de 10^6 km de l'étoile initiale. À mesure que l'inertie de rotation du système diminue, la vitesse de rotation de l'étoile augmente. Plus de 300 étoiles à neutrons en rotation rapide ont été identifiées, avec des périodes de rotation allant de 1,6 m/s à 4 s. L'étoile à neutrons est un des systèmes les plus spectaculaires, puisqu'il s'agit d'un objet de masse supérieure à celle du soleil qui tourne plusieurs fois par seconde autour de son axe !

Figure 9.20
Josée Chouinard, championne canadienne en 1994. Dû à la conservation du moment cinétique, sa vitesse angulaire augmente lorsqu'elle ramène les mains et les pieds près du corps. *(L'Association canadienne de patinage artistique/Gerry Thomas)*

Figure 9.21
La nébuleuse du Crabe, dans la constellation du Taureau. Cette nébuleuse est ce qui reste de l'explosion d'une supernova qui fut observée sur Terre, en l'an 1054. Elle est située à quelque 6 300 années-lumière, son diamètre est d'environ 6 années-lumière et elle est encore en expansion. *(National Optical Astronomy Observations)*

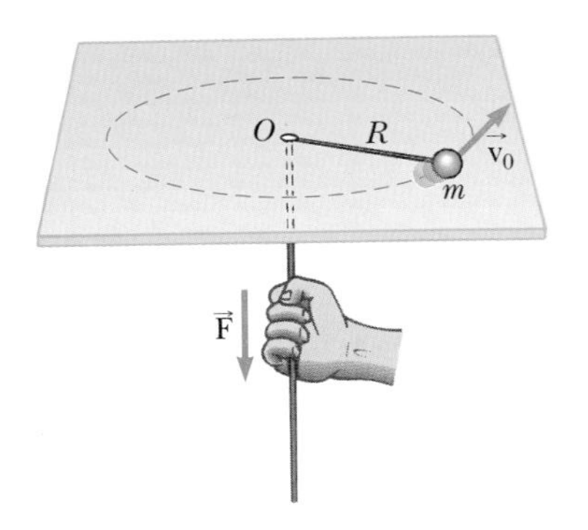

Figure 9.22
(Exemple 9.5)

Exemple 9.5 Rotation d'une balle sur une surface lisse horizontale

Une balle de masse m située sur une table lisse et horizontale est attachée à une ficelle qui passe par un petit trou percé dans la table. La balle est mise en mouvement circulaire de rayon R et de vitesse initiale v_0 (voir figure 9.22). Si on tire vers le bas sur la ficelle, de sorte que le rayon de la trajectoire circulaire diminue jusqu'à r, quelle est la vitesse finale v de la balle ?

Solution Considérons le moment de force par rapport au centre de rotation O. Notons que la force gravitationnelle agissant sur la balle est compensée par la force normale dirigée vers le haut et que ces deux forces s'annulent mutuellement. La force $\vec{F}$ de la ficelle sur la balle (force centripète) est dirigée vers le centre de rotation alors que le vecteur position $\vec{F}$ est dirigé vers l'extérieur à partir de O. On voit donc que $\vec{\tau} = \vec{R} \times \vec{F} = 0$. À nouveau, puisque $\vec{\tau} = d\vec{L}/dt = 0$, $\vec{L}$ est une constante du mouvement. Autrement dit, $mv_0R = mvr$ ou

$$v = \frac{v_0 R}{r}$$

Ce résultat nous montre que la vitesse v augmente lorsque r diminue.

9.9 Quantification du moment cinétique

Nous avons vu que la notion de moment cinétique est très utile pour décrire les mouvements des systèmes macroscopiques. La notion est également valable et tout aussi utile à l'échelle microscopique et elle a été utilisée à de nombreuses reprises dans l'élaboration des théories modernes de la physique atomique, de la physique moléculaire et de la physique nucléaire. Dans l'élaboration de ces théories, nous nous sommes aperçus que le moment cinétique d'un système est une grandeur *fondamentale*. Dans ce contexte, le terme « fondamental » signifie que le moment cinétique est une propriété inhérente des atomes, des molécules et de leurs constituants.

Pour expliquer les résultats fournis par diverses expériences sur des systèmes atomiques et moléculaires, nous devons attribuer des valeurs discrètes au moment cinétique, c'est-à-dire le quantifier. Ces valeurs discrètes sont des multiples d'une unité fondamentale de moment cinétique qui est égale à $h/2\pi$, où h est appelé **constante de Planck**.

$$\text{Unité fondamentale de moment cinétique} = \frac{h}{2\pi} = 1{,}054 \times 10^{-34}\ \text{kg}\cdot\text{m}^2/\text{s}$$

Les concepts classiques et les modèles mécaniques peuvent nous être utiles pour décrire certaines propriétés des systèmes atomique et moléculaire. Toutefois, comme le montre l'exemple précédent, de nombreux phénomènes microscopiques ne peuvent s'expliquer que si on attribue des valeurs discrètes au moment cinétique correspondant à un type particulier de mouvement.

Dans sa théorie sur le modèle de l'atome d'hydrogène, le physicien danois Niels Bohr (1885-1962) suggéra que le moment cinétique était quantifié. Comme les modèles purement classiques ne suffisaient pas pour décrire plusieurs propriétés de l'atome d'hydrogène, entre autres, le fait que l'atome émette à des fréquences discrètes, Bohr postula que l'électron ne pouvait occuper que des orbites autour du proton pour lesquelles le moment cinétique orbital était égal à $nh/2\pi$, n étant un entier appelé nombre quantique. Ce postulat revient donc à dire que le moment cinétique orbital est quantifié. À l'aide de ce modèle simple, on peut évaluer les fréquences de rotation de l'électron sur les orbites permises.

Bien que le modèle de Bohr ait permis d'éclaircir le comportement de la matière à l'échelle atomique, il est fondamentalement inexact. Ainsi, des recherches ultérieures en mécanique quantique (de 1924 à 1930) ont permis d'élaborer des modèles et de faire des interprétations qui sont encore valables de nos jours.

Des travaux plus récents en physique atomique indiquent que l'électron possède un autre type de moment cinétique appelé *moment cinétique de spin*, qui est une autre propriété inhérente de l'électron. Le moment cinétique de spin est lui aussi quantifié et ne peut prendre que des valeurs discrètes. Nous aurons l'occasion de revenir sur cette propriété importante et nous examinerons l'effet considérable qu'elle a eu sur la physique moderne.

9.10 Rotation d'un corps rigide

Nous allons étudier, dans cette section, le mouvement de rotation des corps rigides en nous appuyant en grande partie sur ce que nous avons appris au sujet du mouvement circulaire des particules. Nous allons tout d'abord examiner la dynamique d'un corps rigide en rotation autour d'un axe fixe. Nous montrerons ensuite comment déterminer l'énergie cinétique d'un corps rigide en rotation et nous verrons que la variation de cette énergie cinétique est liée au travail effectué par les forces extérieures. Enfin, nous utiliserons le principe de conservation de l'énergie pour décrire un objet qui roule sur une surface sans glisser.

Étude dynamique de la rotation

Nous avons vu à la section 9.6 que la valeur du moment net des forces agissant sur une particule est donnée par l'équation 9.22 :

$$\tau_{\text{net}} = I\alpha$$

où I est le moment d'inertie et α est l'accélération angulaire. Il est important de souligner que ce résultat est également valable pour un corps rigide de forme quelconque en rotation autour d'un axe fixe, puisque le corps peut être considéré comme un nombre infini d'éléments de masse de taille infinitésimale dont chacun tourne en décrivant un cercle autour de l'axe de rotation. Résultat important et remarquablement simple, la relation $\vec{\tau}_{\text{ext}} = I\vec{\alpha}$ est en accord absolu avec les observations expérimentales. Sa simplicité est liée à la façon dont le mouvement est décrit. **Même si les points d'un corps rigide en rotation autour d'un axe fixe ne sont pas tous soumis à la même force, à la même accélération linéaire ou vitesse linéaire, ils ont tous la même accélération angulaire et la même vitesse angulaire à un instant donné. Par conséquent, à tout instant, le corps rigide dans son ensemble est caractérisé par des valeurs spécifiques de l'accélération angulaire, du moment de force net et de la vitesse angulaire.**

La forme particulière de I dépend de l'axe de rotation ainsi que de la taille et de la forme du corps en question. Nous pouvons déterminer les moments d'inertie des corps rigides en faisant intervenir le calcul intégral. Le tableau 9.2, page 205, donne les moments d'inertie de plusieurs corps par rapport à des axes donnés. Dans tous les cas, notons que I est proportionnel à la masse de l'objet et au carré d'un facteur géométrique.

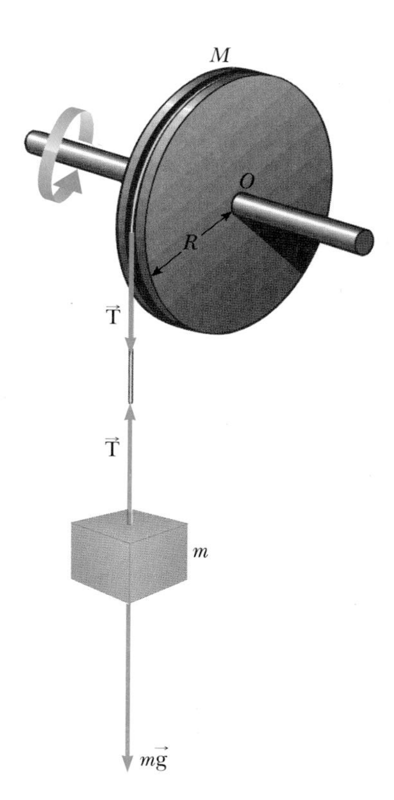

Figure 9.23
(Exemple 9.6) La corde attachée à la masse m s'enroule autour de la poulie qui produit un moment de force par rapport à l'axe passant par O.

Exemple 9.6 Accélération angulaire d'une roue

Soit une roue de rayon R, de masse M et de moment d'inertie I, montée sur un essieu horizontal sans frottement, comme à la figure 9.23. Un corps de masse m est attaché à une corde légère enroulée autour de la roue. Calculez l'accélération linéaire du corps suspendu, l'accélération angulaire de la roue et la tension de la corde.

Solution Le moment des forces agissant sur la roue par rapport à son axe de rotation est $\tau = TR$. Le poids de la roue et la force normale de l'axe sur la roue passent tous deux par l'axe de rotation et ne donnent donc lieu à aucun moment de force. Puisque $\tau = I\alpha$, nous obtenons :

$$\tau = I\alpha = TR$$

$$(1) \qquad a = TR/I$$

Appliquons maintenant la deuxième loi de Newton au mouvement de la masse suspendue m, en utilisant le diagramme des forces (voir figure 9.23, page 203) :

$$\sum F_y = T - mg = -ma$$

$$(2) \qquad a = \frac{mg - T}{m}$$

L'accélération linéaire de la masse suspendue est égale à l'accélération tangentielle d'un point sur la jante de la roue. Par conséquent, l'accélération angulaire de la roue et son accélération linéaire sont liées par la formule $a = R\alpha$. Cette relation, ainsi que les relations (1) et (2), nous donnent :

$$a = R\alpha = \frac{TR^2}{I} = \frac{mg - T}{m}$$

$$T = \frac{mg}{1 + \frac{mR^2}{I}}$$

De même, on obtient en isolant a et α :

$$a = \frac{g}{1 + I/mR^2}$$

$$\alpha = \frac{a}{R} = \frac{g}{R + I/mR}$$

Exercice La roue de la figure 9.23, page 203, est un disque plein de masse $M = 2$ kg, de rayon $R = 30$ cm et de moment d'inertie $I = 0{,}09\ \mathrm{kg \cdot m^2}$. L'objet suspendu a une masse $m = 0{,}5$ kg. Déterminez la tension de la corde et l'accélération angulaire de la roue.

Réponse 3,27 N, 10,9 rad/s^2

Exemple 9.7 Retour à la rotation d'une tige

Soit une tige uniforme de longueur L et de masse M pouvant tourner librement autour d'un pivot sans frottement passant par une de ses extrémités (voir figure 9.24). On lâche la tige initialement au repos dans la position horizontale.

(a) Quelle est la vitesse angulaire de la tige lorsqu'elle est à sa position la plus basse ?

Solution On peut répondre facilement à cette question en considérant l'énergie mécanique du système. Lorsque la tige est dans la position horizontale, elle n'a pas d'énergie cinétique. Son énergie potentielle par rapport au point le plus bas de son centre de masse (O') est égale à $MgL/2$. Lorsqu'elle atteint sa position la plus basse, son énergie est uniquement cinétique et égale à $\frac{1}{2}I\omega^2$, I étant le moment d'inertie par rapport au pivot. Puisque $I = \frac{1}{3}ML^2$ (voir tableau 9.2), et puisque l'énergie mécanique est conservée, nous obtenons :

$$\tfrac{1}{2}MgL = \tfrac{1}{2}I\omega^2 = \tfrac{1}{2}(\tfrac{1}{3}ML^2)\,\omega^2$$

$$\omega = \sqrt{\frac{3g}{L}}$$

Par exemple, si la tige en question est une règle de 1 m, on trouve $\omega = 5{,}42$ rad/s.

(b) Déterminez la vitesse linéaire du centre de masse et la vitesse linéaire du point le plus bas de la tige dans la position verticale.

$$v_c = r\omega = \frac{L}{2}\omega = \tfrac{1}{2}\sqrt{3gL}$$

Le point le plus bas de la tige a une vitesse linéaire égale à $2v_c = \sqrt{3gL}$.

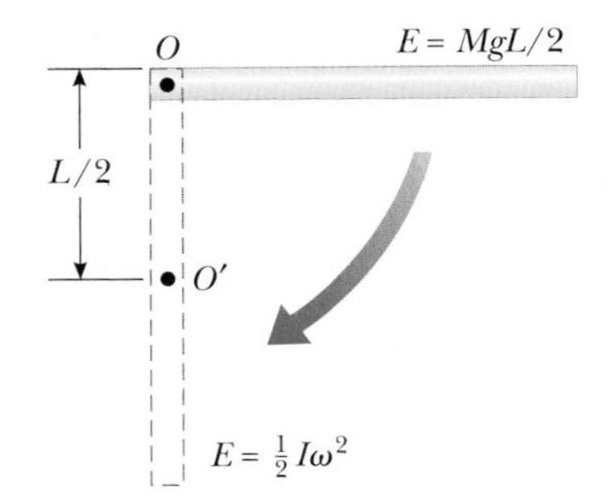

Figure 9.24
(Exemple 9.7) Une tige rigide uniforme pivotant en O est en rotation dans un plan vertical sous l'action de la gravité.

Tableau 9.2
Moments d'inertie de corps rigides homogènes de formes géométriques différentes

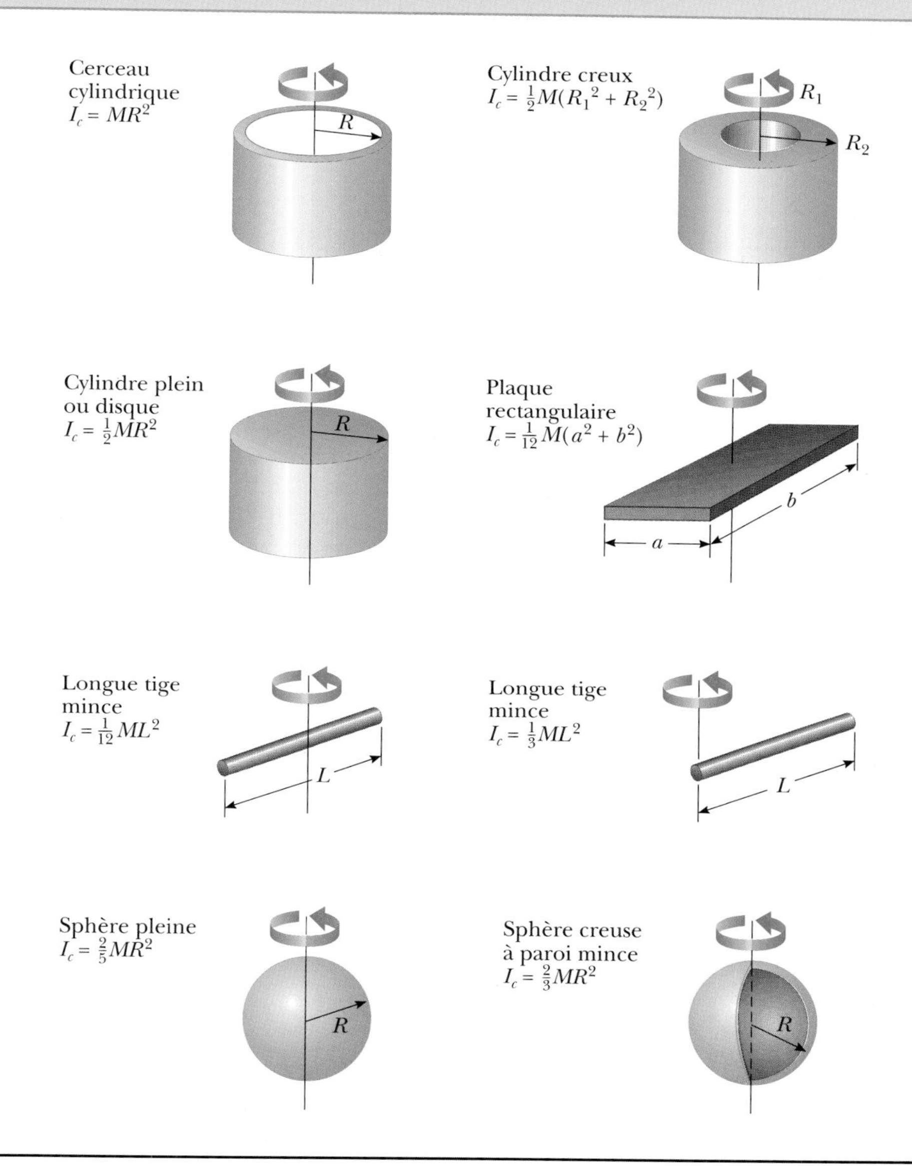

Travail et énergie dans le mouvement de rotation

Considérons un corps rigide pivotant autour du point O, comme à la figure 9.25. On suppose qu'une seule force extérieure $\vec{F}$ est appliquée au point P et que $\vec{ds}$ est le déplacement du point d'application de la force. Le travail effectué par $\vec{F}$ lorsque le corps effectue une rotation infinitésimale de déplacement $ds = rd\theta$ durant l'intervalle de temps dt est :

$$dW = \vec{F} \cdot \vec{ds} = (F \sin \phi) r d\theta$$

où $F \sin \phi$ est la composante tangentielle de $\vec{F}$, c'est-à-dire la composante de la force le long du déplacement. Notons, d'après la figure 9.25, que *la composante radiale de $\vec{F}$ n'effectue aucun travail parce qu'elle est perpendiculaire au déplacement.*

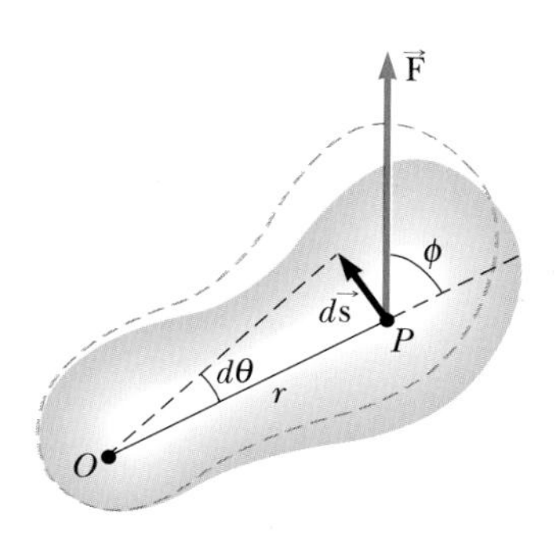

Figure 9.25
Un corps rigide tourne autour d'un axe passant par O sous l'action d'une force extérieure $\vec{F}$ appliquée en P.

Puisque la valeur du moment de force attribuable à $\vec{F}$ par rapport à l'origine est égale à $rF \sin \phi$ par définition, on peut écrire le travail effectué pour la rotation infinitésimale :

$$dW = \tau \, d\theta \qquad [9.32]$$

La dérivée par rapport au temps du travail effectué par $\vec{F}$ pour faire tourner le corps autour de l'axe fixe s'obtient en divisant les deux membres de l'équation 9.32 par dt :

$$\frac{dW}{dt} = \tau \frac{d\theta}{dt} \qquad [9.33]$$

Mais la quantité dW/dt est, par définition, la puissance instantanée P fournie par la force. En outre, puisque $d\theta/dt = \omega$, l'équation 9.33 se réduit à :

Puissance fournie à un corps rigide

$$P = \frac{dW}{dt} = \tau\omega \qquad [9.34]$$

Cette expression est analogue à $P = Fv$ dans le cas du mouvement linéaire et l'expression $dW = \tau \, d\theta$ est analogue à $dW = F_x dx$.

Dans le cas du mouvement linéaire, nous avons vu que la notion d'énergie et en particulier le théorème de l'énergie cinétique étaient extrêmement utiles pour décrire le mouvement d'un système. La notion d'énergie peut être tout aussi utile pour simplifier l'analyse du mouvement de rotation. D'après ce que nous avons appris sur le mouvement linéaire, nous nous attendons, dans le cas de la rotation d'un objet symétrique (comme une roue symétrique) autour d'un axe fixe, à ce que le travail effectué par les forces extérieures soit égal à la variation d'énergie cinétique de rotation. Pour démontrer que c'est bien le cas, partons de $\tau = I\alpha$. En utilisant la règle de dérivation des fonctions composées, nous pouvons exprimer le moment de force sous la forme :

$$\tau = I\alpha = I\frac{d\omega}{dt} = I\frac{d\omega}{d\theta}\frac{d\theta}{dt} = I\frac{dv}{d\theta}\,\omega$$

Après avoir modifié l'expression et noté que $\tau \, d\theta = dW$, nous obtenons :

$$\tau \, d\theta = dW = I\omega \, d\omega$$

En intégrant cette expression, nous obtenons le travail total effectué :

Théorème de l'énergie cinétique pour le mouvement de rotation

$$W = \int_{\theta_0}^{\theta} \tau \, d\theta = \int_{\omega_0}^{\omega} I\omega \, d\omega = \tfrac{1}{2}I\omega^2 - \tfrac{1}{2}I\omega_0^2 \qquad [9.35]$$

Roulement d'un corps rigide

Soit un cylindre roulant sur une trajectoire rectiligne, comme à la figure 9.26. Le centre de masse décrit une droite tandis qu'un point de la jante décrit une trajectoire cycloïdale, plus complexe. Supposons de plus que le cylindre de rayon R soit uniforme et qu'il roule sur une surface sans frottement. Lorsqu'il décrit un

Figure 9.26
Les sources lumineuses situées au centre et sur la circonférence d'un cylindre en train de rouler illustrent les différentes trajectoires décrites par ces points. Le centre décrit une trajectoire rectiligne (ligne verte) alors que le point situé sur la circonférence décrit une trajectoire cycloïdale (courbe rouge). *(Avec l'autorisation de Henry Leap et Jim Lehman)*

angle θ, son centre de masse se déplace d'une distance $s = R\theta$. Par conséquent, la vitesse et l'accélération du centre de masse, dans le cas d'un *roulement sans glissement* sont données par :

$$v_c = \frac{ds}{dt} = R\frac{d\theta}{dt} = R\omega \quad [9.36]$$

$$a_c = \frac{dv_c}{dt} = R\frac{d\omega}{dt} = R\alpha \quad [9.37]$$

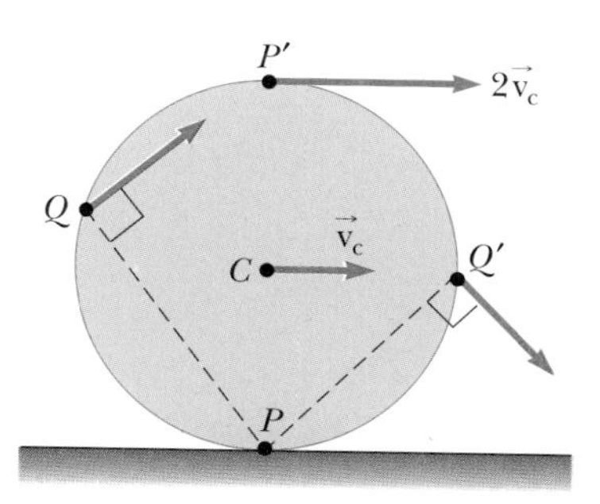

Figure 9.27
Tous les points d'un corps en rotation se déplacent dans une direction perpendiculaire à un axe passant par le point de contact P. Le centre du corps se déplace à la vitesse $\vec{v}_c$ alors que le point P' se déplace à la vitesse $2\vec{v}_c$.

Les vitesses linéaires de divers points du cylindre roulant sont représentées à la figure 9.27. Notons qu'en chaque point du cylindre, la vitesse linéaire est perpendiculaire à la droite reliant ce point et le point de contact. À tout instant, le point P est au repos par rapport à la surface puisqu'il n'y a pas de glissement.

En un point quelconque Q du cylindre, la vitesse a une composante horizontale et une composante verticale. Par ailleurs, les points P et P' et le point correspondant au centre de masse sont uniques et présentent un intérêt particulier. Par rapport à la surface sur laquelle roule le cylindre, le centre de masse se déplace à la vitesse $v_c = R\omega$, alors que le point de contact P a une vitesse nulle. Le point P' doit donc avoir une vitesse égale à $2v_c = 2R\omega$, puisque tous les points du cylindre ont la même vitesse angulaire.

Nous pouvons exprimer l'énergie cinétique totale du cylindre sous la forme :

$$K = \tfrac{1}{2}I_p\omega^2 \quad [9.38]$$

où I_p est le moment d'inertie par rapport à l'axe passant par P.

Le **théorème des axes parallèles** nous permet de calculer le moment d'inertie I_p par rapport à un axe quelconque parallèle à l'axe passant par le centre de masse. Selon ce théorème,

$$I_p = I_c + MR^2 \quad [9.39]$$

R étant la distance entre l'axe du centre de masse et l'axe parallèle et M étant la masse totale du corps. En tenant compte de cette relation dans l'équation 9.38, on obtient :

$$K = \tfrac{1}{2}I_c\omega^2 + \tfrac{1}{2}MR^2\omega^2$$

Énergie cinétique totale d'un corps en rotation

$$K = \tfrac{1}{2}I_c\omega^2 + \tfrac{1}{2}Mv_c^2 \quad [9.40]$$

où nous avons utilisé le fait que $v_c = R\omega$.

L'équation 9.40 peut s'interpréter de la façon suivante : le premier terme de droite, $\tfrac{1}{2}I_c\omega^2$, représente l'énergie cinétique totale de rotation autour du centre de masse et le terme $\tfrac{1}{2}Mv_c^2$ représente l'énergie cinétique qu'aurait le cylindre s'il était seulement en translation dans l'espace sans tourner. Nous pouvons donc dire que

l'énergie cinétique totale d'un objet en roulement est égale à la somme de l'énergie cinétique de rotation autour du centre de masse et de l'énergie de translation du centre de masse.

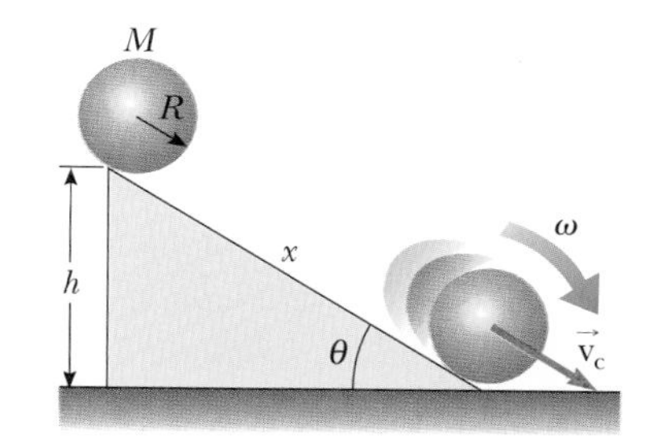

Figure 9.28
Un objet rond roulant vers la base d'un plan incliné. En l'absence de glissement et de frottement, l'énergie mécanique est conservée.

Pour résoudre certains problèmes portant sur le roulement d'un corps rigide sur une surface inclinée rugueuse, nous pouvons utiliser les méthodes faisant intervenir l'énergie. Nous supposerons que le corps rigide représenté à la figure 9.28 ne glisse pas et qu'il est initialement au repos lorsqu'on le lâche en haut du plan incliné. Notons que le roulement n'est possible que s'il y a un frottement entre le corps et la surface du plan incliné pour produire un moment de force net par rapport au centre de masse. Malgré la présence du frottement, il n'y a pas de perte d'énergie mécanique puisque le point de contact est à tout instant au repos par rapport à la surface. Par ailleurs, si le corps rigide glissait, une certaine quantité d'énergie mécanique serait perdue au cours du mouvement.

Exemple 9.8 Course entre un cylindre et une sphère

Un cylindre plein et une sphère pleine ayant chacun une masse M et un rayon R sont initialement au repos au sommet d'un plan incliné de hauteur h. Le cylindre et la sphère roulent sans glisser vers le bas du plan incliné (voir figure 9.28, page 207). Déterminez les vitesses de leurs centres de masse lorsqu'ils atteignent la base du plan incliné.

Solution Puisque les objets roulent sans glisser sur le plan incliné, on peut appliquer le principe de conservation de l'énergie en écrivant que l'énergie potentielle initiale, Mgh, est égale à l'énergie cinétique finale donnée par l'équation 9.40 :

$$Mgh = \frac{1}{2}I_c\omega^2 + \frac{1}{2}Mv_c^2$$

En utilisant le fait que $v_c = R\omega$ pour un roulement sans glissement, nous pouvons écrire cette équation sous la forme :

$$Mgh = \frac{1}{2}\left(\frac{I_c}{R^2} + M\right)v_c^2$$

d'où on tire :

$$v_c = \left(\frac{2gh}{1 + I_c/MR^2}\right)^{1/2}$$

Le tableau 9.2, page 205, nous donne pour un cylindre plein $I_c = \frac{1}{2}MR^2$ et pour une sphère pleine $I_c = \frac{2}{5}MR^2$. En remplaçant I_c par ces valeurs dans l'expression précédente, on obtient :

$$v_{\text{cylindre}} = \sqrt{\frac{4}{3}gh} \qquad \text{et} \qquad v_{\text{sphère}} = \sqrt{\frac{10}{7}gh}$$

Ces résultats montrent que la vitesse du cylindre est inférieure à celle de la sphère et c'est donc la sphère qui gagne la course. Ceci est dû au fait que, par rapport à la sphère, le cylindre a un plus grand moment d'inertie et une plus grande fraction de son énergie est donc sous la forme d'énergie cinétique de rotation, avec une fraction moindre sous forme d'énergie cinétique de translation. Les résultats sont également assez intéressants en ce sens que les vitesses sont indépendantes des masses et des rayons. Les facteurs constants qui apparaissent dans les expressions donnant la vitesse dépendent du moment d'inertie par rapport au centre de masse du corps en question.

Exercice Si l'objet qui roule vers le bas du plan incliné rugueux est un cylindre creux, quelle est la vitesse de son centre de masse lorsqu'il atteint la base ?

Réponse $\sqrt{gh}$

9.11 Équilibre statique d'un corps rigide

Nous avons vu à la section 4.8 qu'un objet en équilibre de translation ($\vec{a} = 0$), c'est-à-dire qui va à vitesse constante, satisfait nécessairement à la condition :

Équilibre de translation

$$\sum \vec{F} = 0$$

De manière analogue, un objet est en équilibre de rotation ($\vec{\alpha} = 0$) si le moment de force net qu'il subit est nul :

Équilibre de rotation

$$\sum \vec{\tau} = 0 \qquad [9.41]$$

Lorsque ces deux conditions sont réunies pour un corps rigide, celui-ci est en **équilibre statique**.

Bien que ce résultat soit tout à fait général, nous restreindrons notre étude aux cas où les forces appliquées sont coplanaires, c'est-à-dire sur le même plan, que par convention nous appellerons le plan xy. Les conditions pour l'équilibre statique deviennent :

Conditions d'équilibre statique

$$\sum F_x = 0 \qquad \sum F_y = 0 \qquad \sum \tau_z = 0$$

HISTORIQUE

Encadré 9.2

Archimède : ingénieur, mathématicien... et nudiste !

Nous sommes en 212 av. J.-C. Depuis trois ans, les forces de l'empire romain, commandées par le consul Claudius Marcellus, assiègent la ville de Syracuse, ville portuaire située en Sicile. Cependant, les efforts répétés des troupes romaines se butent obstinément à un système de défense ingénieux et redoutable conçu par le plus grand ingénieur et mathématicien de son époque, le célèbre Archimède alors âgé de 75 ans. Lorsque Syracuse dut finalement s'incliner, ordre fut donné de capturer le grand savant qui, selon les désirs du consul, deviendrait un atout précieux dans la lutte contre Hannibal. Malheureusement, Archimède mourut dans la mêlée et passa à la légende.

Les contributions d'Archimède à la physique, aux mathématiques et à l'ingénierie sont à ce point nombreuses et importantes qu'il mérite, à juste titre, d'être considéré comme l'un des plus grands penseurs de tous les temps. Né à Syracuse, en 287 av. J.-C., Archimède est de la famille du roi Hiéron. Il passa une grande partie de sa vie dans cette ville à servir son roi et à poursuivre des recherches en mathématiques et en géométrie, sciences qu'il chérissait particulièrement vu son appartenance à la tradition des philosophes grecs privilégiant les spéculations abstraites. À ce chapitre, nous devons à Archimède un système de numération permettant d'écrire n'importe quel chiffre aussi élevé soit-il, une approximation du nombre pi, la reconnaissance du rapport 2/3 existant entre le volume d'un cylindre et celui de la sphère le contenant, des études sur les paraboloïdes de révolution, la détermination du centre de gravité de solides réguliers (triangle, trapèze, cône, etc.), l'utilisation d'une méthode de raisonnement dite « par exhaustion » préfigurant les sommes de Riemann et le calcul intégral.

Parallèlement à sa carrière de mathématicien, il fit construire les fortifications de Syracuse, améliora les catapultes, inventa un système de leviers agrippant les navires ennemis et les précipitant sur les rochers (voir figure 9.29). Il fit aussi construire les premiers engrenages et la vis hydraulique pour alimenter les systèmes d'irrigation (vis d'Archimède) et, selon l'histoire, mit des navires ennemis en flammes en concentrant les rayons solaires par une série de miroirs plans formant un réseau parabolique. Ses recherches pratiques le menèrent à formuler les principes du levier, des lois sur l'équilibre des corps rigides, la définition du « poids spécifique » (la masse volumique) ainsi que le principe hydrostatique qui porte son nom, soit la « poussée d'Archimède » que subit tout corps immergé dans un liquide. À ce sujet, l'anecdote raconte qu'Archimède, entrant dans son bain plein à ras-bord, eut soudainement sa géniale intuition et se mit à courir nu dans les rues de la ville en criant « Eurêka ! » (J'ai trouvé !). Voilà donc un penseur qui n'avait pas peur de se mouiller...

LECTURE SUGGÉRÉE

- *Archimède*, Les cahiers de sciences et vie, nº 18, octobre 1993.

Figure 9.29
Une des nombreuses machines conçues par Archimède pour la protection de Syracuse.

Le moment de force net est calculé à partir d'un point *arbitraire* sur le corps. En effet, il peut être démontré que pour un corps rigide en équilibre de translation, si le moment de force net est nul autour d'un point donné, il le sera nécessairement autour de tout autre point.

Stratégie de résolution des problèmes : équilibre statique d'un corps rigide

1. Dessinez un schéma clair du corps étudié sur lequel apparaissent **toutes** les forces s'y exerçant.
2. Identifiez clairement le ou les inconnues recherchées.
3. Choisissez un axe de rotation pratique, par exemple un point sur lequel s'appliquent plusieurs forces, qui ne contribueront pas au moment de force net.
4. Appliquez les conditions d'équilibre statique en vérifiant à chaque étape si les équations obtenues permettent d'isoler une ou des inconnues. Si le nombre d'équations est insuffisant, appliquez de nouveau $\Sigma\tau_z = 0$ pour un autre choix d'axe de rotation.
5. Résolvez le système d'équations.

Exemple 9.9 Une balançoire

Une force $\vec{F}_1$ est appliquée de haut en bas sur la branche droite d'une planche de masse négligeable, tel qu'illustré à la figure 9.30. La force est exercée à une distance r_1 du pivot central. Une force $\vec{F}_2$ s'exerce à une distance r_2 du pivot sur la branche de gauche. Exprimez le rapport devant exister entre les forces et les distances pour qu'il y ait équilibre statique.

Solution La condition d'équilibre de translation nous donne $F_1 = F_2$, ce qui ne nous renseigne pas beaucoup. La condition d'équilibre de rotation fournit :

$$\sum \tau_z = r_2F_2 - r_1F_1 = 0$$

Ce qui devient :

$$F_1/F_2 = r_2/r_1$$

Ce résultat a été établi pour la première fois par Archimède vers 250 av. J.-C.

Exercice Soit une personne de 45 kg assise à 1,5 m du pivot sur la branche gauche. À quelle distance sur la branche de droite devra s'asseoir une personne de 50 kg pour que la balancoire soit en équilibre statique ?

Réponse 1,35 m

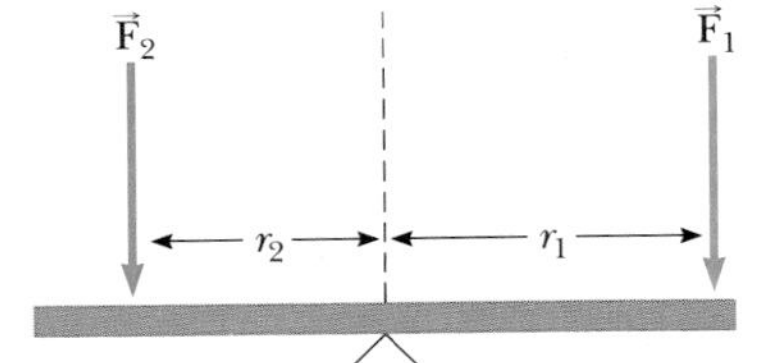

Figure 9.30
(Exemple 9.9) La condition pour que la planche soit en équilibre statique est : $F_1/F_2 = r_2/r_1$.

Exemple 9.10 Poutrelle en équilibre

On place l'extrémité d'une poutrelle sur un mur rugueux tandis que son autre extrémité est retenue par un câble d'acier faisant un angle de 30° avec la verticale, tel qu'illustré à la figure 9.31. Calculez la tension dans le câble et les composantes horizontale et verticale de la force exercée par le mur en considérant que la poutrelle a une masse uniforme de 100 kg et une longueur de 2 m.

Solution Nous avons tracé, sur la figure 9.31, un diagramme de forces provisoire. Si un de nos choix s'avère incorrect, la valeur calculée correspondante sera négative. Notez que le poids de la poutrelle s'applique sur le centre de gravité. La première condition d'équilibre nous donne :

$$\sum F_x = F_{rx} - T(\sin 30°) = 0$$

Comme il apparaît deux inconnues, nous devons ajouter une autre équation.

$$\sum F_y = F_{ry} - P + T(\cos 30°) = 0$$

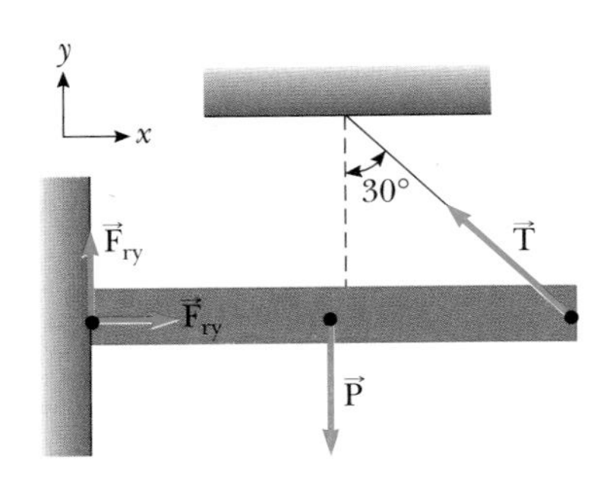

Figure 9.31
(Exemple 9.10)

Une troisième inconnue venant s'ajouter, il nous faut passer à la condition d'équilibre de rotation. Nous choisissons la jonction de la poutrelle et du mur comme axe de rotation :

$$\sum \tau_z = -(980\ \mathrm{N})(1\ \mathrm{m}) + T(2\ \mathrm{m})(\cos 30°) = 0$$

F_{rx} et F_{ry} étant situés directement sur notre choix de pivot, leur contribution au moment de force total est nulle. La dernière équation nous donne la tension dans le cable, soit :

$$T = 980\ \mathrm{N}/2(\cos 30°) = 567\ \mathrm{N}$$

et en remplaçant ce résultat dans les deux premières équations, on trouve :

$$F_{rx} = 283\ \mathrm{N} \quad \text{et} \quad F_{ry} = 490\ \mathrm{N}$$

Les signes sont en concordance avec notre choix d'orientation des forces de réaction.

Exercice Vérifiez qu'en choisissant F_{ry} pointant vers le bas, la réponse finale a un signe négatif.

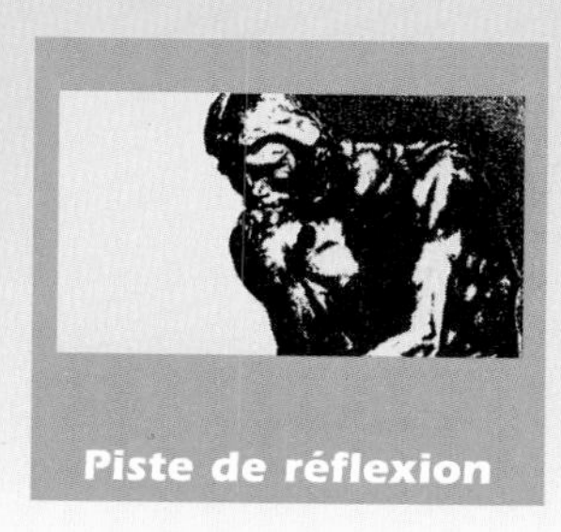

Piste de réflexion

La conservation du moment cinétique étudiée dans ce chapitre est un débouché logique du postulat suivant : toutes les lois de la gravitation sont valides, peu importe la direction avec laquelle nous observons l'univers. De même, la conservation de l'énergie proviendrait de la constance des lois dans le temps et la conservation de la quantité de mouvement, de leur uniformité dans l'espace. Comment pouvons-nous avoir la certitude que les lois de la physique sont les mêmes dans une autre galaxie alors que nous avons à peine dépassé les confins de notre système solaire ?

LECTURE SUGGÉRÉE

Richard Feynman, *La nature des lois physiques*, éd. du Seuil, Paris, 1980.

Résumé

- La **vitesse angulaire instantanée** d'une particule en rotation sur un cercle ou d'un corps rigide en rotation autour d'un axe fixe est :

$$\omega = \frac{d\theta}{dt} \qquad [9.3]$$

où ω est en rad/s ou en s^{-1}.

- L'**accélération angulaire instantanée** d'un corps en rotation est :

$$\alpha = \frac{d\omega}{dt} \qquad [9.5]$$

et s'exprime en rad/s^2 ou en s^{-2}.

- Lorsqu'un corps rigide tourne autour d'un axe fixe, toutes les parties du corps ont la même vitesse angulaire et la même accélération angulaire. Par contre, les différentes parties du corps ont en général des vitesses linéaires différentes et des accélérations linéaires différentes.

- Si une particule (ou un corps) est en mouvement de rotation autour d'un axe fixe à accélération angulaire constante α, on peut appliquer les équations de la cinématique par analogie avec les équations de la cinématique du mouvement linéaire à accélération linéaire constante :

$$\omega = \omega_0 + \alpha t \qquad [9.6]$$

$$\theta = \theta_0 + \omega_0 t + \tfrac{1}{2}\alpha t^2 \qquad [9.7]$$

$$\omega^2 = \omega_0^2 + 2\alpha(\theta - \theta_0) \qquad [9.8]$$

$$\theta = \theta_0 + \tfrac{1}{2}(\omega_0 + \omega)t \qquad [9.9]$$

- Lorsqu'une particule est en rotation autour d'un axe fixe, la vitesse angulaire et l'accélération angulaire sont liées à la vitesse linéaire et à l'accélération linéaire tangentielle par les relations :

$$v = r\omega \qquad [9.10]$$

$$a_\theta = r\alpha \qquad [9.11]$$

- Le **moment d'inertie d'un système de particules** est :

$$I = \sum m_i r_i^2 \qquad [9.14]$$

- Si un corps rigide tourne autour d'un axe fixe à la vitesse angulaire ω, son **énergie cinétique** s'écrit :

$$K = \frac{1}{2} I\omega^2 \quad [9.15]$$

où I est le moment d'inertie par rapport à l'axe de rotation.

- Le **moment de force** $\vec{\tau}$ attribuable à une force $\vec{F}$ par rapport à une origine dans un système inertiel est défini par :

$$\vec{\tau} \equiv \vec{r} \times \vec{F} \quad [9.17]$$

- Étant donné deux vecteurs $\vec{A}$ et $\vec{B}$, leur **produit vectoriel** $\vec{A} \times \vec{B}$ est un vecteur $\vec{C}$ ayant pour grandeur :

$$C \equiv |AB \sin \theta| \quad [9.19]$$

où θ est l'angle entre $\vec{A}$ et $\vec{B}$. La direction de $\vec{C}$ est perpendiculaire au plan formé par $\vec{A}$ et $\vec{B}$ et son sens est déterminé par la règle de la main droite. Parmi les propriétés du produit vectoriel, citons notamment $\vec{A} \times \vec{B} = -\vec{B} \times \vec{A}$ et $\vec{A} \times \vec{A} = 0$.

- Le moment net des forces agissant sur une particule est proportionnel à l'accélération angulaire de la particule et la constante de proportionnalité est égale au moment d'inertie I :

$$\sum \tau \equiv I\alpha \quad [9.22]$$

- Le **moment cinétique** $\vec{L}$ d'une particule de quantité de mouvement $\vec{p} = m\vec{v}$ est :

$$\vec{L} \equiv \vec{r} \times \vec{p} \quad [9.23]$$

où $\vec{r}$ est le vecteur position de la particule par rapport à une origine dans un système inertiel. Si ϕ est l'angle compris entre $\vec{r}$ et $\vec{p}$, $\vec{L}$ a pour grandeur :

$$L = mvr \sin \phi \quad [9.24]$$

- Le **moment net des forces** agissant sur une particule est égal à la dérivée par rapport au temps de son moment cinétique :

$$\vec{\tau} = \frac{d\vec{L}}{dt} \quad [9.27]$$

- D'après le **principe de conservation du moment cinétique**, le moment cinétique total d'un système est conservé si le moment net des forces extérieures agissant sur le système est nul :

$$\sum \vec{\tau}_{\text{ext}} = \frac{d\vec{L}}{dt} = 0 \quad [9.29]$$

$$\vec{L} = \text{constante} \quad [9.30]$$

- Le moment cinétique est une propriété intrinsèque des atomes, des molécules et de leurs constituants. Les moments cinétiques de ces systèmes ont des valeurs discrètes (quantifiées) qui sont des multiples entiers de $h/2\pi$, où h est la constante de Planck.

- L'**énergie cinétique totale** d'un corps rigide comme un cylindre, qui roule sans glisser sur une surface rugueuse, est égale à l'énergie cinétique de rotation par rapport au centre de masse du corps, $\frac{1}{2}I_c\omega^2$, plus l'énergie cinétique de translation du centre de masse, $\frac{1}{2}Mv_c^2$:

$$K = \frac{1}{2}I_c\omega^2 + \frac{1}{2}Mv_c^2 \quad [9.40]$$

Dans cette expression, v_c est la vitesse du centre de masse et $v_c = R\omega$ si le corps roule sans glisser.

- Les **conditions de l'équilibre statique** d'un corps rigide sont :

$$\sum \vec{F} = 0$$
$$\sum \vec{\tau} = 0 \quad [9.41]$$

Questions et exercices conceptuels

1. Les expressions cinématiques donnant θ, ω et α sont-elles valables lorsque le déplacement angulaire est mesuré en degrés plutôt qu'en radians ?
2. Si on remplace les roues d'une voiture par des roues de diamètre plus grand, la vitesse indiquée par le tachymètre va-t-elle changer ? Expliquez.
3. Lorsqu'une roue de rayon R tourne autour d'un axe fixe, tous les points de la roue ont-ils la même vitesse angulaire ? Ont-ils tous la même vitesse linéaire ? Si la vitesse angulaire est constante et égale à $\vec{\omega}_0$, décrivez les vitesses linéaires et les accélérations linéaires des points situés en $r = 0$, $r = R/2$ et $r = R$.
4. Quelle est la valeur de la vitesse angulaire $\vec{\omega}$ de la grande aiguille d'une horloge ? Quelle est l'accélération angulaire α de la grande aiguille ?
5. Lorsqu'un objet est en rotation, est-il forcément soumis à un moment de force net ?
6. Expliquez pourquoi le fait de changer l'axe de rotation d'un objet change son moment d'inertie.
7. Est-il plus difficile de faire des exercices abdominaux en s'asseyant les mains derrière la tête ou les bras étendus en avant ? Pourquoi ?
8. Pour être stable en vol, un hélicoptère doit avoir deux hélices. Pourquoi ?
9. Supposons qu'on sorte deux œufs du réfrigérateur, dont l'un est cru et l'autre est cuit dur. On souhaite déterminer lequel des deux est l'œuf dur, mais sans les casser. Pour ce faire, on fait tourner les deux œufs sur eux-mêmes et on compare leur mouvement de rotation. Lequel des deux œufs tourne le plus vite ? Lequel des deux a une rotation plus uniforme ? Expliquez.
10. Supposons que les planètes du système solaire se soient formées par condensation d'un gaz. Sachant que les planètes tournent autour du Soleil dans le même sens, que pouvez-vous déduire de l'état du gaz avant sa condensation ?
11. Une étudiante est assise sur un tabouret pouvant tourner sur son axe vertical. L'étudiante qui a les bras tendus et tient une paire de poids, est mise en rotation avec son tabouret. Si elle laisse tomber les poids soudainement par terre, que devient sa vitesse angulaire ? Expliquez.
12. Un chat atterrit en général sur ses pattes quelle que soit sa position pendant la chute. Sur un film au ralenti, on voit que la moitié supérieure de son corps tourne dans une direction alors que la moitié inférieure tourne dans la

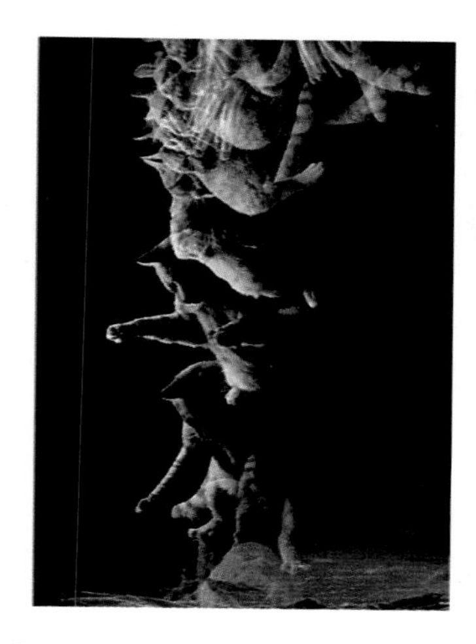

Figure 9.32
(Question 12) La rotation du chat pendant sa chute.
(Photo Researchers, Inc.)

direction opposée (voir figure 9.32). Pourquoi observe-t-on ce type de rotation ?

13. Une échelle inclinée est posée contre un mur. Vous sentez-vous davantage en sécurité pour grimper à l'échelle si on vous dit que le plancher est lisse mais que le mur est rugueux, ou que le mur est lisse mais que le plancher est rugueux ? Justifiez votre réponse.
14. À l'origine, les étoiles sont des corps de grandes dimensions formés de gaz en rotation lente. À cause de la gravité, ces corps gazeux diminuent peu à peu de volume. Que devient la vitesse angulaire d'une étoile pendant qu'elle se contracte ? Expliquez.
15. Pour faire une pirouette en l'air, une plongeuse ramène souvent ses jambes contre la poitrine. Pourquoi cela la fait-elle tourner plus rapidement ? Que devrait-elle faire pour sortir de sa pirouette ?
16. Que devient la vitesse angulaire d'une balle suspendue à un mât lorsqu'elle s'enroule autour du mât ? Expliquez.
17. On a proposé d'envoyer des colonies dans l'espace, où les gens vivraient dans de gros cylindres dans lesquels les ingénieurs simuleraient la gravité en les faisant tourner sur leur axe. Expliquez les difficultés qu'on rencontrerait pour essayer de mettre les cylindres en rotation.
18. Si la force nette agissant sur un système est nulle, est-il forcément vrai que le moment de force net est également nul ?
19. Pourquoi un funambule porte-t-il une longue perche pour garder son équilibre en marchant sur la corde ?
20. Si on assiste à un réchauffement global de la planète au cours du siècle prochain, il est probable qu'il entraîne la fonte des calottes polaires avec une répartition de l'eau plus près de l'équateur. En quoi cela pourra-t-il modifier le moment d'inertie de la Terre ? La durée d'une journée (une révolution) en sera-t-elle augmentée ou diminuée ?
21. Le vecteur $\vec{A}$ est orienté dans le sens négatif de l'axe des y et le vecteur $\vec{B}$ est orienté dans le sens négatif de l'axe des x. Quelles sont les directions des vecteurs (a) $\vec{A} \times \vec{B}$ et (b) $\vec{B} \times \vec{A}$?

Problèmes

Section 9.2 Cinématique de la rotation

1. Une roue, initialement au repos, se met à tourner avec une accélération angulaire constante jusqu'à la vitesse angulaire de 12 rad/s qu'elle atteint au bout de 3 s. Déterminez (a) l'accélération angulaire de la roue et (b) son angle de rotation en radians pendant cet intervalle de temps.
2. Le plateau d'un tourne-disque tourne en effectuant $33\frac{1}{3}$ tr/min et il met 60 s pour s'immobiliser lorsqu'on met l'interrupteur à l'arrêt. Calculez (a) son accélération angulaire et (b) le nombre de tours qu'il effectue avant de s'immobiliser.
3. Déterminez la vitesse angulaire, en radians par seconde, (a) de la Terre sur son orbite autour du Soleil et (b) de la Lune sur son orbite autour de la Terre.
4. Une roue tourne de façon que son déplacement angulaire pendant un temps t soit donné par $\theta = at^2 + bt^3$, où a et b sont des constantes. Déterminez les équations donnant en fonction du temps (a) la vitesse angulaire et (b) l'accélération angulaire.
5. On coupe le courant alimentant le moteur électrique entraînant une meule qui tourne à raison de 100 tr/min. On suppose que l'accélération négative est constante et a pour valeur 2 rad/s^2. (a) Combien de temps met la meule pour s'immobiliser ? (b) De combien de radians a tourné la meule durant le temps trouvé en (a) ?
6. La position angulaire d'un point d'une roue est donnée par $\theta = 5 + 10t + 2t^2$ rad. Déterminez la position angulaire, la vitesse et l'accélération de ce point à $t = 0$ et $t = 3$ s.
7. Une voiture, initialement au repos, accélère uniformément et atteint la vitesse de 22 m/s en 9 s. Le diamètre d'un pneu est de 58 cm. (a) Déterminez le nombre de tours effectués par un pneu durant ce mouvement en supposant qu'il n'y a pas de glissement. (b) Quelle est la vitesse de rotation finale d'un pneu en tours par seconde ?
8. La roulette d'un dentiste est initialement au repos. Au bout de 3,2 s d'accélération angulaire constante, elle tourne à la vitesse de $2{,}51 \times 10^4$ tr/min. (a) Déterminez l'accélération angulaire de la roulette. (b) Déterminez l'angle (en radians) de rotation de la roulette durant ce temps.
9. Pendant le cycle d'essorage, la cuve d'une machine à laver, initialement au repos, atteint une vitesse angulaire de 5 tr/s en 8 s. À ce stade, la personne qui fait la lessive ouvre le couvercle et un interrupteur de sécurité éteint la machine. La cuve ralentit et s'arrête au bout

de 12 s. Combien de tours a-t-elle effectué ? On suppose l'accélération angulaire constante au démarrage et à l'arrêt.

10. Une meule initialement au repos tourne pendant 8 s avec une accélération angulaire constante $\alpha = 5 \text{ rad/s}^2$. La meule s'immobilise ensuite au bout de 10 tours avec une accélération négative uniforme. Déterminez l'accélération négative requise et le temps nécessaire pour immobiliser la meule.
11. Dans un laboratoire médical, une centrifugeuse tourne avec une vitesse angulaire de 3 600 tr/min. Lorsqu'on met l'interrupteur à l'arrêt, elle effectue 50 tours avant de s'immobiliser. Déterminez l'accélération angulaire constante de la centrifugeuse.
12. À l'arrivée à l'aéroport, on coupe les réacteurs d'un avion. Le rotor de l'un des réacteurs a une vitesse angulaire initiale de 2 000 rad/s dans le sens horaire. Il ralentit avec une accélération angulaire de 80 rad/s². (a) Déterminez la vitesse angulaire au bout de 10 s. (b) Combien de temps met le rotor pour s'immobiliser ?

Section 9.3 Relations entre les grandeurs angulaires et les grandeurs linéaires

13. Une voiture de course roule sur une piste circulaire de 250 m de rayon. Si elle roule à la vitesse constante de 45 m/s, déterminez (a) sa vitesse angulaire et (b) la valeur et la direction de son accélération.
14. Une automobile accélère de 0 à 30 m/s en 6 s. Ses roues ont 0,4 m de diamètre. Quelle est l'accélération angulaire de chaque roue ?
15. Un lanceur de disque accélère un disque initialement au repos jusqu'à une vitesse de 25 m/s en lui faisant effectuer 1,25 tour sur un arc de cercle de 1 m de rayon. (a) Calculez la vitesse angulaire finale du disque. (b) Déterminez l'accélération angulaire du disque en supposant qu'elle est constante. (c) Calculez la durée de l'accélération. On néglige le moment de spin du disque par rapport à son centre de masse.
16. Un disque de 8 cm de rayon tourne autour de son axe à la vitesse constante de 1 200 tr/min. Déterminez (a) la vitesse angulaire du disque, (b) la vitesse linéaire en un point situé à 3 cm du centre du disque, (c) l'accélération radiale d'un point situé sur la circonférence et (d) la distance parcourue en 2 s par un point de la circonférence.

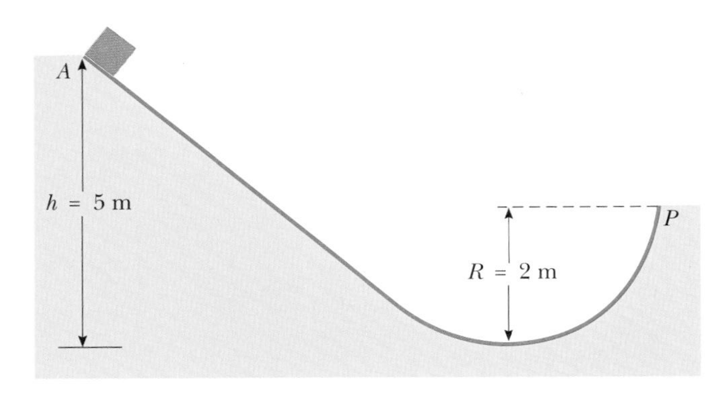

Figure 9.33 (Problème 18)

17. Une voiture roule à 36 km/h sur une route rectiligne. Ses pneus ont un rayon de 25 cm. Déterminez la vitesse angulaire de l'un des pneus, l'essieu étant pris comme axe de rotation.
18. Un bloc de 6 kg part du point A sur une piste sans frottement (voir figure 9.33). Déterminez les composantes radiale et tangentielle de l'accélération du bloc en P.

Section 9.4 Énergie cinétique de rotation

19. Les quatre particules de la figure 9.34 sont reliées par des tiges rigides de masse négligeable. L'origine est au centre du rectangle. Si le système tourne dans le plan xy autour de l'axe des z à une vitesse angulaire de 6 rad/s, calculez (a) le moment d'inertie du système par rapport à l'axe des z et (b) l'énergie cinétique du système.

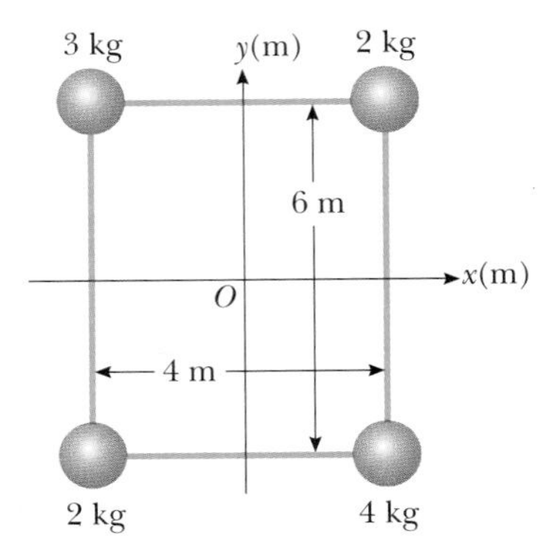

Figure 9.34 (Problème 19)

20. Trois particules sont reliées par des tiges rigides de masse négligeable situées le long de l'axe des y (voir figure 9.35). Le système tourne autour de l'axe des x à une vitesse angulaire de 2 rad/s. (a) Déterminez le moment d'inertie par rapport à l'axe des x et l'énergie cinétique totale calculée à partir de $\frac{1}{2}I\omega^2$. (b) Déterminez la vitesse linéaire de chaque particule et l'énergie cinétique totale calculée à partir de $\Sigma\frac{1}{2}m_i v_i^2$.

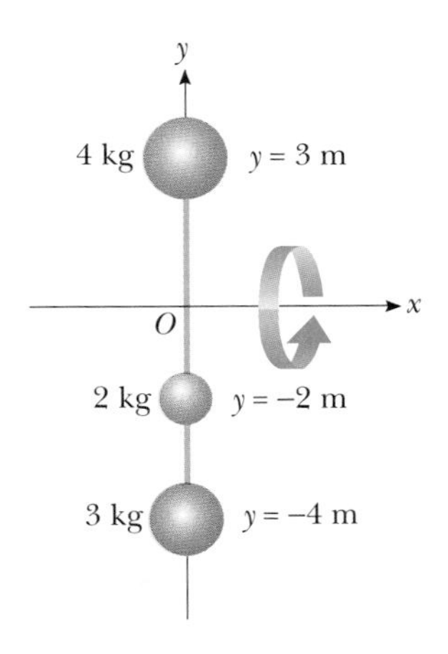

Figure 9.35 (Problème 20)

Section 9.5 Moment de force et produit vectoriel

21. Déterminez le moment net des forces agissant sur la roue, figure 9.36, par rapport à l'axe passant par O si $a = 10$ cm et $b = 25$ cm.

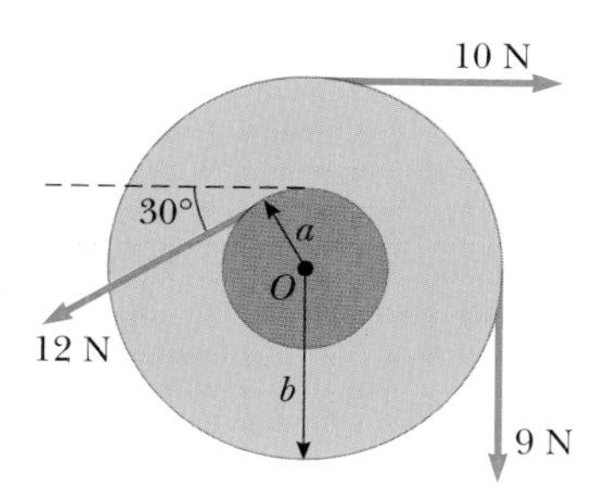

Figure 9.36 (Problème 21)

22. Calculez le moment net (grandeur et direction) des forces agissant sur la poutre représentée à la figure 9.37 par rapport (a) à un axe passant par O et perpendiculaire à la figure et (b) à un axe passant par C et perpendiculaire à la figure.

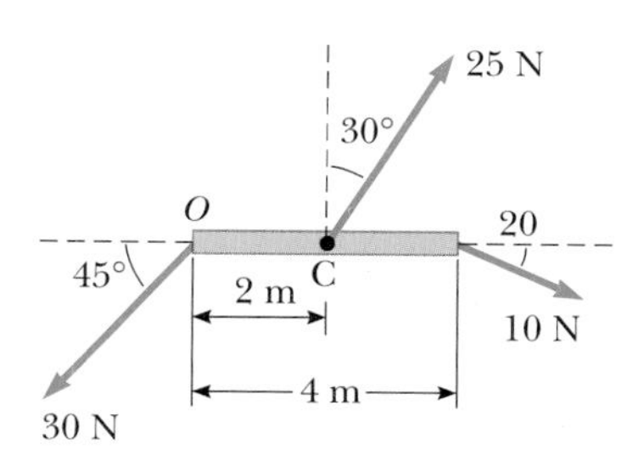

Figure 9.37 (Problème 22)

23. La canne à pêche représentée à la figure 9.38 est inclinée d'un angle de 20° par rapport à l'horizontale. Quel est le moment de la force exercée par le poisson par rapport à un axe perpendiculaire à la page et passant par la main du pêcheur ?

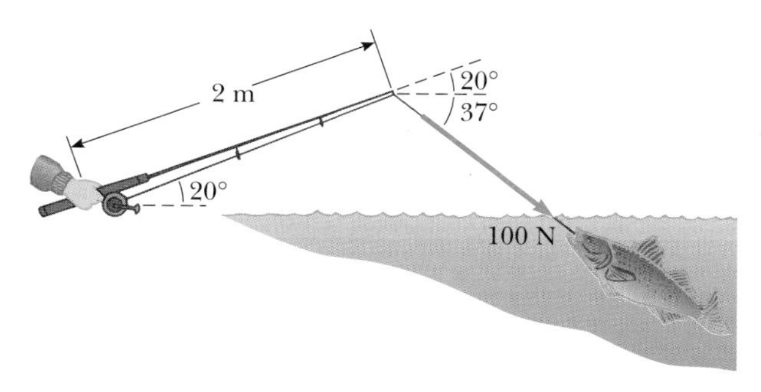

Figure 9.38 (Problème 23)

24. Un plongeur de 48 kg se tient debout à l'extrémité d'un plongeoir de 3 m de longueur. Quel est le moment de force attribuable au poids du plongeur par rapport à un axe perpendiculaire à la longueur du plongeoir et passant par son milieu ?

25. Soit deux vecteurs donnés par $\vec{A} = -3\vec{i} + 4\vec{j}$ et $\vec{B} = 2\vec{i} + 3\vec{j}$. Déterminez (a) $\vec{A} \times \vec{B}$ et (b) l'angle compris entre $\vec{A}$ et $\vec{B}$.
26. Étant donné $\vec{M} = 6\vec{i} + 2\vec{j} - \vec{k}$ et $\vec{N} = 2\vec{i} - \vec{j} - 3\vec{k}$, calculez le produit vectoriel $\vec{M} \times \vec{N}$.
27. Une particule est située au vecteur position $\vec{r} = (\vec{i} + 3\vec{j})$ m et elle est soumise à une force $\vec{F} = (3\vec{i} + 2\vec{j})$ N. Quel est le moment de force par rapport (a) à l'origine et (b) au point de coordonnées (0, 6) m ?
28. Si $|\vec{A} \times \vec{B}| = \vec{A} \cdot \vec{B}$, quel est l'angle entre $\vec{A}$ et $\vec{B}$?
29. On exerce une force donnée par $\vec{F} = 2\vec{i} + 3\vec{j}$ (en newtons) sur un objet pouvant pivoter autour d'un axe fixe confondu avec l'axe des z. Si la force est appliquée au point $\vec{r} = 4\vec{i} + 5\vec{j} + 0\vec{k}$ (en mètres), déterminez (a) la grandeur du moment de force net par rapport à l'axe des z et (b) la direction du vecteur moment de force, $\vec{\tau}$.

Section 9.6 Relation entre le moment de force et l'accélération angulaire

30. La combinaison d'une force appliquée et d'une force de frottement produit un moment de force total constant de 36 N·m sur une roue en rotation autour d'un axe fixe. La force appliquée agit pendant 6 s et pendant ce temps, la vitesse angulaire de la roue augmente de 0 à 10 rad/s. On supprime ensuite la force appliquée et la roue met 60 s pour s'immobiliser. Déterminez (a) le moment d'inertie de la roue, (b) la valeur du moment des forces de frottement et (c) le nombre total de tours qu'effectue la roue.
31. Une maquette d'avion de masse égale à 0,75 kg, attachée à un fil, vole en décrivant un cercle de 30 m de rayon. Le moteur de l'avion fournit une poussée de 0,8 N perpendiculaire au fil. (a) Déterminez le moment de force produit par la poussée du moteur par rapport au centre du cercle. (b) Déterminez l'accélération angulaire de l'avion lorsqu'il vole à l'horizontale. (c) Déterminez l'accélération linéaire de l'avion, tangentielle à la trajectoire de vol. On néglige la résistance de l'air.

Section 9.7 Moment cinétique

32. Une particule de 1,5 kg se déplace dans le plan xy avec une vitesse $\vec{v} = (4{,}2\vec{i} - 3{,}6\vec{j})$ m/s. Déterminez le moment cinétique de la particule lorsque son vecteur position est $\vec{r} = (1{,}5\vec{i} + 2{,}2\vec{j})$ m.
33. Le vecteur position d'une particule de 2 kg est donné en fonction du temps par $\vec{r} = (6\vec{i} + 5t\vec{j})$ m. Déterminez le moment cinétique de la particule en fonction du temps.
34. Deux particules en mouvement rectiligne se déplacent dans des directions *opposées* (voir figure 9.39, page 216). La particule de masse m se déplace vers la droite à une vitesse v alors que la particule de masse $3m$ se déplace vers la gauche à une vitesse $-v$. Quel est le moment cinétique *total* du système par rapport (a) au point A, (b) au point O et (c) au point B ?
35. Une tige légère et rigide de 1 m de longueur tourne dans le plan xy autour d'un pivot passant par le centre de la tige. Deux particules de masses égales à 4 kg et 3 kg sont fixées à ses extrémités (voir figure 9.40, page 216).

Déterminez le moment cinétique du système par rapport à l'origine à l'instant où chaque particule a une vitesse de 5 m/s.

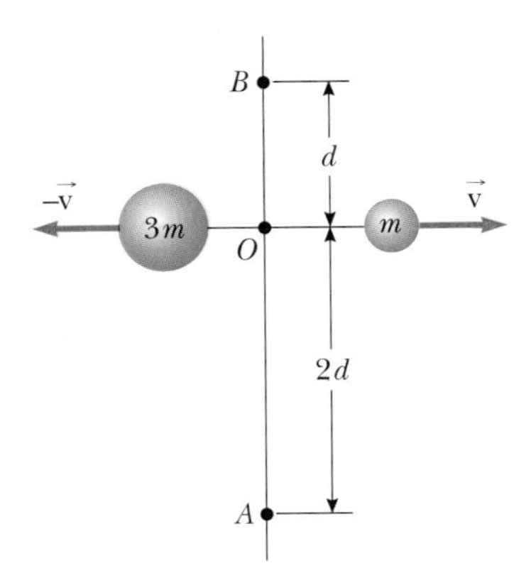

Figure 9.39 (Problème 34)

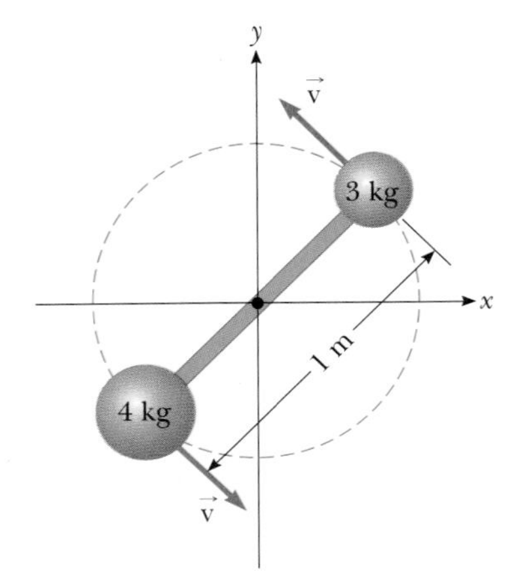

Figure 9.40 (Problème 35)

36. Un avion ayant une masse de 12 000 kg vole parallèlement au sol à une altitude de 10 km à une vitesse constante de 175 m/s par rapport à la Terre. (a) Quelle est la valeur du moment cinétique de l'avion par rapport à un observateur au sol qui se trouve exactement sous l'avion ? (b) Cette valeur change-t-elle si l'avion poursuit son mouvement en décrivant une ligne droite ?

Section 9.8 Conservation du moment cinétique
Section 9.9 Quantification du moment cinétique

37. Une patineuse artistique pivote autour d'un axe vertical passant par son centre avec les deux bras et une jambe tendus. Sa vitesse de rotation est de 0,5 tr/s. Elle ramène ensuite ses bras et sa jambe près du corps et commence à tourner sur elle-même à la vitesse de 1,7 tr/s. Quel est le rapport entre son nouveau moment d'inertie et l'ancien ?
38. Un étudiant assis sur un tabouret tournant tient deux poids ayant chacun une masse de 3 kg. Lorsqu'il étend les bras à l'horizontale, les poids se trouvent à 1 m de l'axe de rotation et il tourne à une vitesse angulaire de 0,75 rad/s. Le moment d'inertie de l'étudiant avec son tabouret est de 3 kg·m^2 et on suppose qu'il est constant. L'étudiant ramène les poids horizontalement à 0,3 m de l'axe de rotation. (a) Déterminez la nouvelle vitesse angulaire de l'étudiant. (b) Déterminez l'énergie cinétique de l'étudiant avant et après avoir ramené les poids.
39. Un homme de 80 kg se tient debout à 2 m de l'axe de rotation d'un manège qui tourne à la vitesse de 0,2 tr/s. (a) Quelle est la nouvelle vitesse angulaire lorsque l'homme marche jusqu'à un point situé à 1 m du centre ? On suppose que le manège est un cylindre plein ayant un moment d'inertie de 50 kg·m^2. (b) Calculez la variation d'énergie cinétique correspondant à ce moment. Comment expliquez-vous cette variation d'énergie cinétique ?
40. La balle de la figure 9.22, page 202, a une masse de 0,12 kg. La distance initiale de la balle au centre de rotation est de 40 cm et la balle se déplace à la vitesse de 80 cm/s. On tire la ficelle vers le bas de 15 cm par le trou percé dans la table sans frottement. Déterminez le travail effectué sur la balle. (*Suggestion :* Tenez compte de la variation d'énergie cinétique.)
41. Une femme de masse égale à 60 kg se tient debout au bord d'un plateau horizontal tournant dont le moment d'inertie est de 500 kg·m^2 et le rayon de 2 m. Le système est initialement au repos et le plateau peut tourner librement autour d'un axe vertical sans frottement passant par son centre. La femme commence alors à marcher autour de la circonférence dans le sens horaire (en regardant vers le bas) à une vitesse constante de 1,5 m/s par rapport à la Terre. (a) Dans quel sens et à quelle vitesse angulaire tourne le plateau ? (b) Quel est le travail effectué par la femme pour mettre le système en mouvement ?
42. Dans le modèle de Bohr de l'atome d'hydrogène, l'électron décrit une orbite circulaire de rayon $0{,}529 \times 10^{-10}$ m autour du proton. En supposant le moment cinétique orbital de l'électron égal à $h/2\pi$, calculez (a) la vitesse orbitale de l'électron, (b) l'énergie cinétique de l'électron et (c) la fréquence angulaire du mouvement de l'électron.

Section 9.10 Rotation d'un corps rigide

43. Le centre de masse d'une balle de baseball (rayon = 3,8 cm) se déplace à la vitesse de 38 m/s. La balle tourne sur elle-même autour d'un axe passant par son centre de masse à une vitesse angulaire de 125 rad/s. Calculez le rapport entre l'énergie cinétique de rotation et l'énergie cinétique de translation. On assimilera la balle à une sphère pleine uniforme.
44. Un pneu d'automobile, qu'on assimile à un disque plein, a un rayon de 25 cm et une masse de 6 kg. Déterminez son énergie cinétique de rotation lorsqu'il tourne autour d'un axe passant par son centre avec une vitesse angulaire de 2 tr/s.
45. Un manège horizontal cylindrique de 800 N et de rayon 1,5 m part du repos sous l'action d'une force horizontale constante de 50 N appliquée tangentiellement au cylindre. Déterminez l'énergie cinétique du cylindre plein au bout de 3 s.

46. Un cylindre ayant une masse de 10 kg roule sans glisser. À l'instant où son centre de masse a une vitesse de 10 m/s, déterminez (a) l'énergie cinétique de translation de son centre de masse, (b) l'énergie cinétique de rotation par rapport à son centre de masse et (c) son énergie cinétique totale.
47. La toupie de la figure 9.41 a un moment d'inertie de 4×10^{-4} kg·m² et elle est initialement au repos. Elle peut tourner librement autour de l'axe fixe AA'. On tire sur une ficelle enroulée autour d'un ergot situé sur l'axe de la toupie, de manière à exercer une tension constante de 5,57 N. Si la ficelle ne glisse pas en se déroulant de l'ergot, quelle est la vitesse angulaire de la toupie lorsque 80 cm de ficelle ont été déroulés de l'ergot ? (*Suggestion :* Faites intervenir le travail effectué.)

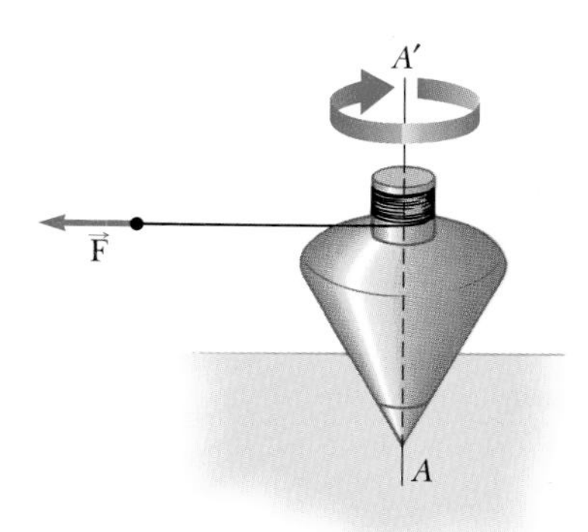

Figure 9.41 (Problème 47)

48. Une tige uniforme de longueur L et de masse M peut tourner librement sur un pivot sans frottement situé à une extrémité (voir figure 9.42). On lâche la tige initialement au repos dans la position verticale. Quelle est l'accélération angulaire *initiale* de la tige et l'accélération linéaire *initiale* de l'extrémité droite de la tige ?

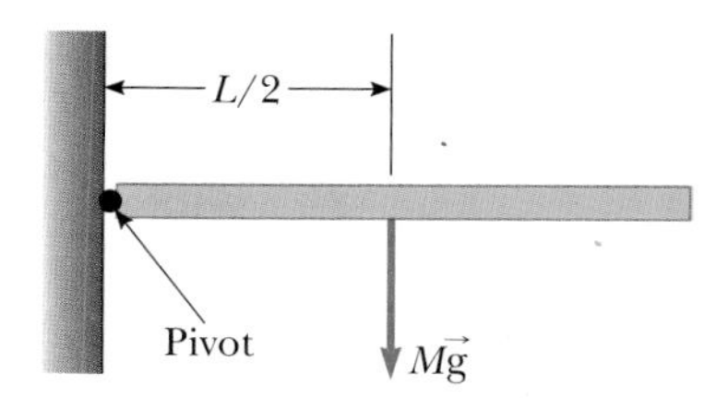

Figure 9.42 (Problème 48)

49. Une sphère pleine uniforme roule sans glisser sur une surface horizontale. Quelle fraction de l'énergie cinétique totale de la sphère est sous forme d'énergie cinétique de rotation par rapport à son centre de masse ?
50. Deux masses m_1 et m_2 sont reliées entre elles par une corde légère passant sur deux poulies identiques ayant chacune un moment d'inertie I (voir figure 9.43). Déterminez l'accélération de chaque masse et les tensions $\vec{T}_1$, $\vec{T}_2$ et $\vec{T}_3$ sur la corde. (On suppose que la corde ne glisse pas sur les poulies.)

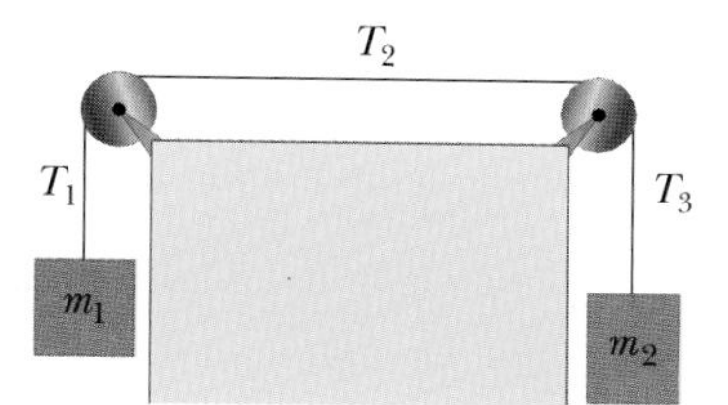

Figure 9.43 (Problème 50)

51. Soit deux masses reliées entre elles par une ficelle qui passe sur une poulie ayant un moment d'inertie I par rapport à son axe de rotation (voir figure 9.44). La ficelle ne glisse pas sur la poulie et le système est initialement au repos. Utilisez le principe de conservation de l'énergie pour déterminer les vitesses linéaires des masses lorsque la masse m_2 est descendue d'une distance h et calculez la vitesse angulaire de la poulie à cet instant.

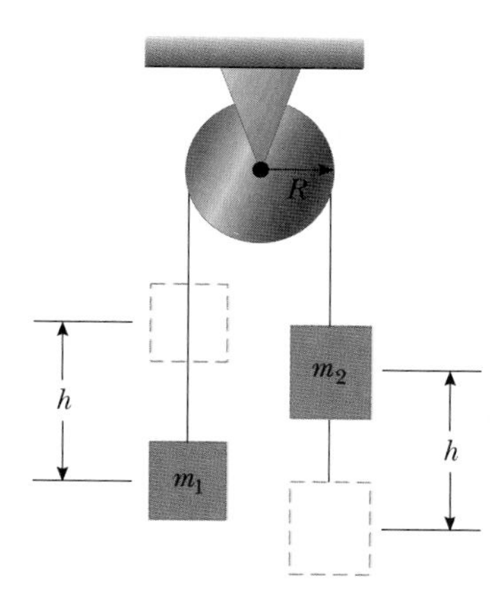

Figure 9.44 (Problème 51)

52. (a) Un disque plein uniforme de rayon R et de masse M peut tourner librement sur un pivot sans frottement passant par un point de sa circonférence (voir figure 9.45). Si le disque est initialement au repos dans la position représentée par le cercle coloré en vert, quelle est la vitesse de son centre de masse lorsqu'il atteint la position représentée par le cercle en pointillés ? (b) Quelle est la vitesse du point le plus bas du disque dans la position en pointillés ? (c) Reprenez la question (a) en utilisant un cerceau uniforme au lieu d'un disque.

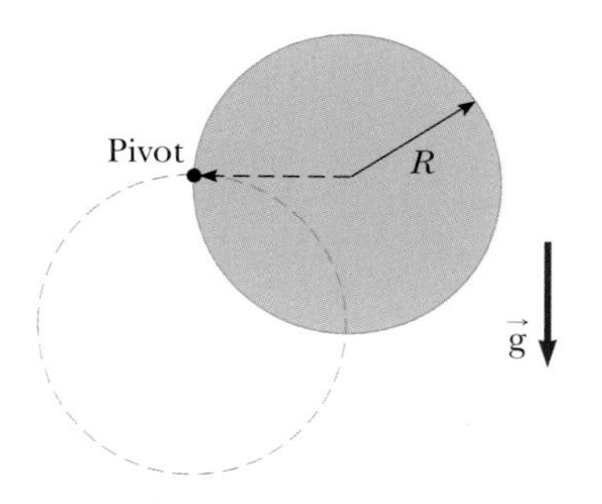

Figure 9.45 (Problème 52)

Section 9.11 Équilibre statique d'un corps rigide

53. Un peintre de 72 kg se tient debout sur une planche de 3 kg posée sur deux tréteaux séparés de 3 m. Si le peintre est à une distance de 1 m à partir du tréteau de gauche, calculez la force de contact sur chaque tréteau.
54. Un cuisinier distrait échappe l'alliance de sa fiancée dans un chaudron d'eau bouillante. Pour la récupérer, il utilise une « pince à spaghetti » de 40 cm de longueur (voir figure 9.46). S'il applique une force de 1 N à 15 cm du pivot, quelle est la force exercée sur l'alliance ?

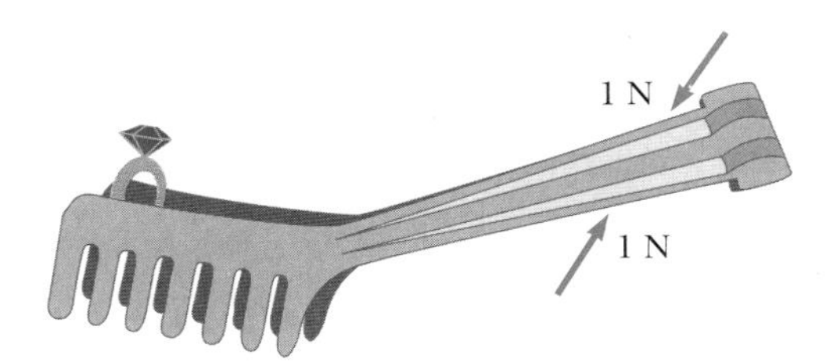

Figure 9.46 (Problème 54)

55. Soit une tige rigide pouvant pivoter sur un plan horizontal autour d'un pivot vertical situé à 0,2 m d'une de ses extrémités. On applique une force horizontale $\vec{F}_1$ (voir figure 9.47). Calculez (a) la grandeur de la force $\vec{F}_2$ pour qu'il y ait équilibre statique et (b) la force résultante exercée par le pivot.

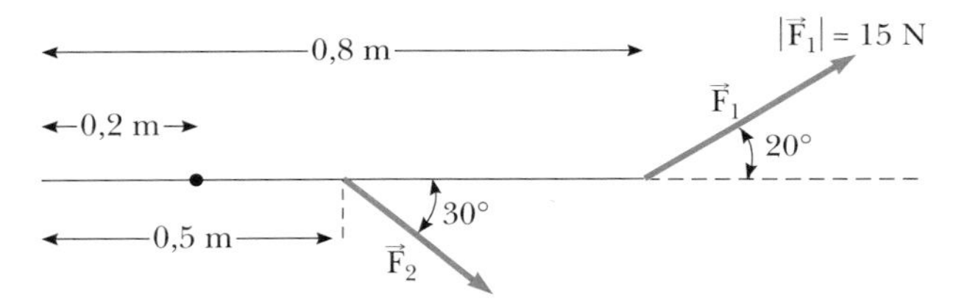

Figure 9.47 (Problème 55)

56. Un poteau téléphonique de 200 kg, d'une hauteur de 5 m, dévie de la verticale par 15° et est retenu à son sommet par un câble horizontal. (a) Calculez la tension dans le câble et la force de réaction au sol. (b) Un garçonnet intrépide lance un grappin au sommet et s'y hisse, calculez la nouvelle tension dans le câble.
57. On appuie une échelle homogène de 20 kg, d'une longueur de 2 m, sur un mur lisse (voir figure 9.48). Sachant que le coefficient de friction statique entre le sol et l'échelle est de 0,2, calculez l'angle d'inclinaison θ à partir duquel l'échelle commence à glisser.

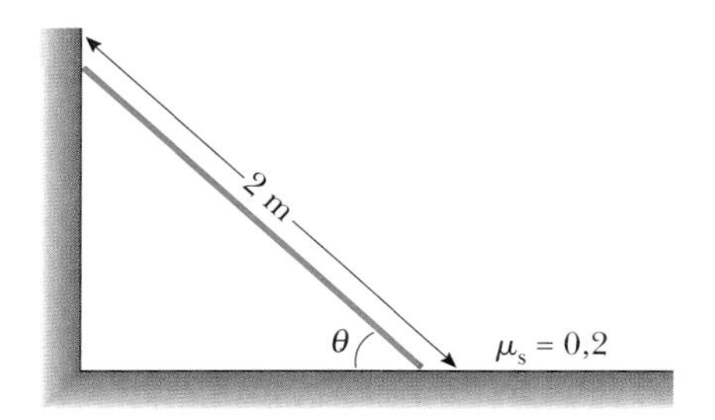

Figure 9.48 (Problème 57)

58. Si la poutre illustrée à la figure 9.49 a une masse uniformément distribuée de 20 kg, calculez la masse maximale qui peut être accrochée pour que la tension dans le câble n'excède pas 1 000 N.

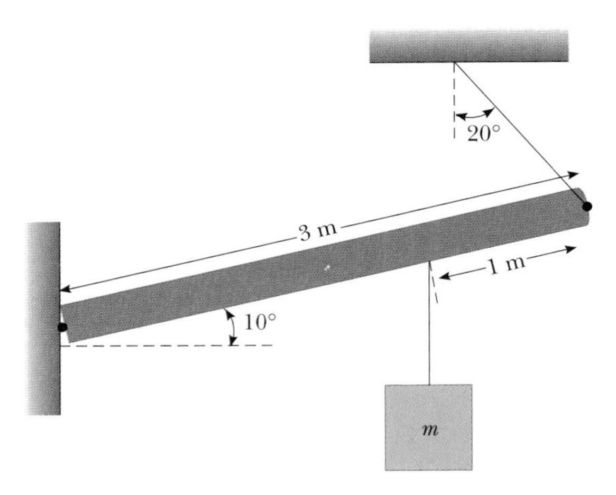

Figure 9.49 (Problème 58)

Problèmes supplémentaires

59. Une meule a la forme d'un disque plein uniforme de rayon égal à 7 cm et de masse égale à 2 kg. Elle est initialement au repos et elle accélère uniformément sous l'action d'un moment de force constant de 0,6 N·m exercé par le moteur sur la roue. (a) Combien de temps met la roue pour atteindre sa vitesse finale de fonctionnement, égale à 1 200 tr/min ? (b) Combien de tours effectue la meule en accélérant ?
60. Le travail net effectué pour accélérer une hélice initialement au repos jusqu'à la vitesse angulaire de 200 rad/s est de 3 000 J. Quel est le moment d'inertie de l'hélice ?
61. On exerce une force horizontale tangentielle de 6,5 N sur un Frisbee de masse égale à 32 g et de rayon égal à 14,3 cm. En supposant que le Frisbee est initialement au repos et que la force est exercée pendant 0,08 s, déterminez la vitesse angulaire du Frisbee par rapport à l'axe central lorsqu'on le lâche.
62. Un objet céleste appelé pulsar émet de brèves impulsions lumineuses qui sont synchronisées avec sa rotation. Un pulsar dans la nébuleuse du Crabe tourne à la vitesse de 30 tr/s. Quel est le rayon maximal du pulsar si aucune partie de sa surface ne peut se déplacer plus rapidement que la vitesse de la lumière (3×10^8 m/s) ?
63. La longueur des liaisons entre les atomes d'une molécule d'azote (N_2) est de $1,1 \times 10^{-10}$ m. La masse de chaque atome d'azote est de 14 u (1 u = $1,66 \times 10^{-27}$ kg). Déterminez le moment d'inertie par rapport à un axe passant par le centre de masse de la molécule et perpendiculaire à la droite joignant les deux atomes.
64. Deux astronautes (voir figure 9.50) ayant chacun une masse de 75 kg sont reliés par une corde de 10 m et de masse négligeable. Ils sont isolés dans l'espace et en orbite autour de leur centre de masse à des vitesses de 5 m/s. (a) Calculez la valeur du moment cinétique du système en supposant que les astronautes sont des particules. (b) Calculez l'énergie cinétique du système. En tirant sur la corde, les astronautes réduisent la distance

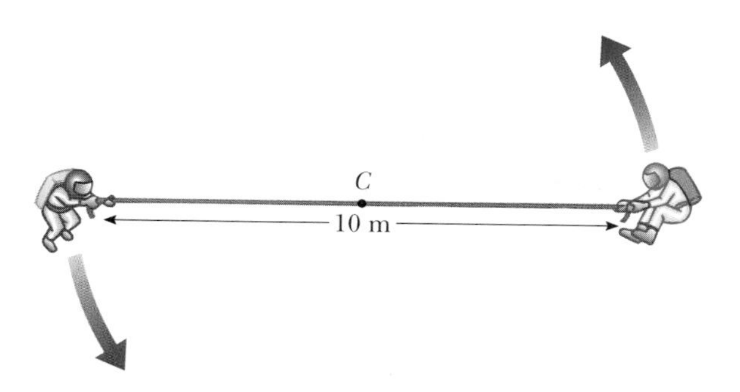

Figure 9.50 (Problème 64)

qui les sépare jusqu'à ce qu'elle devienne égale à 5 m. (c) Quel est le nouveau moment cinétique du système ? (d) Quelles sont les nouvelles vitesses des astronautes ? (e) Quelle est la nouvelle énergie du système ? (f) Quel est le travail effectué par les astronautes pour raccourcir la corde ?

65. Une petite sphère pleine de masse m et de rayon r roule sans glisser sur la trajectoire représentée à la figure 9.51. Si elle part du repos au sommet de la trajectoire à une hauteur h, (a) quelle doit être la valeur minimale de h (en fonction du rayon de la boucle R) pour que la sphère complète la boucle ? Vous pouvez supposer que h et R sont très supérieurs à r. (b) Quelles sont les composantes de la force exercée sur la sphère au point P si $h = 3R$?

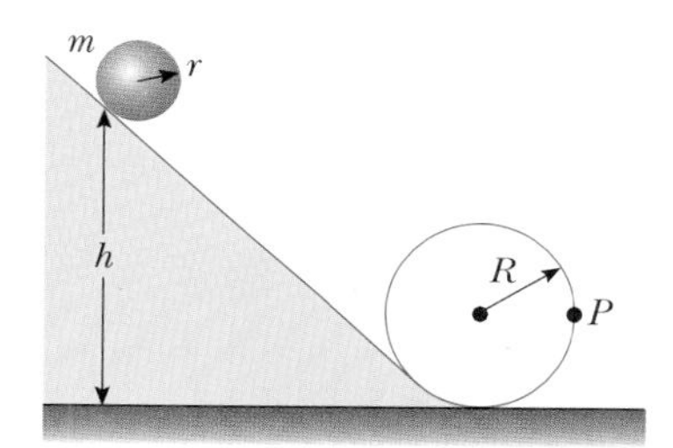

Figure 9.51 (Problème 65)

66. (a) Quelle est l'énergie de rotation de la Terre autour de son axe de spin ? La Terre a un rayon de 6 400 km et une masse de 6×10^{24} kg. On suppose que la Terre est une sphère de moment d'inertie égal à $\frac{2}{5}MR^2$. (b) L'énergie de rotation de la Terre diminue uniformément à cause du frottement des marées. Évaluez la variation d'énergie de rotation de la Terre en *un jour* sachant que la période de rotation de la Terre diminue d'environ 10 μs *chaque année.*

67. On peut déterminer la vitesse d'une balle de fusil en la faisant passer à travers deux disques de papier en rotation qui sont montés sur un même axe à une distance d l'un de l'autre (voir figure 9.52). À partir du déplacement angulaire $\Delta\theta$ des deux trous laissés par la balle dans les disques et de la vitesse de rotation ω des disques, on peut déterminer la vitesse de la balle. Trouvez la vitesse de la balle correspondant aux valeurs suivantes : $d = 80$ cm, $\omega = 900$ tr/min et $\Delta\theta = 31°$.

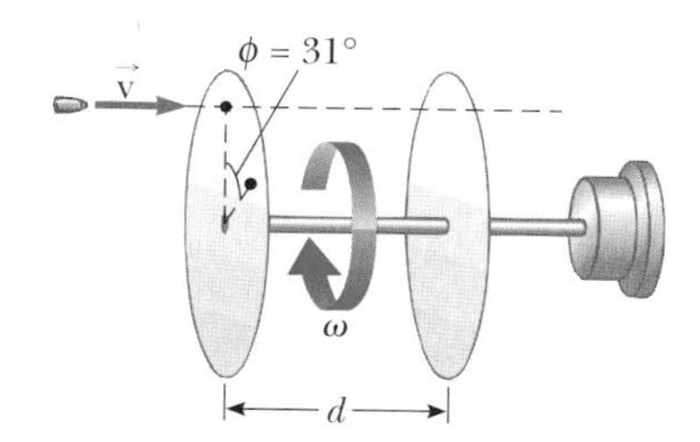

Figure 9.52 (Problème 67)

68. La poulie représentée à la figure 9.53 a un rayon R et un moment d'inertie I. La masse m est reliée d'un côté à un ressort de constante k et de l'autre côté à une corde enroulée autour de la poulie. L'arbre de la poulie et le plan incliné sont sans frottement. Si on fait tourner la poulie dans le sens antihoraire pour allonger la corde d'une distance d à partir de sa position *d'équilibre*, et si on la lâche à partir du repos, déterminez (a) la vitesse angulaire de la poulie lorsque la corde retrouve sa position d'équilibre et (b) la valeur numérique de la vitesse angulaire en ce point si $I = 1$ kg·m², $R = 0,3$ m, $k = 50$ N/m, $m = 0,5$ kg, $d = 0,2$ m et $\theta = 37°$.

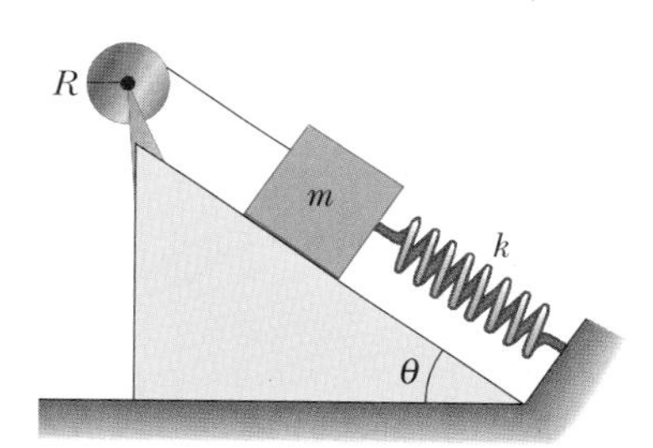

Figure 9.53 (Problème 68)

69. Les deux blocs représentés à la figure 9.54 sont reliés par une ficelle de masse négligeable passant sur une poulie de rayon 0,25 m et de moment d'inertie I. Le bloc de masse m_1 se déplace vers le haut du plan incliné avec une accélération constante de 2 m/s². Déterminez (a) T_1 et T_2, les tensions des deux parties de la ficelle et (b) le moment d'inertie de la poulie.

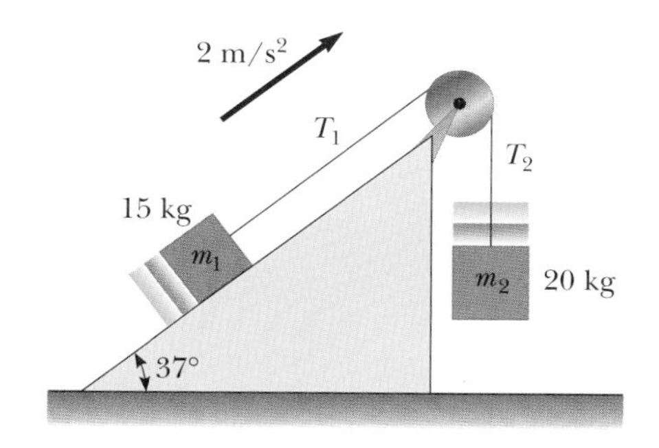

Figure 9.54 (Problème 69)

70. À cause du frottement, la vitesse angulaire d'une roue varie en fonction du temps selon l'expression suivante :

$$\frac{d\theta}{dt} = \omega_0 e^{-\sigma t}$$

où ω_0 et σ sont des constantes. La vitesse angulaire passe de 3,5 rad/s à l'instant $t = 0$ à 2 rad/s à l'instant $t = 9{,}3$ s. À l'aide de ces données, déterminez σ et ω_0. Déterminez ensuite (a) l'accélération angulaire à $t = 3$ s, (b) le nombre de tours effectués par la roue au cours des premières 2,5 s et (c) le nombre de tours effectués par la roue avant de s'immobiliser.

71. En 12 s, un moteur électrique accélère de 0 à 10 tr/min la grande roue d'un parc d'attractions dont le moment d'inertie est $I = 20\ 000\ \text{kg} \cdot \text{m}^2$. Lorsqu'on arrête le moteur, la grande roue ralentit de 10 à 8 tr/min en 10 s à cause des pertes par frottement. Déterminez (a) le moment de force produit par le moteur pour accélérer la roue jusqu'à 10 tr/min et (b) la puissance nécessaire pour maintenir la grande roue en rotation à la vitesse de 10 tr/min.

72. Une sphère roule sans glisser vers le bas d'un plan incliné (voir figure 9.28, page 207). (a) À l'aide des résultats de l'exemple 9.8 et des équations de la cinématique, démontrez que l'accélération du centre de masse de la sphère est égal à $\frac{5}{7}g \sin \theta$. (b) Montrez qu'on peut obtenir le même résultat à l'aide des méthodes dynamiques. (*Suggestion :* Évaluez le moment de force par rapport au centre de masse de la sphère et notez que $\tau = I\alpha$ est encore vrai dans le référentiel du centre de masse.) (c) Expliquez pourquoi l'accélération est inférieure à $g \sin \theta$.

73. Une porte homogène de 25 kg faisant 1,5 m par 2,2 m est fixée au mur par deux pentures situées respectivement à 0,4 m et 1,8 m du bas de la porte. Calculez la force résultante sur chaque penture.

74. Soit un escabeau de masse négligeable, représenté à la figure 9.55, sur lequel on a posé une masse de 15 kg sur un échelon situé à 0,5 m du sommet. Calculez la tension dans la traverse centrale et la force de contact sur chaque pied en supposant que la friction est nulle entre le sol et les pieds.

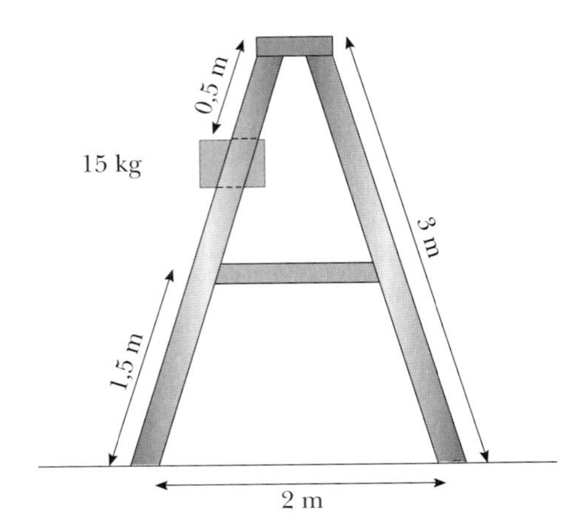

Figure 9.55 (Problème 74)

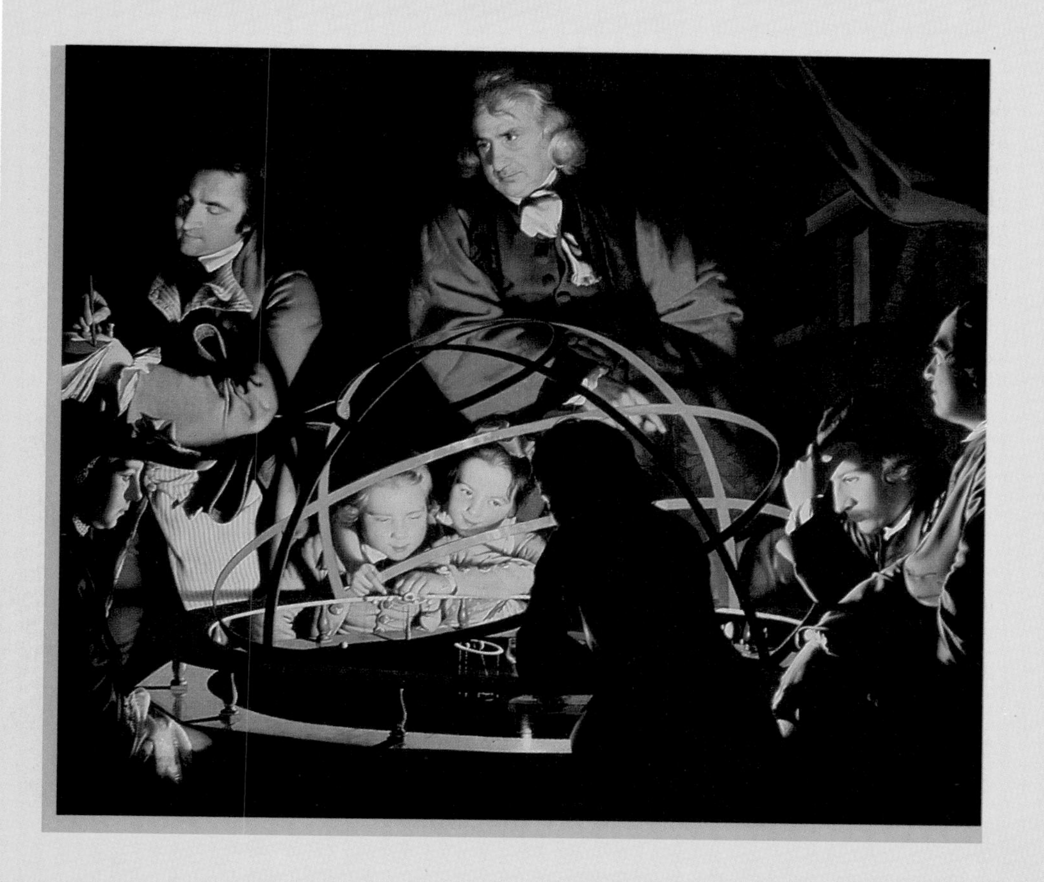

Figure 10.1
Cette toile du peintre anglais Joseph Wright (1734-1797) représente un philosophe en train d'expliquer le principe du planétaire. Le planétaire est un modèle mécanique du système solaire. À travers son œuvre, Wright tenta d'étudier l'incidence des productions scientifiques et industrielles sur notre perception du monde. *(The Bridgeman Art Library)*

Les forces fondamentales et le mouvement orbital

CHAPITRE 10

Au chapitre 4, nous avons brièvement mentionné les forces fondamentales que les scientifiques ont retenues pour comprendre la nature. Comme il est essentiel pour votre culture scientifique d'en avoir une connaissance un peu plus approfondie, nous les reprenons dans le présent chapitre. L'une de ces interactions fondamentales est la force gravitationnelle. Nous l'étudierons plus particulièrement afin d'expliquer un certain nombre de mouvements orbitaux, tels que le mouvement des planètes et le mouvement des satellites de la Terre. Cette étude vous permettra d'utiliser nombre de connaissances acquises au cours des chapitres antérieurs, par exemple la conservation de l'énergie et le moment cinétique. Après cette étude, nous présenterons les autres forces fondamentales. Vous aurez l'occasion de travailler avec ces forces dans vos prochains cours de physique.

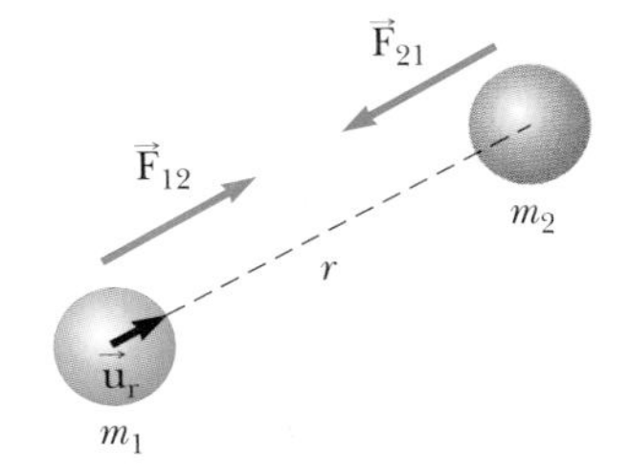

Figure 10.2
La force gravitationnelle entre deux particules est attractive. Le vecteur unitaire $\vec{u}_r$ est dirigé de m_1 vers m_2. On note que $\vec{F}_{12} = -\vec{F}_{21}$.

10.1 La force gravitationnelle

La force gravitationnelle est la force d'attraction mutuelle entre deux masses dans l'univers. Nous l'avons déjà vue lorsque nous avons étudié la notion de poids au chapitre 4, à la section 4.6. Il est intéressant et assez surprenant de noter que, bien qu'elle puisse être très intense entre des objets macroscopiques, la force gravitationnelle est la plus faible de toutes les forces fondamentales. Par exemple, la force gravitationnelle entre l'électron et le proton dans l'atome d'hydrogène vaut à peu près seulement 10^{-47} N, alors que la force électrostatique entre ces deux particules est à peu près égale à 10^{-7} N.

Selon la **loi de l'attraction universelle de Newton**, *toutes les particules de l'univers s'attirent avec une force directement proportionnelle au produit de leurs masses et inversement proportionnelle au carré de la distance qui les sépare.* Si deux particules ont pour masse m_1 et m_2 et si elles sont séparées par une distance r, comme à la figure 10.2, l'intensité de la force gravitationnelle s'écrit comme suit :

Loi de la gravitation universelle

$$F_g = G\frac{m_1 m_2}{r^2} \qquad [10.1]$$

où G est la *constante gravitationnelle*, de valeur

$$G = 6{,}67 \times 10^{-11}\ \frac{\mathrm{N \cdot m^2}}{\mathrm{kg^2}} \qquad [10.2]$$

Nous reviendrons à cette loi à la section 10.2.

10.2 La loi de la gravitation universelle de Newton

Avant 1686, on avait déjà recueilli de nombreuses données sur le mouvement de la Lune et des planètes, mais on ne se questionnait pas encore tellement sur l'origine des forces causant ces mouvements. Cette année-là, Isaac Newton proposa une clé à cette énigme. Comme la Lune est en orbite pratiquement circulaire, la deuxième loi de Newton implique qu'elle est soumise à l'action d'une force résultante. Newton proposa alors que l'interaction entre la Lune et la Terre était une force d'attraction. Il affirma en particulier que ce sont les forces gravitationnelles qui sont responsables du mouvement de la Lune autour de la Terre, tout comme pour le mouvement des planètes autour du soleil.

Nous avons vu à la section 10.1 que toute particule exerce sur une autre particule une force proportionnelle au produit de leur masse et inversement proportionnelle au carré de la distance qui les sépare. Si deux particules ont pour masse m_1 et m_2 et si elles sont séparées par une distance r, l'intensité de la force gravitationnelle qui agit entre elles est la suivante :

$$F_g = G\frac{m_1 m_2}{r^2}$$

On rapporte souvent que la loi de la gravitation universelle (équation 10.1) est une **loi de l'inverse du carré** parce que la grandeur de la force varie comme l'inverse du carré de la distance entre les particules. Nous pouvons exprimer cette force sous une forme vectorielle en définissant un vecteur unitaire $\vec{u}_r$ orienté de m_1 à m_2, comme à la figure 10.2. La force exercée par m_1 sur m_2 est alors :

$$\vec{F}_{21} = -G\frac{m_1 m_2}{r^2}\vec{u}_r \qquad [10.3]$$

Le signe *moins* dans l'équation 10.3 indique qu'il y a une attraction entre m_2 et m_1 et que la force est dirigée vers m_1. De même, d'après la troisième loi de Newton, la force exercée par m_2 sur m_1, désignée par $\vec{F}_{12}$, est égale et opposée à $\vec{F}_{21}$. Ces forces forment donc une paire action-réaction et $\vec{F}_{12} = -\vec{F}_{21}$.

La force gravitationnelle exercée par une distribution de masse symétrique sphérique de dimensions finies sur une particule extérieure à la sphère est la même que si la masse totale de la sphère était concentrée en son centre. Par exemple, la force exercée sur une particule de masse m à la surface de la Terre a pour grandeur :

$$F_g = G\,\frac{M_T m}{R_T^2}$$

où M_T est la masse de la Terre et R_T est le rayon de la Terre. Cette force est dirigée vers le centre de la Terre.

Lorsque Newton publia sa théorie de la gravitation, ses contemporains eurent du mal à admettre la notion d'une force capable d'agir à distance. Ils se demandaient comment deux masses pouvaient interagir sans être en contact. Sans avoir pu répondre à cette question, la théorie de Newton fut un succès parce qu'elle apportait une explication satisfaisante aux mouvements des planètes.

Afin de décrire l'interaction gravitationnelle, une autre approche peut régler ce problème relatif à l'action instantanée à distance de la force newtonienne. Il s'agit de la notion de **champ gravitationnel**, $\vec{g}$. Lorsqu'une particule de masse m est placée en un point où le champ est $\vec{g}$, elle est soumise à une force $\vec{F}_g = m\vec{g}$. Autrement dit, le champ $\vec{g}$ exerce une force sur la particule. Le champ gravitationnel est donc défini par l'équation suivante :

$$\vec{g} \equiv \frac{\vec{F}_g}{m} \qquad [10.4]$$

Le champ gravitationnel en un point de l'espace est donc égal à la force gravitationnelle exercée sur une masse quelconque placée en ce point, divisée par la masse. Par conséquent, si $\vec{g}$ est connu en un point de l'espace, une particule témoin de masse m est soumise à une force gravitationnelle $m\vec{g}$ lorsqu'elle se trouve en ce point. Pour un objet de masse m près de la surface terrestre, la force $\vec{F}_g$ a comme grandeur $GM_T m/r^2$ et le champ $\vec{g}$ est donné par :

$$\vec{g} = \frac{\vec{F}_g}{m} = -\frac{GM_T}{r^2}\vec{u}_r \qquad [10.5]$$

Champ gravitationnel de la Terre

où $\vec{u}_r$ est un vecteur unitaire orienté selon un rayon partant du centre de la Terre. Le signe *moins* indique que le champ est orienté vers le centre de la Terre, comme le montre la figure 10.3a. Notons que le vecteur champ en différents points

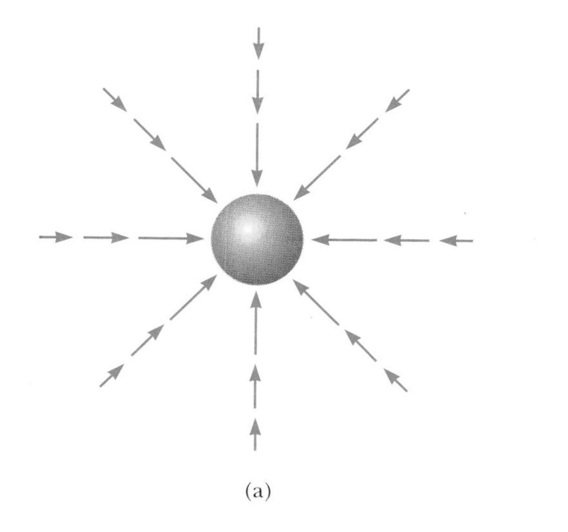

(a)

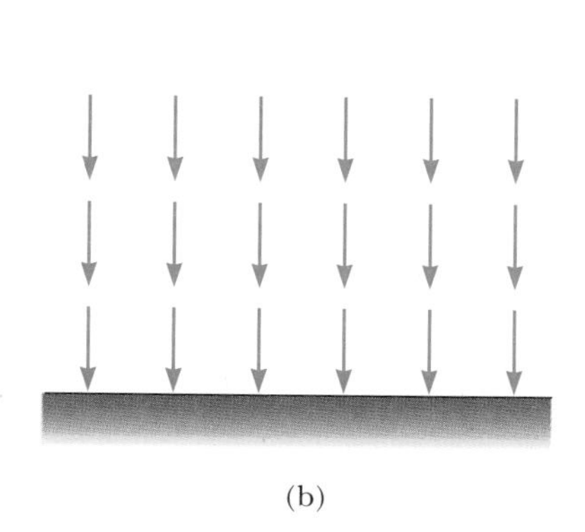

(b)

Figure 10.3
(a) Les vecteurs du champ gravitationnel au voisinage d'une masse sphérique uniforme comme la Terre varient à la fois en direction et en grandeur. (b) Les vecteurs du champ gravitationnel dans une petite région proche de la surface du globe sont uniformes ; ils ont même grandeur et même direction.

autour de la masse sphérique varie à la fois en direction et en grandeur. Dans une petite région proche de la surface de la Terre, g est à peu près constant et le champ dirigé vers le bas est uniforme, comme le montre la figure 6.4b, page 223. Cette expression est valable en tout point *extérieur* à la surface terrestre, en supposant que la Terre soit sphérique et que sa rotation soit négligeable. À la surface de la Terre, où $r = R_T$, $\vec{g}$ a pour grandeur 9,8 m/s^2.

La notion de champ est utilisée dans bien d'autres domaines de la physique. Elle fut introduite par Michael Faraday (1791-1867) dans son étude de l'électromagnétisme. Malgré sa nature abstraite, la notion de champ est particulièrement utile pour décrire les interactions électriques et magnétiques.

Les champs gravitationnel, électrique et magnétique sont des *champs vectoriels*, car un vecteur est défini en tout point de l'espace. De même, un *champ scalaire* est un champ dans lequel une grandeur scalaire est définie en chaque point de l'espace. Par exemple, la variation de température dans une région donnée peut être représentée par un champ scalaire de température.

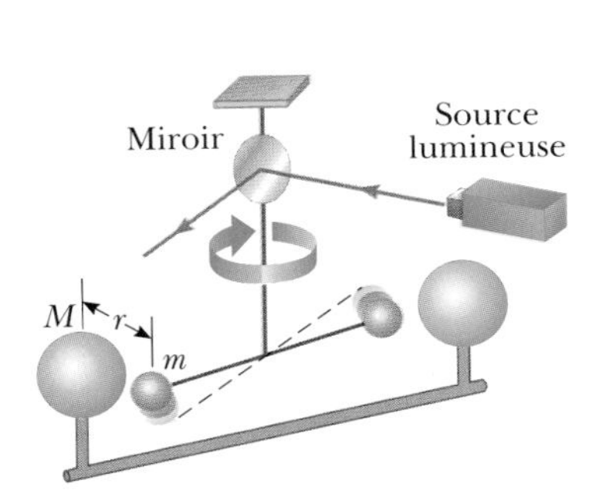

Figure 10.4
Représentation schématique du montage utilisé par Cavendish pour mesurer G. Les petites sphères de masse m sont attirées par les grandes sphères de masse M, ce qui fait tourner la tige d'un petit angle. Un faisceau lumineux réfléchi par un miroir fixé à la tige permet de mesurer l'angle de rotation.

Mesure de la constante gravitationnelle

La constante gravitationnelle G fut mesurée pour la première fois par Sir Henry Cavendish lors d'une importante expérience qu'il réalisa en 1798. Le montage qu'il utilisa comprenait deux petites masses sphériques m, fixées aux extrémités d'une tige horizontale légère suspendue par un fil métallique mince (voir figure 10.4a). Il plaça ensuite, près de ces petites sphères, deux sphères plus grosses de masse M. La force d'attraction entre les petites sphères et les grosses sphères fait tourner la tige et entraîne la torsion du fil. Si le système est orienté comme à la figure 10.4a, la tige tourne dans le sens horaire vu d'en haut. On mesure l'angle de rotation par la déviation d'un rayon lumineux réfléchi sur un miroir fixé au fil. L'expérience est réalisée plusieurs fois avec des masses différentes et diverses distances. Elle permet d'obtenir la valeur de G, mais elle montre également que la force est attractive, proportionnelle au produit mM et inversement proportionnelle au carré de la distance r.

Exemple 10.1 La masse de la terre

Utilisez la loi de la gravitation universelle pour trouver une valeur approchée de la masse de la Terre.

Solution À la figure 10.5, qui n'est évidemment pas à l'échelle, une balle de baseball tombe vers la Terre à un endroit où l'accélération gravitationnelle est g. La force gravitationnelle exercée sur la balle de baseball par la Terre est identique au poids de la balle, $P = m_b g$. Avec la loi de la gravitation, nous trouvons ceci :

$$m_b g = G\,\frac{M_T m_b}{R_T^2}$$

La balle de baseball étant suffisamment proche de la Terre, on peut dire que la distance entre le centre de la balle et le centre de la Terre est pratiquement égale au rayon de la Terre, soit $6{,}38 \times 10^6$ m. Divisons chaque membre de cette équation par m_b et résolvons pour obtenir la masse de la Terre M_T :

$$M_T = \frac{g R_T^2}{G}$$

La masse de la Terre est donc :

$$M_T = \frac{(9{,}8\ \text{m/s}^2)(6{,}38 \times 10^6\ \text{m})^2}{6{,}67 \times 10^{-11}\ \text{N}\cdot\text{m}^2/\text{kg}^2} = 5{,}98 \times 10^{24}\ \text{kg}$$

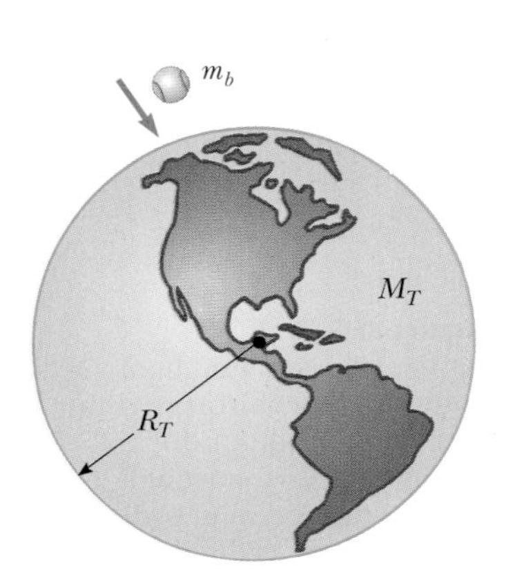

Figure 10.5
(Exemple 10.1) Chute d'une balle de baseball vers la Terre (le dessin n'est pas à l'échelle).

APPLICATION

Encadré 10.1

À quoi peut bien servir la loi de la gravitation universelle ?

Pour ne pas compromettre leurs missions spatiales, les scientifiques doivent tenir compte de l'attraction gravitationnelle des corps célestes importants, tels que le Soleil et Jupiter. En effet, lorsqu'ils envoient leurs engins dans l'espace, ils doivent éviter que ceux-ci ne soient capturés par leur champ gravitationnel.

Cependant, les scientifiques ont aussi su voir l'envers de la médaille, car l'attraction gravitationnelle d'un corps n'est pas uniquement un phénomène à éviter ou contre lequel il faut lutter, mais aussi un fait dont on peut en tirer profit. C'est ainsi qu'à la fin des années 70, les sondes Voyager 1 et 2 ont été envoyées dans l'espace pour étudier les planètes lointaines de notre système solaire : Jupiter, Saturne, Uranus, Neptune et Pluton. De 1975 à 1990, la disposition relative de ces planètes a aidé les scientifiques à contrôler les trajectoires des sondes. Ils ont utilisé le champ gravitationnel de plusieurs planètes pour diriger les sondes vers d'autres planètes. Les sondes ont été ainsi accélérées par un effet gravitationnel.

Vers le milieu du XIXe siècle, l'astronome français Urbain Le Verrier a également eu recours à la loi de la gravitation universelle. À cette époque, les scientifiques avaient observé des irrégularités dans la trajectoire d'Uranus. Le Verrier a émis l'hypothèse qu'un corps, d'une masse suffisamment importante pour influencer sa trajectoire, devait exister dans le « voisinage » d'Uranus. Ses calculs l'ont donc amené à prévoir l'existence d'une planète. Et, grâce aux calculs de Le Verrier, l'astronome allemand Johann Galle découvrit cette planète dans le ciel en 1846. Elle porte le nom de Neptune.

LECTURE SUGGÉRÉE

- J. Rondest, « Les "Voyager" pour Jupiter, Saturne, Uranus, Neptune... » dans *La Recherche*, n° 80, vol. 8, juillet-août 1977, p. 669-670.

Exemple 10.2 Gravité et altitude

Nous allons établir une expression qui montre, pour tout point au-dessus de la surface terrestre, comment l'accélération gravitationnelle varie en fonction de la distance au centre de la Terre.

Solution Nous pouvons reprendre le cas de la chute de la balle de baseball de l'exemple 10.1. Par contre, nous supposons maintenant que la balle est située à une distance arbitraire $r > R_T$ du centre de la Terre. La première équation de l'exemple 10.1, dans laquelle on remplace R_T par r devient, une fois qu'on a simplifié par m_b :

$$g = G\frac{M_T}{r^2}$$

Ceci indique que l'accélération gravitationnelle en un point au-dessus de la surface terrestre décroît en raison inverse du carré de la distance entre le point et le centre de la Terre. L'hypothèse faite au chapitre 2 selon laquelle les objets tombent avec une accélération constante est évidemment incorrecte d'après cet exemple. Cependant, lorsque la chute est suffisamment courte, la variation de g est si faible qu'on peut la négliger sans introduire d'erreur notable dans les résultats.

Les valeurs de g à différentes altitudes sont données au tableau 10.1.

Exercice Si un objet pèse 270 N à la surface de la Terre, quel est son poids à une altitude égale au double du rayon de la Terre ?

Réponse 30 N

Exercice Déterminez la grandeur de l'accélération gravitationnelle à une altitude de 500 km. De quel pourcentage le poids d'un corps est-il réduit à cette altitude ?

Réponse 8,43 m/s², 14 %

Tableau 10.1
Accélération gravitationnelle g à diverses altitudes

Altitude (km)*	g (m/s²)
1 000	7,33
2 000	5,68
3 000	4,53
4 000	3,7
5 000	3,08
6 000	2,6
7 000	2,23
8 000	1,93
9 000	1,69
10 000	1,49
50 000	0,13

* L'altitude est la distance mesurée au-dessus de la surface de la Terre.

Figure 10.6
Johannes Kepler (1571-1630)
Astronome allemand, Kepler est surtout connu pour les lois du mouvement des planètes qu'il a énoncées en s'appuyant sur les observations de Tycho Brahe. Tout au long de sa vie, Kepler était préoccupé par des notions mystiques s'inspirant de l'antiquité grecque. Par exemple, il croyait à une « musique des sphères », idée qui fut proposée par Pythagore et selon laquelle chaque planète en mouvement émet une note musicale particulière. Après avoir passé plusieurs années à tenter d'élaborer une théorie du mouvement des planètes, il parvint à la conclusion qu'il fallait abandonner l'hypothèse des orbites circulaires de Copernic. Il montra que les planètes décrivaient des orbites elliptiques dont l'un des foyers est toujours le Soleil.

10.3 Les lois de Kepler

Depuis des milliers d'années, les êtres humains observent les mouvements des planètes, des étoiles et des autres corps célestes. Au début, les scientifiques croyaient que la Terre était au centre de l'univers. Ce modèle géocentrique connu par les écrits de l'astronome grec Claudius Ptolémée au deuxième siècle après Jésus-Christ fut la façon de concevoir le monde pendant 1 400 ans. En 1543, l'astronome polonais Nicolas Copernic (1473-1543) suggéra que la Terre et les autres planètes décrivaient des orbites circulaires autour du Soleil (modèle héliocentrique).

L'astronome danois Tycho Brahe (1546-1601) fit des mesures astronomiques précises (seulement à l'aide d'un sextan et d'une boussole) échelonnées sur une vingtaine d'années. Ses résultats ont servi de base au modèle actuel du système solaire.

L'astronome allemand Johannes Kepler, qui était l'assistant de Brahe, se servit des données astronomiques recueillies par ce dernier. Pendant 16 ans, il tenta d'établir un modèle mathématique capable de décrire le mouvement des planètes. Après de nombreux calculs, il découvrit que les données de Brahe sur l'orbite de Mars autour du Soleil fournissaient la réponse. Pour rendre compte des données, Kepler montra qu'il fallait d'abord abandonner la notion d'orbite circulaire autour du Soleil. Il découvrit que l'orbite de Mars pouvait être représentée avec une bonne précision par une ellipse dont le Soleil est l'un des foyers. Il généralisa ensuite son analyse au mouvement de toutes les planètes. L'analyse complète se résume en trois énoncés, appelés les **lois de Kepler** :

Lois de Kepler

1. Toutes les planètes décrivent des orbites elliptiques dont le Soleil est l'un des foyers.
2. Le rayon vecteur joignant le Soleil à une planète balaie des aires égales pendant des intervalles de temps égaux.
3. Le carré de la période de révolution d'une planète est proportionnel au cube du demi-grand axe de l'orbite elliptique.

Newton démontra que ces lois étaient la conséquence d'une force d'attraction gravitationnelle qui s'exerce entre deux masses. La loi de la gravitation universelle de Newton, avec ses lois du mouvement, donnent une solution mathématique complète du mouvement des planètes et des satellites.

10.4 La loi de la gravitation universelle et le mouvement des planètes

Comparons l'accélération de la Lune sur son orbite avec l'accélération d'un objet, comme une pomme, qui tombe près de la surface de la Terre (voir figure 10.7). Supposons que l'attraction gravitationnelle de la Terre soit la seule cause de ces

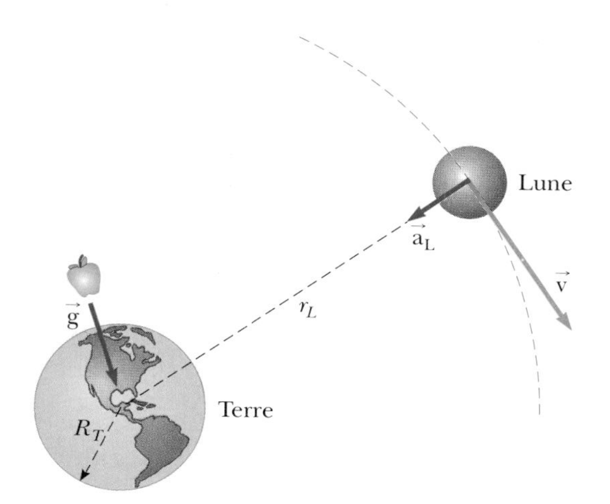

Figure 10.7
En gravitant autour de la Terre, la Lune est soumise à une accélération centripète a_L dirigée vers la Terre. Un objet proche de la surface terrestre subit une accélération égale à g. (Les dimensions ne sont pas à l'échelle.)

deux accélérations. D'après la loi de la gravitation, l'accélération de la Lune vers la Terre (accélération centripète) doit être proportionnelle à $1/r_L^2$, où r_L est la distance entre les centres de la Lune et de la Terre. De plus, l'accélération de la pomme vers la Terre doit être proportionnelle à $1/R_T^2$, où R_T est le rayon de la Terre. Si on utilise les valeurs $r_L = 3{,}84 \times 10^8$ m et $R_T = 6{,}37 \times 10^6$ m, le rapport entre l'accélération de la Lune a_L et l'accélération g de la pomme s'écrit comme suit :

$$\frac{a_L}{g} = \frac{(1/r_L)^2}{(1/R_T)^2} = \left(\frac{R_T}{r_L}\right)^2 = \left(\frac{6{,}37 \times 10^6 \text{ m}}{3{,}84 \times 10^8 \text{ m}}\right)^2 = 2{,}75 \times 10^{-4}$$

Par conséquent,

$$a_L = (2{,}75 \times 10^{-4})(9{,}8\text{m/s}^2) = 2{,}7 \times 10^{-3} \text{ m/s}^2$$

L'accélération centripète de la Lune peut également se calculer par la cinématique puisqu'on connaît sa période orbitale $T = 27{,}32$ jours $= 2{,}36 \times 10^6$ s et sa distance moyenne par rapport à la Terre, r_L. Pendant le temps T, la Lune parcourt une distance $2\pi r_L$ qui est égale à la circonférence de son orbite. Sa vitesse orbitale est donc $2\pi r_L/T$ et son accélération centripète est la suivante :

$$a_L = \frac{v^2}{r_L} = \frac{(2\pi r_L/T)^2}{r_L} = \frac{4\pi^2 r_L}{T^2} = \frac{4\pi^2(3{,}84 \times 10^8 \text{ m})}{(2{,}36 \times 10^6 \text{ s})^2} = 2{,}72 \times 10^{-3} \text{ m/s}^2$$

Le fait que les deux résultats concordent est une bonne indication pour la validité de la loi de la gravitation.

La troisième loi de Kepler

Dans le cas d'orbites circulaires, on peut établir la troisième loi de Kepler à partir de la loi de la gravitation[1]. Considérons une planète de masse M_p en orbite circulaire autour du Soleil (de masse M_s), comme à la figure 10.8. Puisque la force gravitationnelle qui s'exerce sur la planète est égale à la force centripète nécessaire pour la maintenir sur une trajectoire circulaire, nous pouvons utiliser l'équation 5.3 et écrire :

$$\frac{GM_sM_p}{r^2} = \frac{M_p v^2}{r}$$

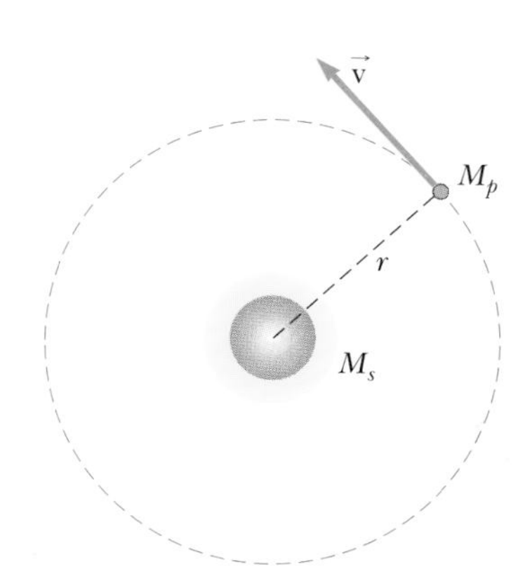

Figure 10.8
Une planète de masse M_p décrivant une orbite circulaire autour du Soleil. Les orbites de toutes les planètes sauf Mars, Mercure et Pluton sont pratiquement circulaires.

[1] Les orbites de toutes les planètes, sauf Mars, Mercure et Pluton, sont pratiquement circulaires. Par exemple, le rapport entre le demi-petit axe et le demi-grand axe de la Terre est $b/a = 0{,}999\ 86$. La différence entre le périhélie (distance minimale du Soleil) et l'aphélie (distance maximale du Soleil) est très supérieure à la différence entre le demi-grand axe et le demi-petit axe.

Tableau 10.2
Données utiles relatives aux planètes[2]

Corps céleste	Masse (kg)	Rayon moyen (m)	Période (s)	Distance du Soleil (m)	$\frac{T^2}{r^3}\left(\frac{s^2}{m^3}\right)$
Mercure	$3{,}18 \times 10^{23}$	$2{,}43 \times 10^{6}$	$7{,}6 \times 10^{6}$	$5{,}79 \times 10^{10}$	$2{,}97 \times 10^{-19}$
Vénus	$4{,}88 \times 10^{24}$	$6{,}06 \times 10^{6}$	$1{,}94 \times 10^{7}$	$1{,}08 \times 10^{11}$	$2{,}99 \times 10^{-19}$
Terre	$5{,}98 \times 10^{24}$	$6{,}37 \times 10^{6}$	$3{,}156 \times 10^{7}$	$1{,}496 \times 10^{11}$	$2{,}97 \times 10^{-19}$
Mars	$6{,}42 \times 10^{23}$	$3{,}37 \times 10^{6}$	$5{,}94 \times 10^{7}$	$2{,}28 \times 10^{11}$	$2{,}98 \times 10^{-19}$
Jupiter	$1{,}9 \times 10^{27}$	$6{,}99 \times 10^{7}$	$3{,}74 \times 10^{8}$	$7{,}78 \times 10^{11}$	$2{,}97 \times 10^{-19}$
Saturne	$5{,}68 \times 10^{26}$	$5{,}85 \times 10^{7}$	$9{,}35 \times 10^{8}$	$1{,}43 \times 10^{12}$	$2{,}99 \times 10^{-19}$
Uranus	$8{,}68 \times 10^{25}$	$2{,}33 \times 10^{7}$	$2{,}64 \times 10^{9}$	$2{,}87 \times 10^{12}$	$2{,}95 \times 10^{-19}$
Neptune	$1{,}03 \times 10^{26}$	$2{,}21 \times 10^{7}$	$5{,}22 \times 10^{9}$	$4{,}5 \times 10^{12}$	$2{,}99 \times 10^{-19}$
Pluton	$\approx 1{,}4 \times 10^{22}$	$\approx 1{,}5 \times 10^{6}$	$7{,}82 \times 10^{9}$	$5{,}91 \times 10^{12}$	$2{,}96 \times 10^{-19}$
Lune	$7{,}36 \times 10^{22}$	$1{,}74 \times 10^{6}$	—	—	—
Soleil	$1{,}991 \times 10^{30}$	$6{,}96 \times 10^{8}$	—	—	—

[2] On trouvera un ensemble plus complet de données dans l'ouvrage *Handbook of Chemistry and Physics*, Boca Raton, Floride, The Chemical Rubber Publishing Co.

Mais la vitesse orbitale de la planète est simplement $2\pi r/T$, où T est sa période. Par conséquent, l'expression précédente devient ceci :

$$\frac{GM_s}{r^2} = \frac{(2\pi r/T)^2}{r}$$

Troisième loi de Kepler

$$T^2 = \left(\frac{4\pi^2}{GM_s}\right) r^3 = K_s r^3 \quad [10.6]$$

où K_s est une constante donnée par :

$$K_s = \frac{4\pi^2}{GM_s} = 2{,}97 \times 10^{-19}\ \mathrm{s^2/m^3}$$

L'équation 10.6 correspond à la troisième loi de Kepler. Elle est également valable pour les orbites elliptiques si on remplace r par la longueur a du demi-grand axe (voir figure 10.9). Notons que la constante de proportionnalité K_s est indépendante de la masse de la planète. L'équation 10.6 est donc valable pour une planète *quelconque*. Si on voulait étudier l'orbite d'un satellite autour de la Terre, comme la Lune, la constante prendrait une valeur différente, car la masse du Soleil serait alors remplacée par la masse de la Terre. Dans ce cas, la constante de proportionnalité serait égale à $4\pi^2/GM_T$.

Le tableau 10.2 regroupe des données utiles relatives aux planètes. La dernière colonne du tableau permet de vérifier que T^2/r^3 a une valeur constante.

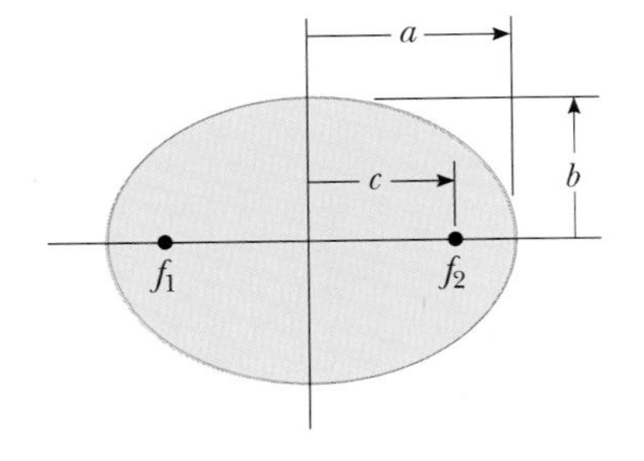

Figure 10.9
Tracé d'une ellipse. Le demi-grand axe a pour longueur a et le demi-petit axe a pour longueur b. Les foyers f_1 et f_2 sont situés à la distance c du centre, avec $a^2 = b^2 + c^2$ et l'excentricité de l'ellipse est par définition $e = c/a$.

Exemple 10.3 Un satellite de la Terre

Un satellite de masse m décrit une orbite circulaire autour de la Terre avec une vitesse constante v à une altitude h = 1 000 km au-dessus de la surface terrestre, comme à la figure 10.10 (qui n'est pas à l'échelle). Déterminez la vitesse orbitale du satellite. Le rayon de la Terre est de $6{,}38 \times 10^6$ m et sa masse de $5{,}98 \times 10^{24}$ kg.

Solution La seule force extérieure agissant sur le satellite est l'attraction gravitationnelle exercée par la Terre. Cette force, dirigée vers le centre de la trajectoire circulaire du satellite, correspond à la force centripète qui agit sur lui. Puisque la force gravitationnelle est $GM_T m/r^2$, on obtient :

$$F_g = G\frac{M_T m}{r^2} = m\frac{v^2}{r}$$

$$v^2 = \frac{GM_T}{r}$$

Dans cette expression, la distance r représente le rayon de la Terre plus l'altitude du satellite, c'est-à-dire $r = R_T + h = 7{,}38 \times 10^6$ m, de sorte que :

$$v^2 = \frac{(6{,}67 \times 10^{-11}\ \mathrm{N\cdot m^2/kg^2})(5{,}98 \times 10^{24}\ \mathrm{kg})}{7{,}38 \times 10^6\ \mathrm{m}} = 5{,}4 \times 10^7\ \mathrm{m^2/s^2}$$

Par conséquent,

$$v = \boxed{7{,}35 \times 10^3\ \mathrm{m/s}}$$

On remarque que v *ne dépend pas de la masse du satellite !*

Exercice Calculez la période de révolution T du satellite.

Réponse 105 minutes

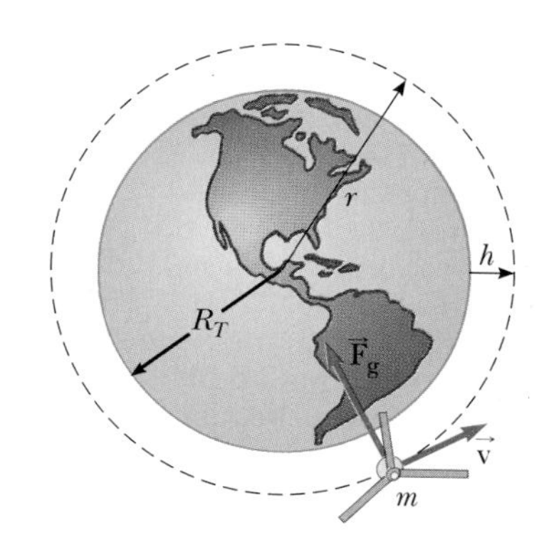

Figure 10.10
(Exemple 10.3) Un satellite de masse m en mouvement autour de la Terre sur une orbite circulaire de rayon r avec une vitesse constante v. La force centripète est la force gravitationnelle qui agit sur le satellite (le dessin n'est pas à l'échelle).

La deuxième loi de Kepler et la conservation du moment cinétique

Considérons une planète de masse M_p qui décrit une orbite elliptique autour du Soleil (voir figure 10.11). La force gravitationnelle qui agit sur la planète est une force centrale. Une force centrale est une force constamment dirigée vers un centre d'attraction (en l'occurrence, le Soleil). Le moment de force sur la planète causé par cette force centrale est évidemment nul puisque $\vec{F}$ est parallèle à $\vec{r}$. On a donc :

$$\vec{\tau} = \vec{r} \times \vec{F} = \vec{r} \times F(r)\vec{u}_r = \vec{0}$$

De plus, nous savons que le moment de force est le taux de variation du moment cinétique par rapport au temps, $\vec{\tau} = d\vec{L}/dt$.

Comme $\vec{\tau} = \vec{0} = d\vec{L}/dt$, le moment cinétique $\vec{L}$ de la planète est une constante du mouvement.

Or,

$$\vec{L} = \vec{r} \times \vec{p} = m\vec{r} \times \vec{v} = \text{constante}$$

Puisque $\vec{L}$ est une constante du mouvement, le mouvement de la planète à un instant quelconque est limité au plan formé par $\vec{r}$ et $\vec{v}$.

Nous pouvons établir un lien entre ce résultat et les considérations géométriques qui suivent. Pendant un intervalle de temps dt, le rayon vecteur $\vec{r}$ de la figure 10.11b balaie l'aire dA qui est égale à la moitié de l'aire $|\vec{r} \times d\vec{r}|$ du parallélogramme construit sur les vecteurs $\vec{r}$ et $d\vec{r}$. Puisque le déplacement de la planète pendant le temps dt est donné par $d\vec{r} = \vec{v}\,dt$, nous obtenons ceci :

$$dA = \tfrac{1}{2}|\vec{r} \times d\vec{r}| = \tfrac{1}{2}|\vec{r} \times \vec{v}\,dt| = \tfrac{1}{2}\left|\frac{\vec{L}}{m}\,dt\right| = \frac{L}{2m}\,dt$$

$$\boxed{\frac{dA}{dt} = \frac{L}{2m} = \text{constante}} \qquad [10.7]$$

où L et m sont deux constantes du mouvement. Nous en concluons que :

le rayon vecteur joignant le Soleil à une planète quelconque balaie des aires égales pendant des intervalles de temps égaux.

Il est important de se rendre compte que ce résultat, qui constitue la deuxième loi de Kepler, vient du fait que la force gravitationnelle est une force centrale. Une telle force implique à son tour que le moment cinétique de la planète est

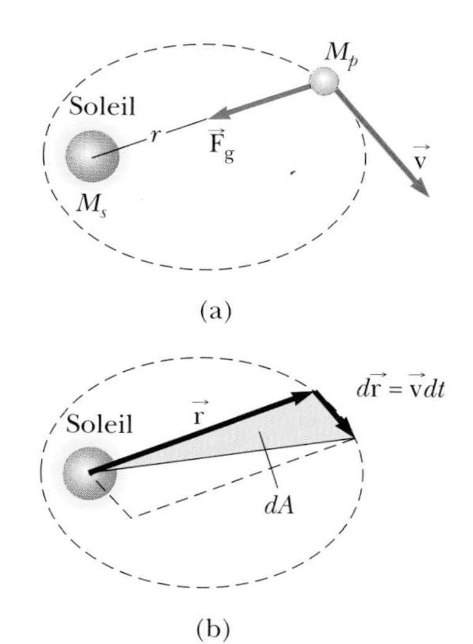

Figure 10.11
(a) La force qui agit sur une planète est portée par le rayon vecteur et est dirigée vers le Soleil. (b) Au cours du mouvement de la planète en orbite autour du Soleil, l'aire balayée par le rayon vecteur en un temps dt est égal à la moitié de l'aire du parallélogramme formé par les vecteurs $\vec{r}$ et $d\vec{r} = \vec{v}\,dt$.

Figure 10.12
Des astronautes en orbite autour de la Terre (1985), après avoir recapturé le vaisseau de communication *Westar VI* qui avait été abandonné depuis son déploiement initial. Dale A. Gardner, à gauche, tient dans les mains un écriteau « À vendre » en référence au véhicule qu'il vient de capturer tandis que Joseph P. Allen IV, à droite, se tient sur un bras commandé par le Dr Anna L. Fisher depuis la cabine du Discovery. *(Photo de la NASA)*

constant. Par conséquent, la loi s'applique à *toute* situation faisant intervenir une force centrale, qu'elle soit proportionnelle ou non à l'inverse du carré de la distance.

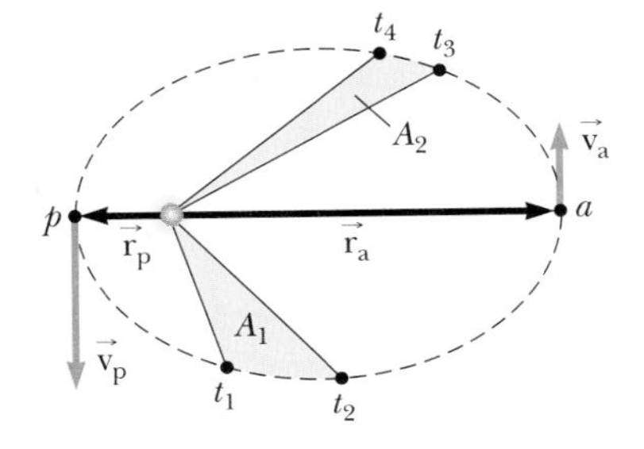

Figure 10.13
(Exemple 10.4) Lorsqu'une planète décrit une orbite elliptique autour du Soleil, son moment cinétique est conservé. Par conséquent, $mv_ar_a = mv_pr_p$, où les indices a et p réfèrent à l'aphélie et au périhélie.

Exemple 10.4 Mouvement sur une orbite elliptique

Soit une planète de masse m décrivant autour du Soleil une orbite elliptique de périhélie (distance minimale du Soleil) p et d'aphélie (distance maximale du Soleil) a (voir figure 10.13). Si la vitesse de la planète est v_p en p, quelle est sa vitesse en a ? On suppose les distances r_a et r_p connues.

Solution Le moment cinétique de la planète par rapport au Soleil est $m\vec{r} \times \vec{v}$. Aux points a et p, $\vec{v}$ est perpendiculaire à $\vec{r}$. Par conséquent, la grandeur du moment cinétique en ces points est $L_a = mv_ar_a$ et $L_p = mv_pr_p$. La direction du moment cinétique sort du plan de la page. Puisque le moment cinétique est constant, on peut écrire :

$$mv_ar_a = mv_pr_p$$

$$v_a = \frac{r_p}{r_a} v_p$$

10.5 Énergie intervenant dans le mouvement des planètes et des satellites

Considérons un corps de masse m en mouvement à la vitesse v au voisinage d'un corps massif de masse $M \gg m$. Ce système peut représenter le cas d'une planète en mouvement autour du Soleil ou d'un satellite en orbite autour de la Terre. Si on suppose que M est au repos dans un référentiel inertiel[3], alors l'énergie

[3] Pour vérifier que cette supposition est raisonnable, considérons un objet de masse m qui tombe vers la Terre. Puisque le centre de masse du système objet-Terre est immobile, il s'ensuit que $mv = M_Tv_T$. Ainsi, la Terre acquiert une énergie cinétique égale à

$$\tfrac{1}{2}M_Tv_T^2 = \frac{1}{2}\frac{m^2}{M_T}v^2 = \frac{m}{M_T}K$$

où K est l'énergie cinétique de l'objet. Puisque $M_T \gg m$, m/M_T est une très petite quantité et l'énergie cinétique de la Terre est alors négligeable.

Figure 10.14
Cette image de Saturne, prise par le vaisseau spatial *Voyager I* le 18 octobre 1980, a été colorée pour mettre en évidence les ceintures de Saturne. *(Photographie de la NASA)*

Figure 10.15
Jupiter et ses quatre lunes, grosses comme des planètes, ont été photographiées par *Voyager I* et regroupées sur ce collage. Les lunes ne sont pas à l'échelle, mais elles sont représentées dans leurs positions relatives. Neuf autres lunes plus petites gravitent autour de Jupiter. L'anneau de particules qui entoure Jupiter et qui a été observé pour la première fois par *Voyager I* n'est pas visible sur la photo. *(Photographie de la NASA)*

totale E du système composé des deux corps séparés par une distance r est égale à la somme de l'énergie cinétique de la masse m et de l'énergie potentielle du système :

$$E = K + U$$

Nous avons vu au chapitre 7 (équation 7.20) que l'énergie potentielle gravitationnelle U_g associée à *toute paire* de particules de masses m_1 et m_2 séparées par une distance r est la suivante :

$$U_g = -\frac{Gm_1 m_2}{r}$$

Par conséquent, dans le cas présent,

$$E = \tfrac{1}{2}mv^2 - \frac{GMm}{r} \qquad [10.8]$$

De plus, l'énergie totale est conservée si on suppose que le système est isolé. Par conséquent, lorsque la masse m se déplace de P à Q à la figure 10.16, l'énergie totale reste constante et l'équation 10.8 donne :

$$E = \tfrac{1}{2}mv_i^2 - \frac{GMm}{r_i} = \tfrac{1}{2}mv_f^2 - \frac{GMm}{r_f} \qquad [10.9]$$

Ce résultat indique que E peut être positif, négatif ou nul, selon la valeur de $\vec{v}$. Mais, dans le cas d'un système lié comme celui qui est constitué par la Terre et le Soleil, E est forcément *négatif* si nous utilisons la convention arbitraire $U \to 0$ lorsque $r \to \infty$. On peut facilement montrer que $E < 0$ pour le système constitué d'une masse m en orbite circulaire autour d'un corps de masse M. La deuxième loi de Newton appliquée au corps de masse m donne :

$$\frac{GMm}{r^2} = \frac{mv^2}{r}$$

En multipliant les deux membres de l'équation par r et en divisant par 2, on obtient ceci :

$$\tfrac{1}{2}mv^2 = \frac{GMm}{2r} \qquad [10.10]$$

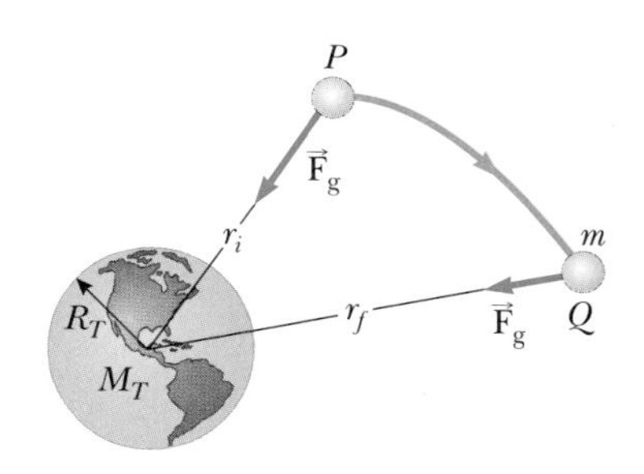

Figure 10.16
Pendant le mouvement d'une particule de masse m de P à Q au-dessus de la surface de la Terre, l'énergie totale du système est conservée.

En introduisant cette relation dans l'équation 12.6, on obtient :

$$E = \frac{GMm}{2r} - \frac{GMm}{r}$$

Énergie totale dans le cas d'orbites circulaires

$$E = -\frac{GMm}{2r} \qquad [10.11]$$

Ceci indique clairement que *l'énergie totale doit être négative dans le cas des orbites circulaires.* Notons que *l'énergie cinétique, toujours positive, est égale à la moitié de l'énergie potentielle.* Le signe négatif de l'énergie E du système indique qu'il s'agit d'une énergie de liaison.

L'énergie mécanique totale est également négative dans le cas des orbites elliptiques. L'expression donnant E pour les orbites elliptiques est la même que l'équation 10.11. Cependant, on y remplace r par la longueur du demi-grand axe, a. L'énergie totale, le moment cinétique total et la quantité de mouvement totale d'un système planète-Soleil sont des constantes du mouvement.

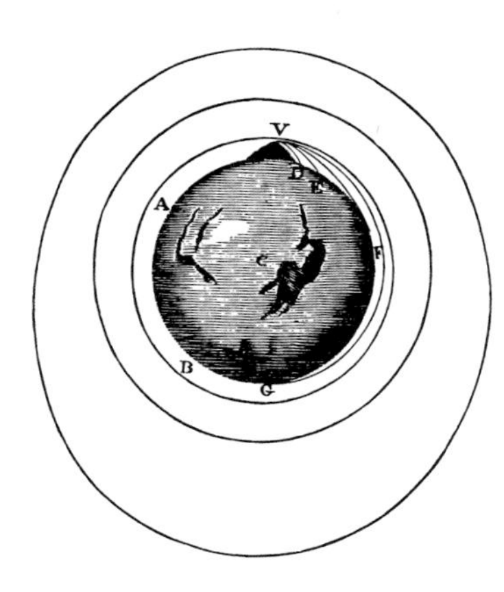

Figure 10.17
« ...plus la vitesse avec laquelle une pierre est projetée est grande, plus la pierre va loin avant de retomber sur Terre. On peut donc supposer que la vitesse augmente suffisamment pour permettre à l'objet de décrire un arc de 1, 2, 5, 10, 100, 1 000 milles avant de revenir sur Terre, jusqu'à ce qu'il sorte des limites terrestres et s'éloigne dans l'espace. » — Newton, *System of the World.*

Exemple 10.5 Changement d'orbite d'un satellite

Calculez le travail nécessaire pour faire passer un satellite terrestre de masse m d'une orbite circulaire de rayon $2R_T$ à une autre orbite de rayon $3R_T$.

Solution L'équation 10.11 nous permet d'obtenir l'énergie initiale totale et l'énergie finale totale :

$$E_i = -\frac{GM_Tm}{4R_T} \qquad E_f = -\frac{GM_Tm}{6R_T}$$

Le travail nécessaire pour accroître l'énergie du système est donc égal à l'énergie finale moins l'énergie initiale du système :

$$W = E_f - E_i = -\frac{GM_Tm}{6R_T} - \left(-\frac{GM_Tm}{4R_T}\right) = \frac{GM_Tm}{12R_T}$$

On peut déterminer comment se répartit l'énergie une fois que le travail a été effectué sur le système. On voit d'après l'équation 10.10 que la variation d'énergie cinétique est $\Delta K = -GM_Tm/12R_T$ (elle diminue), alors que la variation correspondante d'énergie potentielle est $\Delta U = GM_Tm/6R_T$ (elle augmente). Ainsi, le travail effectué sur le système est donné par $W = \Delta K + \Delta U = GM_Tm/12R_T$, comme nous l'avons calculé plus haut.

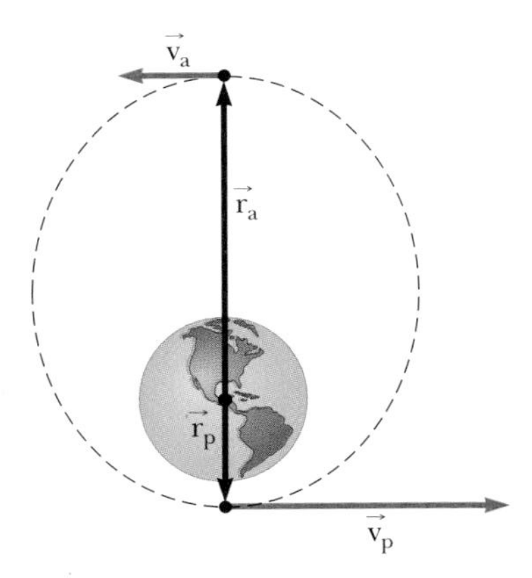

Figure 10.18
(Exemple 10.6) Un satellite décrivant une orbite elliptique autour de la Terre.

Exemple 10.6 Un satellite en orbite elliptique

Soit un satellite en orbite elliptique autour de la Terre, comme à la figure 10.18. Les distances minimale (périgée) et maximale (apogée) entre le satellite et la surface de la Terre sont respectivement de 400 km et de 3 000 km. Déterminez les vitesses du satellite à l'apogée et au périgée.

Solution Puisque la masse du satellite est négligeable par rapport à la masse de la Terre, on peut supposer que le centre de masse de la Terre est au repos. La force gravitationnelle est une force *centrale* et le moment cinétique du satellite par rapport au centre de masse de la Terre est donc conservé dans le temps. Si on désigne par les indices a et p les quantités associées à l'apogée et au périgée, la conservation du moment cinétique donne $L_p = L_a$, ou :

$$mv_pr_p = mv_ar_a$$

$$v_pr_p = v_ar_a \qquad [1]$$

En appliquant le principe de conservation de l'énergie, on obtient $E_p = E_a$, ou :

$$U_p + K_p = U_a + K_a$$

$$-G\frac{M_T m}{r_p} + \tfrac{1}{2}mv_p^2 = -G\frac{M_T m}{r_a} + \tfrac{1}{2}mv_a^2$$

$$2GM_T\left(\frac{1}{r_a} - \frac{1}{r_p}\right) = (v_a^2 - v_p^2) \qquad \textbf{[2]}$$

En utilisant les données du problème et en prenant le rayon terrestre égal à 6,37 × 10⁶ m, on trouve $r_a = 9{,}37 \times 10^6$ m et $r_p = 6{,}77 \times 10^6$ m. Puisqu'on connaît les valeurs numériques de G, M_T, r_p et r_a, on peut utiliser les équations (1) et (2) pour déterminer les deux inconnues, v_p et v_a. La résolution de ce système d'équations donne ceci :

$$v_p = 8{,}25 \text{ km/s} \qquad v_a = 5{,}96 \text{ km/s}$$

Vitesse de libération

Supposons qu'un objet de masse m soit projeté verticalement à partir de la surface terrestre avec une vitesse initiale v_i, comme à la figure 10.19. On peut utiliser le concept énergie pour déterminer la valeur minimale de la vitesse initiale pour que l'objet puisse sortir du champ gravitationnel de la Terre. L'équation 10.8 donne l'énergie totale de l'objet en un point quelconque lorsque sa vitesse et sa distance au centre de la Terre sont connues. À la surface de la Terre, $v_i = v$, $r_i = R_T$. Lorsque l'objet atteint son altitude maximale, $v_f = 0$ et $r_f = r_{max}$. L'énergie totale du système étant conservée, le fait d'introduire ces conditions dans l'équation 10.9 donne :

$$\tfrac{1}{2}mv_i^2 - \frac{GM_T m}{R_T} = -\frac{GM_T m}{r_{max}}$$

On isole ensuite v_i^2 :

$$v_i^2 = 2GM_T\left(\frac{1}{R_T} - \frac{1}{r_{max}}\right) \qquad \textbf{[10.12]}$$

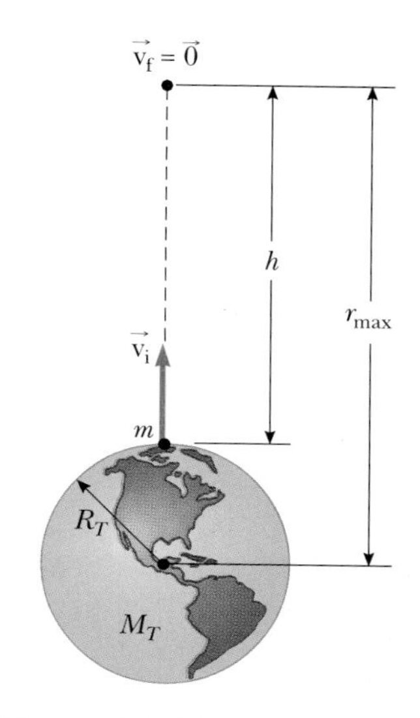

Figure 10.19
Un objet de masse m projeté vers le haut à partir de la surface de la Terre avec une vitesse initiale v_i atteint une altitude maximale h.

Si la vitesse initiale est connue, on peut utiliser cette expression pour calculer l'altitude maximale h puisqu'on sait que $h = r_{max} - R_T$.

Nous sommes maintenant en mesure de calculer la vitesse minimale que doit avoir l'objet à la surface de la Terre pour sortir de l'influence du champ gravitationnel terrestre. Cette situation correspond au cas d'un objet qui peut *tout juste* atteindre l'infini avec une vitesse finale *nulle*. En posant $r_{max} = \infty$ dans l'équation 10.12 et en prenant $v_i = v_{lib}$ (vitesse de libération), nous obtenons :

Vitesse de libération

$$v_{lib} = \sqrt{\frac{2GM_T}{R_T}} \qquad \textbf{[10.13]}$$

Notons que l'expression donnant v_{lib} est indépendante de la masse de l'objet projeté à partir de la Terre. Par exemple, un véhicule spatial a la même vitesse de libération qu'une molécule. De plus, le résultat est indépendant de la *direction* de la vitesse, à condition qu'il n'y ait pas d'intersection entre la trajectoire de l'objet et la Terre. Si la vitesse initiale de l'objet est égale à v_{lib}, alors son énergie *totale* est égale à zéro. Cela peut se vérifier en notant que lorsque r est infini, l'énergie cinétique de l'objet et son énergie potentielle sont toutes deux nulles. Si v_i est supérieur à v_{lib}, l'énergie *totale* est alors supérieure à zéro et l'objet possède une certaine énergie cinétique résiduelle à r infini.

Tableau 10.3
Vitesse de libération des planètes, de la Lune et du Soleil

Planète	v_{lib} (km/s)
Mercure	4,3
Vénus	10,3
Terre	11,2
Lune	2,3
Mars	5
Jupiter	60
Saturne	36
Uranus	22
Neptune	24
Pluton	1,1
Soleil	618

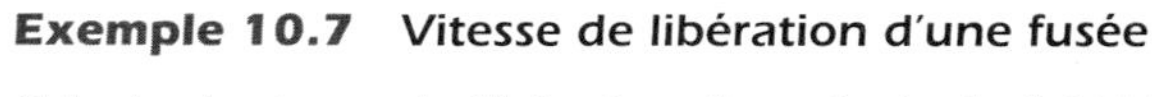

Exemple 10.7 Vitesse de libération d'une fusée

Calculez la vitesse de libération d'une fusée de 5 000 kg et déterminez l'énergie cinétique qu'elle doit avoir à la surface de la Terre pour pouvoir s'échapper du champ gravitationnel terrestre.

Solution Sachant que $M_T = 5{,}98 \times 10^{24}$ kg et $R_T = 6{,}37 \times 10^6$ m, l'équation 10.13 donne :

$$v_{lib} = \sqrt{\frac{2GM_T}{R_T}}$$

$$= \sqrt{\frac{2(6{,}67 \times 10^{-11}\ \text{N}\cdot\text{m}^2/\text{kg})(5{,}98 \times 10^{24}\ \text{kg})}{6{,}37 \times 10^6\ \text{m}}}$$

$$= 11{,}2 \times 10^3\ \text{m/s} = 11{,}2\ \text{km/s}$$

L'énergie cinétique que doit avoir la fusée est :

$$K = \tfrac{1}{2}mv^2_{lib} = \tfrac{1}{2}(5 \times 10^3\ \text{kg})(11{,}2 \times 10^3\ \text{m/s})$$

$$= 3{,}14 \times 10^{11}\ \text{J}$$

Notons enfin que les équations 10.12 et 10.13 sont valables dans le cas d'objets projetés à partir de *n'importe quelle* planète. Ainsi, la vitesse de libération à partir d'une planète quelconque de masse M et de rayon R est

$$v_{lib} = \sqrt{\frac{2GM}{R}} \qquad \textbf{[10.14]}$$

Le tableau 10.3 indique les vitesses de libération pour les planètes, la Lune et le Soleil. Ces résultats, ainsi que certaines notions relatives à la théorie cinétique des gaz, expliquent pourquoi certaines planètes ont une atmosphère alors que d'autres n'en ont pas. En effet, l'énergie cinétique moyenne d'une molécule de gaz dépend de sa température. Les atomes légers, comme l'hydrogène ou l'hélium, ont des vitesses moyennes plus élevées que les atomes lourds ; leur vitesse pouvant ne pas être très inférieure à la vitesse de libération, une fraction importante des molécules légères peuvent s'échapper du champ de gravitation de la planète. Ce mécanisme explique également pourquoi la Terre ne parvient pas à retenir les molécules d'hydrogène et d'hélium alors que les molécules plus lourdes d'oxygène et d'azote restent dans l'atmosphère terrestre. Par contre, la planète Jupiter a une très grande vitesse de libération (60 km/s) qui lui permet de retenir l'hydrogène. C'est la raison pour laquelle son atmosphère est principalement composée d'hydrogène.

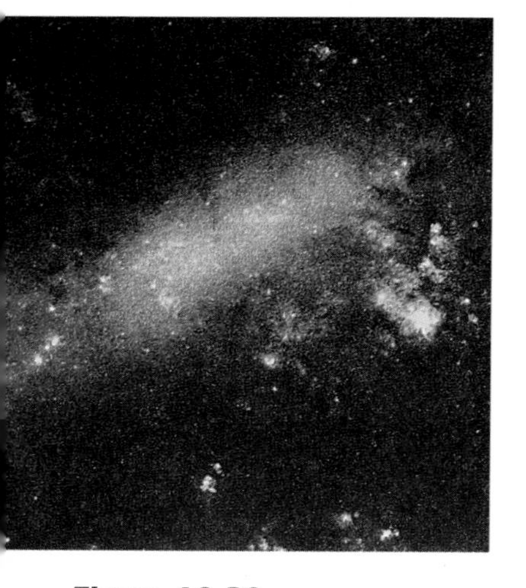

Figure 10.20 L'étoile brillante visible à gauche est une supernova qui a explosé le 23 février 1987. La partie centrale de la photographie est une galaxie appelée Grand Nuage de Magellan. Cette galaxie est située à près de 160 000 années-lumière de la Terre et sa largeur est de 35 000 années-lumière. *(Observatoire royal d'Édimbourg, Science Photo Library)*

Trous noirs

Une supernova est un événement rare qui correspond à l'explosion d'une étoile très massive. La matière qui reste dans le noyau central d'un tel objet continue de s'effondrer, mais le sort ultime du noyau dépend de sa masse. Si elle est inférieure à 1,4 fois la masse de notre Soleil, alors le noyau se refroidit progressivement pour former une étoile naine noire. Par contre, si la masse du noyau est supérieure à cette limite, l'étoile peut continuer de s'effondrer sous l'action des forces gravitationnelles. On obtient alors une étoile à neutrons, c'est-à-dire une région comprimée d'un rayon de 10 km environ. (Sur Terre, une cuillère à thé de cette matière pèserait près de 5 milliards de tonnes !)

Un phénomène encore plus rare peut se produire lors de la mort d'une étoile si le noyau a une masse supérieure à trois fois environ la masse du Soleil. On ne

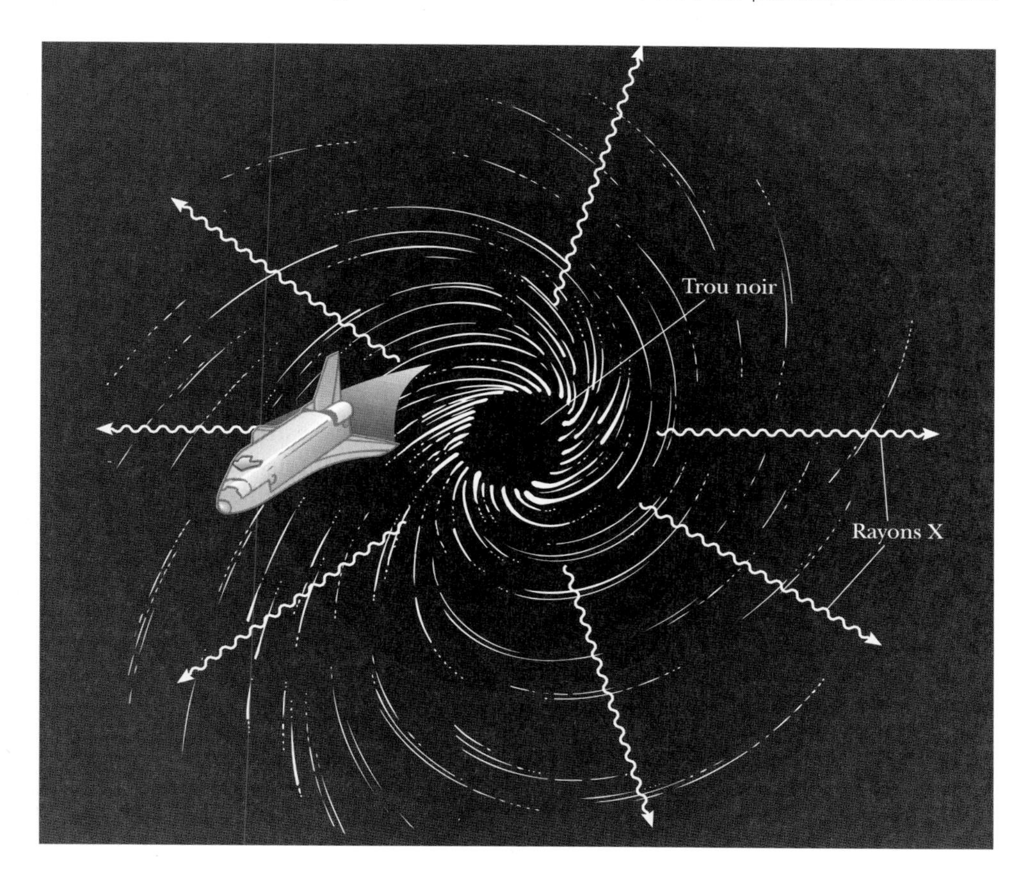

Figure 10.21
Le champ gravitationnel au voisinage d'un trou noir est si intense que rien, même la lumière, ne peut s'en échapper. Tout objet qui se trouve à proximité d'un trou noir peut émettre des rayons X.

connaît pas d'interaction suffisamment forte pour empêcher l'effondrement d'une telle étoile. L'effondrement peut se poursuivre jusqu'à ce que l'étoile devienne un simple point dans l'espace, qu'on appelle couramment un **trou noir**. *Un trou noir est ce qui reste d'une étoile lorsqu'elle s'est effondrée sous l'action de son propre poids.*

Certains objets, comme des engins spatiaux par exemple, peuvent pénétrer dans un trou noir, mais ne peuvent jamais en sortir. Dès qu'un objet pénètre dans un trou noir, il est irrésistiblement attiré vers le centre du trou noir et il en reste prisonnier à jamais (voir figure 10.21).

La vitesse de libération d'un corps sphérique quelconque peut se calculer à partir de l'équation 10.14. Si elle est supérieure à la vitesse de la lumière, c, les rayonnements émis à l'intérieur du corps en question (comme la lumière visible) ne peuvent s'en échapper et le corps apparaît donc noir, d'où l'origine de l'expression « trou noir ». Le rayon critique R_S pour lequel ce phénomène a lieu est appelé **rayon de Schwarzchild** (voir figure 10.22). En prenant $v_{\text{lib}} = c$ dans l'équation 10.14 et en isolant R_S, nous obtenons $R_S = 2GM/c^2$. Par exemple, la valeur de R_S pour un trou noir de masse égale à celle du Soleil est de 3,0 km ; un trou noir dont la masse est égale à celle de la Terre a un rayon de 9 mm environ (à peu près le rayon d'une pièce de 10 cents).

Bien que la lumière ne puisse pas s'échapper d'un trou noir, des événements qui se produisent à proximité du trou noir devraient être visibles. Une étoile voisine capturée par le champ gravitationnel intense d'un trou noir devrait émettre des rayons X (voir figure 10.21). En s'appuyant sur ce raisonnement, on a pu détecter plusieurs objets pouvant être des trous noirs, le plus connu étant Cygnus X-1, la première source de rayons X détectée dans la constellation du Cygne. Des observations scientifiques indiquent aussi l'existence de trous noirs supermassifs aux centres des galaxies.

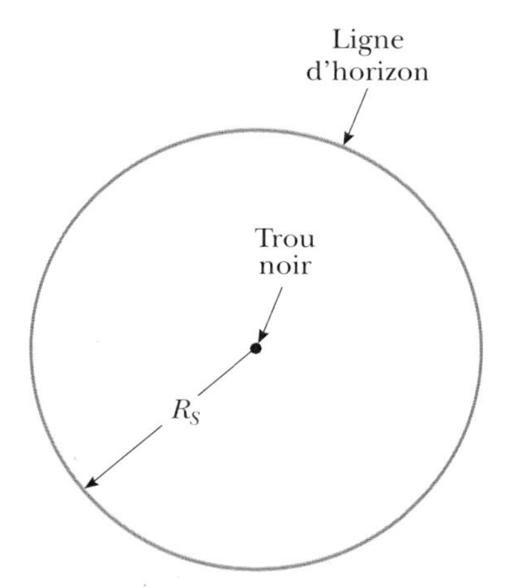

Figure 10.22
Un trou noir. La distance R_S est égale au rayon de Schwarzchild. Tout événement qui a lieu à l'intérieur de la zone délimitée par le rayon R_S, appelée ligne d'horizon, est invisible pour un observateur extérieur.

10.6 Forces dans la nature

Dans les chapitres précédents, nous avons présenté des forces que nous observons chaque jour, comme la force gravitationnelle, la force de frottement, la force de rappel dans un ressort déformé, etc.

Toutes ces forces peuvent se réduire à des forces dites fondamentales lorsqu'elles résultent d'une interaction fondamentale entre des particules. En 1967, la communauté scientifique reconnaissait quatre forces fondamentales, qui sont, par ordre d'intensité décroissante : l'interaction **forte**, la force **électromagnétique**, l'interaction **nucléaire faible** et la force **gravitationnelle** (cette dernière a été traitée en début de chapitre).

Ces forces sont impliquées dans plusieurs événements astronomiques comme dans le cas de l'évolution des étoiles à neutrons mentionnées à la section précédente ou dans les théories concernant la formation des éléments chimiques suite au Big Bang (nucléosynthèse).

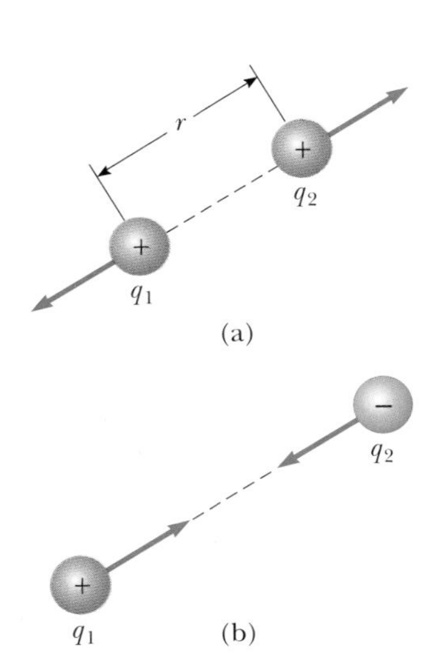

Figure 10.23
Deux charges ponctuelles séparées par une distance r exercent l'une sur l'autre une force électrostatique qui est donnée par la loi de Coulomb. (a) Si les charges sont de même signe, la force est répulsive. (b) Si les charges sont de signes contraires, la force est attractive.

La force électromagnétique

La force électromagnétique est la force qui lie entre eux les atomes et les molécules des corps composés pour former la matière. Elle est beaucoup plus forte que la force gravitationnelle. La force qui attire des morceaux de papier sur un peigne qu'on a frotté et la force exercée par un aimant sur un clou en fer sont des forces électromagnétiques. Essentiellement, toutes les forces qui agissent dans notre monde macroscopique (sauf la force gravitationnelle) sont des manifestations de la force électromagnétique. Par exemple, les forces de frottement, les forces de contact, les forces de tension et les forces de rappel des ressorts sont des conséquences des forces électromagnétiques entre des particules chargées à proximité l'une de l'autre.

La force électromagnétique fait intervenir deux types de particules : celles qui ont une charge positive et celles qui ont une charge négative. Contrairement à la force gravitationnelle, qui est *toujours* une force d'attraction, la force électromagnétique peut être *soit* une attraction, *soit* une répulsion, selon les charges portées par les particules. En général, la force *électromagnétique* agit entre deux particules chargées qui sont *en mouvement* l'une par rapport à l'autre.

Lorsque les particules chargées sont *au repos* l'une par rapport à l'autre, la force qui s'exerce entre elles est une force *électrostatique*. La **loi de Coulomb** exprime l'intensité de la force électrostatique F_e entre deux particules chargées séparées par une distance r :

Loi de Coulomb

$$F_e = k_e \frac{q_1 q_2}{r^2} \qquad [10.15]$$

où q_1 et q_2 sont les charges des deux particules mesurées en coulombs (C) et k est la *constante de Coulomb* et vaut $8{,}99 \times 10^9$ N·m²/C². Notons que la force électrostatique a la même forme mathématique que la loi de l'attraction universelle de Newton (équation 10.1) : les masses sont remplacées par des charges et les constantes sont différentes. La force électrostatique est une *attraction* si les deux charges sont de signes opposés et une *répulsion* si les deux charges sont de même signe, comme on le voit à la figure 10.23.

La plus petite quantité de charge *isolée* qui existe dans la nature (jusqu'à présent) est la charge d'un électron ou d'un proton. Cette charge élémentaire a pour valeur $e = 1{,}60 \times 10^{-19}$ C. Des théories élaborées dans les années 70 et les années 80 supposent que les protons et les neutrons sont constitués de particules plus petites appelées **quarks** qui portent une charge égale à $2e/3$ ou à $-e/3$. Malgré les preuves expérimentales montrant la présence de ces particules dans la matière nucléaire, aucun quark *libre* n'a encore jamais été détecté.

Les propriétés les plus importantes des charges électriques peuvent être résumées de la manière suivante :

Propriétés des charges

1. Les charges sont des grandeurs scalaires et leurs valeurs obéissent donc aux lois de l'arithmétique.
2. Les deux types de charge qui existent dans la nature sont appelées *positive* et *négative*. Des charges de même signe se repoussent et des charges de signes opposés s'attirent.
3. La charge nette d'un corps quelconque a des valeurs discrètes ; autrement dit, la charge est *quantifiée*. Toute particule élémentaire chargée et isolée porte une charge égale à $\pm e$. Par exemple, les électrons ont une charge égale à $-e$ et les protons, une charge égale à $+e$. (Les neutrons n'ont pas de charge.) Puisque e est la charge élémentaire, la charge nette d'un corps est Ne, où N est un nombre entier. Pour des objets macroscopiques, N est très grand et la quantification de la charge ne se remarque pas.
4. La charge électrique est toujours conservée. Cela signifie que dans un processus quelconque, comme une collision, une réaction chimique ou une désintégration nucléaire, la charge totale d'un système isolé reste constante.

L'interaction forte

Dans l'état actuel de nos connaissances, un atome est composé d'un noyau extrêmement dense chargé positivement et entouré d'un nuage d'électrons chargés négativement, les électrons étant attirés vers le noyau par la force de Coulomb. Comme tous les noyaux, sauf le noyau d'hydrogène, sont des combinaisons de protons chargés positivement et de neutrons non chargés, pourquoi la force de répulsion électrostatique entre les protons n'entraîne-t-elle pas la décomposition du noyau ? Il est évident qu'il doit y avoir une force d'attraction, plus forte que la force de répulsion électrostatique, et qui est responsable de la stabilité du noyau. Cette force, qui lie entre eux les nucléons (protons et neutrons) pour former un noyau, est appelée **interaction forte**. C'est la plus forte des forces fondamentales connues. Il faut noter que l'interaction forte n'a pas d'effet sur les électrons et sur certaines autres particules. Contrairement aux forces gravitationnelles et électromagnétiques, qui dépendent de la distance en fonction inverse du carré, l'interaction forte a une portée extrêmement faible ; son intensité décroît très rapidement à l'extérieur du noyau et elle est négligeable pour des distances supérieures à 10^{-14} m environ. Pour des distances d'environ 10^{-15} m (dimension d'un noyau typique), l'interaction forte est supérieure de près de deux ordres de grandeur à la force électromagnétique.

L'interaction faible

L'**interaction faible** est une force de faible portée qui a tendance à rendre certains noyaux instables. Elle intervient dans les substances radioactives naturelles où elle joue un rôle essentiel dans la plupart des réactions de désintégration radioactive. L'interaction faible est environ 10^{25} fois *plus intense* que la force gravitationnelle et environ 10^{12} fois *plus faible* que la force électromagnétique.

La théorie actuelle sur les interactions fondamentales

Pendant des années, les physiciens ont eu comme projet de réduire le nombre d'interactions fondamentales dans la nature. En 1967, quelques physiciens ont émis l'hypothèse que la force électromagnétique et l'interaction faible étaient en réalité des manifestations différentes d'une même interaction fondamentale appelée force **électrofaible**. Depuis 1984, des expériences permettent de soutenir cette hypothèse.

HISTORIQUE

Encadré 10.2

L'observation des corps célestes : un point de vue historique

L'observation des corps célestes semble être une chose tout à fait banale pour la plupart d'entre nous. De bons yeux, des jumelles ou un télescope plus ou moins sophistiqué suffisent généralement. Cependant, un recul historique (proposé par le physicien-historien Thomas Kuhn) suggère que l'observation des corps célestes en tant qu'objets scientifiques serait plus que le simple fait de regarder au moyen d'une instrumentation ou non.

D'après Kuhn, lorsqu'il y a une révolution scientifique, le ou la scientifique *ne perçoit plus* le monde de la même manière. Des faits historiques peuvent soutenir cette affirmation. Par exemple, pendant le siècle précédant la découverte d'Uranus (1781, par Herschel), les scientifiques voyaient les planètes connues à l'époque de même que des étoiles et des comètes. Ainsi, des astronomes de l'époque ont noté diverses positions d'*étoiles*, mais il s'agissait en fait d'Uranus. Uranus a été observée par des scientifiques et aucun d'entre eux ne semblait avoir remarqué que cette « étoile » bougeait beaucoup. À cette époque, personne ne pensait qu'il pouvait y avoir d'autres planètes. Ce qu'on observait était soit une étoile, soit une comète. Lorsque Herschel observa cette « étoile » au moyen d'un télescope amélioré et qu'il remarqua son diamètre apparent plus gros que ce qui était convenu pour une étoile, puis son mouvement dans l'espace stellaire, il déclara qu'il avait vu une *comète*. Un autre scientifique, Lexel, après plusieurs calculs a conclu que l'orbite ne pouvait pas être celle d'une comète mais celle d'une planète. L'idée a fait son chemin et a été finalement acceptée par la communauté scientifique. Bien qu'Uranus ait été observée par des scientifiques pendant près d'un siècle, *elle était vue en tant qu'étoile*. Puis, elle a changé de statut pour devenir une comète. Maintenant, les scientifiques la *perçoivent comme étant une planète*.

Il est intéressant de noter que les scientifiques ont continué de découvrir de nouveaux corps célestes (des astéroïdes, des planètes d'autres systèmes) avec *les mêmes instruments*. Comme il était désormais admis chez les scientifiques qu'il puisse y avoir d'autres planètes, cela semble avoir modifié leurs observations scientifiques...

Il ne s'agit pas là du seul cas. Avant Copernic, les Occidentaux concevaient les cieux comme immuables, imperméables aux changements. Dieu les avait créés tels qu'ils étaient. Par conséquent, il n'est pas étonnant que les observations astronomiques de cette période ne mentionnent rien de nouveau dans les cieux. Pourtant, les Chinois avaient noté, par exemple, l'apparition de nouvelles étoiles ou de comètes. Pourquoi ? Probablement parce que leurs cosmologies leur fait considérer le ciel comme étant dynamique. Vous devinez qu'après Copernic, toujours avec *les mêmes instruments*, les scientifiques ont tout à coup observé des comètes. C'est comme si les scientifiques vivaient dans un monde différent et *percevaient* le monde différemment à chaque révolution scientifique. C'est dans l'enseignement des disciplines scientifiques que les élèves apprennent à voir le monde comme les scientifiques. La prochaine révolution scientifique est entre vos mains et dans votre capacité à oser remettre en question l'enseignement de vos professeurs !

LECTURE SUGGÉRÉE

- T. Kuhn, *La structure des révolutions scientifiques*, éd. Flammarion, Paris, 1983.

Selon les scientifiques, les forces fondamentales dans la nature seraient en relation étroite avec l'origine de l'univers. La théorie du Big Bang suppose que l'univers a été formé lors d'une explosion cataclysmique il y a 15 à 20 milliards d'années. Selon cette théorie, peu après le Big Bang, l'énergie était si élevée que toutes les forces fondamentales étaient unifiées en une seule interaction. Les physiciens continuent de chercher des connexions entre les forces fondamentales connues, connexions qui pourraient démontrer que toutes les forces ne sont que des manifestations différentes d'une même *superforce*. Ayant réussi récemment à établir un lien entre les forces électromagnétiques et les interactions nucléaires faibles, les chercheurs redoublent d'efforts pour élaborer un schéma d'unification (qui reste à démontrer) appelé la **grande théorie unifiée** (GTU). Ce projet divise encore aujourd'hui la communauté de physiciens.

Piste de réflexion

Lors de la publication de la première édition de ses *Principia*, Newton a réclamé et obtenu de son éditeur qu'il fausse certaines données astronomiques pour que la théorie concorde mieux. Il était convaincu de sa justesse et croyait que des mesures plus précises viendraient la confirmer. Bien que l'avenir vint lui rendre raison en grande partie, cette façon d'agir constitue une fraude scientifique. Même si des balises existent aujourd'hui, la pression de publier et la recherche de subventions poussent certains scientifiques à « tourner les coins ronds ». Quelle attitude devrait-on avoir envers un scientifique reconnu coupable de fraude ?

LECTURE SUGGÉRÉE

W. Broad et N. Wade, *La souris truquée. Enquête sur les fraudes scientifiques*, éd. du Seuil, Paris, 1987.

Résumé

- Selon la **loi de la gravitation universelle de Newton**, la force d'attraction gravitationnelle entre deux particules de masse m_1 et m_2 séparées par une distance r a pour grandeur :

$$F_g = G\frac{m_1 m_2}{r^2} \quad [10.1]$$

où G est la constante gravitationnelle égale à :

$$6{,}672 \times 10^{-11}\ \text{N}\cdot\text{m}^2/\text{kg}^2$$

- Selon les **lois de Kepler** :
  1. Toutes les planètes décrivent des orbites elliptiques dont l'un des foyers est le Soleil.
  2. Le rayon vecteur joignant le Soleil à une planète quelconque balaie des aires égales durant des intervalles de temps égaux.
  3. Le carré de la période de révolution d'une planète est proportionnel au cube du demi-grand axe de l'orbite elliptique.

La *deuxième loi de Kepler* découle du fait que la force gravitationnelle est une *force centrale* et implique que le moment cinétique du système planète-Soleil est une constante du mouvement.

Les *première et troisième lois de Kepler* découlent du fait que la force gravitationnelle est une fonction inverse du carré de la distance. À partir de la deuxième loi de Newton et de la loi de la gravitation universelle, nous pouvons vérifier que la période T et le rayon r de l'orbite d'une planète autour du Soleil sont liés par la relation :

$$T^2 = \left(\frac{4\pi^2}{GM_s}\right) r^3 = K_s r^3 \quad [10.6]$$

où M_S est la masse du Soleil. La plupart des planètes décrivent des orbites presque circulaires autour du Soleil. Dans le cas des orbites elliptiques, l'équation 10.6 est valable si on remplace r par le demi-grand axe a.

- Pour un système isolé composé d'une particule de masse m en mouvement à la vitesse v au voisinage d'un corps massif de masse M, l'*énergie totale* du système est constante et est égale à :

$$E = \tfrac{1}{2}mv^2 - \frac{GMm}{r} \quad [10.8]$$

- Si la masse m décrit une orbite circulaire de rayon r autour de M, avec $M \gg m$, l'*énergie totale du système* est :

$$E = \frac{GMm}{2r} \quad [10.11]$$

- L'énergie totale est négative dans le cas d'un système lié, c'est-à-dire un système dont l'orbite est fermée, comme une orbite circulaire ou elliptique.
- La vitesse minimale que doit avoir un objet pour s'échapper du champ gravitationnel d'une sphère uniforme de masse M et de rayon R est :

$$v_{\text{lib}} = \sqrt{\frac{2GM}{R}} \quad [10.14]$$

- Les quatre forces fondamentales sont l'**interaction forte**, la **force électromagnétique**, l'**interaction nucléaire faible** et la **force gravitationnelle**.

Questions et exercices conceptuels

1. Si la force gravitationnelle qui agit sur un objet est directement proportionnelle à sa masse, pourquoi les grandes masses ne tombent-elles pas avec une accélération supérieure à celle des petites masses ?
2. La force gravitationnelle qu'exerce le Soleil sur la Lune est presque deux fois plus grande que la force gravitationnelle exercée sur la Lune par la Terre. Pourquoi le Soleil ne parvient-il pas à éloigner la Lune de la Terre durant une éclipse totale de Soleil ?
3. Expliquez pourquoi il faut davantage de carburant à un véhicule spatial pour aller de la Terre à la Lune que pour revenir. Évaluez la différence.

4. La valeur de l'énergie potentielle associée au système Terre-Lune est-elle supérieure, inférieure ou égale à l'énergie cinétique de la Lune par rapport à la Terre ?
5. Expliquez pourquoi aucun travail n'est effectué sur une planète lorsqu'elle décrit une orbite circulaire autour du Soleil, bien qu'une force gravitationnelle agisse sur la planète. Quel est le travail *résultant* effectué sur une planète durant chaque révolution lorsqu'elle décrit une orbite elliptique autour du Soleil ?
6. En vous référant à la figure 10.13, page 230, considérez l'aire balayée par le rayon vecteur durant les intervalles de temps $t_2 - t_1$ et $t_4 - t_3$. Dans quelle condition l'aire A_1 est-elle égale à A_2 ?
7. Si A_1 est égal à A_2 à la figure 10.13, la vitesse moyenne de la planète durant l'intervalle de temps $t_2 - t_1$ est-elle inférieure, égale ou supérieure à sa vitesse moyenne durant l'intervalle de temps $t_4 - t_3$?
8. En quel point de son orbite elliptique la vitesse d'une planète est-elle maximale ? En quel point la vitesse est-elle minimale ?
9. Si on vous donne la masse et le rayon d'une planète X, comment pouvez-vous calculer l'accélération gravitationnelle à la surface de cette planète ?
10. Si on pouvait creuser un trou jusqu'au centre de la Terre, pensez-vous que la force qui agit sur une masse m située au centre obéirait encore à l'équation 10.1 ? À votre avis, quelle serait la force exercée sur m au centre de la Terre ? À une distance $R_T/2$ du centre de la Terre ?
11. Le vaisseau spatial *Voyager* a été accéléré jusqu'à la vitesse de libération du champ d'attraction du Soleil par la force gravitationnelle de la planète géante Jupiter. Pourquoi cela est-il possible ? La vitesse supplémentaire acquise à l'approche ne devrait-elle pas être perdue lorsque le vaisseau spatial s'éloigne ?
12. Des problèmes de fonctionnement du circuit d'oxygène furent signalés à bord du vaisseau spatial *Apollo 13* alors qu'il était presque à mi-chemin du trajet vers la Lune. Pourquoi la mission a-t-elle poursuivi son voyage autour de la Lune avant de revenir sur Terre au lieu de faire demi-tour immédiatement ?
13. Soit un satellite en orbite circulaire autour de la Terre. En vous référant aux équations appropriées, expliquez si les quantités suivantes restent constantes ou varient durant le mouvement : (a) énergie cinétique, (b) énergie potentielle gravitationnelle, (c) quantité de mouvement, (d) moment cinétique. Considérons maintenant un satellite sur une orbite elliptique. Lesquelles des quantités précédentes sont constantes et lesquelles sont variables ?
14. Montrez qu'un trou noir d'un milliard de tonnes a un rayon de Schwarzschild comparable au rayon du proton (1 tonne $\approx 10^3$ kg, rayon du proton $\approx 10^{-15}$ m).

Problèmes

Section 10.2 La loi de la gravitation universelle de Newton

1. Les masses de la Terre et du Soleil sont respectivement de $5{,}98 \times 10^{24}$ kg et $1{,}99 \times 10^{30}$ kg. En supposant que l'orbite de la Terre est circulaire avec une période de 365 jours, déterminez (a) le rayon de l'orbite de la Terre autour du Soleil et (b) la force d'attraction de la Terre sur le Soleil.
2. Est-ce la Lune ou le Soleil qui exerce la plus grande force d'attraction gravitationnelle sur les objets situés sur la Terre ? Calculez ces forces sur une masse de 1 kg.
3. Le champ gravitationnel à la surface de la Lune est environ égal à un sixième du champ à la surface de la Terre. Si le rayon de la Lune est environ le quart du rayon de la Terre, déterminez le rapport de la densité moyenne de la Lune à la densité moyenne de la Terre.

Section 10.3 Les lois de Kepler
Section 10.4 La loi universelle de la gravitation et le mouvement des planètes

4. Sachant que la période de la Lune autour de la Terre est de 27,32 jours et que la distance entre la Terre et la Lune est de $3{,}84 \times 10^8$ m, calculez la masse de la Terre. On considère que l'orbite est circulaire. Pourquoi pensez-vous que la valeur calculée est élevée ?
5. Mis en orbite le 3 novembre 1960 pour étudier l'ionosphère, le satellite *Explorer VIII* décrivait une orbite ayant les paramètres suivants : altitude du périhélie, 459 km ; altitude de l'aphélie, 2 289 km (distances mesurées au-dessus de la surface de la Terre); période, 112,7 minutes. Déterminez le rapport v_p/v_a.
6. Io, une petite lune de la planète géante Jupiter, a une période orbitale de 1,77 jour et un rayon orbital de $4{,}22 \times 10^5$ km. À l'aide de ces données, déterminez la masse de Jupiter.
7. Un satellite synchrone reste toujours au-dessus du même point de l'équateur d'une planète. Un tel satellite est mis en orbite autour de Jupiter pour étudier la fameuse tache rouge. Jupiter met 9,9 h pour effectuer un tour sur elle-même. À l'aide des données du tableau 10.2, page 228, déterminez l'altitude d'un tel satellite en orbite autour de Jupiter.
8. La comète de Halley s'approche à moins de 0,57 unité astronomique (1 unité astronomique = 150×10^6 km) et sa période orbitale est de 75,6 années. Jusqu'à quelle distance la comète de Halley va-t-elle s'éloigner du Soleil avant de recommencer à s'en approcher (voir figure 10.24, page 241) ?
9. Un satellite d'une masse de 200 kg est mis en orbite autour de la Terre à une hauteur de 200 km au-dessus de la surface terrestre. (a) En supposant l'orbite circulaire, quelle est la durée d'une révolution du satellite sur son orbite ? (b) Quelle est la vitesse du satellite ? (c) Quelle est l'énergie minimale nécessaire pour mettre ce satellite en orbite (en négligeant la résistance de l'air) ?
10. Un satellite de la Terre a une masse de 100 kg et il est à une altitude de 2×10^6 m. (a) Quelle est l'énergie potentielle du satellite à cet endroit ? (b) Quelle est la

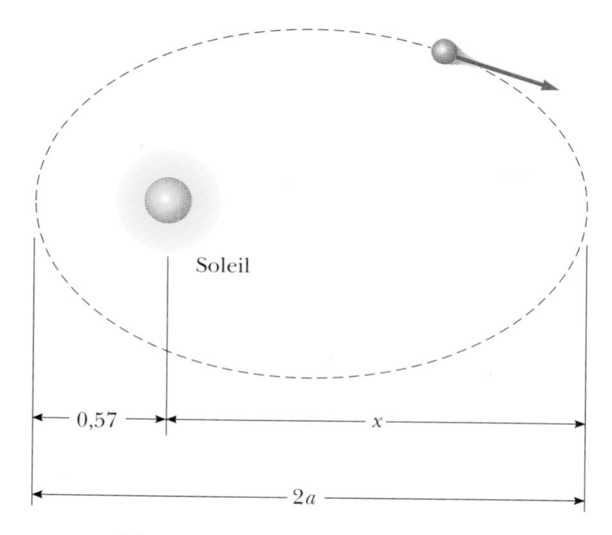

Figure 10.24 (Problème 8)

grandeur de la force gravitationnelle exercée sur le satellite ?

11. Un satellite en orbite autour de la Terre décrit une trajectoire elliptique en 6×10^3 s. Si le périhélie de l'orbite est à une distance de 2×10^5 m de la *surface* terrestre, à quelle distance de la Terre est l'aphélie ? (*Suggestion :* Calculez d'abord la longueur du demi-grand axe. Le rayon de la Terre est $6,37 \times 10^6$ m.)

Section 10.5 Énergie intervenant dans le mouvement des planètes et des satellites

12. La vitesse de libération à la surface de la Terre est de 11,2 km/s. Évaluez la vitesse de libération d'un véhicule spatial à la surface de la Lune. La Lune a une masse égale à $\frac{1}{81}$ de la masse de la Terre et un rayon égal à $\frac{1}{4}$ du rayon de la Terre.
13. (a) Calculez l'énergie minimale requise pour envoyer un véhicule spatial de 3 000 kg de la Terre jusqu'à un point éloigné dans l'espace où le champ gravitationnel terrestre est négligeable. (b) Si le voyage doit durer trois semaines, quelle puissance *moyenne* doivent fournir les moteurs ?
14. Un satellite de 1 000 kg est en orbite autour de la Terre à une altitude de 100 km. On souhaite augmenter l'altitude de l'orbite jusqu'à 200 km. Quelle quantité d'énergie doit-on ajouter au système pour obtenir ce changement d'altitude ?
15. Un satellite décrit une orbite circulaire juste au-dessus de la surface d'une planète. Démontrez que la vitesse orbitale v et la vitesse de libération v_{lib} du satellite sont liées par la relation $v_{\text{lib}} = \sqrt{2}v$.
16. Un satellite décrit une orbite elliptique autour de la Terre de telle sorte qu'au périgée et à l'apogée ses distances au centre de la Terre sont respectivement D et $4D$. (a) Déterminez le rapport entre les vitesses en ces deux points : v_p/v_a. (b) Déterminez le rapport entre l'énergie *totale* (cinétique et potentielle) en ces mêmes points : E_p/E_a.
17. (a) Quelle est la vitesse minimale d'un vaisseau spatial pour qu'il s'échappe du système solaire en partant de l'orbite de la Terre ? (b) *Voyager I* a atteint une vitesse maximale de 125 000 km/h lors du voyage qu'il a effectué pour photographier Jupiter. Au-delà de quelle distance du Soleil cette vitesse est-elle suffisante pour s'échapper du système solaire ?
18. Dans un système composé de deux étoiles, les deux étoiles décrivent des orbites circulaires autour de leur centre de masse commun. Les étoiles sont sphériques, elles ont la même densité ρ et leurs rayons sont R et $2R$. Leurs centres sont distants de $5R$. Déterminez la période T du mouvement orbital des étoiles en fonction de ρ, R et G.

Problèmes supplémentaires

19. Démontrez que la vitesse de libération à partir de la surface d'une planète de densité uniforme est directement proportionnelle au rayon de la planète.
20. Les vaisseaux *Voyager 1* et *Voyager 2*, envoyés pour étudier Io, une lune de Jupiter, ont photographié des volcans actifs projetant du soufre liquide jusqu'à des hauteurs de 70 km au-dessus de la surface de ce satellite. Calculez la vitesse avec laquelle le soufre liquide a quitté le volcan. Io a une masse de $8,9 \times 10^{22}$ kg et un rayon de 1 820 km.

Figure 10.25 (Problème 20)
Activité volcanique. *(Sygma/Publiphoto)*

21. On a proposé (G. K. O'Neill, 1974) d'envoyer dans l'espace un habitat cylindrique de 6 km de diamètre et de 30 km de longueur. Dans un tel habitat, les villes, les terres et les lacs seraient situés sur la surface intérieure tandis que l'air et les nuages seraient au centre. Tout ceci serait maintenu en place par la rotation du cylindre autour de son grand axe. À quelle vitesse devrait tourner le cylindre pour simuler un champ gravitationnel de 1 $\vec{g}$ sur les parois du cylindre ?
22. Un astronaute observe une petite planète et constate qu'elle est sphérique. Après avoir mis le pied sur la planète, il marche droit devant lui et revient à son vaisseau spatial de l'autre côté après avoir parcouru 25 km. Ensuite, il lâche un marteau et une plume d'une hauteur de 1,4 m et observe qu'ils atteignent tous les deux la surface au bout de 29,2 s. Déterminez la masse de la planète.

23. Pour une planète, une comète ou un astéroïde en orbite autour du Soleil, la troisième loi de Kepler peut s'écrire $T^2 = kr^3$, où T est la période orbitale et r est le demi-grand axe de l'orbite. (a) Quelle est la valeur de k si T est mesuré en années et r en unités astronomiques ? Une unité astronomique correspond à la distance moyenne de la Terre au Soleil. (b) Utilisez cette nouvelle valeur de k pour déterminer rapidement la période orbitale de Jupiter si son rayon moyen à partir du Soleil est de 5,2 unités astronomiques.
24. Un satellite en rase-mottes est un satellite qui est en orbite juste au-dessus de la surface d'un objet sphérique, où on suppose qu'il n'y a pas de résistance de l'air. (a) Déterminez la période d'un tel satellite de la Terre. (b) Démontrez que sa vitesse est donnée par $v = \sqrt{4\pi G\rho/3}$, où ρ est la densité de la planète.
25. Deux planètes hypothétiques de masses m_1 et m_2 et de rayons r_1 et r_2 sont initialement au repos à une distance telle que leur force d'attraction gravitationnelle est *presque* négligeable. Cependant, à cause de cette attraction, elles se dirigent l'une vers l'autre et finiront par entrer en collision. (a) Lorsque leur distance centre à centre est égale à d, déterminez la vitesse de chaque planète et leur vitesse *relative* en grandeur et en direction. (b) Déterminez l'énergie cinétique de chaque planète *tout juste* avant qu'elles n'entrent en collision si $m_1 = 2 \times 10^{24}$ kg, $m_2 = 8 \times 10^{24}$ kg, $r_1 = 3 \times 10^6$ m et $r_2 = 5 \times 10^6$ m. (*Suggestion :* Notez que l'énergie et la quantité de mouvement sont toutes deux conservées.)
26. La distance maximale de la Terre au Soleil (à l'aphélie) est de $1{,}521 \times 10^{11}$ m et la plus courte distance (au périhélie) est égale à $1{,}471 \times 10^{11}$ m. Si la vitesse orbitale de la Terre au périhélie est de $3{,}027 \times 10^4$ m/s, déterminez (a) la vitesse orbitale de la Terre à l'aphélie, (b) l'énergie cinétique et l'énergie potentielle au périhélie et (c) l'énergie cinétique et l'énergie potentielle à l'aphélie. L'énergie totale est-elle conservée ? (Négligez l'effet de la Lune et des autres planètes.)
27. Après l'explosion d'une supernova, cette étoile peut subir un effondrement gravitationnel et atteindre un état extrêmement dense : une étoile à neutrons dans laquelle tous les électrons et les protons se regroupent pour former des neutrons. Une étoile à neutrons ayant une masse à peu près égale à celle du Soleil aurait un rayon de 10 km environ. Déterminez (a) l'accélération gravitationnelle à sa surface, (b) le poids d'un homme de 70 kg à sa surface et (c) l'énergie requise pour éloigner, de sa surface jusqu'à l'infini, un neutron d'une masse de $1{,}67 \times 10^{-27}$ kg.
28. Lorsque le vaisseau spatial *Apollo 11* était en orbite autour de la Lune, sa masse était de $9{,}979 \times 10^3$ kg, sa période était de 119 minutes et sa distance moyenne au centre de la Lune était de $1{,}849 \times 10^6$ m. En supposant son orbite circulaire et que la Lune est une sphère uniforme, déterminez (a) la masse de la Lune, (b) la vitesse du vaisseau spatial sur son orbite et (c) l'énergie minimale requise pour que le vaisseau spatial puisse quitter l'orbite et s'échapper du champ gravitationnel de la Lune.
29. Des impulsions provenant de la source céleste de rayons X Cygnus X-1 ont été enregistrées durant des vols de fusée à haute altitude. On peut supposer que les signaux sont créés par la rotation d'une boule de matière ionisée en orbite avec une période de 5 ms autour d'un trou noir. Si la boule était en orbite circulaire autour d'un trou noir d'une masse égale à 20 fois la masse du Soleil, que devrait être le rayon de l'orbite ?
30. Les études portant sur la relation entre le Soleil et sa galaxie, la Voie lactée, indiquent que le Soleil est près du bord extérieur du disque galactique, à environ 30 000 années-lumière du centre. De plus, le Soleil aurait une vitesse orbitale voisine de 250 km/s autour du centre de la galaxie. (a) Quelle est la période du mouvement galactique du Soleil ? (b) Quelle est la masse approximative de la Voie lactée ? Sachant que le Soleil est une étoile typique d'une masse de 2×10^{30} kg, évaluez le nombre d'étoiles similaires contenues dans notre galaxie.
31. Deux étoiles de masse M et m, séparées par une distance d, décrivent des orbites circulaires autour de leur centre de masse (voir figure 10.26). Montrez que chaque étoile a une période donnée par :

$$T^2 = \frac{4\pi^2}{G(M + m)} d^3$$

(*Suggestion :* Appliquez la deuxième loi de Newton à chaque étoile en notant que le centre de masse doit vérifier la condition suivante, $Mr_2 = mr_1$ avec $r_1 + r_2 = d$.)

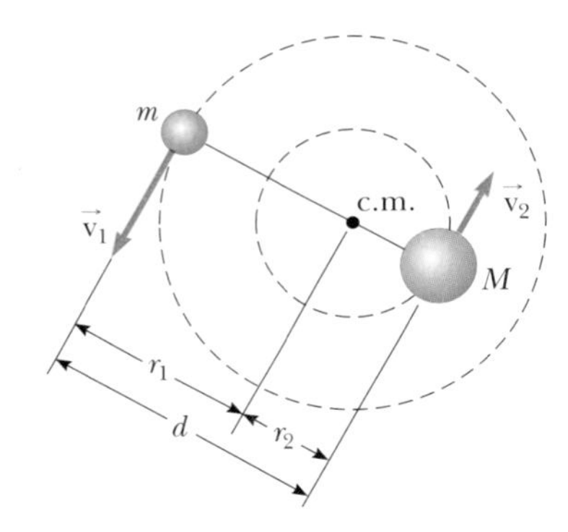

Figure 10.26 (Problème 31)

32. En 1978, des astronomes de l'observatoire naval des États-Unis découvrirent que la planète Pluton avait une lune, appelée Charon, qui éclipse la planète tous les 6,4 jours. Si les observations indiquent que la distance centre à centre entre Pluton et Charon est de 19 700 km, déterminez la masse totale $(M + m)$ de Pluton et de sa lune. (*Suggestion :* Utilisez le résultat du problème 31.)
33. Dans le roman de science-fiction intitulé *Ringworld*, Larry Niven décrit un anneau solide de matière tournant autour d'une étoile (voir figure 10.27). La vitesse de rotation de l'anneau est de $1{,}25 \times 10^6$ m/s et son rayon est de $1{,}53 \times 10^{11}$ m. Les habitants de l'anneau sont soumis à une force de contact normale $\vec{N}$. Si elle agissait seule, cette force normale produirait une accélération vers l'intérieur de 9,9 m/s². Cependant, l'étoile au centre de l'anneau exerce une force gravitationnelle sur l'anneau et sur ses habitants. (a) Montrez que l'accélération centripète totale des habitants est

de 10,2 m/s^2. (b) La différence entre l'accélération totale et l'accélération fournie par la force normale est due à l'attraction gravitationnelle de l'étoile centrale. Montrez que la masse de l'étoile est de l'ordre de 10^{32} kg.

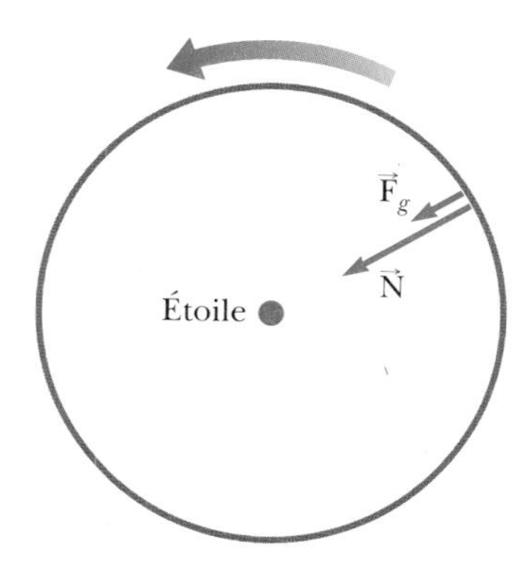

Figure 10.27 (Problème 33)

34. Une fusée a une vitesse initiale verticale dirigée vers le haut et de grandeur $v_0 = 2\sqrt{Rg}$ à la surface de la Terre. Le rayon terrestre est R et l'accélération gravitationnelle à la surface est g. On coupe les moteurs de la fusée qui continue alors son mouvement sous la seule action des forces gravitationnelles. (Négligez le frottement atmosphérique et la rotation de la Terre.) Trouvez la relation entre la vitesse subséquente v et la distance r au centre de la Terre en fonction de g, R et r.

Annexe

Tableau 1
Facteurs de conversion – longueur

	m	cm	km	po	pi	mi
1 mètre	1	10^{2}	10^{-3}	39,37	3,281	$6{,}2143 \times 10^{-4}$
1 centimètre	10^{-2}	1	10^{-5}	0,3937	$3{,}281 \times 10^{-2}$	$6{,}214 \times 10^{-6}$
1 kilomètre	10^{3}	10^{5}	1	$3{,}937 \times 10^{4}$	$3{,}281 \times 10^{3}$	0,6214
1 pouce	$2{,}540 \times 10^{-2}$	2,540	$2{,}540 \times 10^{-5}$	1	$8{,}333 \times 10^{-2}$	$1{,}578 \times 10^{-5}$
1 pied	0,3048	30,48	$3{,}048 \times 10^{-4}$	12	1	$1{,}894 \times 10^{-4}$
1 mille	1 609	$1{,}609 \times 10^{5}$	1,609	$6{,}336 \times 10^{4}$	5 280	1

Tableau 2
Facteurs de conversion – masse

	kg	g	slug	u
1 kilogramme	1	10^{3}	$6{,}852 \times 10^{-2}$	$6{,}024 \times 10^{26}$
1 gramme	10^{-3}	1	$6{,}852 \times 10^{-5}$	$6{,}024 \times 10^{23}$
1 slug	14,59	$1{,}459 \times 10^{-4}$	1	$8{,}789 \times 10^{27}$
1 unité de masse atomique	$1{,}660 \times 10^{-27}$	$1{,}660 \times 10^{-24}$	$1{,}137 \times 10^{-28}$	1

Tableau 3
Facteurs de conversion – temps

	s	min	h	jour	année
1 seconde	1	$1{,}667 \times 10^{-2}$	$2{,}778 \times 10^{-4}$	$1{,}157 \times 10^{-5}$	$3{,}169 \times 10^{-8}$
1 minute	60	1	$1{,}667 \times 10^{-2}$	$6{,}994 \times 10^{-4}$	$1{,}901 \times 10^{-6}$
1 heure	3 600	60	1	$4{,}167 \times 10^{-2}$	$1{,}141 \times 10^{-4}$
1 jour	$8{,}640 \times 10^{4}$	1 440	24	1	$2{,}738 \times 10^{-3}$
1 année	$3{,}156 \times 10^{7}$	$5{,}259 \times 10^{5}$	$8{,}766 \times 10^{3}$	365,2	1

Tableau 4
Facteurs de conversion – vitesse

	m/s	cm/s	pi/s	mi/h
1 mètre/seconde	1	10^{2}	3,281	2,237
1 centimètre/seconde	10^{-2}	1	$3{,}281 \times 10^{-2}$	$2{,}237 \times 10^{-2}$
1 pied/seconde	0,3048	30,48	1	0,6818
1 mille/heure	0,4470	44,70	1,467	1

Remarque : 1 mi/min = 88 pi/s.

Tableau 5
Facteurs de conversion – force

	N	dyn	lb
1 newton	1	10^5	0,2248
1 dyne	10^{-5}	1	$2,248 \times 10^{-6}$
1 livre	4,448	$4,448 \times 10^5$	1

Tableau 6
Facteurs de conversion – travail, énergie, chaleur

	J	erg	pi·lb
1 joule	1	10^7	0,7376
1 erg	10^{-7}	1	$7,376 \times 10^{-8}$
1 pi·lb	1,356	$1,356 \times 10^7$	1
1 eV	$1,602 \times 10^{-19}$	$1,602 \times 10^{-12}$	$1,182 \times 10^{-19}$
1 cal	4,186	$4,186 \times 10^7$	3,087
1 Btu	$1,055 \times 10^3$	$1,055 \times 10^{10}$	$7,779 \times 10^2$
1 kWh	$3,600 \times 10^6$	$3,600 \times 10^{13}$	$2,655 \times 10^6$

	eV	cal	Btu	kWh
1 joule	$6,242 \times 10^{18}$	0,2389	$9,481 \times 10^{-4}$	$2,778 \times 10^{-7}$
1 erg	$6,242 \times 10^{11}$	$2,389 \times 10^{-8}$	$9,481 \times 10^{-11}$	$2,778 \times 10^{-14}$
1 pi·lb	$8,464 \times 10^{18}$	0,3239	$1,285 \times 10^{-3}$	$3,766 \times 10^{-7}$
1 eV	1	$3,827 \times 10^{-20}$	$1,519 \times 10^{-22}$	$4,450 \times 10^{-26}$
1 cal	$2,613 \times 10^{19}$	1	$3,968 \times 10^{-3}$	$1,163 \times 10^{-6}$
1 Btu	$6,585 \times 10^{21}$	$2,520 \times 10^2$	1	$2,930 \times 10^{-4}$
1 kWh	$2,247 \times 10^{25}$	$8,601 \times 10^5$	$3,413 \times 10^2$	1

Tableau 7
Symboles, dimensions et unités des grandeurs physiques

Grandeur	Symboles usuels	Unité[1]	Dimensions[2]	Unité en fonction des unités SI fondamentales
Accélération	a	m/s²	L/T²	m/s²
Angle	θ, ϕ	radian (rad)	1	
Accélération angulaire	α	rad/s²	T⁻²	s⁻²
Pulsation (fréquence angulaire)	ω	rad/s	T⁻¹	s⁻¹
Moment cinétique	L	kg·m²/s	ML²/T	kg·m²/s
Vitesse angulaire	ω	rad/s	T⁻¹	s⁻¹
Aire	A	m²	L²	m²
Déplacement	s	**MÈTRE**	L	m
Distance	d, h			
Longueur	ℓ, L			
Énergie	E, U, K	joule (J)	ML²/T²	kg·m²/s²
Force	F	newton (N)	ML/T²	kg·m/s²
Fréquence	f, ν	hertz (Hz)	T⁻¹	s⁻¹
Masse	m, M	**KILOGRAMME**	M	kg
Moment d'inertie	I	kg·m²	ML²	kg·m²

Tableau 7 (suite)

Grandeur	Symboles usuels	Unité[1]	Dimensions[2]	Unité en fonction des unités SI fondamentales
Quantité de mouvement	p	kg·m/s	ML/T	kg·m/s
Période	T	s	T	s
Puissance	P	watt (W) (= J/s)	ML^2/T^3	$kg \cdot m^2/s^3$
Temps	t	**SECONDE**	T	s
Moment de force	τ	N·m	ML^2/T^2	$kg \cdot m^2/s^2$
Vitesse	v	m/s	L/T	m/s
Volume	V	m^3	L^3	m^3
Travail	W	joule (J) (= N·m)	ML^2/T^2	$kg \cdot m^2/s^2$

[1] Les unités SI fondamentales sont en majuscules.
[2] Les symboles M, L, T et Q désignent respectivement la masse, la longueur, le temps et la charge.

Tableau 8
Unités SI fondamentales

Grandeur	Unité SI fondamentale	
	Nom	*Symbole*
Longueur	mètre	m
Masse	kilogramme	kg
Temps	seconde	s
Intensité de courant	ampère	A
Température	kelvin	K
Quantité d'une substance	mole	mol
Intensité lumineuse	candela	cd

Tableau 9
Alphabet grec

Alpha	A	α	Iota	I	ι	Rhô	P	ρ
Bêta	B	β	Kappa	K	κ	Sigma	Σ	σ
Gamma	Γ	γ	Lambda	Λ	λ	Tau	T	τ
Delta	Δ	δ	Mu	M	μ	Upsilon	Υ	υ
Epsilon	E	ϵ	Nu	N	ν	Phi	Φ	ϕ
Zêta	Z	ζ	Xi	Ξ	ξ	Chi	X	χ
Êta	H	η	Omicron	O	o	Psi	Ψ	ψ
Thêta	Θ	θ	Pi	Π	π	Oméga	Ω	ω

Tableau 10
Données du système solaire

Corps	Masse (kg)	Rayon moyen (m)	Période (s)	Distance au Soleil (m)
Mercure	$3{,}18 \times 10^{23}$	$2{,}43 \times 10^{6}$	$7{,}60 \times 10^{6}$	$5{,}79 \times 10^{10}$
Vénus	$4{,}88 \times 10^{24}$	$6{,}06 \times 10^{6}$	$1{,}94 \times 10^{7}$	$6{,}06 \times 10^{11}$
Terre	$5{,}98 \times 10^{23}$	$6{,}37 \times 10^{6}$	$3{,}156 \times 10^{7}$	$6{,}37 \times 10^{11}$
Mars	$6{,}42 \times 10^{23}$	$3{,}37 \times 10^{6}$	$5{,}94 \times 10^{7}$	$3{,}37 \times 10^{6}$
Jupiter	$1{,}90 \times 10^{27}$	$6{,}99 \times 10^{7}$	$3{,}74 \times 10^{8}$	$6{,}99 \times 10^{7}$
Saturne	$5{,}68 \times 10^{26}$	$5{,}85 \times 10^{7}$	$9{,}35 \times 10^{8}$	$5{,}85 \times 10^{7}$
Uranus	$8{,}68 \times 10^{25}$	$2{,}33 \times 10^{7}$	$2{,}64 \times 10^{9}$	$2{,}33 \times 10^{7}$
Neptune	$1{,}03 \times 10^{26}$	$2{,}21 \times 10^{7}$	$5{,}22 \times 10^{9}$	$2{,}21 \times 10^{7}$
Pluton	$\approx 1{,}4 \times 10^{22}$	$\approx 1{,}5 \times 10^{6}$	$7{,}82 \times 10^{9}$	$\approx 1{,}5 \times 10^{6}$
Lune	$7{,}36 \times 10^{22}$	$1{,}74 \times 10^{6}$	—	$1{,}74 \times 10^{6}$
Soleil	$1{,}991 \times 10^{30}$	$6{,}96 \times 10^{8}$	—	$6{,}96 \times 10^{8}$

Tableau 11
Données d'usage fréquent[1]

Distance moyenne de la Terre à la Lune	$3{,}84 \times 10^{8}$ m
Distance moyenne de la Terre au Soleil	$1{,}496 \times 10^{11}$ m
Rayon moyen de la Terre	$6{,}37 \times 10^{6}$ m
Densité de l'air (à 20° C et 1 atm)	$1{,}20$ kg/m^{3}
Densité de l'eau (à 20° C et 1 atm)	$1{,}00 \times 10^{3}$ kg/m^{3}
Accélération gravitationnelle	$9{,}80$ m/s^{2}
Masse de la Terre	$5{,}98 \times 10^{24}$ kg
Masse de la Lune	$7{,}36 \times 10^{22}$ kg
Masse du Soleil	$1{,}99 \times 10^{30}$ kg
Pression atmosphérique normale	$1{,}013 \times 10^{5}$ Pa

[1] Valeurs utilisées dans l'ouvrage.

Tableau 12
Préfixes des puissances de dix

Puissance	Préfixe	Abréviation	Puissance	Préfixe	Abréviation
10^{-18}	atto	a	10^{1}	déca	da
10^{-15}	femto	f	10^{2}	hecto	h
10^{-12}	pico	p	10^{3}	kilo	k
10^{-9}	nano	m	10^{6}	méga	M
10^{-6}	micro	μ	10^{9}	giga	G
10^{-3}	milli	m	10^{12}	téra	T
10^{-2}	centi	c	10^{15}	péta	P
10^{-1}	déci	d	10^{18}	exa	E

Corrigé

Chapitre 1

1. L'expression est homogène en dimensions.
2. Tous les termes sont en m/s². L'expression est donc homogène en dimensions.
3. $G\left(\dfrac{m^3}{kg \cdot s^2}\right)$
4. $A = 1{,}500 \times 10^8$ cm²
5. 2,59 km² = $2{,}59 \times 10^{12}$ mm²
6. $\rho = 1{,}14 \times 10^4$ kg/m³
7. $s = 1{,}08 \times 10^9$ km
8. a) Multipliez par 0,277 8 b) 60 km/h = 16,67 m/s c) 16,67 m/s < N < 27,78 m/s
9. $e = 0{,}151$ mm
10. $V = 2{,}60 \times 10^9$ m³
11. $M = 5 \times 10^{11}$ cg
12. $x = 200$ km
13. $h = 1{,}79 \times 10^{-9}$ m
14. $m = 5{,}95 \times 10^{24}$ kg
15. $r_{Al} = 2{,}86$ cm
16. a) $C = 22$ cm b) $A = 67{,}9$ cm²
17. a) 797 b) 11 c) 18
18. a) 3 b) 4 c) 3 d) 2
19. $\rho = 1{,}61 \times 10^3$ kg/m³
20. $d = 8{,}60$ m
21. $(r, \theta) = (5{,}83$ m, 121°)
22. $x = -2{,}75$ m
    $y = -4{,}76$ m
23. a) $(x_1, y_1) = (2{,}17,\ 1{,}25)$ m, $(x_2, y_2) = (-1{,}9,\ 3{,}29)$ m b) $d = 4{,}55$ m
24. $x = 70$ m
25. a) $|\vec{d}| = 10$ m b) $s = 15{,}7$ m c) $|\vec{d}| = 0$
26. $\vec{R} = 9{,}54$ N à 57° au-dessus de l'axe des x
27. a) $|\vec{A} + \vec{B}| = 5{,}2$ m $\theta = 60°$ b) $|\vec{A} - \vec{B}| = 3$ m $\theta = 30°$ c) $|\vec{B} - \vec{A}| = 3$ m $\theta = 150°$ d) $|\vec{A} - 2\vec{B}| = 5{,}2$ m $\theta = -60°$
28. $\vec{R} = 125$ m à 3° au-dessous de l'axe des x
29. $\vec{R} = 2{,}3$ km à 102°
30. a) $d = 7$ pâtés b) $\vec{R} = 5$ pâtés à 143°
31. $\vec{d}_2 = 83$ m à 147° par rapport à l'est
32. $\vec{d} = 358$ m à 2° au sud de l'est
33. $A = 47{,}2$ unités $\theta = 122°$
34. $|\vec{B}| = 7{,}81$ $\alpha = 59{,}2°$ $\beta = 39{,}8°$ $\gamma = 67{,}4°$
35. a) $\vec{R} = 6\vec{i} + 7\vec{j}$ b) $R = 9{,}22$ $\theta = 49{,}4°$
36. $|\vec{R}| = 4{,}63$ m à 78,6° au nord
37. $|\vec{B}| = 196$ cm $\theta = -14{,}3°$
38. $\theta = 74{,}6°$ au nord $|\vec{R}| = 470$ km
39. $|\vec{v}| = 580{,}2$ km/h $\theta = 13{,}9°$ au nord
40. a) $R_x = 49{,}5$ $R_y = 27{,}1$ b) $|\vec{R}| = 56{,}4$ $\theta = 28{,}7°$
41. $\vec{D} = -61{,}5\text{ km } \vec{i} + 144\text{ km } \vec{j}$ $|\vec{D}| = 157$ km
42. $|\Delta\vec{r}| = 2{,}29$ km
43. $|\vec{R}| = 240$ m $\theta = 237°$
44. a) $|\vec{F}| = 185$ N $\theta = 77{,}8°$ b) $\vec{F}' = -39\vec{i} - 181\vec{j}$
45. a) $\vec{R}_1 = a\vec{i} + b\vec{j}$ $|\vec{R}_1| = \sqrt{a^2 + b^2}$ b) $\vec{R}_2 = a\vec{i} + b\vec{j} + c\vec{k}$ $|\vec{R}_2| = \sqrt{a^2 + b^2 + c^2}$

Chapitre 2

1. a) $\bar{v} = 2{,}3$ m/s b) $\bar{v} = 16{,}1$ m/s c) $\bar{v} = 11{,}5$ m/s
2. a) $d_{tot} = 180$ km b) $\bar{v} = 63{,}4$ km/h
3. a) $\bar{v} = 5$ m/s b) $\bar{v} = 1{,}25$ m/s c) $\bar{v} = -2{,}5$ m/s d) $\bar{v} = -3{,}3$ m/s e) $\bar{v} = 0$ m/s
4. a) 1 920 m b) $\bar{v} = 4{,}57$ m/s
5. a) $\bar{v} = 2{,}50$ m/s b) $\bar{v} = -2{,}27$ m/s c) $\bar{v} = 0$
6. a) $\bar{v} = -2{,}4$ m/s b) $v \cong -3{,}2$ m/s c) $t \approx 4$ s
7. a)

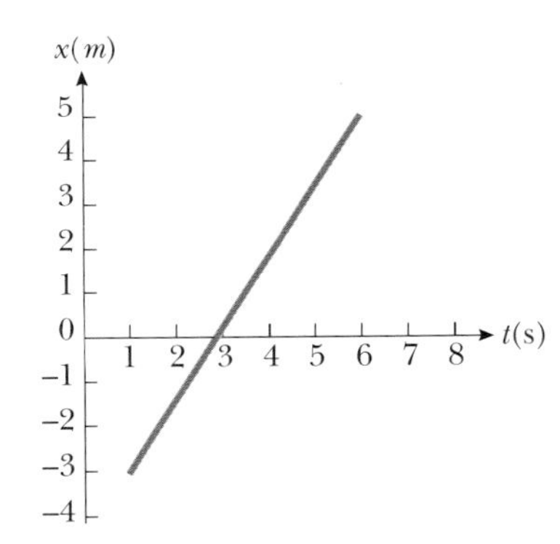

   b) $v = 1{,}6$ m/s
8. a)

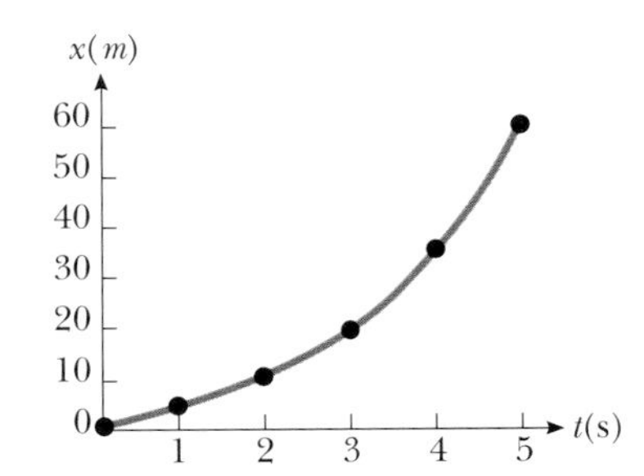

   b) $t = 5$ s 23 m/s $t = 4$ s 18,4 m/s $t = 3$ s 13,8 m/s $t = 2$ s 9,2 m/s

c) $\overline{a} = 4,6\ m/s^2$

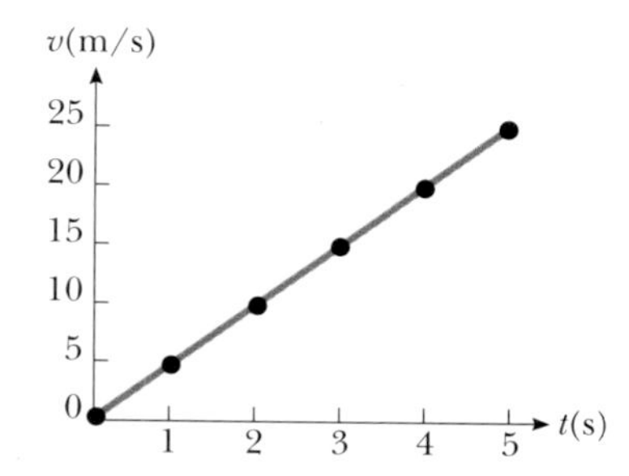

d) $v_0 = 0\ m/s$

9. a) $v = 5\ m/s$ b) $v = -2,5\ m/s$ c) $v = 0$
d) $v = +5\ m/s$
10. a) zéro b) négative c) positive d) zéro
11. $\overline{a} = -4\ m/s^2$
12. $\overline{a} = 1,34 \times 10^4\ m/s^2$
13. a)

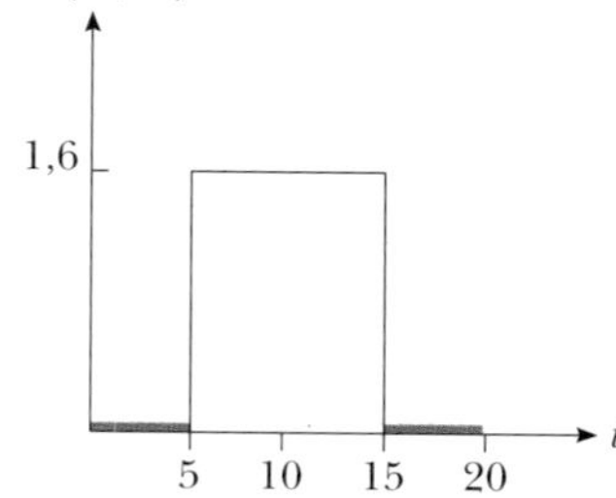

b) $\overline{a} = 1,6\ m/s^2$ $\overline{a} = 0,8\ m/s^2$
14. a)

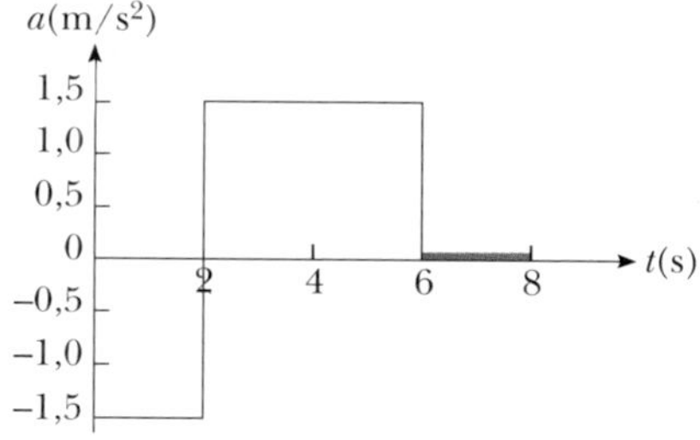

b) $\overline{a} = 1\ m/s^2$ c) $a = 1,5\ m/s^2$
15. a) $x = 2\ m$ b) $v = -3\ m/s$ c) $a = -2\ m/s^2$
16. $\overline{a} = 26\ 500\ m/s^2$
17. a) $\overline{a} = \frac{4}{3}\ m/s^2$ b) $t = 3\ s$ $a_{max} = 2\ m/s^2$ c) $t = 6\ s$
$t \geq 10\ s$ d) $t = 8\ s$ $a_{max} = -1,5\ m/s^2$
18. a) $\overline{a}_{max} = 0\ m/s^2$ b) $\overline{a} = 6\ m/s^2$ c) $d_T = 825\ m$
d) $\overline{v} = 65\ m/s$
19. $a = -16\ cm/s^2$
20. a) $x = 1\ 875\ m$ b) déplacement = 1 457 m c) $a = 0$
$15 < t < 50\ s$ d) $x_1 = 1,67t^2$ $x_2 = 50t - 375$
$x_3 = 50t - 2,5t^2 - 1\ 625$ e) $\overline{v} = 37,5\ m/s$
21. a) $v(t = 2,5) = 12,7\ m/s$ b) $v(t = 2,5) = -2,3\ m/s$
22. a) $a = -2,25 \times 10^{-2}\ m/s^2$ b) $t = 133\ s$ c) $v = 1,5\ m/s$
23. $t = 1\ 000\ m$ $t = 20\ s$ Il manque 200 m pour que l'avion puisse atterrir sur cette piste.
24. Le train devance l'auto de 1 375 m.
25. a) $t = 8,94\ s$ b) $v = 89,4\ m/s$
26. $x = 234\ m$
27. $a = -4,89\ m/s^2$ $|a| = 0,499\ g$
28. a) $a = 0,494\ m/s^2$ b) $x_1(300) = 11,33\ km$
c) $\Delta x = 13,33\ km$
29. $t_{total} = 23,8\ s$
30. $v_0 = 4\ m/s$ $a = -0,013\ 3\ m/s^2$
31. a) $t = 3 \times 10^{-10}\ s$ b) $x = 1,26 \times 10^{-4}\ m$
32. a) $a = -4,9 \times 10^5\ m/s^2$ b) $t = 3,57 \times 10^4\ s$
c) $N = 2$ planches
33. a) $a = -202\ m/s^2$ b) $x = 198\ m$
34. $t = 3,94\ s$
35. $t = 1,79\ s$
36. a) $v_0 = 10\ m/s$ b) $v = 4,68\ m/s$ vers le bas
37. a) $t = 2,64\ s$ b) $v = -20,9\ m/s$ c) $t = 1,62\ s$
$v = -20,9\ m/s$
38. a) $t = 1,53\ s$ b) $h = 11,5\ m$ c) $v = -4,61\ m/s$
$a = -9,8\ m/s^2$
39. a) $v_0 = 122,5\ m/s$ b) $h = 766\ m$
40. a) $v_0 = 29,4\ m/s$ b) $y = 44,1\ m$
41. 2,47 $t_L = 2,47\ t_T$
42. $y = 73,9\ m$
43. a) $d = 7,82\ m$ b) $t = 0,782\ s$
44. a) 0,111 m/s b) $v = 5,53\ m/s$
45. a) $v_0 = 7\ m/s$ b) $v = -5,35\ m/s$ c) $a = -9,8\ m/s^2$
46. a) $t = 2,99\ s$ b) $v_{0_2} = 15,4\ m/s$ c) $v_1 = -31,3\ m/s$
$v_2 = -34,9\ m/s$
47. a) $v = -6,26\ m/s$ b) $v_0 = 6,02\ m/s$ c) $t_{total} = 1,25\ s$
48. a) $a = 2,41\ m/s^2$ b) $t = 14,4\ s$ c) $v = 60,3\ m/s$
49. $\Delta x = 4,63\ m$
50. $h = 38,16\ m$
51. a) $t_c = 6,46\ s$ b) $x_c = 83,5\ m$ c) $v_c = 25,8\ m/s$
$v_s = 22,4\ m/s$
52. a) $a_1 = 7\ 210\ pi/s^2$ b) $x_{total} = 140\ pi$ c) $t_{total} = 3,75\ s$
53. $x_A = 697\ m$
54. a) $v = 5,40\ m/s$ b) $a = 5,39 \times 10^{-4}\ m/s^2$
55. a) $d = 26,4\ m$ b) E.R. = 6,8 %
56. a) $t_{total} = 41\ s$ b) $h_{max} = 1\ 735\ m$ c) $v_J = -184\ m/s$
57. a) $a_M = 5,43\ m/s^2$ $a_J = 3,83\ m/s^2$ b) $v_M = 10,86\ m/s$
$v_J = 11,5\ m/s$ c) Marie est en avance de 2,6 m.
58. a)

v
3v
2v
1v
1 2 3 4 5
t(h)

b) $d = 3,92v$ c) $\overline{v} = 0,784v$
59. $t_1 = 129\ s$ Temps total = 155 s
60. a) $\dfrac{xv_0}{(x^2 + h^2)^{1/2}}$ b) $\dfrac{h^2 v_0^2}{(x^2 + h^2)^{3/2}}$ c) $a \to \dfrac{v_0^2}{h}$ $v \to 0$
d) $a \to 0$ $v \to v_0$
61. $v = 0,577\ v$
62. a)

Temps (s)	V hor. (m/s)	x (m)	V vert. (m/s)	Acc. vert. (m/s²)
0	2	0	0,00	0,67
0,5	2	1	0,33	0,64
1	2	2	0,63	0,57
1,5	2	3	0,89	0,48
2	2	4	1,11	0,38
2,5	2	5	1,28	0,30
3	2	6	1,41	0,24
3,5	2	7	1,52	0,18
4	2	8	1,60	0,14
4,5	2	9	1,66	0,11
5	2	10	1,71	0,09
5,5	2	11	1,76	0,07
6	2	12	1,79	0,06

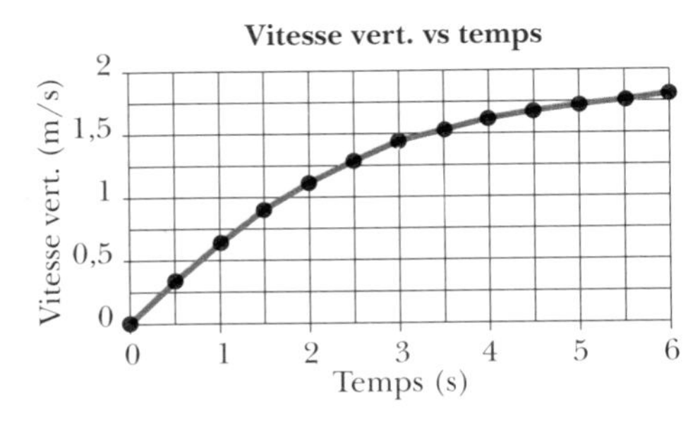

b)

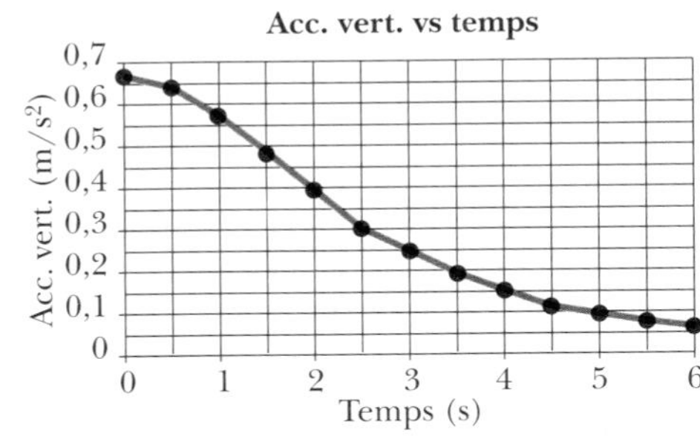

63.

t	v	Δv	a	$\overline{v}$	Δx	x
0,5	1	1	2	0,50	0,25	0,25
1	3	2	4	2	1,000	1,25
1,5	4,5	1,5	3	3,75	1,875	3,12
2	7	2,5	5	5,75	2,875	6,00
2,5	9,5	2,5	5	8,25	4,120	10,12
3	10,5	1	2	10	5,000	15,12
3,5	12	1,5	3	11,25	5,620	20,75
4	14	2	4	13	6,500	27,25
4,5	15	1	2	14,50	7,250	34,50
5	17,5	2,5	5	16,25	8,125	42,62

64. $v(5,7) \cong 19,8$ m/s $x(5,7) \cong 44,4$ m

Chapitre 3

1. a) $\Delta\vec{r} = (8a + 2b)\,\vec{i} + 2c\vec{j}$
2. a) $\overline{v} = (\vec{i} + 0,75\vec{j})$ m/s b) $|\vec{v}|_{t=2s} = 1,12$ m/s
3. a) $\vec{R} = -4\,273$ m$\vec{i} - 2\,327$ m$\vec{j}$ b) $\overline{v} = 23,3$ m/s
   c) $\vec{v} = -11,9\,\dfrac{\text{m}}{\text{s}}\,\vec{i} - 6,5\,\dfrac{\text{m}}{\text{s}}\,\vec{j}$
4. a) $\vec{r} = 18t\vec{i} + (4t - 4,9t^2)\,\vec{j}$
   b) $\vec{v} = (18 \text{ m/s})\,\vec{i} + [4 \text{ m/s} - (9,8 \text{ m/s}^2)\,t]\,\vec{j}$
   c) $\vec{a} = (-9,8 \text{ m/s}^2)\,\vec{j}$ d) $\vec{r}(3 \text{ s}) = (54 \text{ m})\,\vec{i} - (32,1 \text{ m})\,\vec{j}$
   e) $\vec{v}(3 \text{ s}) = (18 \text{ m/s})\,\vec{i} - (25,4 \text{ m/s})\,\vec{j}$
   f) $\vec{a}(3 \text{ s}) = (-9,8 \text{ m/s}^2)\,\vec{j}$
5. a) $\vec{a} = (2\vec{i} + 3\vec{j})$ m/s² b) $x = (3t + t^2)$ m
   $y = (1,5t^2 - 2t)$ m
6. a) $v_x = 2t$ m/s $v_y = 4t$ m/s b) $x = t^2$ m $y = 2t^2$ m
   c) $v = 4,47t$ m/s
7. a) $a_x = 0,8$ m/s² $a_y = -0,3$ m/s² b) $\theta = 339,4°$ par rapport à l'axe des x c) $x = 360$ m $y = -72,7$ m
   $\theta = -15°$ par rapport à l'axe des x
8. a) $\vec{v} = -12t\vec{j}$ m/s $\vec{a} = -12\vec{j}$ m/s² b) $\vec{r} = (3\vec{i} - 6\vec{j})$ m
   $\vec{v} = -12\vec{j}$ m/s
9. a) $\vec{r} = [5t\vec{i} + \frac{1}{2}3t^2\vec{j}]$ m $\vec{v} = (5\vec{i} + 3t\vec{j})$ m/s
   b) $x = 10$ m $y = 6$ m $\vec{v} = (5\vec{i} + 6\vec{j})$ m/s
   $v = 7,81$ m/s
10. $t = 3,19$ s $v = 36,1$ m/s $\theta = -60,1°$ par rapport à l'axe des x
11. a) $v_x = 3,27$ m/s b) $v = 5,32$ m/s $\theta = -52,1°$ par rapport à l'axe des x
12. a) $t = d/v_{0x}$ $y = v_{0y}t + \frac{1}{2}at^2$
    b) $y = 0 + \frac{1}{2}\,(+9,8)\left(\dfrac{x}{v_{0x}}\right)^2 = Ax^2$ où $A = \dfrac{g}{2v_{0x}^2}$
    c) $v_0 = 14,6$ m/s
13. $v = 143$ m/s
14. $v_0 = 74,5$ m/s
15. a) $t = 2,67$ s b) $\vec{v} = 29,9$ m/s horizontalement
    c) $v_x = 29,9$ m/s $v_y = -26,2$ m/s
16. a) Le ballon passe 3,94 – 3,05 = 0,89 m au-dessus de la barre. b) Le ballon est en train de redescendre.
17. $y = 18,7$ m
18. a) $v_0 = 27,1$ m/s b) $t = 3,91$ s
19. $v = 48,6$ m/s
20. $x = 7,23 \times 10^3$ m $y = 1,68 \times 10^3$ m
21. $y = 0,81$ m
22. $g = 0,6$ m/s²
23. a) $x = 22,6$ m b) $y = 52,3$ m c) $t = 1,18$ s
24. $a_r = 32$ m/s²
25. a) $f_R = 6$ tr/s b) $a_r = 1,52 \times 10^3$ m/s²
    c) $a_r = 1,28 \times 10^3$ m/s²
26. $a_r = 377$ m/s²
27. a) $v = 1,02 \times 10^3$ m/s b) $a_R = 2,72 \times 10^{-3}$ m/s²
28. $v = 19,8$ m/s
29. $v = 10,47$ m/s $a = 219$ m/s²
30. a) $a_r = 13$ m/s² b) $v = 5,7$ m/s c) $a_\theta = 7,5$ m/s²
31. a) $a_\theta = 0,6$ m/s² b) $a_r = 0,8$ m/s² c) $a = 1$ m/s²
    $\theta = 53,1°$
32. $a = 1,48$ m/s²
33. a) $a_r = 32$ m/s² b) $a_\theta = 55,4$ m/s² c) $a = 64$ m/s²
34. $a_{\text{haut}} = 30,8$ m/s² vers le bas $a_{\text{bas}} = 70,4$ m/s² vers le haut
35. $t_{\text{calme}} = 1,67 \times 10^3$ s $t_{\text{courant}} = 2,02 \times 10^3$ s
36. $v = 0,85$ m/s
37. a) $\vec{v} = (1,5 \text{ m/s}\,\vec{i} + 2 \text{ m/s}\,\vec{j})$ b) $d_x = 120$ m
38. $v = 150,03$ km $\theta = 1,15°$ au nord-ouest
39. a) $v_{pa} = 57,7$ km/h b) $v_{ps} = 28,9$ km/h vers le bas
40. a) $\theta = 36,9°$ b) $\theta = 41,6°$ c) $t = 3$ min
41. $d = 15,3$ m
42. a) $\vec{v} = 2t\vec{i}$ m/s b) $x = 4$ m $y = 6$ m
43. a) $v = 20$ m/s $t = 5$ s b) $v = 31$ m/s c) $t = 6,55$ s
    d) $\Delta x = 24$ m
44. $y = 3,16$ m
45. a) $\theta_0 = 14,7°$ ou $75,3°$ b) $t = 10,3$ s $t = 39,5$ s
46. $v = 8,94$ m/s $\theta = -63°$ (sous l'horizontale)
47. a) $r = 2,83$ m b) $r = 14,4$ m
48. $v = 7,58 \times 10^3$ m/s $v = 5,80 \times 10^3$ s = 96,7 min
49. $h_{\max} = 1\,522,2$ m $t_{\text{total}} = 36,1$ s $x = 4\,128,9$ m
50. $x = 87,3$ m $x = 567,3$ m
51. a) $v_0 = 41,7$ m/s b) $t = 3,81$ s c) $v_y = -13,4$ m/s
    $v_x = 34,1$ m/s $v = 36,6$ m/s
52. $y = 10,8$ m
53. a) $y = 5 - \dfrac{x^2}{4}$ b) $\vec{v} = 2\vec{i} - (2t)\,\vec{j}$
    c) $\vec{v} \perp \vec{r}$ à $t = 0$ s et 1,73 s
54. a) $d = 6\,804$ m b) Il se trouvera à 3 000 m au-dessus du point d'impact. c) $\theta = 66,2°$
55. $t = +0,979$ s
56. $v_{x0} = 700$ m/s
57. $v = 7,52$ m/s

58. a) $\theta = 53,1°$ $t = 55,6$ s b) $t = 33,3$ s
59. $\vec{C} = (2,73 \frac{km}{h}\vec{i} + 4,18 \frac{m}{h}\vec{j})$
60. a) $\vec{C} = 2 \frac{km}{h}$ vers l'est b) $\vec{v} = 4\vec{i} + 3\vec{j}$
61. a) $v_x = 7,14$ m/s $v_y = -12,1$ m/s b) $t = 2,47$ s
c) $\Delta x = 4,9$ m
62. a) $d = 43,2$ m $t = 2,87$ s b) $v_x = 9,66$ m/s
$v_y = -25,5$ m/s
63. On ne peut atteindre le navire ennemi si $x < 265$ m ou $> 3\,476$ m mesuré à partir de la rive.
64. a) $v = 46,5$ m/s b) $a = -77,6°$ c) $t = 6,34$ s
65. a) $v_0 = 22,9$ m/s b) $x = 360$ m c) $v_x = 114$ m/s
$v_y = -44,3$ m/s
66. Cette technique du saut en longueur lui permet d'atteindre sécuritairement le deuxième bâtiment.
67. $\theta = 26,6°$ $\frac{t_B}{t_{SB}} = 0,949$
68. Angle de visée tg $\theta = h/x$ Déplacement de la cible : $y_C = h - \frac{1}{2}gt^2$ Déplacement du projectile : $y = v_0 \sin \theta t - \frac{1}{2}gt^2$ et $x = v_0 \cos \theta t$ donc $v_0 = \frac{x}{t \cos \theta}$
$= \left(\frac{x}{t} \cos \theta\right) \sin \theta t - \frac{1}{2}gt^2 = x \operatorname{tg} \theta - \frac{1}{2}gt^2$,
mais tg $\theta = \frac{h}{x} = x\left(\frac{h}{x}\right) - \frac{1}{2}gt^2 = h - \frac{1}{2}gt^2$, donc $y_C = y_P$
69. REM THÊTA 0 = 60° REM V0 = 50 m/s
REM DELTA T = 0,2 s 10 V0 = 50 20 T0 = π/3
30 DT = 0,2 40 T = 0 50 X = 0 + V0*COS(0)*T
60 Y = 0 + V0*SIN(0)T – 0,5*(9,81)*T ↑ 2
70 VX = V0*COS(0) 80 VY = V0*SIN(0) – 9,81*T
90 PRINT T, X, Y, VX, VY 100 T = T + DT
110 IF T = 4,6 GO TO 130 120 GO TO 50
130 END
70. a) $\Delta r = 0,511$ m b) $t = 0,74$ s

Chapitre 4

1. a) $\frac{m_1}{m_2} = \frac{1}{3}$ b) $a = 0,75$ m/s²
2. a) $|\Sigma\vec{F}| = 12$ N b) $a = 3$ m/s²
3. a) $a = 5$ m/s² b) $p = 19,6$ N c) $a = 10$ m/s²
4. $F = 6$ N
5. a) $x = 1,44$ m b) $\overline{F} = 50,8$ N
6. $\vec{F} = (6\vec{i} + 15\vec{j})$ N $|\vec{F}| = 16,16$ N
7. 2 376 N
8. $F = -7\,031$ N
9. $\vec{a} = (5\vec{i} - 1,25\vec{j})$ m/s²
10. $t = 444$ s
11. a) $\vec{a} = (4\vec{i} + 3\vec{j})$ m/s² ou $a = 5$ m/s² $\theta = 36,9°$
b) $\vec{a} = (5,5\vec{i} + 2,6\vec{j})$ m/s² ou $a = 6,08$ m/s² $\theta = 25,3°$
12. a) $a = 2$ m/s² b) $F = 160$ N c) $a_2 = 3,2$ m/s²
13. $\vec{F} = m\vec{a} = (2,5\vec{i} + 5\vec{j})$ N $F = 5,59$ N
14. $F = 600$ N
15. a) $F = 3,6 \times 10^{-18}$ N b) $\frac{F}{p} = 4 \times 10^{11}$
16. a) $F_{sol} = 67$ N b) $F_{sol} = 23$ N c) $F_{sol} = 0$ N
17. $T_2 = T_1 = 2\,156$ N
18. $T_2 = 130$ N $T_1 = 75$ N
19. $Fx = 8,66$ N
20. a) $T_2 = 37,5$ N $T_1 = 31,5$ N $T_3 = 49$ N
b) $T_1 = 113,2$ N $T_2 = 56,6$ N $T_3 = 98$ N
21. $T = 613$ N
22. a) $T = 49$ N b) $T = 98$ N c) $T = 24,5$ N
23. a) $\vec{F} = (-375\vec{i} + 1,47\vec{j})$ N b) $\vec{F} = (375\vec{i} - 1,47\vec{j})$ N
24. a) $v = 14,3$ m/s b) $x = 588$ m
25. $F = -551$ N
26. $T = 64$ N
27. $T = 32,7$ N $a = 6,53$ m/s²
28. $a = 2,21$ m/s² à 73,7° au nord-est
29. $a = \frac{F}{(m_1 + m_2)}$ $T = \frac{Fm_1}{(m_1 + m_2)}$
30. a) $T = 36,5$ N b) $a = 2,45$ m/s² c) $y = 1,23$ m
31. a) $a = 2,54$ m/s² b) $v = 3,19$ m/s
32. $x = 3,73$ m
33. a) $a = 3,57$ m/s² b) $T = 26,7$ N c) $v = 7,14$ m/s
34. a) $T = 8\,927$ N b) $a = 1,05$ m/s² c) $m = 369$ kg
35. a) $a_1 = 2a_2$ b) $T_1 = \frac{m_1 m_2}{2m_1 + \frac{1}{2}m_2} g$ $T_2 = \frac{m_1 m_2}{m_1 + \frac{1}{4}m_2} g$
c) $a_1 = \frac{T_1}{m_1} = \frac{m_2 g}{2m_1 + \frac{1}{2}m_2}$ $a_2 = \frac{1}{2} a_1 = \frac{m_2 g}{4m_1 + m_2}$
36. $F_R = 84,9$ N $p = 84,9$ N
37. a) $\underline{a} = 3,35$ m/s² b) $t = 2,44$ s
38. a) $\overline{F} = -7\,500$ N b) $x = 50$ m
39. $T = 2\,260$ N
40. M. Muscle ne peut soulever le coffre-fort.
$p_{max} = 356$ N
41. a) 2 m/s² b) $F_1 = 4$ N $F_2 = 6$ N $F_3 = 8$ N
c) $F_{23} = 8$ N $F_{12} = 14$ N
42. $F = 1\,176$ N
43.

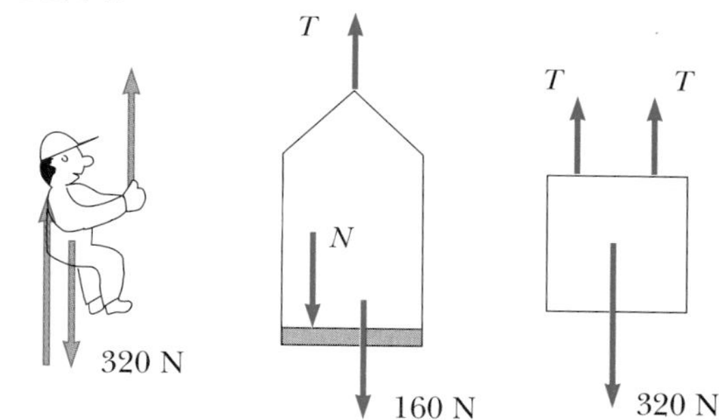

b) $a = 0,408$ m/s² c) $m = 83,3$ N
44. a) $\vec{v} = (-45\vec{i} + 15\vec{j})$ m/s b) $\theta = 162°$ par rapport à l'axe des x c) $\Delta\vec{r} = (-225\vec{i} + 75\vec{j})$ m
d) $\vec{r} = (-227\vec{i} + 79\vec{j})$ m
45. $t = 12,8$ s
46. $\theta = 30,7°$ $T = 0,843$ N

Chapitre 5

1. $\mu_s = 0,306$ $\mu_k = 0,245$
2. $v = 88,5$ m/s
3. $\mu = 0,461$
4. $T = 37,8$ N
5. $t = 2,2$ s
6. $\mu_k = 0,161$ $a = 1,01$ m/s²
7. a) $a = 1,78$ m/s² b) $\mu_k = 0,368$ c) $F_F = 9,37$ N
d) $v = 2,67$ m/s
8. $\mu_s = 0,727$ $\mu_k = 0,577$

9. $x = 221{,}5$ m
10. a) $\theta = 55{,}15°$ b) $N = 167{,}3$ N
11. $F = -1{,}36 \times 10^3$ N
12. $f = 6{,}56 \times 10^{15}$ tr/s
13. $v = 13{,}3$ m/s
14. $v = 14{,}3$ m/s
15. $\mu_s = 0{,}283$
16. a) Tension = 9,8 N b) $F_c = 9{,}8$ N c) $v = 6{,}26$ m/s
17. a) $v_s = 1{,}05$ m/s b) $a_R = 0{,}110$ m/s^2
18. a) C'est la force de frottement statique qui fait tourner la pièce de monnaie. b) $\mu_s = 0{,}085\,0$
19. a) $N = 149$ N b) $v = 10{,}4$ m/s
20. $v = 3{,}13$ m/s
21. a) $v = 4{,}81$ m/s b) $N = 700$ N
22. $N = 2{,}87$ N
23. a) $N = 24\,900$ N b) $v = 12{,}1$ m/s
24. Tarzan ne peut traverser la rivière.
25. a) $r = 8{,}62$ m b) $F = Mg$ vers le bas c) $a_r = 8{,}45$ m/s^2 d) Les rails doivent empêcher les véhicules de tomber et non les pousser vers le centre comme dans le cas précédent.
26. a) $a = 6{,}27$ m/s^2 vers le bas b) $R = 784$ N vers le haut c) $R = 283$ N vers le haut
27. a) $v_L = 51{,}7$ m/s b) $h = 137$ m
28. $v_L = 13{,}7$ m/s
29. $a = 2{,}42$ m/s^2
30. a) $a = 3{,}60$ m/s^2 b) $T = 0$ c) Pour un observateur à l'extérieur et au repos, la seule force agissant sur m est T. Pour un observateur dans le wagon, il y a T et une force fictive ma.
31. a) $a = 0{,}822$ m/s^2 b) $F_F = 37$ N c) $\mu = 0{,}084$
32. $a_r = 0{,}493$ m/s^2 $a_\theta = -0{,}524$ m/s^2 $a = 0{,}720$ m/s^2 $\theta = 43{,}3°$
33. a) $F = 8{,}32 \times 10^{-8}$ N b) $a_R = 9{,}13 \times 10^{22}$ m/s^2 c) $F = 6{,}61 \times 10^{15}$ rév/s
34. a) $T = 787$ N $T = (68{,}6\text{ N})\vec{i} + (784\text{ N})\vec{j}$ b) $a_r = 0{,}857$ m/s^2
35. a) $f = 0{,}610$ rév/s b) $v = 0{,}766$ m/s $a = 2{,}93$ m/s^2
36. a) N = poussée du sol sur l'objet = poids apparent $mg - N = \frac{mv^2}{R}$ alors $N = mg - \frac{mv^2}{R}$ d'où $N < mg$ b) $N_P = 735$ N $N_E = 732$ N
37. a) $v_{min} = \sqrt{\frac{Rg(\text{tg}\,\theta - \mu)}{1 + \mu\,\text{tg}\,\theta}}$ $v_{max} = \sqrt{\frac{Rg(\text{tg}\,\theta + \mu)}{1 - \mu\,\text{tg}\,\theta}}$ b) $\mu = \text{tg}\,\theta$ c) $v_{min} = 8{,}57$ m/s $v_{max} = 16{,}6$ m/s
38. $T = 12{,}8$ N
39. a) $a = 2{,}63$ m/s^2 b) $r = 201$ m c) $v = 17{,}7$ m/s
40. a) $T = \sqrt{\frac{4\pi^2 R\mu_s}{g}}$ b) $T = 2{,}54$ s $F = 23{,}6$ tr/min
41. $f = 62{,}2$ tr/min
42. $v = 5{,}19$ m/s

Chapitre 6

1. $h = 30{,}6$ m
2. $W = 2{,}93$ kJ
3. $W = 1{,}50 \times 10^6$ J
4. $W = 1{,}59 \times 10^3$ J
5. $W = 4{,}70$ kJ
6. $\vec{A} \cdot \vec{B} = 28{,}9$
7. a) $W = 16$ J b) $\theta = 36{,}9°$
8. $\vec{A} \cdot \vec{B} = 6$ $\theta = 59°$
9. $W = 32$ J
10. a) $\theta = 11{,}3°$ b) $\theta = 82{,}3°$
11. $W_{net} = 3$ J
12. a) $W = 7{,}5$ J b) $W = 15$ J c) $W = 7{,}5$ J d) $W = 30$ J
13. a) $y = 0{,}938$ cm b) $W = 1{,}25$ J
14. a)

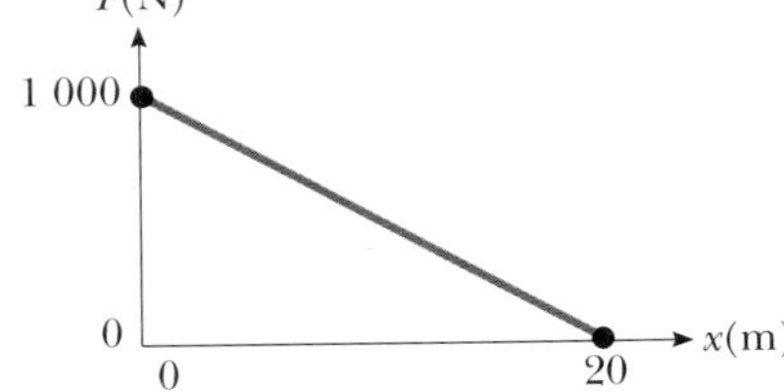

b) $F_{moy} = (1\,000 - 25x)$ N c) $W = 10$ kJ
15. a) $k = 417$ N/m b) $W = 3$ J
16. a) $k = 287{,}5$ N/C b) $W = 460$ kJ
17. $\Delta W = 12$ J
18. a) $K_A = 1{,}2$ J b) $v_B = 5$ m/s c) $W = 6{,}3$ J d) $K = 0{,}3$ J
19. a) $v = 2$ m/s b) $F = 200$ N
20. a) $K_0 = 60$ J b) $\Delta K = 60$ J
21. $W = -1{,}96 \times 10^5$ J
22. $W = 900$ J
23. $T = 60{,}3$ N $W = 1\,207$ J
24. $d = 0{,}116$ m
25. a) $W_g = 168$ J b) $W_F = 500$ J c) $v = 8{,}29$ m/s d) $\Delta K = 332$ J
26. $P = 875$ W
27. $n = 9{,}8 \times 10^6$ ampoules
28. $P = 3{,}27$ kW
29. a) $W = 75$ kJ b) $P = 25$ kW c) $P = 33{,}3$ kW
30. a) $W = 2{,}06 \times 10^4$ J b) $P = 686$ W
31. a) $v = 30{,}1$ m/s b) $P = 6{,}28$ kW
32. $K = 90$ J
33. $v = 2{,}92$ m/s
34. a) $W_F = 304$ N b) $W_N = 0$ c) $W_g = -304$ N
35. $v = 3{,}7$ m/s
36. a) $\cos\alpha = \frac{A_x}{A}$ $\cos\beta = \frac{A_y}{A}$ $\cos\gamma = \frac{A_z}{A}$ b) $\cos^2\alpha + \cos^2\beta + \cos^2\gamma = \left(\frac{A_x}{A}\right)^2 + \left(\frac{A_y}{A}\right)^2 + \left(\frac{A_z}{A}\right)^2 = \frac{A^2}{A^2} = 1$
37. $F = 8{,}78 \times 10^5$ N
38. $P = 141$ kW
39. $l = 4{,}12$ m
40. $v = 1{,}68$ m/s
41. $w_{014} = 509{,}35$ J
42. $W = 0{,}801\,8$ J

Chapitre 7

1. $U = 147$ J
2. a) $U = -19{,}6$ J b) $U = 39{,}2$ J c) $U = 0$
3. a) $U_A = 2{,}59 \times 10^5$ J $U_B = 0$ $\Delta U = U_A - U_B = 2{,}59 \times 10^5$ J b) $U_A = 0$ $U_B = -2{,}59 \times 10^5$ J $\Delta U = U_A - U_B = 2{,}59 \times 10^5$ J
4. a) $U = 80$ J b) $U = 10{,}7$ J c) $U = 0$

5. a) $W_{OAC} = -147$ J b) $W_{OBC} = -147$ J c) $W_{OC} = -147$ J
6. a) $W = 80$ J b) $\Delta U = -80$ J c) $v_5 = 6{,}32$ m/s
7. a) $W = 40$ J b) $\Delta U = -40$ J c) $K_f = 62{,}5$ J
8. a) $W = -9$ J b) $v = 3{,}39$ m/s c) $\Delta U = 9$ J
9. $v = 2{,}94$ m/s
10. $v = \sqrt{3\,g\,R}$ $N = 0{,}098\,0$ N
11. a) $v_{0y} = 19{,}8$ m/s b) $W_g = 294$ J
c) $\vec{v}_B = (30 \text{ m/s})\,\vec{i} - (39{,}6 \text{ m/s})\,\vec{j}$
12. a) $U_f = 22$ J $E = 40$ J b) La particule est soumise à d'autres forces en plus des forces conservatrices, sinon $\Delta E_{\text{total}} = 0$.
13. a) $v = \sqrt{gh + v_0^2}$ b) $\vec{v} = 0{,}6 v_0 \vec{i} - \sqrt{0{,}64 v_0^2 + gh}\,\vec{j}$
14. $v_f = 1{,}92$ m/s
15. $\therefore\ y = 1{,}84$ m
16. a) $v = 19{,}8$ m/s b) $E = 78{,}4$ J c) $\dfrac{K_{10}}{U_{10}} = 1$
17. a) $v = 4{,}43$ m/s b) $y_{\max} = 5$ m
18. $h = \dfrac{2}{3} H$
19. a) $\Delta K = -160$ J b) $\Delta U = 73{,}5$ J c) $F_F = 28{,}8$ N
d) $\mu = 0{,}679$
20. $x = 1{,}96$ m
21. $\Delta E = 489$ kJ
22. a) $v = 8{,}85$ m/s b) Fraction perdue = 54,1 %
23. $v = 3{,}68$ m/s
24. $v_f = 26{,}3$ m/s
25. $F_F = 2\,058$ N
26. $\therefore\ v|_{x=2\text{ m}} = 2$ m/s $v|_{x=4\text{ m}} = 2{,}79$ m/s
$v|_{x=6\text{ m}} = 3{,}19$ m/s
27. $v = 3{,}74$ m/s
28. $v = 1{,}4$ m/s
29. $x = 289$ m
30. a) $U = -4{,}77 \times 10^9$ J b) $F = 569$ N
31. a) $U_{\text{total}} = -1{,}67 \times 10^{-14}$ J b) Au centre du triangle équilatéral
32. $\Delta U = 4{,}16 \times 10^{10}$ J
33. a) $\rho = 1{,}84 \times 10^9$ kg/m³ b) $g = 3{,}27 \times 10^6$ m/s²
c) $U = -2{,}08 \times 10^{13}$ J
34. $h = 2{,}52 \times 10^7$ m
35. a) $F = 0$ à A, C, E $F = +$ à B $F = -$ à D b) Équilibre stable à C Équilibre instable à A et E
36.

Stable

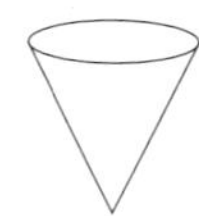
Instable

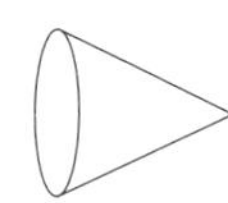
Indifférent

37. a) $v_B = 5{,}94$ m/s $v_C = 7{,}67$ m/s b) $W_g|_{A\to C} = 147$ J
38. a) L'équilibre est stable. b) L'équilibre est indifférent. c) L'équilibre est instable.
39. $F_r = \dfrac{A}{r^2}$
40. a) $F_x = -2ax + b$ b) $x = \dfrac{b}{2a}$
41. a) $U_A = 0{,}588$ J b) $K_B = 0{,}588$ J c) $v_B = 2{,}42$ m/s
d) $U_C = 0{,}392$ J $K_C = 0{,}196$ J
42. a) $K_B = 0{,}225$ J b) $\Delta E = 0{,}363$ J c) Non
43. $x = 4{,}79$ cm
44. $y = \dfrac{4}{5} h \sin^2 \theta + \dfrac{h}{5}$
45. a) $K_i = 349$ J, 676 J et 741 J
b) $F_{\text{moy}} = 175$ N, 338 N et 370 N c) Oui
46. a) $E = 100{,}5$ J b) $h = 0{,}41$ m c) $v = 2{,}84$ m/s
d) $v_{\max} = 2{,}85$ m/s
47. $\mu = 0{,}328$
48. a) $v = 0{,}14$ m/s b) $h = 0{,}004$ m
49. $\mu = 0{,}115$
50. a) $d = 0{,}236$ m b) $a = 5{,}9$ m/s² L'accélération n'est pas constante. c) L'énergie potentielle de gravité diminue. L'énergie potentielle du ressort augmente. L'énergie cinétique augmente puis diminue.
51. $v = 1{,}25$ m/s
52. a) $\vec{F} = -\dfrac{d}{dx}(-x^3 + 2x^2 + 3x)\,\vec{i} = (3x^2 - 4x - 3)\,\vec{i}$
b) $x = 1{,}87$ et $-0{,}535$ c) Les points d'équilibre stable correspondent aux minimums de la fonction $U(x)$ et les points d'équilibre instable aux maximums.
53. a) $x = 0{,}4$ m b) $v_T = 4{,}1$ m/s c) Le bloc ne tombera pas.
54. $\Delta K_A = 3{,}92$ kJ
55. $k = 31{,}1$ N/m
56. a) $x = 0{,}378$ m b) $v = 2{,}3$ m/s c) $d = 1{,}08$ m
57. $k = 914$ N/m

Chapitre 8

1. a) $p = 0$ b) $\vec{p} = 1{,}06 \text{ kg}\cdot\text{m/s}\ \vec{j}$
2. $F = -7{,}5 \times 10^4$ N
3. $\vec{v}_{1f} = -6{,}25 \times 10^{-2}$ m/s
4. a) $\vec{v}_{fF} = -0{,}49$ m/s b) $\vec{v}_{fH} = -0{,}020\,1$ m/s
5. $\vec{v}_{1f} = -3(2) = -6$ m/s
6. $x = 2{,}45$ cm
7. a) $I = 12$ N·s b) $v_f = 6$ m/s c) $v_f = 4$ m/s
8. $I = 364$ kg·m/s $F = 438$ N
9. a) $I = 13{,}5$ kg·m/s b) $F_{\text{moy}} = 6{,}75$ kN
10. $F_{\text{moy}} = -260$ N
11. $\vec{F} = 1{,}6 \text{ kN}\ \vec{j}$
12. a) $V_f = 3{,}33$ m/s b) $\Delta K = -83{,}4$ J
13. $v_{1i} = 301$ m/s
14. a) $V = 2$ m/s b) $\Delta K = -5\,040$ J
15. a) $v_{CF} = 20{,}9$ m/s b) $K_{\text{perdue}} = 8{,}68$ kJ
16. a) $v_f = 2{,}5$ m/s b) $\Delta K = -3{,}75 \times 10^4$ J
17. a) $f = 28{,}4$ % b) $K_C = 4{,}54 \times 10^{-14}$ J
$K_N = 1{,}15 \times 10^{-13}$ J
18. $F = 3\,750$ N
19. $v_{1f} = -0{,}5$ m/s $v_{2f} = 2$ m/s
20. $v = \dfrac{4M}{m}\sqrt{g\ell}$
21. $h_{\max} = 0{,}556$ m
22. $V = 0{,}816$ m/s $\theta = 45°$
23. $v_V = 7{,}07$ m/s $v_{BL} = 5{,}89$ m/s
24. a) $v = \dfrac{v_0}{v_2}$ b) $\theta = 45°$ $\phi = -45°$
25. $\vec{v} = 2{,}5$ m/s à $-60°$
26. a) $v_{2f} = 1{,}07$ m/s b) $F_{\text{perdue}} = -0{,}318$
27. a) $\vec{v} = 42{,}9$ m/s à 217° b) $E = 7{,}71$ kJ
28. a) $v_x = -9{,}33 \times 10^6$ m/s $v_y = -8{,}33 \times 10^6$ m/s
b) $E = 4{,}39 \times 10^{-13}$ J
29. $F = -48\,000$ N $\theta = -51{,}3°$ par rapport à x
30. c.m. = (0,1 m)

31. $x_{cm} = 0 \quad y_{cm} = -12$ cm
32. c.m. = 454 km
33. $x_{cm} = 1{,}26 \times 10^{-10}$ m
34. $x_{cm} = 0{,}117$ m $\quad y_{cm} = 0{,}133$ m
35. a) $\vec{v}_{cm} = (1{,}4\vec{i} + 2{,}4\vec{j})$ m/s b) $\vec{p} = (7\vec{i} + 12\vec{j})$ kg·m/s
36. a) $v_{3\,approche} = 2{,}1$ m/s $\quad v_{7\,approche} = 0{,}9$ m/s
b) $(p_3)_{cm} = 6{,}3 \times 10^{-3}$ kg·m/s
$(p_7)_{cm} = -6{,}3 \times 10^{-3}$ kg·m/s
37. $x' = 0{,}7$ m
38. $v_i = 1\,390$ m/s
39. $\vec{v}_{recul} = -256$ km/s $\vec{i}$
40. a) $v = 6{,}81$ m/s b) $h = 1$ m
41. $t = 210$ s
42. $h = 0{,}98$ m
43. $h = 56{,}7$ m
44. a) Le centre de masse ne bouge pas. b) $x'' = 5{,}55$ m
c) Il manque 0,45 m.
45. a) $v_{1f} = 100$ m/s b) $E_p = 374$ J

Chapitre 9

1. a) $\alpha = 4$ rad/s b) $\theta = 18$ rad
2. a) $\alpha = -0{,}0582$ rad/s² b) $\theta = 16{,}7$ rév
3. a) $\omega = 1{,}99 \times 10^{-7}$ rad/s b) $\omega = 2{,}65 \times 10^{-6}$ rad/s
4. a) $\omega = 2at + 3bt^2$ b) $\alpha = 2a + 6bt$
5. a) $t = 5{,}24$ s b) $\theta = 27{,}4$ rad
6. $\theta|_{t=0} = 5$ rad $\quad \theta|_{t=3s} = 53$ rad $\quad \omega|_{t=0} = 10$ rad/s
$\omega|_{t=3s} = 22$ rad/s $\quad \alpha|_{t=0} = 4$ rad/s² $\quad \alpha|_{t=35} = 4$ rad/s²
7. a) $\theta = 5{,}43$ tr b) $\omega = 1{,}21$ tr/s
8. a) $\alpha = 8{,}22 \times 10^2$ rad/s² b) $\theta = 4{,}21 \times 10^3$ rad
9. $\theta_{total} = 50$ tr
10. a) $\alpha = -12{,}7$ rad/s² b) $t = 3{,}14$ s
11. $\alpha = -226$ rad/s²
12. a) $\omega = 1\,200$ rad/s b) $t = 25$ s
13. a) $\omega = 0{,}18$ rad/s b) $a_r = 8{,}1$ m/s² vers le centre de la trajectoire
14. $\alpha = 25$ rad/s²
15. a) $\omega = 25$ rad/s b) $\alpha = 39{,}8$ rad/s² c) $\Delta t = 0{,}628$ s
16. a) $\omega = 126$ rad/s b) $v = 3{,}77$ m/s
c) $a_\theta = 1{,}26$ km/s² d) $s = 20{,}1$ m
17. $\omega = 40$ rad/s
18. $a_r = 29{,}4$ m/s² $\quad a_\theta = 9{,}8$ m/s²
19. a) $I = 143$ kg·m² b) $K = 2{,}57 \times 10^3$ J
20. a) $I_x = 92$ kg·m² $\quad K = 184$ J b) 6 m/s 4 m/s
8 m/s $\quad K = 184\text{ J} = \frac{1}{2}I_x\omega^2$
21. $\tau_{net} = -3{,}55$ N·m
22. a) $\tau_0 = 29{,}6$ N·m b) $\tau_C = 35{,}6$ N·m
23. $\tau = -168$ N·m
24. $\tau = 706$ N·m
25. a) $\vec{A} \times \vec{B} = -17\vec{k}$ b) $\theta = 70{,}6°$
26. $\vec{M} \times \vec{N} = -7\vec{i} + 16\vec{j} - 10\vec{k}$
27. a) $\vec{\tau} = -7\vec{k}$ b) $\vec{\tau} = 11\vec{k}$
28. $\theta = 45°$
29. $\vec{\tau} = (2\text{ N·m})\vec{k}$
30. a) $I = 21{,}6$ kg·m² b) $t_F = -3{,}6$ N·m c) $\theta_{total} = 52{,}4$ tr
31. a) $\tau = 24$ N·m b) $\alpha = 0{,}035\,6$ rad/s²
c) $a_T = 1{,}07$ m/s²
32. $\vec{L} = -22\vec{k}$ kg·m²/s
33. $\vec{L} = 60\vec{k}$ kg·m²/s
34. a) $\vec{L} = 4dmv\vec{k}$ b) $\vec{L} = 0$ c) $\vec{L} = -2dmv\vec{k}$
35. $L = 17{,}5$ kg·m²/s
36. a) $L = 2{,}1 \times 10^{10}$ kg·m²/s b) Non
37. $\dfrac{I_f}{I_i} = 0{,}294$
38. a) $\omega_f = 1{,}91$ rad/s b) $K_i = 2{,}53$ J c) $K_f = 6{,}44$ J
39. a) $\omega_f = 3{,}58$ rad/s b) $\Delta K = 539$ J
40. $W = 5{,}99 \times 10^{-2}$ J
41. a) $W_p = -0{,}36$ rad/s b) $W = 99{,}9$ J
42. a) $v = 2{,}19 \times 10^6$ m/s b) $K = 2{,}18 \times 10^{-18}$ J
c) $\omega = 4{,}13 \times 10^{16}$ rad/s
43. Rapport $= \dfrac{1}{160}$
44. $K = 14{,}8$ J
45. $K = 276$ J
46. a) $K_{trans} = 500$ J b) $K_{rot} = 250$ J c) $K_{total} = 750$ J
47. $\omega_f = 149$ rad/s
48. $\alpha = \dfrac{3g}{2L} \quad a_t = \dfrac{3g}{2}$
49. $F_{rot/cin} = \dfrac{2}{7}$
50. $a = \dfrac{(m_2 - m_1)g}{m_1 + m_2 + 2I/R^2} \quad T_1 = \dfrac{2m_1g(m_2R^2 + I)}{(m_1R^2 + m_2R^2 + 2I)}$

$T_3 = \dfrac{2m_2g(m_1R^2 + I)}{(m_1R^2 + m_2R^2 + 2I)}$

$T_2 = \dfrac{m_1gI + m_2gI + 2m_1m_2gR^2}{(m_1R^2 + m_2R^2 + 2I)}$
51. $v = \sqrt{\dfrac{2(m_2 - m_1)ghR^2}{m_1R^2 + m_2R^2 + I}} \quad \omega = \sqrt{\dfrac{2(m_2 - m_1)gh}{m_1R^2 + m_2R^2 + I}}$
52. a) $v_{cm} = 2\sqrt{\dfrac{Rg}{3}}$ b) $v_L = 4\sqrt{\dfrac{Rg}{3}}$ c) $v_{cm} = \sqrt{Rg}$
53. a) $N_2 = 249{,}9$ N $\quad N_1 = 485{,}1$ N
54. $F = 0{,}375$ N
55. $F_2 = 20{,}5$ N $\quad \vec{F}_{px} = -31{,}8\text{ N }\vec{i} \quad \vec{F}_{py} = 5{,}12\text{ N }\vec{j}$
56. a) $T = 263$ N $\quad \vec{F}_{sol} = -263\text{ N }\vec{i} + 1\,960\text{ N }\vec{j}$ b) Il faut la masse m du « garçonnet intrépide » pour pouvoir obtenir une réponse numérique.
57. $\theta = 21{,}8°$
58. $m = 138$ kg
59. a) $\Delta t = 1{,}03$ s b) $\theta = 1{,}03$ tr
60. $I = 0{,}15$ kg·m²
61. $\omega_f = 227$ rad/s
62. $r = 1\,590$ km
63. $I = 1{,}41 \times 10^{-46}$ kg·m²
64. a) $L = 3\,750$ kg·m²/s b) $K_1 = 1\,875$ J
c) $L = 3\,750$ kg·m²/s d) $v = 10$ m/s e) $K_2 = 7\,500$ J
f) $W = 5{,}62$ kJ
65. a) $h_{min} = 2{,}7(R - r)$ b) $\Sigma F_y = -mg$

$\Sigma F_x = -\dfrac{(\frac{10}{7})(2R + r)}{R - r}mg$
66. a) $E = 2{,}6 \times 10^{29}$ J b) $\dfrac{dE}{dt} = -1{,}65 \times 10^{17}$ J/jour
67. $v = 139$ m/s
68. a) $\omega = \sqrt{\dfrac{2mgd\sin\theta + kd^2}{I + mR^2}}$ b) $\omega = 1{,}74$ rad/s
69. a) $T_2 = 156$ N $\quad T_1 = 118$ N b) $I = 1{,}19$ kg·m²

70. a) $\alpha = -0{,}249$ rad/s² b) $\theta = 1{,}29$ tr c) $\theta|_\infty = 9{,}36$ tr
71. a) $\tau_m = 2\,164$ N·m b) $P = 439$ W
72. a) $a = \frac{5}{7} g \sin\theta$ b) $a = \frac{5}{7} g \sin\theta$ c) Le frottement agit dans le sens contraire à $mg \sin\theta$. L'accélération du c.m. est donc moindre que $g \sin\theta$.
73. $\vec{F}_H = 131{,}25\text{ N }\vec{i} - 122{,}5\text{ N }\vec{j}$
 $\vec{F}_B = -131{,}25\text{ N }\vec{i} - 122{,}5\text{ N }\vec{j}$
74. $N_D = 61{,}3$ N $N_G = 85{,}7$ N $F = 43{,}3$ N

Chapitre 10

1. a) $r = 1{,}50 \times 10^{11}$ m b) $F = 3{,}55 \times 10^{22}$ N
2. $F_L = 3{,}33 \times 10^{-5}$ N $F_S = 5{,}90 \times 10^{-3}$ N, donc c'est le Soleil.
3. $\frac{\rho_L}{\rho_T} = \frac{2}{3}$
4. $M_T = 6 \times 10^{24}$ kg
5. $\frac{v_p}{v_a} = 1{,}27$
6. $M = 1{,}90 \times 10^{27}$ kg
7. $d = 8{,}99 \times 10^{7}$ m
8. $x = 35{,}2$ U. A.
9. a) $T = 1{,}48$ h b) $v = 7\,790$ m/s c) $W = 6{,}45 \times 10^{9}$ J
10. a) $U = -4{,}76 \times 10^{9}$ J b) $F = 5{,}68 \times 10^{2}$ N
11. $h = 1{,}34 \times 10^{6}$ m
12. $v_L = 2{,}49$ km/s
13. a) $K = 1{,}88 \times 10^{11}$ J b) $P_{moy} = 103$ kW
14. $\Delta E = 469$ MJ
15. $v_{lib} = \sqrt{2}v_0$
16. a) $\frac{v_p}{v_a} = 4$ b) $\frac{E_p}{E_a} = 1$
17. a) $v_{lib} = 4{,}21 \times 10^{4}$ m/s b) $R = 2{,}20 \times 10^{4}$ m
18. $T = \sqrt{\frac{125\pi}{3\rho G}}$
19. Alors $v_{lib} \cdot \propto r_p$
20. $v \cong 500$ m/s
21. $\omega = 0{,}057$ rad/s = 0,55 tr/min
22. $M = 7{,}79 \times 10^{14}$ kg
23. a) $k = 1$ an²/UA³ b) $T = 11{,}9$ années
24. a) $T = 5\,070$ s = 84,4 min b) $v = R\sqrt{4\pi G\rho/3}$
25. $v_1 = m_2\sqrt{\frac{2G}{d(m_1+m_2)}}$ $v_2 = m_1\sqrt{\frac{2G}{d(m_1+m_2)}}$
 $v_r = \sqrt{\frac{2G(m_1+m_2)}{d}}$ b) $K_1 = 1{,}07 \times 10^{32}$ J
 $K_2 = 2{,}67 \times 10^{31}$ J
26. a) $v_a = 2{,}93 \times 10^{4}$ m/s b) $K_p = 2{,}74 \times 10^{33}$ J
 $U_p = -5{,}4 \times 10^{331}$ J c) $K_a = 2{,}57 \times 10^{33}$ J
 $U_a = -5{,}22 \times 10^{33}$ J $E_p = -2{,}66 \times 10^{33}$ J
 $E_a = -2{,}65 \times 10^{33}$ J
27. a) $g = 1{,}33 \times 10^{12}$ m/s² b) $p = 9{,}29 \times 10^{13}$ N
 c) $E = 2{,}22 \times 10^{-11}$ J
28. a) $M = 7{,}34 \times 10^{22}$ kg b) $v = 1{,}63 \times 10^{3}$ m/s
 c) $E_{min} = 1{,}32 \times 10^{10}$ J
29. $r = 1{,}19 \times 10^{5}$ m
30. a) $T \cong 230$ millions d'années b) $M = 2{,}66 \times 10^{41}$ kg
31. $T^2 = \frac{4\pi^2 d^3}{6(M+m)}$
32. $M + m = 1{,}48 \times 10^{22}$ kg
33. a) $a_c = 10{,}2$ m/s² b) $M = 1{,}10 \times 10^{32}$ kg
34. $v = \sqrt{2\left(Rg + \frac{gR^2}{r}\right)}$

Index

Q

R

S

T

U

V

W

Z